Jostein Gaarder
喬斯坦·賈德

作者生平簡介

1952 8月8日出生於挪威首都奧斯陸（Oslo）。父親科努特（Knut）是一所六年制專校的校長，母親英爾·瑪格麗特·賈德（Inger Margrethe Gaarder）是位老師並撰寫一些兒童書。

1974 賈德結婚。兩個兒子分別出生於1976年及1983年。

1976 賈德獲得奧斯陸大學，斯堪地那維亞文學系挪威文組的學位。

1981 賈德與妻兒遷至卑爾根（Bergen）居住。此後10年，他在芬拿（Fana）一所專校教導哲學及文學課程。

1991 賈德開始成為全職作家，全新投入青少年文學的創作。並於1994年再度遷至奧斯陸居住。

得獎記錄

1990 《紙牌的秘密》在挪威獲得「兒童及青少年評論協會獎」和「文化部獎」，並當選為該年度兒童暨青少年最佳讀物。

1991 《蘇菲的世界》獲得挪威宋雅·賀格曼那斯（Sonja Hagemanns）童書獎。

1993 《紙牌的秘密》、《蘇菲的世界》、《依麗莎白的秘密》同時獲得學校圖書館員協會獎。《蘇菲的世界》獲得德國時代週刊（Die Zeit）的文學獎。《西西莉亞的世界》獲得挪威暢銷書獎，同時提名伯瑞格獎（Brage）。

1994 《蘇菲的世界》獲得德國青少年文學獎。

1995 《蘇菲的世界》獲得義大利邦卡瑞拉獎（Bancarella）即菲萊以阿諾獎（Flaiano）。

人文
76

Sophie's World

精裝珍藏版

蘇菲的世界

全一冊

喬斯坦・賈德——著
JOSTEIN GAARDER
蕭寶森——譯

智庫文化

目錄

Sophie's World

Sophie's World

Sophie's World

H. ASCHEHOUG & CO
ETABLERT 1872

Jostein Gaarder
Aschehoug Forlag
Postboks 363 Sentrum
0102 Oslo, Norway

Dear Taiwan reader,

We nowadays often face the word "interactivity" - especially between a human and a machine. We should then have in mind that it's probably a more interactive prosess to read a book than staring at a computerscreen. It simply happens more in our brains and minds when we are reading a book. And indeed: I think we use more cerebral megabytes when we read a novel than we do when we watch a video-film or when we play games with a computer.

By speaking about books and literature we are in fact talking about one of the greatest mysteries in human civilization. Isn't it enigmatic how an accurate mixture of less than thirty different characters can make us laugh and cry, tremble with exitement or become overwhelmed by enchantment?

When I open one of the Taiwan editions of my books, I'm even more filled by wonder and astonishment. How is it possible to read - and understand - all these different Chinese characters? Are they really transmitting the same story I once wrote in Norwegian?

I strongly believe that our human brain is made for stories more than it's made for digital information. Across cultural and linguistic borders we all have a common mother-tongue. Children learn a few words in their native language, and then, just some months later, come the stories - with their more or less universal structure.

This forms much of the background for why I wrote "Sophie's world" as a novel. I first tried to write an easy accessible manual about Western philosophy, but it was too boring to do and would consequently be a little to boring to read as well. Trying to write a story about the history of Western philosophy was at the same time a greater challenge and much more fun to do.

I hereby wish Taiwan readers welcome to join Sophie and Alberto on their philosophical voyage. They will both speak to you, and I imagine that they will also keep an open ear for your respond. Good luck!

Jostein Gaarder

Jostein Gaarder

《蘇菲的世界》發行紀念精裝版

作者喬斯坦・賈德致台灣讀者序

親愛的台灣讀者：

我們現在經常面臨所謂的「互動」問題——尤其是人與機器之間的互動。而我們心裡應該明白，比起盯著電腦螢幕，讀一本書是更為互動的過程。當我們讀一本書的時候，大腦與心智所發生的活動就是比較多，我真的認為讀小說所需運用的大腦位元比看錄影帶或玩電動玩具來得多。

說到書籍與文學，其實我們所談論的是人類文明的最大奧祕之一。想想看，不到三十個字母的精確組合，如何能使我們開懷與落淚，激動得顫抖，或是深深著迷無法自拔，這不啻是一種不可思議的現象嗎？

當我翻閱拙著各書台灣版本的其中一冊時，我甚至更疑惑與驚訝。這些每個都不一樣的中文字，到底要怎麼讀、怎麼弄懂呢？這些中文字真正傳達的故事與我用挪威文寫下的故事相同嗎？

但我深深相信，我們人類的大腦是由故事而構成，而非由數位資訊所組合。跨越文化和語言的界限，我們都有著共同的母語（故事），像是小孩學會少許本國語言之後不到幾個月，就能說出故事——而他們所用的架構大同小異。

這樣的想法形成我為什麼要以小說形式撰寫《蘇菲的世界》的一大背景因素。我首先試圖寫一本容易入門的西方哲學指南，但做起來過於枯燥而無法持續，結果也就理所當然地讀起來有些枯燥。試著寫出一本有關西方哲學史的故事書，這是個更大的挑戰，同時做來也更有樂趣。

在此希望並歡迎台灣的讀者加入蘇菲與艾伯特的哲學旅程，一路上她們都會對你娓娓道來，而我則幻想她們張大耳朵傾聽你的回答。祝你好運！

喬斯坦·賈德

一九九八年八月二十一日

傳真自挪威奧斯陸

伊甸園

……在某個時刻事物必曾從無到有……

蘇菲放學回家了。有一段路她和喬安同行，他們談著有關機器人的問題。喬安認為人的腦子就像一部很先進的電腦，這點蘇菲並不太贊同。她想：人應該不只是一臺機器吧？

他們走到超市那兒就分手了。蘇菲住在市郊，那一帶面積遼闊，花木扶疏。蘇菲家位於外圍，走到學校的距離是喬安家的一倍，附近除了她家的園子之外，沒有其他住家，因此看起來他們彷彿住在世界盡頭似的。再過去，就是森林了。

蘇菲轉了個彎，走到苜蓿巷路上。路盡頭有一個急轉彎，人們稱之為「船長彎」。除了週六、週日的時候，人們很少打這兒經過。

正是五月初的時節。有些人家的園子裡，水仙花已經一叢叢開滿了果樹的四周，赤楊樹也已經長出了嫩綠的葉子。

每年到這個時節，萬物總是充滿了生機。這豈不是一件奇妙的事嗎？當天氣變暖，積雪融盡時，千千萬萬的花草樹木便陡地自荒枯的大地上生長起來了。這是什麼力量造成的呢？

蘇菲打開花園的門時，看了看信箱。裡面通常有許多垃圾郵件和一些寫給她媽媽的大信封。她總是把它們堆在廚房的桌子上，然後走上樓到房間做功課。

偶爾，也會有一些銀行寄給她爸爸的信。不過，蘇菲的爸爸跟別人不太一樣。他是一艘大油輪的船長，幾乎一年到頭都在外面。難得有幾個星期在家時，他會上上下下細心打點，為蘇菲母女倆把房子整理的漂亮舒適。不過，當他出海後卻顯得離他們遙遠無比。

今天，信箱裡卻只有一封信，而且是寫給蘇菲的。信封上寫著：「苜蓿路三號，蘇菲收」。只此而已。沒有寫寄信人的名字，也沒貼郵票。

蘇菲隨手把門帶上後，便拆開了信封。裡面只有一小張約莫跟信封一樣大小的紙，上面寫著：「你是誰？」

除此之外，什麼也沒有。沒有問候的話，也沒有回信地址，只有這三個手寫的字，後面是一個大大的問號。

蘇菲再看看信封。沒錯，信是寫給她的。但又是誰把它放在信箱裡的呢？

蘇菲快步走進她家那棟漆成紅色的房子裡。當她正要把房門帶上時，她的貓咪雪兒一如往常般悄悄自樹叢中走出，跳到門前的臺階上，一溜煙就鑽了進來。

「貓咪，貓咪，貓咪！」

你是誰

蘇菲的媽媽心情不好時，總是把他們家稱為「動物園」。事實上，蘇菲也的確養了許多心愛的動物。一開始時是三隻金魚：金冠、小紅帽和黑水手。然後她又養了兩隻鸚哥，名叫史密特和史穆爾，然後是名叫葛文的烏龜，最後則是貓咪雪兒。這些都是爸媽買給她作伴的。因為媽媽總是很晚才下班回家，而爸爸又常航行四海，很少在家。

蘇菲把書包丟在地板上，為雪兒盛了一碗貓食。然後她便坐在廚房的高腳椅上，手中仍拿著那封神祕的信。

你是誰？

她怎麼會知道？不用說，她的名字叫蘇菲，但那個叫做蘇菲的人又是誰呢？她還沒有想出來。

如果她取了另外一個名字呢？比方說，如果她叫做安妮的話，她會不會變成別人？這使她想起爸爸原本要將她取名為莉莉。她試著想像自己與別人握手，並且介紹自己名叫莉莉的情景，但卻覺得好像很不對勁，像是別人在自我介紹一般。

她跳起來，走進浴室，手裡拿著那封奇怪的信。她站在鏡子前面，凝視著自己的眼睛。「我的名字叫蘇菲。」她說。

鏡中的女孩卻連眼睛也不眨一下。無論蘇菲做什麼，她都依樣畫葫蘆。蘇菲飛快的做了一個動作，想使鏡中的影像追趕不及，但那個女孩卻和她一般的敏捷。

「你是誰？」蘇菲問。

鏡中人也不回答。有一剎那，她覺得迷惑，弄不清剛才問問題的到底是她，還是鏡中的影像。

蘇菲用食指點著鏡中的鼻子，說：「你是我。」

對方依舊沒有反應。於是她將句子顛倒過來，說：「我是你。」

蘇菲對自己的長相常常不太滿意。時常有人對她說她那一雙杏眼很漂亮，但這可能只是因為她的鼻子太小，嘴巴有點太大的緣故。還有，她的耳朵也太靠近眼睛了。最糟糕的是她有一頭直髮，簡直沒辦法打扮。有時她的爸爸在聽完一首德布西的曲子之後會摸摸她的頭髮，叫她：「亞麻色頭髮的女孩。」（編按：為德布西鋼琴「前奏曲」之曲名）對他來說，這當然沒有什麼不好，因為這頭直板板的深色頭髮不是長在他的頭上，他毋需忍受那種感覺。不管泡沫膠或造型髮膠都無濟於事。有時她覺得自己好醜，一定是出生時變了形的緣故。以前媽媽總是唸叨她當年生蘇菲時難產的情況。不過，難道這樣就可以決定一個人的長相嗎？

她居然不知道自己是誰，這不是太奇怪了嗎？她也沒有一點權力選擇自己的長相，這不是太不合理了嗎？這些事情都是她不得不接受的。也許她可以選擇交什麼朋友，但卻不能選擇自己要成為什麼人。她甚至不曾選擇要做人。

人是什麼？

她再度擡起頭，看看鏡中的女孩。

「我要上樓去做生物課的作業了。」她說，語氣中幾乎有些歉意。她很快走到了走廊。一到這兒，她想：「不，我還是到花園去好了。」

「貓咪！貓咪！貓咪！」

蘇菲追貓追到門階上，並且隨手關上了前門。

當她拿著那封神祕的信，站在花園中的石子路上時，那種奇怪的感覺又浮現了。她覺得自己好像一個在仙子的魔棒揮舞之下，突然被賦予了生命的玩具娃娃。她現在能夠在這個世界上四處漫遊，從事奇妙的探險，這不是一件很不尋常的事嗎？

雪兒輕巧的跳過石子路，滑進了濃密的紅醋栗樹叢中。牠是一隻活潑的貓，毛色光滑，全身上下從白色的鬍鬚到左右搖動的尾巴都充滿了蓬勃的生氣。牠此刻也在這園子中，但卻未像蘇菲一樣意識到這件事實。

當蘇菲開始思考有關活著這件事時，她也開始意識到她不會永遠活著。

她想：「我現在是活在這世上，但有一天我會死去。」

人死之後還會有生命嗎？這個問題貓咪也不會去想。這倒是牠的福氣。

蘇菲的祖母不久前才去世。有六個多月的時間，蘇菲天天都想念她。生命為何要結束呢？這是多麼不公平呀！

蘇菲站在石子路上想著。她努力思考活著的意義，好讓自己忘掉她不會永遠活著這件事。然而，這實在不太可能。現在，只要她一專心思索活著這件事，腦海中便會馬上浮現死亡的念頭。反過來說也是如此：唯有清晰的意識到有一天她終將死去，她才能夠體會活在世上是多麼美好。這兩件事就像錢幣的正反兩面，被她不斷翻來轉去。當一面變得更大、更清晰時，另外一面也隨之變得大而清晰。生與死正是一枚錢幣的正反兩面。

「如果你沒有意識到人終將死去，就不能體會活著的滋味。」她想。然而，同樣的，如果你不認為活著是多麼奇妙而不可思議的事時，你也無法體認你必須要死去的事實。

蘇菲記得那天醫生說告訴祖母她生病了時，祖母說過同樣的話。她說：「現在我才體認到生命是何等豐富。」

大多數人總是要等到生病後才瞭解，能夠活著是何等的福氣。這是多麼悲哀的事！或許他們也應該在信箱裡發現一封神祕的來信吧！

也許她應該去看看是否有別的信。

蘇菲匆匆忙忙走到花園門口，查看了一下那綠色的信箱。她很驚訝的發現裡面居然有另外一封信，與第一封一模一樣。她拿走第一封信時，裡面明明是空的呀！這封信上面也寫著她的名字。她將它拆開，拿出一張與第一封信一樣大小的便條紙。

紙上寫著：「世界從何而來？」

蘇菲想：「我不知道。」不用說，沒有人真正知道。不過蘇菲認為這個問題的確是應該問的。她生平第一次覺得生在這世界上卻連「世界從何處來」這樣的問題也不問一問，實在是很不恭敬。

這兩封神祕的信把蘇菲弄得腦袋發昏。她決定到她的老地方去坐下來。這個老地方是蘇菲最祕密的藏身之處。當她非常憤怒、悲傷或快樂時，她總會來到這兒。而今天，蘇菲來此的理由卻是因為她感到困惑。

蘇菲的困惑

這棟紅房子坐落在一個很大的園子中。園裡有很多花圃、各式各樣的果樹，以及一片廣闊的草坪，上面有一架沙發式的鞦韆與一座小小的涼亭。這涼亭是奶奶的第一個孩子在出生幾週便夭折後，爺爺為奶奶興建的。孩子的名字叫做瑪莉。她的墓碑上寫著：「小小瑪莉來到人間，驚鴻一瞥魂歸高天」。

在花園的一角，那些木莓樹叢後面有一片花草果樹不生的濃密灌木林。事實上，那兒原本是一行生長多年的樹籬，一度是森林的分界線，然而由於過去二十年來未經修剪，如今已經長成一大片，枝葉糾結，難以穿越。奶奶以前常說戰爭期間這道樹籬使得那些在園中放養的雞比較不容易被狐狸捉去。

如今，除了蘇菲以外，大家都認為這行老樹籬就像園子另一邊那個兔籠子一般，沒有什麼用處。但這全是因為他們渾然不知蘇菲的祕密的緣故。

自從解事以來，蘇菲就知道樹籬中有個小洞。她爬過那個小洞，就置身於灌木叢中的一個大洞穴中。這個洞穴就像一座小小的房子。她知道當她在那兒時，沒有人可以找到她。

手裡緊緊握著那兩封信，蘇菲跑過花園，而後整個人趴下來，鑽進樹籬中。裡面的高度差不多勉強可以讓她站起來，但她今天只是坐在一堆虬結的樹根上。她可以從這裡透過枝枒與樹葉之間的隙縫向外張望。雖然沒有一個隙縫比一枚小錢幣大，但她仍然可以清楚地看見整座花園。當她還小時，常躲在這兒，看著爸媽在樹叢間找她，覺得很好玩。

蘇菲一直認為這個花園自成一個世界。每一次她聽到聖經上有關伊甸園的事時，她就覺得自己好像坐在她的小天地，觀察屬於她的小小樂園一般。

世界從何而來？

她一點也不知道。她知道這個世界只不過是太空中一個小小的星球。然而，太空又是打哪兒來的呢？

很可能太空是早就存在的。如果這樣，她就不需要去想它是從哪裡來了。但一個東西有可能原來就存在嗎？她內心深處並不贊成這樣的看法。現存的每一件事物必然都曾經有個開始吧？因此，太空一定是在某個時刻由另外一樣東西造成的。

不過，如果太空是由某樣東西變成的，那麼，那樣東西必然也是由另外一樣東西變成的。蘇菲覺得自己只不過是把問題向後拖延罷了。在某一時刻，事物必然曾經從無到有。然而，這可能嗎？這不就像世界一直存在的看法一樣不可思議嗎？

他們在學校曾經讀到世界是由上帝創造的。現在蘇菲試圖安慰自己，心想這也許是整件事最好的答案吧。不過，她又再度開始思索。她可以接受上帝創造太空的說法，不過上帝又是誰創造的呢？是祂自己從無中生有，創造出祂自己嗎？蘇菲內心深處並不以為然。

即使上帝創造了萬物，祂也無法創造出祂自己，因為那時祂自己並不存在呀。因此，只剩下一個可能性了：上帝是一直都存在的。然而蘇菲已經否認這種可能性了，已經存在的萬事萬物必然有個開端的。

哦！這個問題真是煩死人了！

她再度拆開那兩封信。

「你是誰？」

「世界從何處而來？」

什麼爛問題嘛！再說，這些信又是打哪兒來的呢？這件事幾乎和這兩個問題一樣，是個謎。

是誰給蘇菲這樣一記當頭棒喝，使她突然脫離了日常生活，面對這樣一個宇宙的大謎題？

蘇菲再度走到信箱前。這已經是第三次了。郵差剛剛送完今天的信。蘇菲拿出了一大堆垃圾郵件、期刊以及兩三封寫給媽媽的信。除此之外，還有一張風景明信片，上面印著熱帶海灘的景象。她把卡片翻過來，上面貼著挪威的郵票，並蓋著「聯合國部隊」的郵戳。會是爸爸寄來的嗎？可是爸爸不在這個地方呀！況且筆跡也不像他。

當她看到收信人的名字時，不覺心跳微微加速。上面寫著：「請苜蓿巷三號蘇菲轉交席德……」剩下的地址倒是正確的。卡片上寫著：

親愛的席德：你滿十五歲了，生日快樂！我想你會明白，我希望給你一樣能幫助你成長的生日禮物。原諒我請蘇菲代轉這張卡片，因為這樣最方便。

愛你的老爸。

蘇菲快步走回屋子，進入廚房。此刻她的思緒一團混亂。

這個席德是誰？她的十五歲生日居然只比蘇菲早了一個月。她去客廳拿了電話簿來查。有許多人姓龔，也有不少人姓習，但就是沒有人姓席。

她再度審視這張神祕的卡片。上面有郵票也有郵戳，因此毫無疑問，這不是一封偽造的信。

怎麼會有父親把生日卡寄到蘇菲家？這明明不是給她的呀！什麼樣的父親會故意把信寄到別人家，讓女兒收不到生日卡呢？為什麼他說這是「最方便」的呢？更何況，蘇菲要怎樣才能找到這個名叫席德的人？

現在，蘇菲又有問題要煩惱了。她試著將思緒做一番整理：

今天下午，在短短的兩個小時之內，她面臨了三個問題。第一個是誰把那兩個白色的信封放在她的信箱內，第二個是那兩封信提出的難題。第三個則是這個席德是誰。她的生日卡為何會寄到蘇菲家？蘇菲相信這三個問題之間必然有所關聯。一定是這樣沒錯，因為直到今天以前，她的生活都跟平常人沒有兩樣。

魔術師的禮帽

……要成為一個優秀的哲學家只有一個條件：要有好奇心……

蘇菲很肯定那位寫匿名信的人會再度來信。她決定暫時不要將這件事告訴任何人。

如今，在學校上課時，她變得很難專心聽講。他們所說的彷彿都是一些芝麻綠豆的事。他們為何不能談一些諸如：「人是什麼？」或「世界是什麼，又何以會存在？」這類的事呢？

她生平第一次開始覺得無論在學校或其他地方，人們關心的都只是一些芝麻瑣事罷了。世上還有更重要的事有待解答，這些事比學校所上的任何科目都要重要。

世上有人可以解答這些問題嗎？無論如何，蘇菲覺得思索這些問題要比去死背那些不規則動詞更加要緊。

最後一堂課的下課鈴響起時，她飛快走出學校，快得喬安必須要跑步才能追上她。

過了一會兒，喬安說：「今天傍晚我們來玩牌好嗎？」

蘇菲聳了聳肩：「我不像從前那麼愛玩牌了。」

喬安聽了彷彿被雷擊中一般。

「是嗎？那我們來玩羽毛球好了。」

蘇菲垂下眼睛，看著人行道，而後擡起頭看著喬安。

「我對羽毛球也不是很有興趣了。」

「你不是說真的吧？」

蘇菲察覺到喬安語氣中的不滿。

「你可不可以告訴我是什麼事情突然變得那麼重要？」

蘇菲搖搖頭：「嗯……這是一個祕密。」

「噢！你大概是談戀愛了吧！」

他們兩個又走了一會兒，誰都沒有說話。當他們走到足球場時，喬安說：「我要從斜坡這裡走過去。」

從斜坡走過去！沒錯，這是喬安回家最近的一條路，但她通常只有在家裡有客人或必須趕到牙醫那兒去的時候才從這兒走。

蘇菲開始後悔她剛才對喬安的態度不佳。不過她又能對她說些什麼呢？說她是因為突然忙著解答自己是誰以及世界從何而來等問題，所以才沒有時間玩羽毛球嗎？喬安會瞭解嗎？

這些都是世間最重要，也可以說是最自然的問題。但為何一心想著這些問題會如此累人？

蘇菲打開信箱時，感覺自己心跳加快。起先她只看到一封銀行寄來的信以及幾個寫著媽媽名字的棕色大信封。該死！她居然開始瘋狂的期待那個不知名的人再度來信。

當她關上園門時，發現有一個大信封上寫著她的名字。她把它翻過來要拆信時，看到信封背面寫著：「哲學課程。請小心輕放。」

蘇菲飛奔過石子路，將書包甩在臺階上，並將其他信塞在門前的腳墊下，然後跑進後面的園子裡，躲進她的密洞。唯有在這裡，她才能拆閱這個大信封。

雪兒也跟著跳進來。蘇菲無可奈何，因為她知道雪兒是趕也趕不走的。

信封內有三張打好字的紙，用一個紙夾夾住。蘇菲開始讀信。

哲學是什麼？

親愛的蘇菲：

人的嗜好各有不同。有些人蒐集古錢或外國郵票，有些人喜歡刺繡，有些人則利用大部分的空閒時間從事某種運動。

另外許多人以閱讀為樂，但閱讀的品味人各不同。有些人只看報紙或漫畫，有些人喜歡看小說，有些人則偏好某些特殊題材的書籍，如天文學、自然生物或科技新知等。

如果我自己對馬或寶石有興趣，我也不能期望別人都和我一樣。如果我看電視體育節目看得津津有味，就必須忍受有些人認為體育節目很無聊的事實。

可是，天底下是不是沒有一件事是我們大家都感興趣的呢？是不是沒有一件事是每一個人都關切的——無論他們是誰或住在何處？是的，親愛的蘇菲，天底下當然有一些問題是每個人都有興趣的。而這門課程正與這些問題有關。

生命中最重要的事情是什麼?如果我們問某一個正生活在饑餓邊緣的人,他的答案一定是「食物」。如果我們問一個快要凍死的人,答案一定是「溫暖」。如果我們拿同樣的問題問一個寂寞孤獨的人,那答案可能是「他人的陪伴」了。

然而,當這些基本需求都獲得滿足後,是否還有些東西是每一個人都需要的呢?哲學家認為,答案是肯定的。他們相信人不能只靠麵包過日子。當然,每一個人都需要食物,每一個人都需要愛與關懷。不過除了這些以外,還有一些東西是人人需要的,那就是:明白我們是誰、為何會在這裡。

想知道我們為何會在這兒,並不像集郵一樣是一種休閒式的興趣。那些對這類問題有興趣的人所要探討的,乃是自地球有人類以來,人們就辯論不休的問題:宇宙、地球與生命是如何產生的?這個問題比去年奧運會誰得到最多的金牌要更大,也更重要。

探討哲學最好的方式就是問一些哲學性的問題,如:這世界是如何創造出來的?其背後是否有某種意志或意義?人死後還有生命嗎?我們如何能夠解答這些問題呢?最重要的是,我們應該如何生活?千百年來,人們不斷提出這些問題。據我們所知,沒有一個文化不關心「人是誰?」、「世界從何而來?」這樣的問題。

基本上,我們要問的哲學問題並不多。我們剛才已經提出了其中最重要的問題。然而,在歷史上,人們對每一個問題提出了不同的答案。因此,提出哲學問題要比回答這些問題更容易。

即使是在今天，每一個人仍然必須各自尋求他對這些問題的答案。你無法在百科全書查到有關「上帝是否存在？」與「人死後是否還有生命？」這些問題的答案。百科全書也不會告訴我們應該如何生活。不過，讀一讀別人的意見倒可以幫助我們建立自己對生命的看法。

哲學家追尋真理的過程很像是一部偵探小說。有人認為安德森是兇手，有人則認為尼爾森或詹生才是。遇到犯罪案件，警方有時可以偵破，但也很可能永遠無法查出真相（雖然在某個地方一定有一個破案的辦法）。因此，即使要回答一個問題很不容易，但無論如何總會有一個（而且僅此一個）正確答案的。人死後要不就是透過某種形式存在，要不就是根本不再存在。

過去許多千百年的謎題如今都有了科學的解釋。從前，月亮黑暗的那一面可說是神祕莫測。由於這不是那種可以藉討論來解決的問題，因此當時月亮的真實面目如何全憑個人想像。然而今天我們已經確知月亮黑暗的那一面是何模樣。沒有人會再「相信」嫦娥的存在或月亮是由綠色的乳酪做成等等說法了。

兩千多年前，一位古希臘哲學家認為，哲學之所以產生是因為人有好奇心的緣故。他相信，人對於活著這件事非常驚訝，因此自然而然就提出了一些哲學性的問題。

這就像我們看人家變魔術一樣。由於我們不明白其中的奧妙，於是便問道：「魔術師如何能將兩、三條白色的絲巾變成一隻活生生的兔子呢？」

許多人對於這世界的種種也同樣有不可置信的感覺，就像我們看到魔術師突然從一頂原本空空如也的帽子裡拉出一隻兔子一般。

關於突然變出兔子的事，我們知道這不過是魔術師耍的把戲罷了。我們只是想知道他如何辦到而已。然而，談到有關世界的事時，情況便有些不同了。我們知道這世界不全然是魔術師妙手一揮、掩人耳目的把戲，因為我們就生活在其中，我們是它的一部分。事實上，我們就是那隻被人從帽子裡拉出來的小白兔。我們與小白兔之間唯一的不同是：小白兔並不明白它本身參與了一場魔術表演。我們則相反。我們覺得自己是某種神祕事物的一部分，我們想瞭解其中的奧祕。

P.S.：關於小白兔，最好將它比做整個宇宙，而我們人類則是寄居在兔子毛皮深處的微生蟲。不過哲學家總是試圖沿著兔子的細毛往上爬，以便將魔術師看個清楚。

蘇菲，你還在看嗎？未完待續……

蘇菲真是累極了。「還在看嗎？」她甚至不記得她在看信時是否曾停下來喘口氣呢！是誰捎來這封信？當然不可能是那位寄生日卡給席德的人，因為卡片上不但有郵票，還有郵戳。但這個棕色的信封卻像那兩封白色的信一樣，是由某人親自投進信箱的。

蘇菲看了看手錶，時間是兩點四十五分。媽媽還有兩個多小時才下班。

蘇菲爬出來，回到園子裡，跑到信箱旁。也許還有另一封信呢！她發現另一個寫著她名字的棕色信封。這回她四下看了看，但卻沒有見到任何人影。她又跑到樹林邊，往路的那一頭張望。

那邊也沒有人。

突然間她好像聽到樹林深處某根枝條「啪！」一聲折斷的聲音。不過她並不是百分之百確定。何況，如果一個人決心要逃跑，再怎麼追他也沒有用。

蘇菲進入屋裡，把書包和給媽媽的信放在廚房的桌子上，然後便跑上樓梯，進入她的房間，拿出一個裝滿美麗石子的餅乾盒。她把那些石頭倒在地板上，把兩個大信封裝進盒子裡。然後又匆忙走到花園裡，雙手緊緊拿著餅乾盒。臨走時，她拿出一些食物給雪兒吃。

「貓咪！貓咪！貓咪！」

回到密洞中後，她打開了第一封棕色的信，取出幾頁才剛打好字的信紙。她開始看信。

奇怪的生物

嗨！蘇菲，我們又見面了。誠如你所看見的，這門簡短的哲學課程將會以一小段、一小段的形式出現。以下仍然是序言部分：

我是否曾經說過，成為一個優秀哲學家的唯一條件是要有好奇心？如果我未曾說過，那麼我現在要說：成為一個優秀哲學家的唯一條件是要有好奇心。

嬰兒有好奇心，這並不令人意外。在娘胎裡短短幾個月後，他們便掉進一個嶄新的世界。不過當他們慢慢成長時，這種好奇心似乎也逐漸減少。為什麼？你知道答案嗎，蘇菲？

讓我們假設，如果一個初生的嬰兒會說話，他可能會說他來到的世界是多麼奇特。因為，儘管他不能說話，我們可以看到他如何左顧右盼並好奇的伸手想碰觸他身邊的每一樣東西。

小孩子逐漸學會說話後，每一次看見狗，便會擡起頭說：「汪！汪！」他會在學步車裡跳上跳下，揮舞著雙手說：「汪！汪！汪！汪！」我們這些年紀比較大、比較見多識廣的人可能會覺得小孩子這種興奮之情洋溢的樣子很累人。我們會無動於衷的說：「對，對，這是汪汪。好了，坐著不要動！」看到狗，我們可不像小孩子那樣著迷，因為我們早就看過了。

小孩子這種行為會一再重複，可能要經過數百次之後，他才會在看到狗時不再興奮異常。在他看到大象或河馬時，也會發生同樣的情況。遠在孩童學會如何講話得體、如何從事哲學性的思考前，他就早已經習慣這個世界了。

這是很可惜的一件事，如果你問我的看法的話。

親愛的蘇菲，我不希望你長大之後也會成為一個把這世界視為理所當然的人。為了確定起見，在這課程開始之前，我們將做兩、三個有關思想的測驗。

請你想像，有一天你去樹林裡散步。突然間你看到前面的路上有一艘小小的太空船，有一個很小的火星人從船艙裡爬出來，站在路上擡頭看著你……

你會怎麼想？算了，這並不重要。但你是否曾經想過你自己也是個火星人？

很明顯的，你不太可能突然撞見一個來自其他星球的生物。我們甚至不知道其他星球是否也有生物存在。不過有一天你可能會突然發現自己。你可能會突然停下來，以一種完全不同的眼光來看自己，就在你在樹林裡散步的時候。

你會想：「我是一個不同凡響的存在。我是一個神祕的生物。」

你覺得自己好像剛從一個夢幻中醒來。我是誰？你問道。你知道自己正行走在宇宙的一個星球上。但宇宙又是什麼？

如果你像這樣，突然意識到自己的存在，你會發現自己正像我們剛才提到的火星人那樣神祕。你不僅看到一個從外太空來的生命，同時也會打內心深處覺得自己的存在是如此不同凡響。

如果你不介意的話，蘇菲，現在就讓我們來做另一個思想上的測驗。

有一天早上，爸、媽和小同正在廚房裡吃早餐。過了一會兒，媽媽站起身來，走到水槽邊。這時，爸爸飛了起來，在天花板下面飄浮。小同坐在那兒看著。你想小同會說什麼？也許他會指著父親說：「爸爸在飛。」小同當然會覺得吃驚，但是他經常有這樣的經驗。爸爸所做的奇妙的事太多了，因此這回他飛到早餐桌上方這件事對小同並沒有什麼特別。每天爸爸都用一個很滑稽的機器刮鬍子，有時他會爬到屋頂上調整電視的天線。或者，他偶爾也會把頭伸進汽車的引擎蓋裡，出來時臉都是黑的。好了，現在輪到媽媽了。她聽到小同說的話，轉身一瞧。你想她看到爸爸像沒事人一般飄浮在餐桌的上方會有什麼反應？

她嚇得把果醬罐子掉在地上，然後開始尖叫。等到爸爸好整以暇地回到座位上時，她可能已經需要急救了。（從現在起，爸爸可真是該注意一下自己的餐桌禮儀了！）為何小同和媽媽有如此不同的反應？你認為呢？

這完全與習慣有關。（注意！）媽媽已經知道人是不能飛的，小同則不然。他仍然不確定在這個世界上人能做些什麼或不能做些什麼。

然而，蘇菲，這世界又是怎麼回事呢？它也一樣飄浮在太空中呀。你認為這可能嗎？

遺憾的是，當我們成長時，不僅習慣了有地心引力這回事，同時也很快地習慣了世上的一切。我們在成長的過程當中，似乎失去了對這世界的好奇心。也正因此，我們喪失了某種極為重要的能力（這也是一種哲學家們想要使人們恢復的能力）。因為，在我們內心的某處，有某個聲音告訴我們：生命是一種很龐大的、神祕的存在。這是我們在學會從事這樣的思考前都曾經有過的體驗。

更明白的說：儘管我們都想過哲學性的問題，卻並不一定每個人都會成為哲學家。由於種種理由，大多數人都忙於日常生活的瑣事，因此他們對於這世界的好奇心都受到壓抑。（就像那些微生蟲一般，爬進兔子的毛皮深處，在那兒怡然自得的待上一輩子，從此不再出來。）

對於孩子們而言，世上的種種都是新鮮而令人驚奇的。對於大人們則不然。大多數成人都把這世界當成一種理所當然的存在。

這正是哲學家們之所以與眾不同的地方。哲學家從來不會過分習慣這個世界。對於他或她而言，這個世界一直都有一些不合理，甚至有些複雜難解、神祕莫測。這是哲學家與小孩子共同具有的一種重要能力。你可以說，哲學家終其一生都像個孩子一般敏感。

所以，蘇菲，你現在必須做個選擇。你是個還沒有被世界磨掉好奇心的孩子？還是一個永遠不會如此的哲學家？

如果你只是搖搖頭，不知道自己究竟是個孩子還是哲學家，那麼你已經太過習慣這個世界，以致於不再對它感到驚訝了。果真如此，你得小心，因為你正處於一個危險的階段，這也是為何你要上這門哲學課的原因。因為我們要以防萬一。我不會聽任你變得像其他人一樣沒有感覺、無動於衷。我希望你有一個好奇、充滿求知欲的心靈。

這門課程是不收費的，因此即使你沒有上完也不能退費。如果你中途不想上了，也沒關係，只要在信箱裡放個東西做訊號就可以了。最好是一隻活青蛙，或至少是某種綠色的東西，以免讓郵差嚇一大跳。

綜合我上面所說的話，簡而言之，這世界就像魔術師從他的帽子裡拉出的一隻白兔。只是這白兔的體積極其龐大，因此這場戲法要數十億年才變得出來。所有的生物都出生於這隻兔子的細毛頂端，他們剛開始對於這場令人不可置信的戲法都感到驚奇。然而當他們年紀愈長，也就愈深入兔子的毛皮，並且待了下來。他們在那兒覺得非常安適，因此不願再冒險爬回脆弱的兔毛頂端。唯有哲學家才會踏上此一危險的旅程，邁向語言與存在所能達到的頂峯。其中有些人掉了下來，但也有些人死命攀住兔毛不放，並對那些窩在舒適柔軟的兔毛深處、盡情吃喝的人們大聲吼叫。

他們喊：「各位先生女士們，我們正飄浮在太空中呢！」但下面的人可不管這些哲學家們在嚷些什麼。

這些人只會說：「哇！真是一羣搗蛋鬼！」然後又繼續他們原先的談話：請你把奶油遞過來好嗎？我們今天的股價漲了多少？番茄現在是什麼價錢？你有沒有聽說黛安娜王妃又懷孕了？

那天下午，蘇菲的媽媽回家時，蘇菲仍處於震驚狀態中。她把那個裝著神祕哲學家來信的鐵盒子很穩妥的藏在密洞中。然後她試著開始做功課，但是當她坐在那兒時，滿腦子想的都是她剛才讀的信。

她過去從未這樣努力思考過。她已經不再是個孩子了，但也還沒有真正長大。蘇菲意識到她已經開始朝著兔子（就是從宇宙的帽子中被拉出來的那隻）溫暖舒適的毛皮深處向下爬，卻被這位哲學家中途攔住。他（或者說不定是她）一把抓住她的後腦勺，將她拉回毛尖（她孩提時代戲耍的地方）。就在那兒，在兔毛的最頂端，她再度以彷彿乍見的眼光打量這個世界。

毫無疑問，這位哲學家救了她。寫信給她的無名氏將她從瑣碎的日常生活拯救出來了。

下午五點，媽媽到家時，蘇菲把她拉進起居室，將她推在一張安樂椅上坐下。她開始問：「媽，我們居然有生命，你不覺得這很令人驚訝嗎？」

她媽媽真是丈二金剛摸不著頭腦，不知道該怎麼回答。平常她回家時，蘇菲多半在做功課。

「我想是吧！有時候。」她說。

「有時候？沒錯，可是——你不覺得這個世界居然存在是很令人驚訝的事嗎？」

「聽著，蘇菲，不要再說這些話。」

「為什麼？難道你認為這個世界平凡無奇嗎？」

「不是嗎？多少總有一些吧？」

蘇菲終於明白哲學家說得沒錯。大人們總是將這個世界視為理所當然的存在，並且就此任自己陷入柴米油鹽的生活中而渾然不覺。

「你太習慣這個世界了，才會對任何事情都不感到驚奇。」

「你到底在說些什麼？」

「我是說你對每一件事都太習慣了。換句話說，已經變得非常遲鈍了。」

「不要這樣對我講話，蘇菲！」

「好吧，我換一種方式說好了。你已經在這隻被拉出宇宙的帽子的白兔毛皮深處待得太舒服了。再過一會兒你就會把馬鈴薯拿出來，然後就開始看報紙，之後打半個小時的盹，然後看電視新聞。」

媽媽的臉上掠過一抹憂慮的神色。她走進廚房把馬鈴薯拿出來。過了一會兒，她便走回起居室，這次輪到她把蘇菲推到安樂椅上坐下了。

「我有事情要跟你談。」她說。從她的聲音聽起來，蘇菲可以猜到事情一定很嚴重。

「你沒有跑去跟人家嗑什麼藥吧？寶貝！」

蘇菲差一點笑出來。但她瞭解媽媽為什麼會問她這個問題。

「我又不是神經病，」她說，「那樣只會讓人變得更鈍呀！」

那天晚上，誰也沒有再提起任何有關嗑藥或白兔的事情。

神話

……善與惡之間脆弱的平衡……

第二天早上，蘇菲沒有接到任何信。一整天在學校裡，她覺得如坐針氈，無聊極了。下課時，她特別小心，對喬安比平日更好。放學回家途中，他們討論相偕露營的計畫，只等樹林裡的地變乾時便可以成行。

好不容易終於捱到了開信箱的時刻。首先她拆開一封蓋著墨西哥郵戳的信，是爸爸寫來的。信上說他非常想家，還有他生平第一遭在棋賽中打敗了大副。除此之外，他也幾乎看完了他在寒假過後帶上船的一批書。

之後，蘇菲又看到了一個寫著她名字的棕色信封。把書包和其他郵件放進屋裡後，她便跑進密洞中，把信封內剛打好的信紙抽出來，開始看著：

神話的世界觀

嗨，蘇菲！今天要上的東西很多，因此我們就馬上開始吧。

所謂哲學，我們指的是耶穌基督降生前六百年左右，在希臘演進的一種嶄新的思考方式。在那以前，人們在各種宗教中找到了他們心中問題的答案。這些宗教上的解釋透過神話的形式代代流傳下來。所謂神話就是有關諸神的故事，其目的在解釋為何生命是這番面貌。

數千年來，世界各地有許多企圖解答哲學性問題的神話故事。希臘哲學家則想證明這些解釋是不可信賴的。

為了要瞭解古代哲學家的想法，我們必須先瞭解神話中顯現的世界是何種面貌。我們可以拿一些北歐神話來做例子。

你也許曾經聽過索爾（Thor）與他的鐵鍾的故事。在基督教傳入挪威之前，人們相信索爾時常乘著一輛由兩隻山羊拉著的戰車橫越天空。他一揮動斧頭便產生閃電與雷聲。挪威文中的「雷」（Thor-døn）字意指索爾的怒吼。在瑞典文中，「雷」字（åska）原來寫成ås-aka，意指神（在天上）出遊。

當天空雷電交加時，便會下雨，而雨對北歐農民是很重要的。因此，索爾又被尊為象徵肥沃、富饒的神。

因此神話中對雨的解釋便是：索爾揮動錘子時，就會下雨。而一旦下雨，田裡的玉米便會開始發芽、茁長。

田裡的植物如何能夠生長並結出果實？這問題令人不解，不過顯然與雨水有關。更重要的是，每一個人都相信雨水與索爾有關，因此他便成了古代北歐最重要的神祇之一。

索爾之所以受到重視另外有一個原因，而這個原因與整個世界秩序有關。

北歐人相信人類居住的這部分世界是一個島嶼，時常面臨來自外界的危險。他們稱此地為「米德加德」（Midgard），就是「中央王國」的意思。在這個中央王國內，有一個地方名叫「阿斯加德」（Asgard），乃是諸神的領地。

中央王國外面有一個叫做「烏特加德」（Utgard）的王國，是狡猾的巨人居住的地方。這些巨人運用各種詭計想要摧毀這個世界。類似這樣的邪惡怪物經常被稱為「混亂之力」。事實上，不僅挪威神話，幾乎所有其他文化都發現善與惡這兩種勢力之間存在著一種不穩定的平衡。

巨人們摧毀「中央王國」的方法之一就是綁架象徵肥沃、多產的女神芙瑞雅（Freyja）。如果他們得逞，田野裡將無法長出作物，婦女也將生不出小孩。因此，非得有人來制住這些巨人不可。

這時就要仰賴索爾了。他的鐵錘不僅能使天空下雨，也是對抗危險的混亂之力的重要武器。這支錘子幾乎給了他無邊的法力，他可以用它擲殺巨人，而且毋需擔心把它弄丟，因為它總是會自動回到他身邊，就像回力球一樣。

這就是神話中對於大自然如何維持平衡、為何善與惡之間永遠相互對抗等問題的解釋，而哲學家們拒絕接受這種解釋。

然而，這並不僅僅是解釋的問題。

當乾旱、瘟疫等災害發生時，凡人不能光是呆坐在那兒，等著神明來解救。他們必須在這場對抗邪惡的戰爭中出力。而他們出力的方法則是舉行種種宗教儀式。

在古代的北歐，意義最重大的宗教儀式乃是獻祭。對神明獻祭可以增強神明的法力。舉個例子，凡人必須以祭品供奉神明，以給予他們戰勝混亂之力的力量。其方法是宰殺牲畜，祭拜神明。古代北歐人祭祀索爾時通常以山羊為祭品，祭拜歐丁（Odin）時有時還會以人為祭品。

北歐國家最著名的神話來自冰島一首名為「史萊慕之詩」（The Lay of Thrym）的詩。詩中敘述有一天索爾醒來，發現他的鍾子不見了，氣得雙手發抖，吹鬍子瞪眼睛。於是他帶著侍僮洛奇去拜訪芙瑞雅，問她是否可以將翅膀借他，好讓洛奇可以飛到巨人所住的「約騰海」（Jotunheim），以查探那些巨人是否偷了索爾的鍾子。

洛奇到了約騰海後，見到了巨人之王史萊慕。後者得意的宣稱他已將鍾子藏在地下七里格的地方，並說除非諸神將芙瑞雅嫁給他，否則他不會歸還鍾子。

蘇菲，你瞭解嗎？這些善良的神明突然間面臨了一個全面的人質危機。巨人們奪走了諸神最有力的防衛武器，這是令人完全無法忍受的情況。只要巨人們擁有索爾的鍾子，他們便能夠百分之百控制諸神與凡人的世界。他們要求用芙瑞雅來交換鍾子的行為也令人無法接受。如果諸神被迫放棄芙瑞雅這位保護天下生靈的豐饒女神，則田野上將看不到綠草，所有的神明與凡人也都將死去。這真是令人左右為難的困境。假如你能想像一羣恐怖分子揚言要在倫敦或巴黎的市中心引爆一枚核子炸彈，除非他們達到他們所提的可怕要求，你馬上就可以瞭解這個情況的嚴重性了。

據說，洛奇回到阿斯加德後，就叫芙瑞雅穿上她的新娘禮服，準備嫁給巨人之王。（嗚呼哀哉！）芙瑞雅非常生氣。她說，如果她答應嫁給一個巨人，人們準會以為她想男人想瘋了。

這時候，一個名叫海姆達爾（Heimdall）的天神想出了一個很聰明的辦法。他建議索爾扮成新娘，把頭髮梳起來、在衣服內墊兩塊石頭，裝成女人。可想而知，索爾當然很不情願，不過他終於不得不承認，如果他要取回鐵錘，這是唯一的辦法。

於是，索爾穿上了新娘禮服，洛奇則扮成伴娘。洛奇說：「現在，就讓我們這兩個女人前往約騰海吧！」以現代話來說，索爾和洛奇是天神中的反恐怖特勤小組。他們男扮女裝，任務是滲透巨人的根據地，奪回索爾的錘子。

他們到達約騰海後，巨人們開始籌備婚宴。然而在筵席中，新娘（就是索爾）一口氣吃下一整隻牛和八條鮭魚，並且痛飲了三桶啤酒，把史萊慕嚇了一大跳。這個「突擊小組」的真實身分幾乎就要曝光了。幸好，洛奇及時辯稱芙瑞雅是因為期盼到約騰海來，整整一個星期都沒有吃飯，才化解了這場危機。

史萊慕掀開新娘面紗要親吻新娘時，吃驚的看到一雙紅通通的眼睛。此時洛奇再度出面解圍。他說，新娘是因為在婚禮前太過興奮，才整整一個禮拜都沒有闔眼。於是，史萊慕便命手下將錘子取來以便在進行婚禮時放在新娘的懷中。

據說，索爾拿到錘子時，忍不住放聲大笑。他先用錘子擊殺了史萊慕，然後便將巨人們以及他們所有的親族殺個精光。就這樣，這個可怕的人質事件終於有了一個美滿的結局。索爾這個天神世界中的蝙蝠俠或〇〇七又再一次擊敗了惡勢力。

這個神話故事到此結束。然而，其中真正的意義究竟是什麼？這不僅是一個有娛樂效果的故事，同時也具有說明的作用。我們也許可以做如下的解釋：

當旱災發生時，人們便思索天空之所以不下雨的原因。是因為巨人們偷了索爾的錘子嗎？

也許這則神話之緣起，是人們試圖解釋一年中季節更替的現象：冬天時大自然死亡，是因為索爾的鐵錘被偷到約騰海，但是到春天時索爾便將它取回。如此這般，神話的作用便是為人們不瞭解的事物尋求一個解釋。

然而，一則神話可不只是一個解釋而已。人們同時也進行與神話有關的宗教儀式。我們可以想像當時的人在荒旱或作物歉收時，如何依照神話情節來搬演一齣戲劇。也許村裡一名男子會打扮成新娘，用石塊綁在胸部，以便從巨人那兒偷回鐵錘。人們這樣做的目的在採取若干行動以促使下雨，好讓田地裡長出作物來。

除此之外，世界其他各地也有許許多多如何將「季節的神話」編成戲劇，以加速季節更替的例子。

到目前為止，我們只對古代北歐的神話世界有一個粗淺的印象。事實上，關於索爾與歐丁、芙瑞耶（Freyr）、芙瑞雅、霍德爾（Hoder）、波爾德（Balder）與其他多位天神，還有數不清的神話故事。這類神話式的觀念遍布全球，直到哲學家們開始提出疑問為止。

當世界上最早的哲學開始發展之際，希臘人也有一套表達他們世界觀的神話。這些有關他們的天神的故事乃是數百年來世代流傳下來的。這些神包括主神宙斯、太陽神阿波羅、主神之妻希拉，與司智慧、藝術、學問、戰爭等的女神雅典娜、酒神戴奧尼索斯、醫術之神艾斯克里皮雅斯、大力士海瑞克里斯與海菲思特斯（Hephaestos）等等。

西元前七百年左右，有一大部分希臘神話被荷馬與賀西歐德（Hesiod）以文字記錄下來。至此情況大不相同，因為神話既然以文字的形式存在，也就可以加以討論了。

於是，最早的希臘哲學家對於荷馬的神話提出批評，理由是神話裡的天神與人類太過相似了。他們與人一樣自大、狡詐。這是破天荒第一遭有人說神話只不過是人們想像出來的。

批評者當中有一位名叫贊諾芬尼司（Xenophanes）的哲學家，生於西元前五七〇年左右。他指出，人類按照自己的形象創造出這些天神，認為他們也是由父母所生，並像凡人一樣有身體、穿衣服、也有語言。問題是，衣索比亞人認為天神是扁鼻子的黑人，史瑞思（巴爾幹半島東部的古國）人則認為神有金髮藍眼。假使牛、馬、獅子會畫圖，一定也會把天神畫成牛、馬、獅子的模樣。

在這段期間，希臘人在希臘本土與義大利南部、小亞細亞等希臘殖民地建立了許多城市。在這些城市中，所有的勞力工作都由奴隸擔任，因此市民有充分的閒暇，可以將所有時間都投注在政治與文化上。

在這樣的城市環境中，人的思考方式開始變得與以前大不相同。任何人都可以發言質疑社會的組成方式，也可以毋需借助古代神話而提出一些哲學性的問題。

我們稱這樣的現象為「從神話的思考模式發展到以經驗與理性為基礎的思考模式」。早期希臘哲學家的目標乃是為大自然的變化尋找自然的——而非超自然的——解釋。

蘇菲繼續在偌大的園子裡信步走著。她試著忘記她在學校——尤其是在科學課上——學到的東西。假使她生長在這花園中，對於大自然一無所知，那麼她對春天會有什麼感覺呢？

她會不會試著為突然下雨的現象找出某種解釋？她會不會編造出某種神話來解釋雪到哪兒去了，及為何太陽會升起？

會的，她一定會的。這是毫無疑問的。她開始編故事：

邪惡的穆瑞耶特將美麗的奚琪塔公主囚禁在寒冷的牢房中，於是冬天遂以它冰冷的手掌攫住了大地。然而有一天早上，勇敢的布拉瓦托王子來到這裡，將她救出。奚琪塔高興得在草原上跳舞，並唱起一首她在濕冷的牢房中所作的曲子。大地與樹木都受到感動，以致於雪全都化成了眼淚。後來，太陽出來，把所有的眼淚都曬乾了。鳥兒們模仿奚琪塔的歌聲鳴唱著。當美麗的公主將她金黃色的長髮放下來時，幾綹髮絲落到地上，化為田野中的百合花。

蘇菲很喜歡自己編的美麗故事。如果她不知道其他有關季節變換的解釋，她一定會相信這個自己編的故事。

她明白人們總是想為大自然的變遷尋求解釋。這就是他們何以在科學還沒有產生之前會編造出那些神話故事的原因。

自然派哲學家

……沒有一件事物可以來自空無……

那天下午蘇菲的媽媽下班回家時，蘇菲正坐在秋千上，想著哲學課程與席德（那位收不到她父親寄來的生日卡的女孩）之間究竟有什麼關聯。

媽媽在花園另一頭喊她：「蘇菲，你有一封信！」

蘇菲嚇了一跳。她剛才已經把信箱裡的信都拿出來了，因此這封信一定是那位哲學家寫來的。她該對媽媽說什麼好呢？

「信上沒有貼郵票，可能是情書哩！」

蘇菲接過信。

「你不打開嗎？」

她得編一個藉口。

「你聽過誰當著自己媽媽的面拆情書的嗎？」

就讓媽媽認為這是一封情書好了。雖然這樣挺令人難為情的，但總比讓媽媽發現自己接受一個完全陌生的人——一個和她玩捉迷藏的哲學家——的函授教學要好些。

這次，信裝在一個白色的小信封裡。蘇菲上樓回房後，看到信紙上寫了三個新的問題：

萬事萬物是否由一種基本的物質組成？

水能變成酒嗎？

泥土與水何以能製造出一隻活生生的青蛙？

蘇菲覺得這些問題很蠢，但整個晚上它們卻在她的腦海裡縈繞不去。到了第二天她還在想，把每個問題逐一思索了一番。

世上萬物是否由一種「基本物質」組成的呢？如果是，這種基本物質又怎麼可能突然變成一朵花或一隻大象呢？

同樣的疑問也適用於水是否能變成酒的問題。蘇菲聽過耶穌將水變成酒的故事，但她從未當真。就算耶穌真的將水變成了酒，這也只是個奇蹟，不是平常可以做到的。蘇菲知道世間有很多水，不僅酒裡有水，其他能夠生長的事物中也都有水。然而，就拿黃瓜來說好了，即使它的水分含量高達百分之九十五，它裡面必然也有其他的物質。因為黃瓜就是黃瓜，不是水。

接下來是有關青蛙的問題。奇怪，她的這位哲學老師好像特別偏愛青蛙。

她或許可以接受青蛙是由泥土與水變成的說法。但果真這樣，泥土中必然含有一種以上的物質。如果泥土真的含有多種不同的物質，則它與水混合後說不定真的可以生出青蛙來。當然，它們必須先變成蛙卵與蝌蚪才行。因為，無論再怎麼澆水，包心菜園裡是長不出青蛙的。

那天她放學回家後，信箱裡已經有一封厚厚的信在等著她了。她像往常一樣躲到密洞中去看信。

哲學家的課題

嗨，蘇菲，又到上課的時間了。我們今天就不再談白兔等等，直接上課吧。

在這堂課裡，我將大略描述從古希臘時期到現代，人們對哲學的觀念。我們將按照應有的次序，逐一道來。

由於這些哲學家生活的年代與我們不同，文化也可能與我們相異，因此也許我們應該先試著瞭解每一位哲學家給自己的課題，也就是說，明白他們每個人關注、質疑的事項是什麼。可能有的哲學家想探索植物與動物是如何產生的，有的則想研究世間是否有上帝或人的靈魂是否不朽等問題。

知道了每一位哲學家的「課題」之後，我們就比較容易瞭解他思想的脈絡，因為沒有任何一位哲學家會企圖探討哲學的所有領域。

我之所以用「他」來代表哲學家是因為在這段期間哲學乃是男人的專利。從前的婦女無論做為一個女人或一個有思想的人都只有對男人俯首聽命的分。這是很悲哀的事，因為許多寶貴經驗就這樣喪失了。一直要到本世紀，婦女們才真正在哲學史上留下了足印。

我不想出家庭作業給你，不會讓你做很難的算術題目或類似的功課，也不會讓你背英文的動詞變化。不過我偶爾會給你一些簡短的作業。

如果你接受這些條件，我們就開始吧。

自然派哲學家

最早的希臘哲學家有時被稱為「自然派哲學家」，因為他們關切的主題是大自然與它的循環與變化。

我們都曾經好奇萬物從何而來。現代有許多人認為萬物必定是在某個時刻無中生有的。希臘人持有這種想法的並不多，由於某種理由，他們認定有「一種東西」是一直都存在的。因此對於他們而言，萬物是如何從無到有並非重要的問題。他們驚嘆的是水中如何會有活魚、瘠土裡如何會長出高大的樹木與色彩鮮麗的花朵。而更讓他們驚異的是女人的子宮居然會生出嬰兒！

哲學家用自己的眼睛觀察。他們發現大自然的形貌不斷改變。這類變化是怎麼發生的呢？

舉個例子，原來是屬於物質的東西何以會變為有生命的物體？早期的哲學家都相信，這些變化必定來自某種基本物質。至於他們何以持此看法，這就很難說清楚。我們只知道，經過一段時間後，他們慢慢形成這樣的觀念，認為大自然的變化必定是某種基本物質造成的。他們相信，世上必定有某種「東西」，萬物皆由此衍生，而且最終仍舊回歸於此。

我們最感興趣的並不是這些早期的哲學家找出了哪些答案，而是他們問了什麼問題、尋求何種答案等等。我們對他們的思考方式較感興趣，而不是他們思考的內容。

我們已經知道他們所提的問題與他們在物質世界觀察到的變化有關。他們想尋求其中隱含的自然法則。他們想要從古代神話以外的觀點來瞭解周遭發生的事。最重要的是，他們想要透過對大自然本身的研究來瞭解實際的變化過程。這與藉神話故事來解釋雷鳴、閃電或春去冬來的現象大不相同。

就這樣，哲學逐漸脫離了宗教的範疇。我們可以說自然派的哲學家朝科學推理的方向邁出了第一步，成為後來科學的先驅。

這些自然派哲學家的論述，至今只留下斷簡殘篇。我們所知的一小部分乃是根據兩百多年後亞理斯多德的著作。其中只提到這些哲學家所做的若干結論，因此我們無法確切瞭解他們是經由何種方式達成這些結論。不過，我們根據已知的資料可以斷定這些早期希臘哲學家的「課題」與宇宙的基本組成物質與大自然的變化等問題有關。

米雷特斯的三位哲學家

我們所知道的第一位哲學家是泰利斯（Thales）。他來自希臘在小亞細亞的殖民地米雷特斯，曾遊歷過埃及等許多國家。據說他在埃及時曾計算過金字塔的高度，他的方法是在他自己的影子與身高等長時測量金字塔的影子高度。另外據說他還在西元前五八五年時準確預測過日蝕的時間。

泰利斯認為水是萬物之源。我們並不很清楚這話的意思。或許他相信所有的生命源自於水，而所有的生命在消融後也仍舊變成水。

他在埃及旅遊時，必定看過尼羅河三角洲上的洪水退去後，陸地上的作物立刻開始生長的現象。他可能也注意到凡是剛下雨的地方一定會出現青蛙與蟲子。更可能的是，泰利斯想到了水結成冰或化為蒸汽後又變回水的現象。

此外，據說泰利斯曾宣稱：「萬物中皆有神在」。此話含意為何，我們同樣只能猜測。也許他在看到花朵、作物、昆蟲乃至蟑螂全都來自黑色的泥土後，他便想像泥土中必定充滿了許多肉眼看不見的微小「生命菌」。但有一件事情是可以肯定的：他所謂的「神」並非指荷馬神話中的天神。

我們所知的第二個哲學家是安納克西曼德（Anaximander）。他也住在米雷特斯。他認為我們的世界只是他所謂的「無限定者」（註：世界由無限定者元素所構成）中無數個生生滅滅的世界之一。要解釋他所謂「無限」的意思並不容易，但很明顯的他並不像泰利斯一樣認為世界是由一種物質造成的。

也許他的意思是形成萬物的物質一定不是這些已經被創造出來的事物。因此這種基本物質不可能是像水這樣平常的東西，而是某種無以名之的物質。

第三位來自米雷特斯的哲學家是安那西梅尼斯（Anaximenes，約西元前五七〇年～五二六年）。他認為萬物之源必定是「空氣」或「氣體」。毫無疑問，安那西梅尼斯必定熟知泰利斯有關水的理論。然而水從何來？安那西梅尼斯認為水是空氣凝結後形成的。我們也可看到下雨時，水是從空氣中擠出來的。安那西梅尼斯認為當水再進一步受到擠壓時，就會變成泥土。他可能曾經注意到冰雪溶解時，會有泥土、沙石出現。他並認為火是比較精純的空氣。因此他主張空氣是泥土、水、火的源頭。

這與「水是萬物生長之源」的理論相去不遠。也許安那西梅尼斯認為泥土、空氣與火都是創造生命的必要條件，但「空氣」或「氣體」才是萬物之源。因此，他和泰利斯一樣，認為自然界的一切事物必定是由一種基本物質造成的。

沒有任何事物會來自虛無

這三位米雷特斯的哲學家都相信，宇宙間有一種基本物質是所有事物的源頭。然而一種物質又如何會突然變成另外一種東西？我們可以把這個問題稱為「變化的問題」。

約莫從西元前五〇〇年開始，位於義大利南部的希臘殖民地伊利亞（Elea）有一羣哲學家也對這個問題很有興趣。其中最重要的一位是帕梅尼德斯（Parmenides，約西元前五四〇～四八〇年）。

帕梅尼德斯認為現有的萬物是一直都存在的。這個觀念對希臘人並不陌生，他們多少認為世上的萬物是亙古長存的。在帕梅尼德斯的想法中，沒有任何事物會來自虛無，而已經存在的事物中也不會消失於無形。

不過，帕梅尼德斯的思想比其他大多數人更加深入。他認為世上根本沒有真正的變化，沒有任何事物可以變成另外一種事物。

當然，帕梅尼德斯也體認到大自然恆常變遷的事實。透過感官，他察覺到事物的確會發生變化，不過他無法將這個現象與他的理智思考畫上等號。當他不得不在依賴感官和依賴理智之間做一個選擇時，他選擇了理智。

你聽過「眼見為信」這句話。不過帕梅尼德斯甚至在親眼見到後仍不相信。他認為我們的感官使我們對世界有不正確的認識，這種認識與我們的理智不符。身為一個哲學家，他認為他的使命就是要揭穿各種形式的「感官幻象」。

這種堅決相信人的理智的態度被稱為理性主義。所謂理性主義者就是百分之百相信人類的理智是世間所有知識泉源的人。

所有事物都是流動的

帕梅尼德斯的時代另有一位哲學家叫做赫拉克里特斯（Heraclitus，約西元前五四〇～四八〇）。當時他從以弗所（Ephesus）來到小亞細亞。他認為恆常變化（或流動）事實上正是大自然的最基本特徵。我們也許可以說，赫拉克里特斯對於自己眼見的事物要比帕梅尼德斯更有信心。

赫拉克里特斯說：「所有事物都是流動的。」每一件事物都在不停變化、移動，沒有任何事物是靜止不變的，因此我們不可能「在同一條河流中涉水兩次」。當我第二次涉水時，無論是我還是河流都已經與從前不同了。

赫拉克里特斯指出，世間的事物都是相對的。如果我們從未生病，就不會知道健康的滋味。如果我們從未嘗過饑餓的痛苦，我們在飽足時就不會感到愉悅。如果世上從未有過戰爭，我們就不會珍惜和平。如果沒有冬天，春天也不會來臨。

赫拉克里特斯相信，在事物的秩序中，好與壞、善與惡都是不可或缺的。如果好壞善惡兩極之間沒有不停的交互作用，則世界將不再存在。

他說：「神是白天也是黑夜，是冬天也是夏天，是戰爭也是和平，是饑餓也是飽足。」這裡他提到的「神」所指的顯然不是神話中的神。對於赫拉克里特斯而言，神是涵蓋整個世界的某種事物。的確，在大自然不停的變化與對比中，我們可以很清楚的看見神的存在。

赫拉克里特斯經常用logos（意為「理性」）這個希臘字來替代「神」一詞。他相信，人類雖然思想不見得永遠一致，理性也不一定同樣發達，但世上一定有一種「普遍的理性」指導大自然所發生的每一件事。

「普遍的理性」或「普遍法則」是所有人都具備，而且以之做為行事準則的。不過，赫拉克里特斯認為，大多數人還是依照個人的理性來生活。總而言之，他瞧不起其他的人。他說：「大多數人的意見就像兒戲一般。」

所以，赫拉克里特斯在大自然不斷地變遷與對比的現象中看出了一個「一致性」。他認為這就是萬物之源，他稱之為「上帝」或「理性」。

四種基本元素

從某方面來看，帕梅尼德斯和赫拉克里特斯兩人的看法正好相反。帕梅尼德斯從理性的角度認為沒有一件事物會改變。赫拉克里特斯則從感官認知的觀點認為大自然不斷在改變。究竟誰對誰錯？我們應該聽從理性還是依循感官？

帕梅尼德斯和赫拉克里特斯各自主張兩點。

帕梅尼德斯說：

1. 沒有任何事物會改變。
2. 因此我們的感官認知是不可靠的。

赫拉克里特斯則說：

1. 萬物都會改變（「一切事物都是流動的」）。
2. 我們的感官認知是可靠的。

兩人的意見可說是南轅北轍。但究竟誰是誰非?這樣各執一詞、相持不下的局面最後由西西里的哲學家恩培竇可里斯(Empedocles)解決了。

他認為他們兩人各有一點是對的,也各有一點是錯的。

他指出,他們兩人之所以有這個根本性的差異是因為他們都認定世間只有一種元素存在。他說,果真如此,則由理性引導的事物與「眼睛可見到的」事物之間將永遠有無法跨越的鴻溝。

他說,水顯然不會變成魚或蝴蝶。事實上,水永遠不會改變。純粹的水將一直都是純粹的水。帕梅尼德斯主張「沒有任何事物會改變」並沒有錯。

但同時恩培竇可里斯也同意赫拉克里特斯的說法,認為我們必須相信我們的感官所體驗到的。我們必須信任自己親眼所見的事物,而我們的確親眼看到大自然的變化。

恩培竇可里斯的結論是:我們不應該接受世間只有一種基本物質的觀念;無論水或空氣都無法獨力變成玫瑰或蝴蝶。大自然不可能只由一種「元素」組成。

恩培竇可里斯相信,整體來說,大自然是由四種元素所組成的,他稱之為四個「根」。這四個根就是土、氣、火與水。

他指出,大自然所有的變化都是因為這四種元素相互結合或分離的緣故。因為所有事物都是由泥土、空氣、火與水混合而成,只是比例各不相同。他說,當一株花或一隻動物死亡時,它們體內的這四種元素就再度分離了,這些變化是肉眼可見的。不過土、氣、火與水卻是永遠不滅的，不受他們所組成事物的影響。因此，說「萬物」都會改變是不正確的。基本上，沒有任何一件事情有變化。世間發生的事不過是這四種元素的分合聚散罷了。

也許我們可以拿繪畫來做比喻。假如一位畫家只有一種顏料——例如紅色——他便無法畫出綠樹。但假如他有黃、紅、藍、黑四色，他便可以將它們依照不同的比例來調配，得出數百種顏色。

或者也可以拿烹飪來比方。如果我只有麵粉，那麼我得是個魔法師才能做出蛋糕來。但如果我有雞蛋、麵粉、牛奶與糖，我便可以做出各式各樣的蛋糕。

恩培竇可里斯之所以選擇土、氣、火與水做為大自然的四個「根」並非偶然。在他之前有些哲學家也曾經試圖證明宇宙的基本元素不是水，就是空氣或火。泰利斯與安那西梅尼斯也曾經指出，水與氣都是物質世界中不可或缺的元素。希臘人則相信火也同樣重要。舉例來說，他們發現陽光對所有生物的重要性，也知道動物與人都有體溫。

恩培竇可里斯可能觀察過木材燃燒的情形。他看到木材因此分解。木材燃燒時發出「劈啪！劈啪！」的聲音，那是「水」，另外也有某些東西隨著煙霧往上升，那是「氣」，而「火」更是明白可見的。至於火熄滅後所殘餘的灰燼便是「土」了。

恩培竇可里斯將自然界的變化解釋為四個「根」的分合聚散之後，仍有一件事情有待解釋。是什麼因素使得這些元素聚合在一起，創造了新的生命？又是什麼因素使得這些聚合物——例如花——再度分解？

恩培賓可里斯認為自然界有兩種力量。他稱之為「愛」與「恨」。愛使得事物聚合，而恨則使他們分散。

他將「物質」與「力量」分開來。這是值得注意的一件事。即使是在今天，科學家們仍將「礦物」與「自然力」分開。現代科學家相信，自然界的一切變化都可說是各種礦物在不同自然力之下相互作用的結果。

恩培賓可里斯並提出「我們何以能看見某物？」的問題。例如我們何以能「看見」一株花？其間究竟發生了什麼事？蘇菲，你有沒有想過這個問題？如果沒有，你現在可有機會了。

恩培賓可里斯認為，我們的眼睛就像自然界的其他事物一樣，也是由土、氣、火、水所組成。所以我們眼睛當中的「土」可以看見周遭環境中的土，我們眼中的「氣」則看到四周的氣，我們眼中的「火」看到四周的火，我們眼中的「水」則看到四周的水。我們的眼睛中如果缺少這四種物質中的任何一種，便無法看到大自然所有的事物了。

萬物中皆含有各物的一部分

還有一位哲學家也不認為我們在自然界中所看到的每一件事物都是由某一種基本物質——如水——變成的。他的名字叫安納薩哥拉斯（Anaxagoras，西元前五〇〇～四二八年)。他也不相信土、氣、火、水就能夠變成血液與骨頭。

安納薩哥拉斯主張大自然是由無數肉眼看不見的微小粒子所組成,而所有事物都可以被分割成更小的部分。然而,即使是在最小的部分中也有其他每種事物的成分存在。他認為,如果皮膚與骨頭不是由其他東西變成,則我們喝的牛奶與吃的食物中也必定有皮膚與骨頭的成分。

我們用一些現代的例子也許可以說明安納薩哥拉斯的思想。現代的雷射科技可以製造所謂的「雷射攝影圖」。如果一張雷射攝影圖描繪的是一輛汽車,且這張圖被切割成一片一片的,那麼我們雖然手中只有顯示汽車保險桿的那一張圖,也仍舊可以看到整輛汽車的圖像。這是因為在每一個微小的部分中都有整體的存在。

從某一方面來說,我們身體的構造也是一樣。假如我的指頭上掉落了一個皮膚細胞,此一細胞核不僅會包含我皮膚的特徵,也會顯示我有什麼樣的眼睛、什麼顏色的頭髮、有幾根指頭、是什麼樣的指頭等等。人體的每個細胞都帶有決定所有其他細胞構造方式的藍圖,因此在每一個細胞中,都含有「各物的一部分」;整體存在於每一個微小的部分中。

安納薩哥拉斯稱呼這些含有「各物的一部分」的「小粒子」為「種子」。

我們還記得恩培竇可里斯認為「愛」凝聚各種元素組成整體的力量。安納薩哥拉斯也認為「秩序」是一種力量,可以創造動物與人、花與樹等。他稱這個力量為「心靈」或「睿智」。

安納薩哥拉斯之所以引起我們的興趣，一方面也是因為他是我們所知第一個住在雅典的哲學家。他生長於小亞細亞，但在四十歲時遷居雅典。他後來被責為無神論者，因此最後被迫離開雅典。他還說過，太陽不是一個神，而是一塊紅熱的石頭，比希臘的培洛彭尼索斯半島還大。

安納薩哥拉斯對天文學很感興趣。他相信天上所有物體的成分都與地球相同。這是他研究一塊隕石後達成的結論。他因此想到別的星球上可能也有人類。他並指出，月亮自己並不會發光，它的光來自於地球。同時他還解釋了日蝕的現象。

P.S.：蘇菲，謝謝你注意聽講。你可能需要將這一章讀個兩、三遍才能完全理解。不過話說回來，要理解一件事物總是要費一些力氣的。你的朋友如果有人一點不費力氣就可以樣樣精通的話，我相信你也不會很欣賞她。

關於宇宙基本組成物質與自然界變化這個問題的最佳答案必須要等到明天再說了。到時你將會認識德謨克里特斯（Democritus）。今天就到此為止了。

蘇菲坐在密洞中，透過濃密的灌木叢中的小洞向花園張望。在讀了這麼多東西後，她得釐清她的思緒才行。

顯然的，白水除了變成冰塊或蒸汽之外，永遠不能變成其他的東西，甚至也不能變成西瓜，因為西瓜裡面除了水以外還有別的。不過她之所以這麼肯定，是因為她曾經在學校中上過課。如果她沒有上過相關的課，她還會這麼肯定冰塊的成分完全是水嗎？至少她得密切觀察水如何結凍成冰塊、又如何溶解才行。

蘇菲再次試著運用自己的常識，而不去想她從別人那兒學到的知識。

帕梅尼德斯不承認世上任何事物會變化。蘇菲愈想愈相信從某一方面來說，他是對的。在智性上，他無法接受事物會突然轉變成「另外一種完全不同的事物」的說法。要坦白說出這個觀念一定需要很大的勇氣，因為這必定意味著他必須駁斥人們親眼所見到的種種自然界的變化。一定有很多人取笑他。

恩培竇可里斯一定也是個很聰明的人。因為他證明這世界是由一種以上的物質組成，如此自然界才可能在萬事萬物實際上皆未曾改變的情況下產生種種變化。

他只憑推理就發現了這個事實。當然他曾經研究過大自然，但他卻沒有現代科學家的設備來進行化學分析。

蘇菲並不一定相信萬事萬物都是由土、氣、火與水所組成。但這又有什麼關係呢？就原則上來說，恩培竇可里斯說得沒錯。如果我們要接受自己親眼所見的各種大自然的變化而又不致違反自己的理性，唯一的方式就只有承認世間存在著一種以上的基本物質。

現在，蘇菲發現哲學這門課程更有趣了，因為她可以運用自己的常識來理解這些哲學思想，而毋需憑藉她在學校學到的知識。她的結論是：哲學不是一般人能夠學到的，但也許我們可以學習如何以哲學的方式思考。

德謨克里特斯

……世界上最巧妙的玩具……

蘇菲將信紙放回餅乾盒，蓋上蓋子。她爬出密洞，並在花園裡站了一會，看著整座園子，想到昨天發生的事。今天吃早飯時，媽媽又拿情書這件事情來取笑她。於是她很快走向信箱，以免又發生類似昨天的事。連續兩天接到情書將會使她更難為情。

信箱裡又有一個小小的白色信封！她開始察覺哲學家送信的時間有一定的模式：每天下午她會接到一個棕色的大信封。趁著她看信時，哲學家又會神不知鬼不覺地把另一個白色小信封放在她的信箱內。

因此，現在蘇菲有辦法查出他的身分了。說不定，他還是個女人呢！她可以從樓上的房間清楚看到信箱。如果她站在窗前，就可以看到這位神祕的哲學家了。白信封總不會是從空氣裡變出來的吧？

蘇菲決定明天要密切觀察。明天是星期五，她有一整個週末可以做這件事。

她上樓回到自己的房間，並打開信封。今天只有一個問題，但這個問題卻比她的「情書」裡的那三個問題更蠢。

積木為何是世界上最巧妙的玩具？

首先，蘇菲並不認為積木是世界上最巧妙的玩具。她已經有好些年沒玩過它了。再說，她實在看不出積木和哲學有什麼關聯。

不過，她是一個很守本分的學生。於是，她在櫥櫃的上層翻尋了一遍，找出一個裝滿各種形狀、尺寸的積木的塑膠袋。

她開始玩起積木來，她好久好久沒有這樣做了。當她動手時，腦中開始出現了一些關於積木的想法。

她想，這些積木很容易組合。雖然它們每一塊各不相同，但都可以互相銜接。此外，這些積木也摔不破。印象中她好像沒有看過破掉的積木。她手中的這些積木看來就像許多年前剛買時一樣，新的發亮。最棒的是她可以用積木組合成任何東西，然後又可以把它們拆開，再組合成別的東西。

對於這樣的玩具你還能有什麼要求呢？現在蘇菲開始認為積木的確是世界上最巧妙的玩具了。不過她還是不明白這跟哲學有什麼關係。

她幾乎蓋好一棟很大的娃娃屋。她雖然不願意承認，但事實上她很久很久沒有玩得這麼開心了。

為什麼人們長大後就不再玩耍了呢？

當媽媽進門時，看到蘇菲正在玩積木，忍不住脫口而出：「多好玩哪！我很高興你還沒有長大到不能玩的年紀。」

「我不是在玩！」蘇菲生氣的說。「我在做一項非常複雜的哲學實驗。」媽媽深深歎了口氣，蘇菲大概又在想白兔與帽子的事了。

第二天蘇菲放學回家後，放著好幾頁信紙的棕色大信封已經在等著她了。她把信拿到樓上的房間內，迫不及待要看信，但同時她也告訴自己必須要注意信箱附近的動靜才行。

原子理論

蘇菲，我又來了！今天我們將談到最後一位偉大的自然派哲學家。他的名字叫德謨克里特斯（約西元前四六〇～三七〇年），來自愛琴海北部海岸一個叫阿布德拉的小鎮。如果你能夠毫無困難的回答有關積木的問題，你將可以瞭解這位哲學家的課題。

德謨克里特斯同意前面幾位哲學家的看法，認為自然界的轉變不是因為任何事物真的有所「改變」。他相信每一種事物都是由微小的積木所組成，而每一塊積木都是永恆不變的。德謨克里特斯把這些最小的單位稱為原子。

原子（atom）這個字的本意是「不可分割的」。德謨克里特斯認為，證明組成各種事物的單位不可能被無限制分割成更小的單位是很重要的。因為如果每一個組成各種事物的單位都可以被分割成更小的單位，則大自然將開始像不斷被稀釋的湯一般消失了。

更重要的是，大自然的積木必須是永恆的，因為沒有一件事物會來自虛無。在這方面，他同意帕梅尼德斯與伊利亞地區那些哲學家的看法，也認為所有的原子都是堅硬結實的，但卻非完全一樣。他說，如果所有原子都一模一樣，則我們將無法圓滿解釋它們何以能夠聚合成像罌粟花、橄欖樹、羊皮、人髮等各種不同的東西。

德謨克里特斯相信，大自然是由無數形狀各異的原子組成的。其中有些是平滑的圓形，有些是不規則的鋸齒形。正因為它們形狀如此不同，才可以組合在一起，成為各種不同的物體。然而，無論它們的數量和形狀多麼無窮無盡，它們都是永恆不變、不可被分割的。

當一個物體——如一棵樹或一隻動物——死亡並分解時，原子就分散各處並可用來組成新的物體。這些原子在空間中到處移動，但因為它們有「鉤」與「刺」，因此可以組成我們周遭所見的事物。

因此，現在你明白我問你積木問題的用意了吧？積木的性質多少與德謨克里特斯所說的原子相似，這也是為何積木如此好玩的原因。首先它們是不可分割的，其次它們有各種不同的形狀與尺寸，它們是硬而且不可滲透的。它們也有「鉤」與「刺」，使得它們可以組合在一起，形成任何你想像得到的形狀。組合完成後，你也可以將它們拆掉，用同一批積木再組成新的東西。

它們可以一再重複使用，這也是積木為何如此受到歡迎的原因。同一塊積木今天可以用來造卡車，明天可以用來造城堡。我們也可以說積木是「永恆」的玩具，因為父母小時玩的積木可以拿給下一代玩。

我們也可以用黏土來做東西，不過黏土不可以重複使用，因為它可以不斷被分割成更小的單位。這些微小的單位不能夠再度組合，做成別的東西。

今天我們可以確定，德謨克里特斯的原子理論或多或少是正確的。大自然的確是由聚散不定的不同「原子」所組成。我鼻頭細胞裡的一個氫原子以前可能屬於某隻大象的鼻子；我心臟肌肉裡的一個碳原子從前可能在恐龍的尾巴上。

不過，現代科學家已經發現原子可以分裂為更小的「基本粒子」。我們稱之為質子、中子與電子。也許這些粒子有一天也可以被分裂成更小的粒子。但物理學家一致認為這樣分裂下去，一定會有一個極限。一定有一個組成大自然的「最小單位」。

德謨克里特斯當年並沒有現代的電子設備可以利用。他唯一的工具就是他的心靈。不過在運用他的理性思考之後，他其實也只能提出這樣的答案。他既然接受沒有任何事物會改變、沒有任何事物來自虛無、沒有任何事物會消失的說法，那麼大自然必定是由可以一再聚散的無限小單位組成的。

德謨克里特斯並不相信有任何「力量」或「靈魂」介入大自然的變化過程。他認為世間唯一存在的東西就只有原子與虛空。由於他只相信物質的東西，因此我們稱他為唯物論者。

根據德謨克里特斯的說法，原子的移動並沒有任何刻意的「設計」。在自然界中，每一件事物的發生都是相當機械化的。這並不是說每一件事都是偶然發生的，因為萬事萬物都遵從必要的「必然法則」。每一件事之所以發生都有一個自然的原因，這個原因原本即存在於事物的本身。德謨克里特斯曾經說過，他對發現新的自然法則比當波斯國王更有興趣。

德謨克里特斯認為，原子理論同時也解釋了我們的感官何以會有知覺。我們之所以會感覺到某樣東西，是因為原子在空間中移動的緣故，我們之所以能看到月亮，是因為「月亮原子」穿透了我們的眼睛。

然而，有關「靈魂」這檔事又怎麼說呢？它一定不可能是由原子、由物質組成的吧？事實上，那是可能的。德謨克里特斯認為，靈魂是由一種既圓又平滑的特別的「靈魂原子」組成。人死時，靈魂原子四處飛散，然後可能變成另一個新靈魂的一部分。這表示人類並沒有不朽的靈魂。今天許多人都持有這種想法。他們像德謨克里特斯一樣，相信「靈魂」與腦子連在一起，腦子分解之後，我們就沒有任何知覺意識了。

關於希臘的自然派哲學，我們暫時就討論到德謨克里特斯的原子理論為止。他贊成赫拉克里特斯的看法，認為各種物體出現、消失、出現、消失，因此自然界的一切事物都是「流動」的。不過在每一件「流動」的事物背後，有某種永恆不變、不會流動的東西，德謨克里特斯稱之為原子。

在看信的當兒，蘇菲向窗外瞥過好幾眼，想看那位神祕的哲學家是否會出現在信箱旁。現在她卻只是坐著，看著路的那一頭，想著剛才信裡的內容。

她覺得德謨克里特斯的概念雖然簡單，但卻非常巧妙。他發現了「基本物質」與「變化」這個問題的真正答案。這個問題非常複雜，歷代的哲學家都為它絞盡腦汁。最後德謨克里特斯卻單憑常識就解決了這個問題。

蘇菲忍不住要微笑起來。大自然必定是由許多不變的微小單位組成的。另外一方面，赫拉克里特斯認為自然界所有形體都在「流動」的想法顯然也是對的，因為每一個人都會死，動物也會死，就連山脈也會慢慢瓦解。重點是山脈是由微小的、不可分割的單位組成的，而這些單位永遠不會分解。

同時，德謨克里特斯也提出了一些新的問題。例如，他說每一件事物的發生都是機械化的。就像恩培竇可里斯與安納薩哥拉斯一樣，他並不認為生命中有任何精神力量存在。他也相信人沒有不朽的靈魂。

她是否贊成這種想法呢？

她不知道。不過畢竟她才開始上這門哲學課呀！

命運

……算命者試圖預測某些事實上極不可測的事物……

蘇菲剛才讀著德謨克里特斯的理論時，已經留神查看過信箱附近的動靜。不過為了保險起見，她決定還是走到花園門口去看看。

當她打開前門時，看到門前的階梯上放著一個小信封。不用說，是寫給蘇菲的。

這麼說，他已經知道了。今天她特地留意信箱附近的動靜，但這個神祕客卻悄悄從另外一個角度溜到屋前，把信放在臺階上，然後又匆匆躲進樹林中。真是的！他怎麼知道蘇菲今天會注意觀察信箱？也許他看到她站在窗口了？無論如何，蘇菲還是很高興能在媽媽回家前拿到這封信。

蘇菲回到房裡，打開信。信封的邊緣有一點潮濕，並且有兩個小洞。為何會這樣呢？有好幾天都沒下雨了呀！

信封裡的紙條寫著：

你相信命運嗎？

疾病是諸神對人類的懲罰嗎？

是什麼力量影響歷史的走向？

她相信命運嗎？她可不敢說，不過她知道有很多人相信。她班上有一個女生常常看雜誌上的星座欄。如果人們相信占星術，他們大概也相信命運，因為占星學家宣稱星座的位置會影響地球人類的生活。

如果你相信在路上遇見黑貓表示運氣不好，那麼就表示你相信命運，是不是？她思考這個問題時，想到另外幾個宿命論的例子。舉例來說，為什麼那麼多人會在自誇或談論好運時，敲一敲木頭做的東西以避免帶來厄運呢？為什麼十三號星期五不吉利？蘇菲聽說有很多旅館沒有第十三號房。這一定是因為有很多人迷信的緣故。

「迷信」，多麼奇怪的一個名詞。如果你信基督教或回教，這就叫「信仰」，但如果你相信占星術或十三號星期五不吉利，就是迷信！誰有權利說別人相信的東西是「迷信」呢？

不過，蘇菲倒可以肯定一件事：德謨克里特斯並不相信命運，他是個唯物論者，他只相信原子與虛空。

蘇菲又試著思索紙條上的其他問題。

「疾病是諸神對人類的懲罰嗎？」今天一定不會有人相信這種說法吧？不過她又想到很多人認為祈禱會幫助疾病痊癒。所以無論如何，他們一定相信上帝有某種力量可以左右哪些人生病、哪些人痊癒。

至於最後一個問題就更難回答了。蘇菲以前從未深思過什麼力量會影響歷史走向的問題。一定是人類吧？如果是上帝或命運的話，那人類就沒有自由意志了。

自由意志這個觀念使蘇菲想到別的東西。她為什麼要忍受這個神祕的哲學家跟她玩捉迷藏的遊戲呢？她為什麼不寫一封信給他呢？他（或她）非常可能又會在晚上或明天早晨在信箱裡放一個大信封。到時她要寫好一封信給這個人。

蘇菲立刻下樓。她心想，要寫信給一位她從未見過的人可真難呀！她連那人是男是女都不知道呢！也不知道他（她）是老是少。講到這點，說不定這位神祕的哲學家還是她認識的人呢！

很快的，她已經寫好了一封短信：

可敬的哲學家：

我很欣賞您所函授的哲學課程，但對於不知您的身分一事甚感困擾。因此請求您具上全名。為了回報，歡迎您前來寒舍小坐並共進咖啡，不過最好利用我母親不在家時。她的上班時間為週一到週五每天上午七點半到下午五點。同一段時間我也在校上課，但除週四之外，總是在下午兩點十五分回到家門。還有，我很擅於煮咖啡。

在此先謝謝您。

學生　蘇菲（十四歲）敬上

在信紙的最下面，她寫上「煩請回函」這幾個字。

蘇菲覺得這封信寫得太正式了。不過當你寫給一個從未謀面的人時，很難決定要使用什麼樣的字眼。

她把信放在一個粉紅色的信封裡，並塞進去。信封上寫著：「哲學家啓」。

問題是：她應該把信放在哪裡才不會被媽媽看到呢？她得等到媽媽回家後才能把它放在信箱裡。還有，她也必須記得在第二天清晨報紙送來前，查看信箱。如果今天傍晚或深夜她沒有收到新的信，她就得把那封粉紅色的信拿回來。

事情為什麼一定要弄得這麼複雜呢？

那天晚上，雖然是星期五，蘇菲還是早早就回房。媽媽拿義大利脆餅和電視恐怖劇引誘她留下來，但蘇菲說累了，想上床看書。趁媽媽坐在那兒看電視時，她偷偷拿了信溜到信箱那兒。

媽媽顯然很擔心她。自從蘇菲上次講過白兔與帽子的事後，媽媽對蘇菲講話的語氣都不一樣了。蘇菲不想讓媽媽擔心，但她必須上樓觀察信箱旁邊的動靜。

十一點鐘左右，媽媽上樓來時，蘇非正坐在窗子旁，看著下面那條路。

媽媽說：「你可不是坐在這兒盯著信箱看吧？」

「我高興！」

「我看你一定是談戀愛了，蘇菲。可是就算他會再送信來，也不會挑三更半夜呀！」

真討厭，幹嘛老講這些肉痲的事情？不過蘇菲只好讓媽媽繼續這樣想了。

媽媽又說：「他就是告訴你兔子與帽子那些事的人嗎？」

蘇菲點點頭。

「他──他沒有嗑藥吧？」

現在蘇菲真是替媽媽感到難過了。她不能繼續讓她這樣擔心下去。雖說媽媽只要聽到誰有一些古怪念頭，就認為他有嗑藥的嫌疑，那也是夠神經了。大人有時還真白癡呢！

她轉身看著媽媽，說：「媽，我答應你永遠不會做那類的事情……『他』也不會。不過他對哲學非常有興趣。」

「他年紀比你大嗎？」

蘇菲搖搖頭。

「跟你同年？」

蘇菲點點頭。

「嗯，我相信他一定很可愛。現在你應該睡覺了吧？」

不過蘇菲還是繼續坐在窗邊。時間好像過了好幾小時，最後她的眼睛實在睜不開了，已經是半夜一點了。

她正要上床時，突然看到有一個影子從樹林中閃出來。

雖然外頭很黑，但蘇菲還是看得出來那是個人，而且是個男人。蘇菲心想他看來年紀頗大的，一定不是跟她同年。他頭上好像戴著一頂扁帽。

她發誓他曾經向樓上望了一眼，不過蘇菲房間的燈沒開。那個男人一直走到信箱旁，將一個大信封丟進裡面。這時他突然看到蘇菲寫的信，他把手伸進信箱，把信拿出來，然後便快步走回樹林，沿著樹林中的小徑慢跑，然後就消失不見了。

蘇菲覺得自己的心「咚！咚！」的跳。她的第一個直覺反應是想穿著睡衣出去追他，但她又不敢半夜去追一個陌生人。不過她顯然必須出去拿那封信。

一、兩分鐘後，她躡手躡腳的走下樓梯，悄悄打開前門，跑到信箱那兒。一轉眼她已經回房，手中拿著那封信。她坐在床上，屏聲靜氣。直到幾分鐘後屋裡仍然靜悄悄時，她才打開信封，開始看信。

她知道這封信不是針對她那封信的回函。那封信要明天才會到。

命運

早安，親愛的蘇菲。為了避免你產生任何念頭，我先聲明：你絕對不可以探查我的身分。有一天我們會見面的，不過要讓我來決定時間和地點。就這樣說定了，你不會不聽話吧？

現在讓我們再談那些哲學家的理論吧。我們已經看到他們如何試圖為大自然的變化尋求自然的解釋。在過去，這些現象都是透過神話來解釋的。

然而，其他方面的古老迷信也必須加以破除。我們將談到他們如何思考疾病與健康以及政治問題。在這些方面，希臘人非常相信宿命論。

宿命論的意思就是相信所有發生的事都是命中注定的。我們可以發現這種思想遍布全世界，不僅古人這樣想，現代人也一樣。北歐這裡的人同樣非常相信命運，相信冰島詩集中的各種神話與傳說。

我們也可以發現，無論是在古希臘或其他地方，人們都相信他們可以藉由神諭來得知自己的命運。換句話說，他們相信一個人或一個國家的命運可以用一些方式預測出來。

現代仍有許多人相信紙牌算命、看手相或觀察星座以預知未來等。挪威人有一個用咖啡杯來算命的特別方法。當咖啡喝完後，杯底通常會有一些咖啡粉的殘渣。這些渣子可能會形成某種圖案——如果我們運用我們天馬行空的想像力的話。假使杯底的渣子看來像是一輛車子，那也許就表示喝這杯咖啡的人將駕車遠行。

就這樣，「算命仙」試圖預測一些非常不可能預測的事情，這是所有預言共同的特徵。而正因為算命仙所「看」到的是如此模糊，你很難去駁斥他的話。

當我們擡頭看著天上的星星時，我們只能看到許多呈不規則分布狀的閃亮小點。儘管如此，千百年來仍有不少人相信可以從星星裡看出人類的命運。即使在今天，仍有一些政治領袖在做重要決策前會徵求占星學家的意見。

戴爾菲的神諭

古代希臘人相信人們可以透過著名的戴爾菲（Delphi）神諭知道自己的命運。負責神諭的神是阿波羅。他透過他的女祭司琵西雅（Pythia）發言。琵西雅坐在土地裂縫上方的一張凳子上，裂縫中會冒出一股催眠般的蒸汽，使她進入恍惚的狀態，而成為阿波羅的代言人。

人們來到戴爾菲後，必須將他們的問題呈給負責神諭的祭司，再由祭司將問題轉達給琵西雅。而她的回答往往含糊不清、模稜兩可，因此必須由祭司加以解釋。人們就如此這般得著了阿波羅智慧的恩賜，並相信他無所不知，甚至可以預見未來。

當時，有許多國家元首要等到求教於戴爾菲的神諭後，才敢打仗或採取一些決定性的步驟。因此阿波羅的祭司們或多或少具有一些外交家的功能，也可以說他們是熟悉人民與國家事務的顧問。

在戴爾菲神廟的入口處上方有一行著名的銘文：「瞭解自己！」意思是人類絕不可自以為不朽，同時也沒有人可以逃避命運。

希臘有許多故事敘述人們如何逃不過命運的捉弄。久而久之，這些「可憐」人物的故事被寫成若干齣悲劇。其中最有名的一齣是有關伊迪帕斯國王的悲慘故事。

歷史與醫學

古希臘人相信命運不僅操縱個人的生活，也左右世界的歷史。他們並且相信戰爭的結局可能因諸神的介入而改變。同樣的，在我們這個時代，也有許多人相信上帝或某種神祕的力量會影響歷史的走向。

然而，就在希臘哲學家努力為大自然的變化尋求符合自然的解釋時，歷史上最早的一批歷史學家也開始為歷史事件尋求合理的解釋。他們不再認為一個國家之所以打敗仗是因為神向他們報復。最著名的兩位希臘歷史學家是賀若多陀斯（Herodotus，西元前四八四～四二四年）與修西德底斯（Thucydides，西元前四六〇～四〇〇年）。

古希臘人相信疾病可能是神降的災禍，也相信只要人以適當的方式向神獻祭，神就可能使生病的人痊癒。

這個觀念並非希臘人獨有。在現代醫學發達以前，人們普遍認為疾病是由某些超自然的原因所造成。英文influenza（流行性感冒）一字實際上的意思是「受到星星的不良影響」。

即使是在今天，仍有很多人相信某些疾病——如愛滋病——是上帝對人類的懲罰，也有許多人相信可以用超自然的力量痊癒。

在希臘哲學朝新方向邁進之際，希臘的醫學也開始興起。這種學問的目的是為疾病與健康尋求合乎自然的解釋。據說希臘醫學的始祖是大約西元前四六〇年時，在寇斯島誕生的希波克拉底（Hippocrates）。

根據希波克拉底派的醫學傳統，要預防疾病，最重要的就是飲食起居要節制，同時要有健康的生活方式。他們認為健康是人的自然狀態。人之所以生病，是因為身體或心靈不平衡，因而使大自然「出軌」所致。保持健康的方法就是節制飲食、保持和諧，並擁有「健康的身體與健康的心靈」。

現代人常常談到「醫學倫理」，也就是說醫生為人治病時必須遵守若干倫理規範，例如不能開麻醉藥品的處方給健康人，同時必須保守職業上的祕密，也就是說，不可以洩漏病人的病情。這些概念都是希波克拉底提出來的。他要求他的學生宣讀下列的誓言：

我將依照自身的能力與判斷，採用對病人有利的療法與處方，絕不施以有害或有毒之物。無論應何人之請，我也絕不給與致命藥物或做此類之建議，也絕不協助婦女墮胎。進入病家訪視時，我將以病人的福祉為念，不做任何貪瀆害人之事，不受男女奴僕之引誘。我在執業時之所見所聞，凡不應洩漏者，我將嚴予保密。若我遵行此一誓言，不懈不怠，願上蒼使我樂享生命、精進醫事並受世人敬重。若我違反誓言，願我遭相反之命運。

星期六早上，蘇菲醒來時從床上跳了起來。她是在作夢還是她真的見到了那位哲學家？

她用一隻手摸了摸床底下，沒錯，昨晚收到的信還在那裡。不是夢。

她準是見到那個哲學家了。更重要的是，她親眼看到他拿走了她寫的信。

她蹲在地板上，把所有的信都從床底下拉出來。咦，那是什麼？就在牆邊，有一樣紅色的東西，好像是一條圍巾吧？

蘇菲鑽到床底下，拉出一條紅色的絲巾。她肯定這不是她的。

她仔細加以檢查。當她看到絲巾的線縫旁有墨水寫的「席德」字樣時，不禁目瞪口呆。

席德！誰又是這個席德呢？她們走的路怎麼會如此交錯不已呢？

蘇格拉底

……最聰明的是明白自己無知的人……

蘇菲穿上一件夏衣，匆匆下樓走進廚房。媽媽正站在桌子旁邊。蘇菲決定不提任何有關絲巾的事。

她脫口而出：「你去拿報紙了嗎？」

媽媽轉過身來。

「你去幫我拿好嗎？」

蘇菲飛也似地出了門，從石子路走到信箱旁。

信箱裡只有報紙。她想他大概不會這麼快回信吧。在報紙的頭版，她看到有關挪威聯合國部隊在黎巴嫩的消息。

聯合國部隊……這不是席德的父親寄來的卡片郵戳上蓋的字樣嗎？但信上貼的卻是挪威的郵票。也許挪威聯合國部隊的士兵擁有自己的郵局。

蘇菲回到廚房時，媽媽聲音乾澀的說：「你現在對報紙好像很有興趣。」

幸好當天吃早餐時及早餐過後，媽媽都沒有再提到有關信箱的事情。當媽媽出去買東西時，蘇菲將那封關於命運的信拿到密洞去。

當她看到她存放哲學家來信的餅乾盒旁邊放著一個白色的小信封時，不禁嚇了一跳。

她很肯定不是她放的。

這封信的邊緣同樣有點潮濕，此外信封上還有兩、三個很深的洞，就像她昨天收到的那封一樣。

難道哲學家來過了嗎？他知道她的密洞嗎？這封信為什麼濕濕的？

這些問題把她弄得頭昏腦脹。她打開信封來看：

親愛的蘇菲：

我讀你的信讀得津津有味，不過卻有些後悔。遺憾的是，有關共進咖啡的事，我恐怕要讓你失望了。總有一天我們會見面的，但可能要等很久我才能親自到船長彎來。

我必須加上一點，從今以後，我將不能親自送信了。因為長此下去，風險太大。以後這些信將由我的小小使者送來，同時將會直接送到花園的密洞中。

有必要時，你可以再和我聯絡。當你想這樣做時，請把一塊餅乾或糖放在一個粉紅色的信封裡。我的使者拿到後，會直接送來給我。

P.S.：拒絕一個小淑女共進咖啡的邀請並不是一件令人很愉快的事，但有時我不得不這樣做。

又，如果你在某處看到一條紅色的絲巾，請加以保管。那樣的東西常常會被人拿錯，尤其是在學校等地，而我們這兒又是一所哲學學校。

艾伯特敬上

蘇菲今年十四歲。這十四年間她曾接過許多的信，尤其是在聖誕節以及她的生日時。但這封信恐怕是其中最奇怪的一封了。

信上沒貼郵票，甚至也不曾放進信箱中，而是直接送到蘇菲在老樹籬中最祕密藏身之處的。還有，在這樣一個乾爽的春日裡，這封信何以會弄濕，也很令人費解。

當然，最奇怪的還是有關那條絲巾的事。這位哲學家一定還有另外一個學生，而這個學生掉了一條紅色的絲巾，一定是這樣。不過她怎麼會把它掉在蘇菲的床底下呢？

還有，艾伯特是一個名字嗎？

不過有一件事是可以肯定的：這位哲學家與席德之間有某種關係，不過席德的父親卻把她們兩人的地址搞錯了，這實在是令人難以理解的事。

蘇菲坐了很久，想著席德和她之間到底有什麼關係。最後，她歎了口氣，決定放棄。哲學家曾經說過有一天他會跟她見面。也許她也會見到席德。

她把信紙翻過來，發現背後也寫了幾行字：

是否有人天生就很害羞呢？

最聰明的是明白自己無知的人。

真正的智慧來自內心。

明辨是非者必能進退合宜。

蘇菲已經知道白信封內的這些短句是哲學家給她的功課，目的要讓她做好準備，以便閱讀不久後會送來的大信封。這時她突然想起了一件事。如果那位「使者」會把棕色的大信封送到密洞這兒來，她大可以坐在這裡等他。（也許是「她」？）她一定會纏著那人，要他（或她）透露哲學家的一些底細。信上說，這個使者很小。會是個孩子嗎？

「是否有人天生就很害羞呢？」

蘇菲知道害羞就是難為情，例如因為光著身子被人瞧見而不好意思。但因為這樣的事而覺得難為情是很自然的反應嗎？在她認為，如果某件事情很自然，那每個人做它的時候都應該覺得很自然。在世界上許多地方，赤身露體是很自然的事。因此一定是一個社會決定你能做什麼、不能做什麼。在奶奶年輕時，女人做上空日光浴是絕對不可以的。然而今天，大多數人都認為這樣做很「自然」，雖然這種行為在許多國家還是嚴格禁止的。蘇菲抓了抓頭。難道這就是哲學？

第二個句子是「最聰明的是明白自己無知的人」。

這是怎麼比較的呢？如果哲學家的意思是，那些明白自己並不知道太陽底下每一件事的人，比那些知道不多，卻自認懂得很多的人要聰明，她還比較可以同意。蘇菲過去從來沒有想過這件事，但她愈想就愈明白：知道自己無知，也是一種知識。她所見過最愚蠢的人，就是那些對某些自己一無所知的事自信滿滿的人。

再下面一句：「真正的智慧來自內心」。不過在某個階段，所有的知識一定得從外面進入人的腦袋吧？但從另外一方面來說，蘇菲記得有些時候她對媽媽或學校老師教她的事充耳不聞，而她真正學到的知識則或多或少是自己想出來的。有時候她也會突然間領悟一些事情。這也許就是人們所謂的「智慧」吧！

嗯，到目前為止都還不錯。蘇菲心想，前面這三個問題她答的都算可以。但接下來這句話實在太奇怪了，她不禁莞爾：「明辨是非者必能進退合宜。」

這是不是說一個強盜搶銀行是因為他不能辨別是非？她可不這麼想。

相反的，她認為無論孩童還是成人有時總是會幹一些傻事，之後可能會後悔，這正是因為他們在做事時不依照自己理性的判斷所致。

當她坐在那兒思考時，聽見樹籬靠近樹林那一邊的乾枯灌木叢中有某個東西正沙沙作響。使者來了嗎？她的心開始怦怦地跳。然後她愈來愈害怕地發現，那個正朝她走來的東西居然發出像動物喘息一般的聲音。

說時遲，那時快，一隻獵狗鑽進了密洞。

它口中銜著一個棕色的大信封，隨後便將信丟在蘇菲的腳跟前。事情發生的太快了，以致蘇菲來不及有什麼反應。下一秒鐘，她發現自己坐在那兒，手裡拿著那個大信封，而那隻金黃色的狗已經一溜煙跑回樹林裡去了。

蘇菲愣了一會兒才回過神來。她把手放在膝蓋上開始哭泣。

她就這樣坐了好一會兒，忘記了時間。

然後她突然擡起頭。

原來這就是他所說的使者。她歎了一口氣，如釋重負。難怪那些白色信封的邊緣會有些潮濕並且有洞了。她怎麼沒有想到呢？無怪乎哲學家會要她在寫信給他時，在信封裡放一塊餅乾或糖了。

她也許並不像她自認的那樣聰明。但誰會想到送信的使者居然是一隻受過訓練的狗呢？這還真有點不尋常呢！現在她可別想從送信使者那兒盤問出艾伯特的行踪了。

蘇菲打開大信封，開始看了起來。

雅典的哲學

親愛的蘇菲：當你看到這封信時，可能已經遇見漢密士了。如果你還沒遇見，我可以先告訴你它是一隻狗。不過你不用擔心。牠是一隻性情很溫和的狗，智商也比許多人要高得多，而且牠從來不會試圖假裝聰明。

你可能也已經發現，牠的名字其實是有意義的。

在希臘神話中，漢密士（Hermes）是為天神送信的使者，也是航海人的神。不過我們現在且不談這個。更重要的是，從Hermes衍生了Hermetic這個字。它的意思是「隱藏的」或「無法接近的」。從漢密士小心不讓我倆見面的這個角度來看，這個名字不是頗為恰當嗎？

好了，我們的送信使者終於出場了。不用說，你叫牠的名字牠就會答應，而且牠非常乖。

現在我們還是來談哲學吧！我們已經完成第一部分了。我曾提到自然派的哲學理論以及人類後來完全摒棄神話式世界觀的事。現在我們要談談三位偉大的古典派哲學家：蘇格拉底、柏拉圖與亞理斯多德。這三位哲學家各自以不同的方式影響了整個歐洲文明。

自然派的哲學家也被稱為「蘇格拉底之前的哲學家」，因為他們生在蘇格拉底之前。德謨克里特斯雖然死於蘇格拉底數年之後，但他所有的想法都屬於蘇格拉底之前的自然派哲學。無論就時間或空間而言，蘇格拉底都代表了一個新的時代。他是第一個在雅典誕生的偉大哲學家，他和他的兩位傳人都在雅典生活、工作。你也許還記得安納薩哥拉斯以前也曾經在雅典住過一段時間，但後來因為他宣稱太陽只是一塊紅熱的石頭而被驅逐出境。蘇格拉底的遭遇也好不了多少。

自從蘇格拉底之後，雅典成為希臘文化的中心。我們要注意的是，在哲學理論從自然派演變到蘇格拉底學說的過程中，哲學課題的性質也有了改變。但在我們談到蘇格拉底之前，先讓我們來聽一聽所謂「詭辯學派」的學說。這一派的哲學家是蘇格拉底時代雅典的主流學派。

哲學史就像一齣分成許多幕的戲劇。注意，蘇菲，現在舞臺上的布幕就要升起了。

以人爲中心

從大約西元前四五〇年左右起，雅典成了希臘王國的文化中心。從此以後，哲學走上了一個新的方向。

自然派的哲學家關切的主題是自然世界的本質，這使得他們在科學史上占了很重要的一席之地。而雅典哲學家的興趣主要在個人本身與每個人在社會的地位。當時，一個擁有人民議會與法庭等機構的民主制度正在雅典逐漸成形。

為了使民主能夠運作，人民必須接受足夠的教育以參與民主的進程。在現代，我們也看到新興的民主國家如何需要開啓民智。當時的雅典人認為，最重要的事就是要精通演說術，也就是說要能夠用令人信服的方式來表達自己的看法。

這時，有一羣四處遊歷的教師與哲學家從希臘各殖民地來到了雅典。他們自稱為哲士或智者（Sophists）。Sophist這個字原來指的是一個有智慧而且博學的人（按：一般貶稱為詭辯學家）。這些詭辯學家在雅典以教導市民為生。

詭辯學家與自然派哲學家有一個共通點，那就是：他們都批評傳統的神話。但詭辯學家不屑於從事在他們眼中了無益處的哲學性思考。他們的看法是：雖然哲學問題或許有答案，但人類永遠不可能揭開大自然及宇宙之謎。在哲學上，類似這樣的看法被稱為「懷疑論」。

詭辯學家認為，我們雖然無法知道所有自然之謎的答案，卻可以肯定人類必須學習如何共同生活。因此，他們寧願關心個人在社會中的地位的問題。

詭辯學家普羅塔哥拉斯（Protagoras，約西元前四八五～四一〇年）曾說過：「人是衡量一切的尺度。」他的意思是：一件事情是對是錯、是好是壞，完全要看它與人類的需求有何關係而定。當有人問他是否相信希臘的諸神時，他答道：「這個問題太複雜，而生命又太短促了。」一個無法確定世上是否有神的人，我們稱他為「不可知論者」。

這批詭辯學家多半都是一些遊遍各地、見過不同政治制度的人。在他們到過的各個城邦中，無論傳統規範或地方法律可能都各不相同。這使得那些詭辯學家不禁質疑哪些事物是與生俱來，而哪些事物又是社會環境造成的。就這樣，他們播下了雅典城邦內社會批評的種子。

例如，他們指出，像「天生害羞」這樣的說法並不一定成立，因為假使害羞是一種「天生」的性格，那一定是人一出生就有的，是一種出於內在的品格。但是，蘇菲，害羞的個性果真是天生的嗎？還是由社會環境造成的？對於某個已經遊遍世界的人來說，答案應該很簡單：害怕展露自己赤裸的身體並非「自然」的，也不是天生的。害羞——或不害羞——最主要還是受到社會規範的制約所致。

你應該想像的到，這批遊歷四方的詭辯學家宣稱，世間沒有絕對的是非標準，這種說法在雅典會造成多麼激烈的爭議。

相反的，蘇格拉底則試圖證明此類的規範事實上不容置疑，而且是放諸四海皆準的。

蘇格拉底是誰？

蘇格拉底（西元前四七〇～三九九年）也許是整個哲學史上最神祕難解的人物。他從未留下任何文字，但卻是對歐洲思想影響最重大的人物之一。而這並不全然是因為他後來戲劇性的結束了生命的緣故。

我們知道蘇格拉底生於雅典。他有生之年大半時間都在市中心廣場與市場等地與他遇見的人閒談。他說：「鄉野的樹木不能教我任何東西。」有時他也會連續好幾小時站著思想、發呆。

即使在當時，他也被視為謎樣的人物，但他死後很快就被譽為許多哲學學派的始祖。正因為他神祕難解、模稜兩可，才使得一些在學說上大相逕庭的學派都可以宣稱他們是蘇格拉底的傳人。

我們現在可以確知的是：蘇格拉底長得很醜。他肚大、眼凸，有個獅子鼻。但據說他的性情「極為和藹可親」，也有人說他是「古今無人能及」的人物。儘管如此，他還是因為他從事的哲學活動而被判處死刑。

我們之所以能夠得知蘇格拉底的生平，主要是透過柏拉圖的著作。柏拉圖是蘇格拉底的學生，後來也成為古往今來最偉大的哲學家之一。

柏拉圖曾撰寫過幾本《對話錄》，以類似戲劇對白來討論哲學，而蘇格拉底就是其中的主要人物與代言人。

由於柏拉圖在書中是透過蘇格拉底之口來闡揚自己的哲學，因此我們無法確定對話錄中蘇格拉底說的話是否確是蘇格拉底本人說的。因此，要區分蘇格拉底的學說與柏拉圖的哲學並不容易。這也是我們面臨其他許多未曾留下撰述的歷史人物時遭遇的難題。最典型的例子當然是耶穌了。

我們無法確定當年的耶穌是否講過馬太福音或路加福音上記載的話。同樣的，蘇格拉底本人究竟說過些什麼話，將會一直是歷史上的謎團。

不過，蘇格拉底的真正面貌其實並不那麼重要。因為近兩千五百年來對西方思想家產生啓發作用的，事實上是柏拉圖描繪出來的蘇格拉底。

談話的藝術

蘇格拉底的高明之處在於他與人談話時看來並無意要指導別人。事實上他給人的印象是他很想從那些與他談話的人身上學到一些東西。所以，他並不像傳統的學校教師那般講課，而是與別人進行討論。

如果他純粹只是傾聽別人說話，那他顯然不會成為一個著名的哲學家，也不會被判處死刑。不過，話說回來，他所做的也只不過是提出問題而已，尤其是在剛開始與人談話時，彷彿他一無所知似的。通常在討論過程中，他會設法使他的對手承認自己理論上的弱點。最後，到了詞窮之際，他們也不得不認清是非與對錯。

蘇格拉底的母親是一位產婆。蘇格拉底也常說他的談話藝術就像為人接生一樣。產婆本身並不是生孩子的人，她只是幫忙接生而已。同樣的，蘇格拉底認為他的工作就是幫助人們「生出」正確的思想，因為真正的知識來自內心，而不是得自別人的傳授。同時，唯有出自內心的知識，才能使人擁有真正的智慧。

說得更明白些：生小孩的能力是與生俱來的。同樣的，每一個人只要運用本身的常識，就可以領悟哲學的真理。所謂運用本身的常識就是搜尋自己的內心，運用內心的智慧。

藉著假裝無知的方式，蘇格拉底強迫他所遇見的人們運用本身的常識。這種裝傻、裝呆的方式，我們稱為「蘇格拉底式的反諷」。這使得他能夠不斷揭露人們思想上的弱點。即使在市區廣場的中心，他也照做不誤。於是，對於某些人而言，與蘇格拉底談話無異於當眾出醜並成為眾人的笑柄。

因此我們不難理解為何當時的人愈來愈將蘇格拉底視為眼中釘，尤其是那些在地方上有頭有臉的人。據說，蘇格拉底曾說：「雅典就像一匹鈍馬，而我就是一隻不斷叮它，讓它具有活力的牛蠅。」

「我們是怎樣對付牛蠅的？蘇菲，你可以告訴我嗎？」

神聖的聲音

蘇格拉底之所以不斷地像牛蠅般叮咬他的同胞，並不是想折磨他們。而是他內心有某種聲音讓他非如此做不可。他總是說他的心中有「神明指引」。舉例說，他不願夥同眾人將他人判處死罪，也不願打政敵的小報告。這終於使他喪失性命。

在西元前三九九年時，他被控「宣揚新的神明，腐化青年人」。在五百名陪審團員的投票之下，他以些微的票數之差被定罪。

他大可以懇求陪審團手下留情，或至少可以同意離開雅典，藉以免於一死。然而，如果他這樣做，他就不是蘇格拉底了。問題在於他重視他的良心——與真理——更甚於生命。他向陪審團保證他過去所作所為全是為了國家的福祉。然而他們還是要他服毒。不久，蘇格拉底就當著友人的面喝下毒藥，結束了生命。

為什麼？蘇菲，為什麼蘇格拉底非死不可？兩千四百年來人們不斷問著這個問題。然而，他並不是歷史上唯一堅持不肯妥協，最後落得被定罪處死的人。

我曾經提過的耶穌就是其中之一。事實上，蘇格拉底與耶穌之間還有若干極為相似之處。

他們兩人都是謎樣的人物，即使對於與他們同時代的人也是如此。他們都沒有將他們的學說教誨撰寫成書，因此我們只好透過他們門徒的描寫來認識他們。不過可以肯定的是，他們兩個都是通曉談話藝術的專家。他們說起話來都充滿自信、侃侃而談，雖然引人入勝，但也可能會得罪別人。此外，他們都相信自己是某一種更高力量的代言人。他們批評各種形式的不公不義與腐敗現象，向地方勢力挑戰，最後並因此喪命。

耶穌與蘇格拉底所受的審判顯然也有雷同之處。他們原本都可以求饒，但他們卻都覺得如果不成仁取義，就無法完成他們的使命。而由於他們如此從容就義，所以吸引了許多徒眾追隨，即使在他們死後仍然如此。

我指出這些相似之處並不是說耶穌與蘇格拉底相像。我只是要提醒你注意，他們所要傳達的信息與他們個人的勇氣是密不可分的。

雅典的小丑

蘇菲，接下來我們還是要談蘇格拉底。我們剛才已經談到他所使用的方法，但他的哲學課題又是什麼？

蘇格拉底與那些詭辯學家生在同一時代。他就像他們一樣，比較關心個人與他在社會中的位置，對於大自然的力量較不感興趣。就像幾百年後羅馬哲學家西塞羅所說的，蘇格拉底「將哲學從天上召喚下來，使它在各地落腳生根，並進入各個家庭，還迫使它審視生命、倫理與善惡」。

不過，蘇格拉底有一點與詭辯學派不同，而這點很重要。他並不認為自己是個「智者」，即博學或聰明的人。他也不像詭辯學家一樣，為賺錢而教書。不，蘇格拉底稱自己為「哲學家」，而他也的確是一位真正的哲學家，因為哲學家的英文philo-sopher這個字的意思是「一個愛好智慧的人」。

蘇菲，你現在坐得舒服嗎？你必須完全瞭解「智者」與「哲學家」之間的差異，這樣我們才能繼續上以後的課程。詭辯學家教人道理，並收取學費，而他們所說的道理或多或少都有吹毛求疵的意味。這樣的詭辯學家千百年來不知凡幾。我指的是所有的學校教師、那些自以為無所不知而以既有的一丁點知識為滿足的人，以及那些自誇博學多聞但實際上一無所知的人。你年紀雖小，但或許已經遇見過幾位這樣的詭辯學家。一個真正的哲學家則完全不同，事實上他們與詭辯學家正好相反。他們知道實際上自己所知十分有限，這也是為何他們不斷追求真知卓見的原因。蘇格拉底就是這些稀有人物之一。他知道自己對生命與世界一無所知，並對自己貧乏的知識感到相當懊惱。這點非常重要。

所以說，所謂哲學家就是那些領悟到自己有很多事情並不知道，並因此而感到苦惱的人。就這一方面而言，他們還是比那些自稱博學但實際上非常無知的人更聰明。我曾經說過：「最聰明的是明白自己無知的人。」蘇格拉底也說：「我只知道一件事，就是我一無所知。」

請你記住這句話，因為很難得有人會承認自己無知，即使哲學家也不例外。最重要的是，當眾說這句話是很危險的，可能會使你喪命。最具顛覆性的人就是那些提出問題的人，而回答問題則比較不危險。任何一個問題都可能比一千個答案要更具爆炸性。

你是否聽說過國王的新衣這個故事？故事中的國王其實渾身一絲不掛，但他的臣民卻沒有人敢說出真相。這時，一個小孩突然脫口而出：「可是他什麼衣服都沒穿呀！」蘇菲，這個孩子很勇敢，就像蘇格拉底一樣。蘇格拉底也敢於告訴我們人類所知多麼有限。哲學家與小孩子的相似性我們已經談過了。

確切來說，人類面臨了許多難解的問題，而我們對這些問題還沒有找到滿意的答案。因此現在我們面臨兩種可能：一個是假裝擁有所有的知識，藉此自欺欺人。另一個則是閉上眼睛，從此不去理會，並放棄一切我們迄今所有的成就。就這方面而言，人類的意見並不一致。人們通常不是太過篤定，就是漠不關心（這兩種人都是在兔子的毛皮深處蠕動的蟲子）。蘇菲，這就像切牌一樣。你把黑牌放在一堆，紅牌放在一堆，但不時會有小丑牌出現。他們既不是紅桃也不是黑桃，既不是紅磚也不是梅花。在雅典，蘇格拉底就像是小丑一樣。他既不篤定也不漠然。他只知道自己一無所知，而這使他非常苦惱。因此他成為一個哲學家，一個孜孜不倦追求真理，永不放棄的人。

據說，一個雅典人問戴爾菲的神諭：「誰是雅典最聰明的人？」神諭回答說：「在所有的凡人中，蘇格拉底是最聰明的。」蘇格拉底聽到這件事時，大為震驚（蘇菲，我想他一定曾經放聲大笑）。他直接去找城內公認聰明出眾的一個人問問題。但是當此人也無法給他一個滿意的答案時，蘇格拉底便知道神諭是對的。

蘇格拉底認為人類必須為自己的知識奠定鞏固的基礎，他相信這個基礎就是人的理性。由於他對人的理性具有不可動搖的信念，因此他顯然是一個理性主義者。

正確的見解導致正確的行動

正如我先前講過的，蘇格拉底聲稱他受到內心一個神聖聲音的指引，同時他的「良心」也告訴他什麼是對的。他說：「知善者必能行善。」

他的意思是人只要有正確的見解，就會採取正確的行動。也唯有行所當行的人才能成為一個「有德之人」。我們之所以犯錯，是因為我們不知道何者是對的。這是人何以必須不斷學習的原因。蘇格拉底想為是非對錯找出一個清楚明白，而且放諸四海皆準的定義。他與那些詭辯家不同的是，他相信辨別是非的能力就存在於人的理性中，而不存在於社會中。

你也許會認為最後一部分有些太過含糊。讓我們這樣說好了：蘇格拉底認為，人如果違反自己的理性就不會快樂。而那些知道如何找到快樂的人就會遵照自己的理性行事。因此，明白是非者必然不會為惡。因為世間哪有人會想要成為一個不快樂的人？

你怎麼想呢？蘇菲。如果你一直做一些自己深知不對的事，你還會活的很快樂嗎？有很多人撒謊、舞弊、中傷別人，而他們本身也深深明白這些行為是不對或不公平的。你想這些人會快樂嗎？

蘇菲看完有關蘇格拉底的信後，匆匆將信放在餅乾盒內便爬出密洞。她想在媽媽買菜回家前進門，以免媽媽囉哩囉唆地盤問她的行踪。再說，蘇菲答應要幫媽媽洗碗。

蘇菲剛在碗槽裡放滿水，媽媽就提著兩個大袋子，跌跌撞撞的走進來了。也許是因為這樣，媽媽才說：「蘇菲，最近你很心不在焉。」

蘇菲也不知道自己是怎麼回事，脫口就說：「蘇格拉底也是這樣啊！」

「蘇格拉底？」

媽媽睜大眼睛看著她。

「他因此而非死不可，這真是太悲哀了。」蘇菲悠悠的說。

「天哪！蘇菲，我真不知道該怎麼辦才好！」

「蘇格拉底也是。他只知道自己一無所知，然而他卻是雅典最聰明的人。」

媽媽差點說不出話來。最後，她說：「這是你在學校裡學到的嗎？」

蘇菲用力搖搖頭：「我們在那兒什麼也學不到。老師和哲學家的不同之處在於老師自認為懂得很多，並且強迫我們吸收。哲學家則是與學生一起尋求答案。」

「瞧，現在我們又回到兔子的問題了。蘇菲，我要你告訴我你的男朋友究竟是誰。要不然我會認為他腦筋有點問題。」

蘇菲轉過身來，背對著碗槽，手拿著一塊洗碗布指著媽媽：「腦筋有問題的可不是他。不過他喜歡讓別人傷一傷腦筋，讓他們脫離窠臼。」

「夠了！我看他有點目中無人。」

蘇菲轉回身去。

「他既不是目中無人，也不是目中有人，他只是努力追尋真正的智慧。一個真正的小丑和其他紙牌是大不相同的。」

「你是說小丑嗎？」

蘇菲點點頭。「你有沒有想過一副牌裡面有很多紅心和紅磚，也有很多黑桃和梅花，但只有一個小丑。」

「天哪！你看你多會頂嘴。」

「你看你問的什麼問題嘛！」

媽媽已經把買來的東西都放好了，於是她拿著報紙走進起居室。蘇菲心想，她今天關門的聲音比平常都大。

蘇菲洗完碗後，就上樓回到自己的房間。她已經把那條紅色的絲巾和積木一起放在衣櫃的上層。現在她把絲巾拿了下來，仔細的看。

席德……

雅典

……廢墟中升起了幾棟高樓……

那天傍晚，蘇菲的媽媽去拜訪一位朋友。她一出門，蘇菲立刻下樓，跑到花園中老樹籬內的密洞。她在裡面發現了一個厚厚的包裹，就放在餅乾盒旁。蘇菲拆開包裹，裡面是一卷錄影帶。

她跑回屋裡。一卷錄影帶！這次特別不同。哲學家怎會知道她家有錄放影機？錄影帶內又是什麼呢？

蘇菲將帶子放進錄影機。電視螢幕出現了一座面積遼闊的城市。當攝影機鏡頭帶入到巴特農神殿時，蘇菲知道這座城市一定是雅典。她從前常常看到當地古代廢墟的照片。

這卷錄影帶拍的是真實的情景。一羣穿著夏裝的遊客揹著相機在廢墟之間走動。其中有一個人好像拿著一塊告示牌。又來了，蘇菲心想，牌子上面寫的可不是「席德」這兩個字嗎？

一、兩分鐘後，鏡頭變成一個中年男子的特寫。他個子甚為矮小，留著一臉整齊乾淨的黑鬍子，頭上戴著一頂藍扁帽。他看著鏡頭說：

「歡迎你來到雅典，蘇菲。我想你大概已經猜到了，我就是艾伯特。如果你還沒猜到，我可以再說一次：那隻大兔子仍然可以被魔術師從宇宙的帽子之中拉出來。

「我們現在正站在雅典的高城（Acropolis）。這個字的意思是『城堡』，或者更準確的說，是『山城』的意思。自從石器時代以來，這裡就有人居住。這自然是因為它地理位置特殊的緣故。它的地勢高，在盜匪入侵時容易防守。從高城這兒俯瞰，可以很清楚的看到地中海的一個良港。古代雅典人開始在高地下面的平原發展時，高城被當作城堡和神廟。西元前第四世紀的前半，雅典人對波斯人發動了一場慘烈的戰爭。西元前四八〇年時，波斯國王齊爾克西（Xerxes）率兵掠奪了雅典城，並將高城所有的古老木造建築焚燒盡淨。一年後，波斯人被打敗，雅典的黃金時代也從此開始。雅典人開始重建高城，規模更大，氣象也更雄渾，而且完全做為神廟使用。

「就在這個時期，蘇格拉底穿梭在大街小巷與廣場上，與雅典人民談話。他原本可以目睹高城的復興，並看到我們四周這些雄偉建築的進展。你瞧，這是一個多麼好的地方。在我後面，你可以看到世界上最大的神廟巴特農神殿。巴特農（Parthenon）的意思是『處女之地』，是為了崇奉雅典的保護神雅典娜（Athene）而建造的。這整座宏偉的大理石建築看不到一條直線。它的四面牆壁都稍微有些弧度，以使整棟建築看來不致太過沉重。也因此這座神廟雖然碩大無朋，卻仍給人輕巧之感，這就是所謂的視覺幻象。神殿所有的柱子都微向內彎，如果繼續朝上發展，將可以形成一座一千五百公尺高的金字塔。神殿內只有一尊十二公尺高的雅典娜雕像。此處所用的白色大理石是從十六公里以外的一座山上運來的，當年上面還有五彩的圖畫。」

蘇菲的心差一點跳出來。哲學家真的是在跟她說話嗎？她只有一次在黑暗中看過他的側影。他真的就是這位站在雅典高城的男人嗎？

他開始沿著神殿的前方走，攝影機也跟著他。他走到臺地邊緣，指著四周的風景。攝影機把焦點放在高城高地的正下方一座古老的劇院。

「你在那裡可以看到古老的酒神劇院。」這位戴著扁帽的老人繼續說：「這也許是歐洲最古老的劇院。在蘇格拉底時期，伊思齊勒斯（Aeschylus）、索福克里斯（Sophocles）與尤瑞皮底斯（Euripides）等希臘劇作家寫的偉大悲劇就在這兒上演。我以前曾經提到命運淒慘的伊迪帕斯國王。這齣悲劇最先就是在這兒上演。不過這裡也演喜劇。當時最知名的喜劇作家叫亞里斯多芬尼斯（Aristophanes）。他曾經寫過一齣惡毒的喜劇，將蘇格拉底描寫成雅典的一個丑角。在劇院正後方，你可以看到一塊當年被演員們用作背景的地方，叫做skēnē，英文的scene（場景）這個字就是由此字衍生的。順便一提的是，英文theater（劇院、劇場）這個字是源自古希臘文，原意是『看』。不過，到這裡，我們得回頭談談哲學家了。現在我們要繞過巴特農神殿走下去，經過大門口……」

這個矮小的男人繞過巨大的神殿，經過右邊幾座較小的神廟。然後他開始沿著兩邊排列著高大石柱的梯階走下去。到達高城的最低點時，他走上一座小山丘，用手遙指著雅典的方向：

「我們現在站的這個小山丘是古代雅典的高等法院（Areopagos），也是雅典人審判殺人犯的地方。幾百年以後，使徒保羅曾站在此處對雅典人宣揚耶穌基督的教誨。以後我們會談到他所說的。在左下方，你可以看到雅典古老的市區廣場（Agora）的遺跡，如今除了供奉鐵匠與金屬工人之神賀菲斯托思（Hephaestos）的大神廟之外，只剩下幾塊大理石了。現在我們繼續往下走……」

不久，他出現在這片古廢墟中。在螢幕上方，只見高城的雅典娜神殿巍然矗立在天空下。她的哲學教師已經坐在一塊大理石上。一、兩分鐘後，他看著攝影機說：

「現在我們正坐在從前雅典的市區廣場上。如今這裡的景象令人欷歔，不是嗎？但從前這裡四周環繞的都是壯麗的神殿、法院和其他政府機構、商店、音樂廳，甚至還有一個大型的體育場。這些建築物環繞著廣場，而廣場本身則是一個寬闊開放的空間……整個歐洲的文明都在這個樸實的地方紮下根基。

「今天我們聽到的一些字眼，如政治與民主、經濟與歷史、生物與物理、數學與邏輯、神學與哲學、倫理學與心理學、理論與方法、概念與系統以及其他許許多多的字眼，最先都是由以這個廣場為日常生活中心的一小羣人發明的。這裡也就是當年蘇格拉底花了許多時間與人談話的廣場。那個時候，他可能會抓住一個扛著一瓶橄欖油的奴隸不放，並且問這個倒楣的人一個哲學問題，因為蘇格拉底認為奴隸與一般人一樣有常識。有時他也會與別人爭辯得臉紅脖子粗，或與他的學生柏拉圖進行一場溫和的討論。想起來，這是多麼奇妙的事啊！現代人仍然時常提到『蘇格拉底式』與『柏拉圖式』的哲學，但真正做蘇格拉底或柏拉圖卻是兩碼子事。」

一時之間，蘇菲也覺得這件事想起來真是很奇妙。

不過，她認為，她的哲學老師居然派他那隻很不尋常的狗把錄影帶送到她在花園中的密洞，而現在他本人正在螢幕上對她說話，這件事不是也很奇妙嗎？

哲學家從大理石上起身，平靜的說道：

「蘇菲，我原來只打算到此為止，讓你看看高城和古代雅典廣場的遺跡就好了。但是現在我還不確定你是否能夠想像從前這兒四周的景象是多麼壯觀……因此我很想……再進一步……當然這是不太尋常的……但我確實想要這麼做。我相信你一定不會告訴別人吧？不管怎麼說，我們看一下下就夠了……」

他說完後站在那兒靜默了好一會兒，眼睛看著攝影機。就在這段時間，廢墟中突然升起了幾棟高大的建築。就像魔術一般，所有昔日的建築又突然再現。高城依舊巍然矗立天際，但不同的是，無論高城或是廣場上的屋宇建築，如今看來都煥然一新，上面鑲著金箔，繪著豔麗的色彩。服飾鮮明的人羣在廣場四周慢慢走著。有人配著劍，有人頭上頂著瓶子，其中有一個人腋下夾著一捲紙草做成的紙。

這時，蘇菲看到了她的哲學老師。他還是戴著那頂藍色的扁帽，只是換了衣裳。如今他穿著一件長及膝蓋的黃衫，與其他人沒有兩樣。他走向蘇菲，看著鏡頭說道：

「這樣好些了。我們來到了古代的雅典城，我就是希望你能親自來這兒。你瞧，現在的年代是西元前四〇二年，也就是蘇格拉底逝世的三年前。我希望你喜歡這次遊覽，因為我可是費了很大的勁才僱到一個攝影師的……」

蘇菲覺得頭昏。這個奇怪的人怎麼會一下子就到了兩千四百年前的雅典？自己怎麼可能看到另外一個時代的錄影帶？古代並沒有錄影機呀！難道這是電影嗎？

然而，那些大理石建築看起來卻是如此逼真。如果他們為了拍片而重建整座雅典廣場與高城的話，那光是布景一定就要花一大筆錢。如果這樣做，只是為了讓蘇菲瞭解雅典昔日的景象，那花費實在是太大了。

戴著藍扁帽的男人再度擡起頭看著蘇菲：

「你看到那邊廊柱下站的兩個男人嗎？」

蘇菲看到一個年長的男子穿了一件縐巴巴的長衫，一臉亂七八糟的鬍子，獅子鼻，目光犀利，兩頰豐滿。他身旁站了一個英俊的年輕人。

「這就是蘇格拉底和他的學生柏拉圖，你將親自與他們見面。」

哲學家走到那兩人身旁，取下他的扁帽，說了一些蘇菲聽不懂的話。蘇菲想，那一定是希臘文。然後，他看著攝影機說：

「我告訴他們你是一個挪威女孩，很想見見他們。因此，現在柏拉圖會問你一些問題讓你思考。不過我們得快點，以免被警衛發現。」

當那位年輕人走向前來，看著攝影機時，蘇菲覺得自己全身的血液都湧到太陽穴來。

「蘇菲，歡迎你到雅典來，」年輕人用一種濃厚的外國腔調輕聲的說。「我的名字叫柏拉圖。我要讓你做四件事。第一，請你想一想，一個麵包師傅如何能做五十個一模一樣的餅乾。其次，你要問自己，為何所有的馬都一樣。第三，你必須肯定地回答人的靈魂是否不朽。最後請你告訴我們，男人與女人是否一樣具有理性。祝你好運。」

然後，電視螢幕上的影像消失了。蘇菲將帶子轉了又轉，倒了又倒。不過再也沒有任何影像了。

蘇菲努力整理自己的思緒。不過她一件事還沒想完，第二件事已開始在腦中浮現。她一開始就知道她的哲學老師與常人不同。不過蘇菲認為，他運用這類違反所有自然法則的教學方法也實在是太過分了。

她真的在電視上看到了蘇格拉底與柏拉圖嗎？當然不，這完全不可能。但那看起來又絕對不像是卡通。

蘇菲將帶子從錄影機內取出，拿到樓上房間。她把它放在櫃子上層，積木的旁邊，然後她就一股腦躺下，整個人疲倦不堪。不久就睡著了。

幾個小時後，媽媽走進她的房間，輕輕地搖一搖她，說：

「蘇菲，你怎麼啦？」

「嗯？」

「你衣服都沒脫就睡了。」

蘇菲睜了睜惺忪的睡眼。

「我到雅典去了。」她含糊的說，之後她翻個身又睡著了。

柏拉圖

……回歸靈魂世界的渴望……

第二天清早，蘇菲猛然驚醒，看一看鐘，才剛過五點，但她卻已經沒有一點睡意了，於是她便在床上坐起來。奇怪，自己為何仍然穿著白天的衣裳呢？然後，她想起了昨天發生的一切。

她爬到凳子上，檢查一下櫃子的上層。沒錯，帶子還在後面那裡。原來這真的不是一場夢，至少不完全是一場夢。

不過她一定不可能真的見到了柏拉圖與蘇格拉底……算了，真傷腦筋，她現在已經沒有力氣再去想它了。也許媽媽說得對，也許她這幾天真的有些神經兮兮的。

不管怎樣，她是再也睡不著了。也許她應該到密洞去，看看那隻狗是否曾留下任何信件。

蘇菲溜下樓，穿上一雙慢跑鞋便出門了。

花園中一切都清朗寧靜美好。鳥兒們唱得如此起勁，使蘇菲忍不住想笑。草葉上的朝露宛如水晶一般閃閃發光。

這世界如此美好，令人不可思議。蘇菲再一次深深受到感動。

老樹籬內非常潮濕。蘇菲沒有看到哲學家的來信，不過她還是撣了撣一截粗大的樹根，坐了下來。

她想起錄影帶上的柏拉圖曾經要她回答一些問題。第一個問題是麵包師傅如何做出五十個一模一樣的餅乾。

蘇菲暗忖，她得仔細想一想才行，因為這個問題一定不簡單。媽媽偶爾也會做一些餅乾，但從來沒有一次餅乾形狀完全相同。不過話說回來，媽媽不是專業的麵包師傅，有時廚房甚至亂得像被炸彈轟炸過一樣。即使是店裡賣的餅乾也從來沒有完全一樣的，每一塊餅乾在製餅師傅手中都捏成不同的樣子。

此時，蘇菲臉上浮現滿意的笑容。她記得有一回媽媽忙著烤聖誕節的餅乾，因此她和爸爸一起去買東西。他們回到家後看到廚房的桌子上散放了許多薑餅人。這些薑餅人雖然不很完美，但就某一方面來說，卻都是一模一樣的。為什麼會這樣呢？顯然是由於媽媽做這些薑餅人時用了同一個模子的緣故。

想到自己居然記得這件小事，蘇菲很是得意。因此她想這第一個問題應該已經答完了。

如果一個餅乾師傅做了五十個完全一模一樣的餅乾，他一定是用了同樣一副餅乾模子。很簡單，就是這樣。

錄影帶上的柏拉圖問的第二個問題是：為何所有的馬都一樣？可是，事實並非如此啊！相反的，蘇菲認為沒有兩匹馬是完全相同的，就像沒有兩個人是一模一樣的。

蘇菲正要放棄這個問題時，突然想到她剛才對餅乾的看法。事實上，也沒有兩塊餅乾是一模一樣的，有些比較厚，有些比較薄，有些碎了。然而，每個人都可以看出這些餅乾就某方面來說是「一模一樣」的。

也許柏拉圖問的是為何馬一直是馬，而不會變成一種既像馬又像豬的動物。因為，雖然有些馬像熊一樣是棕色的，有些則白的像綿羊，但所有的馬都有一些共同點。舉例來說，蘇菲就從沒見過六條腿或八條腿的馬。

但柏拉圖不可能相信所有的馬之所以相同，是因為他們是用同一個模子做成的吧？

然後柏拉圖又問了她一個很深、很難的問題：人有沒有不朽的靈魂？

蘇菲覺得自己不太夠資格回答這個問題。她只知道人死後，屍體不是火葬就是土葬，因此實在沒有未來可言。如果人有一個不朽的靈魂，那我們就必須相信一個人是由兩個不同的部分組成的：一個是用了多年之後就會老舊、損壞的軀體，還有一個是無論身體情況如何，仍然多少可以獨立作業的靈魂。蘇菲的奶奶曾經說過，她覺得變老的只是自己的身體而已，在內心她一直都還是一個年輕的女孩。

想到「年輕女孩」，蘇菲就想到最後一個問題：女人和男人一樣有理性嗎？對於這點，她可不敢確定。這要看柏拉圖所謂的「理性」是什麼。

哲學老師在談論蘇格拉底時所說的一些話突然浮現在蘇菲的腦海中。蘇格拉底曾經指出，每一個人只要運用自己的常識，都可以瞭解哲學的真理。他也曾說奴隸與貴族一樣具有常識。因此蘇菲肯定他也會說女人和男人一樣有常識。

當她正坐在那兒想著這些問題時，突然聽到樹籬裡有沙沙的響聲以及類似蒸汽引擎「噗！噗！」噴氣的聲音。下一秒鐘，一條金色的狗已經鑽進了密洞，嘴裡銜著一個大信封。

「漢密士！」蘇菲叫牠，「丟下來，丟下來！」

狗兒把信放在蘇菲的懷中。蘇菲伸出手摸摸牠的頭。

「你真乖。」她說。

狗兒躺下來任由蘇菲撫摸。但過了兩、三分鐘，牠就站了起來，鑽過樹籬由原路回去。蘇菲手拿棕色的信封跟著牠，爬過濃密的枝葉，不一會就出了花園。

漢密士已經開始向樹林的邊緣跑過去了。蘇菲在後頭跟了幾碼路，狗兒兩次轉過身來對她吠叫，但蘇菲一點也不害怕。

這次她決心要找到那個哲學家，即使必須一路跑到雅典也在所不惜。狗兒愈跑愈快，然後突然跑到一條窄窄的小路上。蘇菲緊追不捨，但幾分鐘後狗兒轉過身來面對著她，像看門狗一樣的吠叫。蘇菲仍然不肯放棄，趁機會拉近他們之間的距離。

漢密士一轉身，向前飛奔。蘇菲發現自己永遠不可能追得上。於是她停下來，在那兒站了好久好久，聽到牠愈跑愈遠，而後一切復歸寂靜。

她在林中空地旁的一截樹木殘樁上坐下，手裡仍拿著那個棕色的信封。她把它拆開，拿出幾頁打著字的信紙，開始看信：

柏拉圖學院

蘇菲，謝謝你與我共度一段愉快的時光。我是指我們在雅典的時候。現在我至少已經算是做過自我介紹了。還有，既然我也向你介紹了柏拉圖，因此我們還是開門見山的談他吧。

蘇格拉底服毒而死時，柏拉圖（西元前四二七～三四七年）才二十九歲。當時他受教於蘇格拉底門下已經有一段時間。他密切注意蘇格拉底受審的經過。當他看到雅典人民居然將他們當中最高貴的人判處死刑時，內心非常震動。這件事影響了他後來的哲學生涯。對柏拉圖而言，蘇格拉底之死證明了當今社會與理想社會之間的衝突。柏拉圖成為哲學家後所做的第一件事就是將蘇格拉底對陪審團的陳情內容出版成「自辯」（Apology）一書。

你也許還記得，蘇格拉底從未留下任何文字。至於蘇格拉底之前的哲學家雖然有許多人曾著書立說，但他們的文字到現在卻幾乎都蕩然無存。至於柏拉圖，我們相信他所有的重要著作應該都已經保存下來了。除了蘇格拉底的「自辯」之外，柏拉圖也寫了好些書信與至少三十五篇哲學對話錄。這些作品之所以能留存至今，一部分是因為柏拉圖在距雅典不遠之處的一個樹林中創立了一個哲學學校，並以傳奇中的希臘英雄阿卡戴慕士

（Academus）為名。因此這個學校被稱為「學園」或「學院」（Academy）。（從此以後，全世界各地成立了成千上萬所學院，以後我們會談到有關「學院」與「學科」的問題。）

柏拉圖學園中教授的科目包括哲學、數學與體育。不過，說「教授」其實不太正確，因為柏拉圖學園也是採取活潑的對話方式上課，因此柏拉圖之所以採用對話錄的形式來寫作並非偶然。

永遠的眞善美

在這堂課的序言中，我曾經提到一個人可以不時問問自己某一個哲學家研究什麼課題。因此我現在要問：柏拉圖關心的是哪些問題？

簡單的說，我們可以斷定柏拉圖關心的是永恆不變的事物與「流動」事物之間的關係（就像蘇格拉底之前的哲學家一樣）。我們已經談過詭辯學派與蘇格拉底如何將他們的注意力由有關自然哲學的問題轉到與人和社會的問題。然而從某個角度來看，就連蘇格拉底與詭辯學派也都關心永恆不變的事物與「流動」事物之間的關係。他們之所以對這個問題感興趣，乃是由於它與人類道德與社會理想及美德之間的關係。簡而言之，詭辯學家認為每一個城邦、每一個世代對於是非的觀念各不相同。因此是非的觀念是「流動」的。蘇格拉底則完全不能接受這種說法，他認為世間有所謂永恆、絕對的是非觀念存在。我們只要運用自己的常識便可以悟出這些不變的標準，因為人類的理智事實上是永恆不變的。

你明白嗎？蘇菲。後來，柏拉圖出現了。他既關心自然界中永恆不變的事物，也關心與人類道德及社會有關的永恆不變的事物。對於柏拉圖而言，這兩個問題是一體的兩面。他試圖掌握有關個人永恆不變的「真理」。

坦白說，這正是世間為何要有哲學家的原因。我們需要哲學家，不是因為他們可以為我們選拔選美皇后或告訴我們今天番茄的最低價。（這是他們為何經常不受歡迎的原因！）哲學家們總是試圖避開這類沒有永恆價值的熱門話題，而努力將人們的注意力吸引到永遠「真」、永遠「善」、永遠「美」的事物上。

明白了這點，我們才可以開始略微瞭解柏拉圖課題的大概內容，不過還是讓我們一樣一樣來吧。我們將試著瞭解一個不凡的心靈、一個對後來所有歐洲哲學有著深遠影響的心靈。

理型的世界

恩培竇可里斯與德謨克里特斯兩人都提醒世人：儘管自然界的所有事物都是「流動」的，但世間一定仍有「某些東西」永遠不會改變（如「四根」或「原子」）。柏拉圖也同意這個命題，但他的方式卻大不相同。

柏拉圖認為，自然界中有形的東西是「流動」的，所以世間才沒有不會分解的「物質」。屬於「物質世界」的每一樣東西必然是由某種物質做成。這種物質會受時間侵蝕，但做成這些東西的「模子」或「形式」卻是永恆不變的。

你瞭解了嗎？蘇菲。不，我想你還不瞭解。

為何全天下的馬兒都一樣？你也許不認為牠們是一樣的，但有些特質是所有的馬兒都具備的，這些特質使得我們可以認出牠們是馬。當然個別的馬是「流動」的，因為牠會老、會瘸，時間到了甚至會死。但馬的「形式」卻是永恆不變的。

因此，對柏拉圖而言，永恆不變的東西並非一種「基本物質」，而是形成各種事物模樣的精神模式或抽象模式。

我們這麼說吧：蘇格拉底之前的哲學家對於自然界的變化提出了相當不錯的解釋。他們指出，自然界的事物事實上並未「改變」，因為在大自然的各種變化中，有一些永恆不變的最小單位是不會分解的。他們的說法固然不錯，但是，蘇菲，他們並未對為何這些原本可能組成一匹馬的「最小單位」突然會在四、五百年後突然又聚在一起，組成另外一批新的馬（或大象或鱷魚）提出合理的解釋。柏拉圖的看法是：這些德謨克里特斯所說的原子只會變成大象或鱷魚，而絕不會成為「象鱷」或「鱷象」。這是他的哲學思想的特色。如果你已經瞭解我所要說的，你可以跳過這一段。不過為了保險起見，我要再補充說明一下：假如你有一盒積木，並用這些積木造了一匹馬。完工後，你把馬拆開，將積木放回盒內。你不可能光是把盒子搖一搖就造出另外一匹馬。這些積木怎麼可能會自動找到彼此，並再度組成一匹新的馬呢？不，這是不可能的。你必須重新再組合過。而你之所以能夠這樣做，是因為你心中已經有了一幅馬的圖像，你所參考的模型適用於所有的馬匹。

關於五十塊一模一樣餅乾的問題，你回答的如何呢？讓我們假設你是從外太空來的，從來沒有見過一位麵包師傅。有一天你無意間走進一家香氣撲鼻的麵包店，看到架子上有五十個一模一樣的薑餅人。我想你大概會搔搔頭，奇怪它們怎麼看起來都一個樣子。事實上這些薑餅人可能有的少了一隻胳臂，有的頭上缺了一角，有的則是肚子上很滑稽的隆起了一塊。不過你仔細想過之後，還是認為這些薑餅人都有一些共同點。雖然這些薑餅人沒有一個是完美的，但你仍會懷疑它們是出自同一雙手的傑作。你會發現這些餅乾全部都是用同一個模子做出來的。更重要的是，蘇菲，你現在開始有一股不可抗拒的念頭，想要看看這個模子。因為很明顯的，這個模子本身一定是絕對完美的，而從某個角度來看，它比起這些粗糙的副本來，也會更美麗。

如果你是完全靠自己的思考解答了這個問題，那麼你回答這個哲學問題的方法就跟柏拉圖完全一樣。

就像大多數哲學家一般，他也是「從外太空來的」（他站在兔子毛皮中一根細毛的最頂端）。他看到所有的自然現象都如此類似，覺得非常驚訝，而他認為這一定是因為我們周遭事物的「背後」有一些特定的形式的緣故。柏拉圖稱這些形式為「理型」或觀念。在每一匹馬、每一隻豬或每一個人的後面，都有一個「理型馬」、「理型豬」或「理型人」。(同樣的,剛才我們說的麵包店也可能會有薑餅人、薑餅馬或薑餅豬,因為每一家比較有規模的麵包店都會做一種以上的薑餅模子。但一個模子已經足夠做許許多多同樣形狀的薑餅了。)

柏拉圖因此得出一個結論:在「物質世界的背後,必定有一個實在存在。他稱這個實在為『理型的世界』,其中包含存在於自然界各種現象背後、永恆不變的模式。」這種獨樹一格的觀點我們稱之為「柏拉圖的理型論」。

眞正的知識

親愛的蘇菲,到目前為止我所說的話你一定可以瞭解。不過你也許會問,柏拉圖是認真的嗎?他真的相信類似這樣的形式的確存在於一個完全不同的世界中嗎?

他也許並不是終其一生都抱持這種看法,但在他部分對話錄中他的意思無疑就是這樣。讓我們試著追隨他思想的脈絡。

就像我們看到的,哲學家努力掌握一些永恆不變的事物。舉例來說,如果我要你就「某個肥皂泡的存在」這個題目來撰寫一篇哲學論文,這就沒有什麼意義了。原因之一是:往往在我們還沒來得及深入研究之前,肥皂泡就破了。原因之二是:這個肥皂泡沒有別人看過,並且僅存在五秒鐘,這樣的哲學論文可能很難找到市場。

柏拉圖認為我們在周遭的自然界中所看到的一切具體事物,都可以比做是一個肥皂泡泡，因為沒有一件存在於感官世界的東西是永遠不變的。我們知道每一個人、每一隻動物遲早會死，而且會腐爛分解。即使一塊大理石也會發生變化，逐漸分解。（希臘的高城目前正逐漸倒塌，這真是非常糟糕的事，但也沒有辦法。）柏拉圖的觀點是：我們對於那些不斷改變的事物不可能會有真正的認識。我們對於那些屬於感官世界的具體事物只能有意見或看法。我們能夠真正認識的，只有那些我們可以運用理智來瞭解的事物。

好，蘇菲，我再解釋的更清楚一些：經過烘烤後，有的薑餅人可能會不成形狀。不過在看了幾百個像與不像的薑餅人之後，我可以非常確定薑餅人的模型是什麼樣子。雖然我未曾見過它的模樣，但也可以猜到。甚至可以說，即使我們親眼見過那個模子也不見得會更好，因為我們並不一定信任我們的感官所察知的事物。視覺能力因人而異，但我們卻能信賴我們的理智告訴我們的事物，因為理智是人人相同的。

如果你和三十個同學一起坐在教室內。老師問全班學生彩虹裡的哪一種顏色最漂亮，他也許會得到很多不同的答案。但如果他問8乘3是多少，全班大概都會提出相同的答案。因為這時理性正在發言，而理性可說是「想法」或「感覺」的相反。正因為理性只表達永恆不變、宇宙共通的事物，因此我們可以說理性永恆不變，而且是宇宙共通的。

柏拉圖認為數學是非常吸引人的學科，因為數學的狀態永遠不會改變，因此也是人可以真正瞭解的狀態。這裡讓我們來舉一個例子。

假設你在樹林間撿到一個圓形的松果，也許你會說你「認為」這個松果是圓的，而喬安則堅持它一邊有點扁。(然後你們兩個就開始為這件事拌嘴!)所以說,我們人類是無法真正瞭解我們肉眼所見的事物的,但是我們卻可以百分之百確定,一個圓形內所有的角度加起來一定是三六〇度。我們這裡所說的是一個理想的圓形,也許這個圓形在物質世界中並不存在,不過我們仍然可以很清楚的想像出來。(這個圓形就像那個看不見的薑餅人模子,而不是放在廚房桌上的那些薑餅人。)

簡而言之,我們對於感官所感受到的事物,只能有模糊、不精確的觀念,但是我們卻能夠真正瞭解我們用理智所理解的事物。三角形內的各內角總和一定是一八〇度,這是亙古不變的。而同樣的,即使感官世界中所有的馬都瘸了,「理型」馬還會是四肢健全的。

不朽的靈魂

我們已經見到柏拉圖如何認為實在世界可以分為兩個領域。

其中一個是感官世界。我們只能用我們五種並不精確的官能來約略認識這個世界。在這個世界中,「每一件事物都會流動」,而且沒有一個是永久不變的。這裡面存在的都是一些生生滅滅的事物。

另外一個領域則是理型的世界。我們可以用理性來確實認識這個世界。我們無法用感官來察知這個理型的世界,但這些理型(或形式)是永恆不變的。

根據柏拉圖的說法,人是一種具有雙重性質的生物。我們的身體是「流動」的,與感官的世界不可分割，並且其命運與世界上其他每一件事物（如肥皂泡）都相同。我們所有的感官都是以身體為基礎，因此是不可靠的。但我們同時也有一個不朽的靈魂，而這個靈魂則是理性的天下。由於靈魂不是物質，因此可以探索理型的世界。

蘇菲，柏拉圖的學說差不多就是這樣了，但這並不是全部。這並不是全部！

柏拉圖同時認為，靈魂棲居在軀體內之前，原本就已經存在（它和所有的餅乾模子一起躺在櫥櫃的上層）。然而一旦靈魂在某一具軀體內醒來時，它便忘了所有完美的理型。然後，一個奇妙的過程展開了。當人類發現自然界各種不同的形式時，某些模糊的回憶便開始擾動他的靈魂。他看到了一匹馬，然而是一匹不完美的馬。（一匹薑餅馬！）靈魂一看到這匹馬，便依稀想起它在理型世界中所見過的完美「馬」，同時湧起一股回到它本來領域的渴望。柏拉圖稱這種渴望為eros，也就是「愛」的意思。此時，靈魂體驗到「一種回歸本源的慾望」。從此以後，肉體與整個感官世界對它而言，都是不完美而且微不足道的。靈魂渴望乘著愛的翅膀回「家」，回到理型的世界。它渴望從「肉體的枷鎖」中掙脫。

我要強調的是，柏拉圖在這裡描述的，是一個理想中的生命歷程，因為並非所有人都會釋放自己的靈魂，讓它踏上回到理型世界的旅程。大多數人都緊抱完美理型在感官世界中的「倒影」不放。他們看見一匹又一匹的馬，卻從未見到這些馬所據以產生的「完美馬」的形象。（他們只是衝進廚房，拿了薑餅人就吃，也不想一想這些薑餅人是打哪裡來的。）柏拉圖描述的是哲學家面對事物的方式。他的哲學可以說是對哲學性做法的一種描述。

蘇菲，當你看到一個影子時，一定會假定有一樣東西投射出這個影子。你看到一隻動物的影子，心想那可能是一匹馬，但你也不太確定。於是你就轉過身來，瞧瞧這匹馬。而比起那模糊的影子，這匹馬當然顯得更俊秀，輪廓也更清晰。同樣的，柏拉圖也相信，自然界所有的現象都只是永恆形式或理型的影子。但大多數人活在影子之間就已經感到心滿意足。他們從不去思考是什麼東西投射出這些影子。他們認為世間就只有影子，甚至從不曾認清世間萬物都只是影子，也因此他們對於自身靈魂不朽的特質從不在意。

走出黑暗的洞穴

柏拉圖用一個神話故事來說明這點。我們稱之為「洞穴神話」。現在就讓我用自己的話再說一次這個故事。

假設有些人住在地下的洞穴中。他們背向洞口，坐在地上，手腳都被綁著，因此他們只能看到洞穴的後壁。在他們的身後是一堵高牆，牆後面有一些人形的生物走過，手中舉著各種不同形狀的人偶，由於人偶高過牆頭，同時牆與洞穴間還有一把火炬，因此它們在洞穴的後壁上投下了明明滅滅的影子。在這種情況下，穴中居民所看到的唯一事物就是這種「皮影戲」。他們自出生以來就像這樣坐著，因此他們認為世間唯一存在的便只有這些影子了。

再假設有一個穴居人設法掙脫了他的鎖鍊。他問自己的第一個問題便是：洞壁上的這些影子從何而來？你想：如果他一轉身，看到牆頭上高舉著的人偶時，會有何反應？首先，強烈的火光會照得他睜不開眼睛，人偶的鮮明形狀也會使他大感驚訝，因為他過去看到的都只是這些人偶的影子而已。如果他想辦法爬過牆，越過火炬，進入外面的世界，他會更加驚訝。在揉揉眼睛後，他會深受萬物之美的感動。這是他生平第一次看到色彩與清楚的形體。他看到了真正的動物與花朵，而不是洞穴裡那些貧乏的影子。不過即使到了現在，他仍會問自己這些動物與花朵從何而來？然後他會看到天空中的太陽，並悟出這就是將生命賦予那些花朵與動物的源頭，就像火光造就出影子一般。

這個穴居人如獲至寶。他原本大可以從此奔向鄉間，為自己新獲的自由而歡欣雀躍，但他卻想到那些仍然留在洞裡的人。於是他回到洞中，試圖說服其他的穴居人，使他們相信洞壁上那些影子只不過是「真實」事物的閃爍映象罷了。然而他們不相信他，並指著洞壁說除了他們所見的影子之外，世間再也沒有其他事物了。最後，他們把那個人殺了。

柏拉圖藉著這個洞穴神話，想要說明哲學家是如何從影子般的影像出發，追尋自然界所有現象背後的真實概念。這當中，他也許也曾想到蘇格拉底，因為後者同樣是因為推翻了「穴居人」傳統的觀念，並試圖照亮他們追尋真知的道路而遭到殺害。這個神話說明了蘇格拉底的勇氣與他為人導師的責任感。

柏拉圖想說的是：黑暗洞穴與外在世界的關係就像是自然世界的形式與理型世界的關係。他的意思並非說大自然是黑暗、無趣的，而是說，比起鮮明清楚的理型世界來，它就顯得黑暗而平淡。同樣的，一張漂亮女孩的照片也不是單調無趣的，但再怎麼說它也只是一張照片而已。

哲學之國

洞穴神話記載於柏拉圖的對話錄《理想國》（The Republic）中。柏拉圖在這本書中也描述了「理想國」的面貌。所謂「理想國」就是一個虛構的理想國度，也就是我們所稱的「烏托邦」。簡而言之，我們可以說柏拉圖認為這個國度應該由哲學家來治理。他用人體的構造來解釋這個概念。

根據柏拉圖的說法，人體由三部分構成，分別是頭、胸、腹。人的靈魂也相對的具有三種能力。「理性」屬於頭部的能力，「意志」屬於胸部，「慾望」則屬於腹部。這些能力各自有其理想，也就是「美德」。理性追求智慧，意志追求勇氣，慾望則必須加以遏阻，以做到「自制」。唯有人體的這三部分協調運作時，個人才會達到「和諧」或「美德」的境界。在學校時，兒童首先必須學習如何克制自己的慾望，而後再培養自己的勇氣，最後運用理性來達到智慧。

在柏拉圖的構想中，一個國家應該像人體一般，由三個部分組成。就像人有頭、胸、腹一般，一個國家也應該有統治者、戰士與工匠（如農夫）。此處柏拉圖顯然是參考希臘醫學的說法。正如一個健康和諧的人懂得平衡與節制一般，一個「有德」之國的特色是，每一位國民都明白自己在整個國家中扮演的角色。

柏拉圖的政治哲學與他在其他方面的哲學一般，是以理性主義為特色。國家要能上軌道，必須以理性來統治。就像人體由頭部來掌管一般，社會也必須由哲學家來治理。

現在讓我們簡單說明人體三部分與國家之間的關係：

身體	靈魂	美德	國家
頭部	理性	智慧	統治者
胸部	意志	勇氣	戰士
腹部	慾望	自制	工匠

柏拉圖的理想國有點類似印度的階級世襲制度，每一個人在社會上都有其特殊的功能，以滿足社會整體的需求。事實上，早在柏拉圖降生以前，印度的社會便已分成統治階級（或僧侶階級）、戰士階級與勞動階級這三個社會族羣。對於現代人而言，柏拉圖的理想國可算是極權國家。但有一點值得一提的是：他相信女人也能和男人一樣有效治理國家，理由很簡單：統治者是以理性來治國，而柏拉圖認為女人只要受到和男人一樣的訓練，而且毋需生育、持家的話，也會擁有和男人不相上下的理性思考能力。在柏拉圖的理想國中，統治者與戰士都不能享受家庭生活，也不許擁有私人的財產。同時，由於養育孩

童的責任極為重大，因此不可由個人從事，而必須由政府來負責。（柏拉圖是第一位主張成立公立育兒所和推展全時教育的哲學家）

在遭遇若干次重大的政治挫敗後，柏拉圖撰寫了《律法》（The Laws）這本對話錄。他在書中描述「憲法國家」，並認為這是僅次於理想國的最好國家。這次他認為在上位者可以擁有個人財產與家庭生活，也因此婦女的自由較受限制。但無論如何，他說一個國家若不教育並訓練其女性國民，就好像一個人只鍛鍊右臂，而不鍛鍊左臂一般。

總而言之，我們可以說，就他那個時代而言，柏拉圖對婦女的看法可算是相當肯定。他在《饗宴》（Symposium）對話錄中指出，蘇格拉底的哲學見解一部分得自於一個名叫黛娥緹瑪（Diotima）的女祭司。這對婦女而言可算是一大榮耀了。

柏拉圖的學說大致就是這樣了。兩千多年來，他這些令人驚異的理論不斷受人議論與批評，而第一個討論、批評他的人乃是他園內的一名學生，名叫亞理斯多德，是雅典第三位大哲學家。

好了，今天就到此為止吧！

蘇菲坐在虬結的樹根上讀著柏拉圖的學說，不知不覺太陽已經升到東邊的樹林上。當她讀到那個人如何爬出洞穴，被外面閃耀的陽光照得睜不開眼睛時，太陽正在地平線上露出頂端，向大地窺望。

蘇菲感覺自己彷彿也剛從地下洞穴出來一般。在讀了柏拉圖的學說後，她對大自然的看法已經完全改觀。那種感覺就好像她從前一直是色盲，並且只看到一些影子，從沒見過清楚的概念。

她並不確定柏拉圖所謂永恆範式的說法是否都對，但「每一種生物都是理型世界中永恆形體的不完美複製品」，這種想法多美妙啊！世上所有花、樹、人與動物不都是「不夠完美」的嗎？

蘇菲周遭所見的事物在在如此美麗、如此生氣盎然，以致於她不得不揉揉眼睛才能相信這些都是真的。不過，她現在眼見的事物沒有一樣會永遠存在。但話說回來，在一百年之後，同樣的一些花朵和動物仍然會在這裡。雖然每一朵花、每一隻動物都會凋萎、死去，而且被世人遺忘，但卻有某種東西會「記得」它們從前的模樣。

蘇菲向遠處望去。突然間一隻松鼠爬上了一棵松樹，沿著樹幹繞了幾圈，然後就消失在枝椏間。

蘇菲心想：「我看過這隻松鼠！」然後又悟到也許這隻松鼠並非她從前看到的那隻，但她看過同樣的「形式」。在她看來，柏拉圖可能說得沒錯。也許她過去真的見過永恆的「松鼠」——在理型世界中，在她的靈魂還沒有棲息在她的身體之前。

有沒有可能蘇菲從前曾經活過呢？她的靈魂在找到身體寄宿之前是否就已經存在？她的身體內是不是真的有一個小小的金色物體，一個不受光陰侵蝕的寶物，一個在她的肉身

衰朽之後仍然活著的靈魂？

少校的小木屋

……鏡中的女孩雙眼眨了一眨……

時間才七點十五分，沒有必要趕回家。蘇菲的媽媽在星期日總是過得比較悠閒一些，因此她也許還會再睡個兩小時。

她應不應該再深入樹林去找艾伯特呢？上次那隻狗為何又對她叫得這麼兇呢？

蘇非站起身來，開始沿上次漢密士走過的路走去，手裡拿著那個裝著柏拉圖學說的棕色信封。遇到岔路時，她便挑大路走。

到處都可聽到鳥兒們輕快的叫聲，在林梢、在空中、在荊棘與草叢之中。這些鳥兒正忙於牠們的晨間活動。對牠們而言，週間與週末並沒有分別。是誰教牠們如此的呢？難道每一隻鳥兒體內都有一架迷你電腦，設定好程式，叫牠們做某些特定的事？

蘇菲沿著路走上了一座小山丘，然後走到一個向下的陡坡，兩旁都是高大的松樹，樹林非常濃密，以致於蘇菲只能看到樹與樹枝間幾碼之處。

突然，她看到樹幹間有個東西在閃動。那一定是個小湖。路向另外一頭延伸，但蘇菲卻轉向樹叢間走去。她不由自主的走著，自己也不太明白為什麼會這樣做。

這個湖並不比足球場大。在湖的彼岸，一塊由銀色樺樹所圍繞的小小空地上，有一棟紅色的小屋。屋頂上的煙囪有一道輕煙正裊裊上升。

蘇菲走到湖畔。這裡有多處泥濘，不過後來她發現了一條小船，船身有一半在水中，裡面還有一對槳。

蘇菲環顧四周。看來無論她怎麼做，都無法在不把鞋子弄濕的情況下，渡湖到小紅屋那邊。於是，她一咬牙，走到小船那兒，將它推到水中。然後她爬上船，將槳固定在槳架上，開始划過湖面。不一會兒，船便到了對岸。蘇菲跨上岸，想把船拖上來。此處的湖岸要比剛才那邊陡。

她只回頭望了望，便走向小木屋。

一探究竟

她對自己如此大膽的行徑也感到訝異。她怎麼敢這樣做呢？她也不知道。彷彿有「某種東西」催促她似的。

蘇菲走到小木屋的門前，敲敲門，但等了一會兒並沒有人應門。她小心的轉了一下門柄，門就開了。

「嗨！」她喊。「有人在家嗎？」

她走進去，進入一個客廳，但卻不敢把門帶上。

這裡顯然有人住。蘇菲聽到柴火在舊爐子裡發出嗶嗶剝剝的聲音，顯然不久前還有人在這裡。

客廳裡的一張大餐桌上放了一臺打字機、幾本書、幾枝鉛筆和一疊紙。面湖的窗前有一張較小的桌子和兩把椅子。除此之外，屋裡很少家具，不過有一整面牆都是書架，上面放滿了書。一個白色的五斗櫃上方掛了一面圓形的大鏡子，外圍鑲著巨大的銅框，看起來已經是老骨董了。

另外一面牆上掛著兩幅畫。一幅是油畫作品，畫裡有一個建有紅色船塢的小港灣，距港灣不遠處有一棟白屋。船庫與白屋之間是一個有點坡度的花園，種了一株蘋果樹、幾棵濃密的灌木，此外還有幾塊岩石。一排濃密的樺樹像花環一般圍繞著這座花園。畫的題名為「柏客來」(Bjerkely)。

這幅油畫旁掛了另一幅古老的肖像畫。畫的是一個男人坐在窗邊的椅子上，懷中放了一本書，背景也是一個有樹、有岩石的小港灣。這幅畫看來像是幾百年前畫的，題名是「柏克萊」(Berkeley)。畫家的名字叫史密伯特(Smibert)。

「柏克萊」與「柏客來」，蘇菲心想，多奇怪呀！

蘇菲繼續勘查這座小木屋。客廳有一扇門通向一間小廚房。不久前這裡剛有人洗過碗，盤子與玻璃杯都堆在一條茶巾上，其中幾個碗杯上面還有幾滴閃閃發光的肥皂水。地板上有一個錫碗，裡面放著一些剩飯剩菜。這房子的主人一定養了狗或貓。

蘇菲回到客廳。另外一扇門通向一間小小的臥室，裡面有一張床，旁邊的地板上放著兩、三條捆得厚厚的毯子。蘇菲在毯子上發現幾根金色的毛髮。這就是證據了！現在蘇菲知道住在這棟小木屋裡的就是艾伯特和漢密士。

再回到客廳後，蘇菲站在五斗櫃上方的鏡子前。鏡面已經失去光澤，而且刮痕累累，因此她在鏡中的影像也顯得模糊不清。蘇菲開始對著鏡中的自己扮鬼臉，就像她在家中浴室裡做的一般。鏡中人也一如預期的跟著她的動作做。

突然間，一件駭人的事發生了。有一剎那，蘇菲很清楚的看到鏡中的女孩同時眨著雙眼。蘇菲嚇得倒退了一步。如果是她自己同時眨動雙眼，那她怎能看到鏡中的影像呢？不僅如此，那個女孩眨眼的樣子彷彿是在告訴蘇菲：「我可以看到你喔！蘇菲，我在這裡，在另外一邊。」

蘇菲覺得自己的心怦怦地跳著。就在這時候，她聽到遠處的狗吠聲。漢密士來了！她得馬上離開這裡才行。這時她看到鏡子下方的五斗櫃上面有一個綠色的皮夾，裡面有一張百元大鈔、一張五十元的鈔票以及一張學生證，上面貼著一張金髮女孩的照片，照片下面寫著女孩的名字：席德……

蘇菲打了一個冷顫。她再次聽到狗叫聲，她必須馬上離開！

當她匆匆經過桌旁時，看到那些書與紙堆旁放著一個白色的信封，上面寫著兩個字：「蘇菲」。

在她還沒有時間弄清楚自己在做什麼以前，她已經一把抓起了那封信，把它塞到裝著柏拉圖學說的棕色信封裡，然後她便衝出大門，把門在身後「砰！」一聲關上。

狗叫聲愈來愈近。但最糟的是小船不見了。一、兩秒鐘後，她才看到它，原來它正在湖心漂浮，一支槳也在船邊漂著，這都是因為她那時無力將它拖上岸的緣故。她聽到狗叫聲已經逼近，同時湖對岸的樹林間也有一些動靜。

蘇菲不再遲疑。手裡拿著大信封，她飛奔到小木屋後面的樹叢中。不久她就已經置身一片潮濕的沼地。當她在草地上跋涉時，好幾次不小心踩進比她腳踝還高很多的水窪中。但是她非繼續往前走不可。她必須回家……回家。

不久，她看到了一條路。這是她來時所走的路嗎？她停下來把衣服擰乾，然後開始哭泣。

她怎麼會這麼笨呢？最糟的是那條船。她忘不了那船還有那支槳在湖上無助地漂浮的景象。真是難為情，真是羞死人了……

她的哲學老師現在可能已經到達湖邊了。他必須要坐船才能回到家。蘇菲覺得自己幾乎像是個罪犯一般，不過她不是故意的。

對了，那封信！這下，事情更糟了。她為什麼要拿它呢？當然，是因為信上寫著她的名字，因此可以說那封信是她的。但即使如此，她仍然覺得自己像個小偷。更糟的是，她這樣做無異留下證據，顯示擅闖小屋的不是別人，就是她。

蘇菲把那信從信封裡抽出來看，上面寫著：

雞與雞的觀念何者先有？

人是否生來就有一些概念？
植物、動物與人類的差別在哪裡？
天為何會下雨？
人需要什麼才能過好的生活？

蘇菲現在沒法思考這些問題。不過她想它們大概與下一位要討論的哲學家有關。他不是叫亞理斯多德嗎？

解釋

蘇菲在樹林間跑了很久。當她終於看到家附近的樹籬時，感覺就好像發生船難後游泳上岸的人一般。從這個方向看過去，那排樹籬顯得很滑稽。

她爬進密洞後，看了看腕錶，已經十點半了。她把大信封放進餅乾盒裡，並把那張寫著新問題的紙條塞進她的貼身襯衣內。

她進門時，媽媽正在講電話。她一看到蘇菲，馬上掛掉電話。

「你到底到哪裡去了？」

「我……我去……樹林裡散步。」她舌頭有點打結。

「原來如此。」

蘇菲靜靜的站著，看著水滴從她的衣服上滴下來。

「我打電話給喬安……」

「喬安？」

媽媽拿了幾條乾布來。蘇菲差一點藏不住哲學家的紙條。然後他們母女兩個一起坐在廚房裡，媽媽泡了一杯熱巧克力給蘇菲喝。

過了一會兒後，媽媽問道：「你剛才是跟他在一起嗎？」

「他？」

蘇菲腦海裡想的只有她的哲學老師。

「對，他……那個跟你談兔子的人。」

她搖搖頭。

「蘇菲，你們在一起時都做些什麼？為什麼你會把衣服弄得這麼濕？」

蘇菲坐在那兒，神情嚴肅的看著桌子，心裡卻在暗笑。可憐的媽媽，她現在還得操心「那檔子事」。

她再度搖搖頭。然後媽媽又連珠砲似的問了她一堆問題。

「現在你要說實話。你是不是整晚都在外面？那天晚上你為什麼沒換衣服就睡了？你是不是一等我上床就偷跑出去了？蘇菲，你才十四歲。我要你告訴我你到底和什麼人交朋友！」

蘇菲哭了起來，然後她便開始說話。因為她心裡還是很害怕，而當一個人害怕時，通常會想要說些話。

她向媽媽解釋：她今天早上起得很早，於是便去森林裡散步。她告訴媽媽有關那小木屋與船，還有那面神祕鏡子的事情，但她沒有提到她所上的祕密函授課程，也沒有提到那只綠色的皮夾。她也不知道為什麼，不過她覺得她「不能」把有關席德的事說出來。

媽媽用手抱著蘇菲，因此蘇菲知道媽媽相信她了。

「我沒有男朋友。」蘇菲啜泣說：「那是我編的，因為那時候我說白兔的事情讓你不高興。」

「你真的一路走到少校的小木屋去……」媽媽若有所思的說。

「少校的小木屋？」蘇菲睜大了眼睛。

「那棟小木屋叫做少校的小木屋，因為多年前有一位老少校住在那兒。他性情很古怪，我想他大概有點瘋狂吧。不過，別管這個了。後來，小屋就一直空著。」

「不，現在有一個哲學家住在那裡。」

「得了，蘇菲，別再幻想了。」

蘇菲待在房間內，心裡想著這段時間發生的事。她的腦袋像一個滿是大象、滑稽小丑、大膽空中飛人與訓練有素的猴子鬧哄哄的馬戲團。不過有一個影像一直在她腦海裡揮之不去，那就是一艘只有一支槳的小舟在林間深處的湖面上漂浮，而湖岸上有一個人正需要划船回家的情景。

蘇菲可以肯定她的哲學老師不會願意見她受傷，同時，即使他知道她到過他的小木屋，也一定會原諒她的。但是她打破了他們之間的協議。這就是他為她上哲學課所得的報酬嗎？她要怎樣才能彌補呢？

蘇菲拿出粉紅色的筆記紙，開始寫信：

親愛的哲學家：

星期天清晨闖進你的小屋的人就是我。因為我很想見到你，和你討論一些哲學問題。現在我成了柏拉圖迷，不過我不太確定他所說的存在於另外一個世界的觀念或形式的說法是否正確。當然這些東西存在於我們的靈魂中，但我認為——至少現在如此——這是兩回事。同時我必須承認，我還是不太相信靈魂是不朽的。就我個人來說，我不記得前生的事。如果你能夠讓我相信我奶奶死後的靈魂正在觀念世界裡過得很快樂，我會很感謝你。

事實上，我最初寫這封信（我會把它和一塊糖一起放在一個粉紅色的信封裡）並不是為了有關哲學的問題。我只是想告訴你我很抱歉沒有遵守你的規定。我曾想辦法把船拉上岸，但顯然我的力氣不夠大，或者可能是一個大浪把船打走了。

我希望你已經設法回到家，而且沒有把腳弄濕。但就算你把腳弄濕了，你也可以稍感安慰，因為我自己也弄得濕淋淋的，而且可能還會得重感冒。當然啦，我是自作自受。

我沒有碰小屋裡的任何東西，不過很慚愧的是，我受不了誘惑，拿走了放在桌上的那封信。我並不是想偷東西，只是因為信封上寫著我的名字，所以我在一時胡塗之下，便以為那是屬於我的。我真的很抱歉，我答應以後絕不會再讓你失望了。

P.S：從現在開始，我會把所有的新問題很仔細的想過一遍。

P.P.S：白色五斗櫃上那面鑲銅框的鏡子是普通的鏡子還是魔鏡？我之所以這樣問，是因為我不怎麼習慣看到自己在鏡中的影像同時眨著兩隻眼睛。

敬祝安好。

學生 蘇菲敬上

蘇菲把信唸了兩遍，才裝進信封。她覺得這次的信不像上一封那麼正式。在下樓到廚房拿糖之前，她特地再看了一下紙條上的問題：

「雞和雞的『觀念』是何者先有？」

思索

這個問題就像「雞生蛋還是蛋生雞？」這個老問題一樣難以回答。沒有蛋就沒有雞，但沒有雞也無從有蛋。「先有雞還是先有『雞』這個觀念？」這個問題真的一樣複雜嗎？蘇菲瞭解柏拉圖的意思。他是說早在感官世界出現雞以前，「雞」這個觀念已經存在於觀念世界多時了。根據柏拉圖的說法，靈魂在寄宿於人體之前已經「見過」「觀念雞」。不過這就是蘇菲認為柏拉圖可能講錯的地方。一個從來沒有看過一隻活生生的雞，也從來沒有看過雞的圖片的人怎麼可能會有任何有關雞的「觀念」呢。這又讓她想到下一個問題：

「人是否生來就有一些觀念呢？」蘇菲認為，這是不太可能的。她很難想像一個初生的嬰兒有很多自己的想法。當然，這點我們無法確定，因為嬰兒雖不會講話，也並不一定意味著他的腦袋裡沒有任何想法。不過我們一定要先看到世間之物，才能對這些事物有所瞭解吧！

「植物、動物與人類之間有何區別？」答案太明顯了，蘇菲可以立即指出來。例如，她認為植物沒有複雜的感情生活。誰聽過風鈴草傷心欲碎？植物生長、吸收養分，然後製造種子以繁衍下一代。除此之外，就沒有什麼了。蘇菲的結論是：植物所有的，動物與人類也都有，但動物還有其他的特色。例如，動物可以移動，（誰聽說過一株玫瑰可以跑六十公尺？）至於動物與人類之間的區別就比較難說了。人類能夠思考，動物也會嗎？蘇菲相信她的貓咪雪兒懂得如何思考。至少牠很會為自己打算，但是牠會思索哲學問題嗎？一隻貓會去思考植物、動物與人類之間的差異嗎？這是不太可能的。一隻貓可能很快樂，也可能不快樂，但牠會問自己「世間有沒有上帝？」或「貓兒有沒有不朽的靈魂？」這類問題嗎？蘇菲認為這是非常令人懷疑的。不過，話說回來，這個問題就像嬰兒有沒有自己的想法一樣難以回答。就像我們很難和嬰兒討論這類問題一樣，我們也很難跟一隻貓談這些問題。

「天為何會下雨？」蘇菲聳了聳肩膀。下雨是因為海水蒸發，雲層凝聚成雨滴的緣故。這個道理她不是三年級就學過了嗎？當然，我們也可以說天之所以下雨是為了要讓植物、動物能夠生長。但這是真的嗎？天空下雨真的有任何目的嗎？

無論如何，最後一個問題至少與目的有關：

「人需要什麼才能過好的生活？」

哲學家在課程開始不久時曾經談過這個問題。每一個人都需要食物、溫暖、愛與關懷。這類事物是良好生活的基本條件。接著哲學家指出，人們也需要為一些哲學問題尋找答案。除此之外，擁有一份自己喜歡的工作可能也是很重要的。舉例來說，如果你討厭塞車，那麼你要是當個計程車司機絕對不會快樂。如果你不喜歡做作業，那麼你也許不太適合當老師。蘇菲喜歡動物，想當獸醫。不過，無論如何，她不認為人一定要中百萬大獎才能過得很好。事實上很可能正好相反。不是有句俗話說「遊手好閒，易生禍端」嗎？

蘇菲一直待在房間內，直到媽媽叫她下樓吃晚飯為止。媽媽煮了沙朗牛排與烤馬鈴薯。真棒！餐桌上點了蠟燭，飯後還有奶油草莓當甜點。

吃飯時，母女倆談天說地。媽媽問蘇菲想如何慶祝自己的十五歲生日。再過幾個禮拜蘇菲的生日就到了。

蘇菲聳了聳肩。

「你不想請別人到家裡來嗎？我的意思是，你不想開個宴會嗎？」

「也許。」

「我們可以請瑪莎和安瑪麗來……還有海姬，當然啦，還有喬安，說不定還可以請傑瑞米。不過這得由你自己決定。你知道嗎？我還很清楚的記得我自己過十五歲生日的情景。感覺上好像才沒過多久。當時我覺得自己已經很大了。這不是很奇怪嗎？蘇菲。我覺得從那以後，自己好像一點都沒變。」

「你沒變啊。什麼事情都沒有改變。你只是不斷成長，一年比一年大罷了……」

「嗯……你說話已經有大人的口氣了。我只是認為一切都發生的太快了，快得讓人害怕。」

亞理斯多德

……一位希望澄清我們觀念的嚴謹的邏輯學家……

媽媽睡午覺時，蘇菲跑到密洞去。之前她已經把一塊糖放在那個粉紅色的信封裡，信上並寫著「艾伯特收」。

密洞中並沒有任何新的信，但幾分鐘後她聽到狗兒走近的聲音。

「漢密士！」她喊。一轉眼，牠已經鑽進密洞，嘴裡銜著一個棕色的大信封。「乖狗狗！」漢密士正像海象一般在咻咻喘氣。蘇菲一手抱著牠，一手拿起裝有一塊糖的粉紅色信封，放在牠的嘴裡。然後漢密士便鑽過樹籬，奔回樹林中。

蘇菲焦急的打開大信封，心想信裡不知是否會提到有關木屋與小船的事。

信封裡還是像往常那樣裝了幾張用紙夾夾住的打字信紙。不過這次裡面還有另一張信紙，上面寫著：

親愛的偵探小姐（或小偷小姐）：

有關閣下擅闖小屋的事，我已經報警處理了。

說著玩的。其實，我並不很生氣。如果你在追求哲學問題的答案時，也有同樣的好奇心，那你的前途真是不可限量。只是我現在非搬家不可了，這是頗惱人的一點。不過我想我只能怪自己，我應該早就知道你是那種喜歡打破砂鍋問到底的人。

祝好。

艾伯特筆

蘇菲鬆一口氣，放下心中的一塊大石頭。原來他一點也不生氣，但他為何非搬家不可呢？

她拿了這一疊信紙，跑到樓上的房間去。她想，媽媽醒來時，她還是待在屋裡比較好。不久她便舒適的躺在她的床上，開始讀有關亞理斯多德的種種。

親愛的蘇菲：

柏拉圖的理型論也許使你很震驚。其實有這種感覺的不只你一個人而已。我不知道你對這個理論是否照單全收，還是有所批評。不過，即使你不能完全同意，你也大可放心，因為同樣的批評亞理斯多德（西元前三八四～三二二年）都曾經提出過。

亞理斯多德曾經在柏拉圖的學園中進修了二十年。他並不是雅典當地的人士，他出生於馬其頓，在柏拉圖六十一歲時來到他的學園進修。他的父親是一位很受人敬重的醫生（所以也算是一位科學家），這個背景對於亞理斯多德的哲學事業影響頗大，他因此對研究大自然極感興趣。他不僅是希臘最後一位大哲學家，也是歐洲第一位大生物家。

我們可以說柏拉圖太過沉迷於他那些永恆的形式(或「理型」),以致於他很少注意到自然界的變化。相反的,亞理斯多德則只對這些變化(或我們今天所稱的大自然的循環)感到興趣。

說得誇張一些,我們可以說柏拉圖無視於感官世界的存在,也無視於我們在周遭所見的一切事物。(他只想逃離洞穴,觀察永恆的概念世界。)亞理斯多德則正好相反:他傾全力研究青蛙與魚、白頭翁與罌粟等事物。

我們可以說,柏拉圖運用他的理性,而亞理斯多德則同時也運用他的感官。

他們有很大的不同,這些差異也顯現於他們的寫作上。柏拉圖是一位詩人與神話學家,亞理斯多德的文章則樸實精確,一如百科全書。此外,他有許多作品都是他進行實地研究的結果。

根據古籍記載,亞理斯多德寫了一百七十本書,其中只有四十七本保存至今。這些作品都不完整,大部分都是一些演講的筆記。在他那個時代,哲學主要仍是一種口頭的活動。

亞理斯多德在歐洲文化的地位並不僅是因為他創造了許多現代科學家使用的辭彙,同時也是因為他是一位偉大的組織家,他發明了各種科學並且加以分類。

亞理斯多德的作品涉及各種科學,但我只想討論其中較為重要的領域。由於我們已經談了許多柏拉圖的哲學,因此一開始我們要聽聽亞理斯多德如何駁斥柏拉圖的理型論。然後，我們再來看他如何總結前人的理論，創立他自己的自然哲學。我們也會談到他如何將我們的概念加以分類，並創建理則學（或稱邏輯學）這門學科。最後，我將略微討論亞理斯多德對人與社會的看法。

如果你可以接受這種安排，那就讓我們捲起袖子開始吧！

沒有天生的概念

柏拉圖和他的前輩一樣，想在所有變化無常的事物中找出永恆與不變之物。因此他發現了比感官世界層次更高的完美理型。他更進一步認為理型比所有的自然現象真實。他指出，世間是先有「馬」的理型，然後才有感官世界裡所有的馬匹，它們就像洞壁上的影子一般達達前進。因此「雞」的理型要先於雞，也先於蛋。

亞理斯多德則認為柏拉圖將整個觀念弄反了。他同意他的老師的說法，認為一匹特定的馬是「流動」的，沒有一匹馬可以長生不死。他也認為馬的形式是永恆不變的。但他認為馬的「理型」是我們人類在看到若干匹馬後形成的概念。因此馬的「理型」或「形式」本身是不存在的。對於亞理斯多德而言，馬的「理型」或「形式」就是馬的特徵，後者定義了我們今天所稱的馬這個「種類」。

更精確的說，亞理斯多德所謂馬的「形式」乃是指所有馬匹都共有的特徵。在這裡薑餅人模子的比喻並不適用，因為模子是獨立於薑餅人之外而存在的。亞理斯多德並不相信自然界之外有這樣一些模子或形式放在他們所屬的架子上。相反的，亞理斯多德認為「形式」存在於事物中，因為所謂形式就是這些事物的特徵。

所以，亞理斯多德並不贊成柏拉圖主張「雞」的理型比雞先有的說法。亞理斯多德所稱的雞的「形式」存在於每一隻雞的身上，成為雞之所以為雞的特色，例如：雞會生蛋。因此真正的雞和雞的「形式」就像身體與靈魂一般是不可分割的。

這就是亞理斯多德批評柏拉圖的理型論的大要。這是思想上的一大轉變。在柏拉圖的理論中，現實世界中最高層次的事物乃是那些我們用理性來思索的事物。但對亞理斯多德而言，真實世界中最高層次的事物乃是那些我們用感官察覺的事物。柏拉圖認為，我們在現實世界中看到的一切事物純粹只是更高層次的概念世界（以及靈魂）中那些事物的影子。亞理斯多德的主張正好相反。他認為，人類靈魂中存在的事物純粹只是自然事物的影子。因此自然就是真實的世界。根據亞理斯多德的說法，柏拉圖是陷入了一個神話世界的圖像中不可自拔，在這個世界中人類的想像與真實世界混淆不清。

亞理斯多德指出，我們對於自己感官未曾經驗過的事物就不可能有意識。柏拉圖則會說：不先存在於理型世界中的事物就不可能出現在自然界中。亞理斯多德認為柏拉圖如此的主張會使「事物的數目倍增」。他用「馬的理型」來解釋馬，但那是怎樣的一種解釋呢？蘇菲，我的問題在於：這個「馬的理型」從何而來？世間會不會有另外一匹馬，而馬的理型只不過是模仿這匹馬罷了？

亞理斯多德認為，我們所擁有的每一種想法與意念都是透過我們看到、聽到的事物而進入我們的意識。不過我們也具有與生俱來的理性，因此天生就能夠組織所有的感官印象，並且將它們加以整理與分類，所以才會產生諸如「石頭」、「植物」、「動物」與「人類」等概念。而「馬」、「龍蝦」、「金絲雀」這些概念也是以同樣的方式形成的。

亞理斯多德並不否認人天生就有理性。相反的，根據他的說法，具有理性正是人最大的特徵。不過在我們的感官經驗到各種事物之前，我們的理性是完全真空的。因此人並沒有天生的「觀念」。

一件事物的形式乃是它的特徵

在批評柏拉圖的理型論後，亞理斯多德認為實在界乃是由各種本身的形式與質料和諧一致的事物所組成的。「質料」是事物組成的材料，「形式」則是每一件事物的個別特徵。

蘇菲，假設現在你眼前有一隻鼓翅亂飛的雞。這隻雞的「形式」正是它會鼓翅、會咕咕叫、會下蛋等。因此我們所謂的一隻雞的「形式」就是指雞這種動物的特徵，也可以說是雞的各種行為。當這隻雞死時（當它不再咕咕叫時），它的「形式」也不再存在。唯一剩下的就是雞的「物質」（說起來很悲哀），但這時它已經不再是雞了。

就像我先前所說的，亞理斯多德對於自然界的變化很感興趣。「質料」總是可能實現成某一特定的「形式」。我們可以說「質料」總是致力於實現一種內在的可能性。亞理斯多德認為自然界的每一種變化，都是物質從「潛能」轉變為「實現」的結果。

這點顯然我必須加以解釋，我將試著用一個小故事來說明。有一位雕刻家正在雕鑿一塊大花崗石。他每天一斧一斧的雕鑿著這塊沒有形狀的岩石。有一天，一個小男孩走過來問他：「你在找尋什麼？」雕刻家答道：「你等著瞧吧！」幾天後小男孩又回來了，看到雕刻家已經將花崗岩雕成了一匹駿馬。小男孩驚異的注視著這隻馬，然後轉向雕刻家問道：「你怎麼知道馬在裡面呢？」

的確，就某一方面來說，雕刻家確實在那塊花崗岩裡看到了馬的形式，因為這塊花崗岩具有變成一匹馬的潛能。同樣的，亞理斯多德相信自然界的每一件事物都可能實現或達成某一個特定的「形式」。

讓我們回到雞與蛋的問題。雞蛋有成為一隻雞的潛能，這並不表示每一個雞蛋都會變成雞，因為許多雞蛋到頭來會變成人們早餐桌上的煎蛋、蛋捲或炒蛋等佳餚，因而未能實現他們的潛能。同理，雞蛋顯然不能變成一隻鵝，因為雞蛋沒有這樣的潛能。因此，一件事物的「形式」不但說明了這件事物的潛能，也說明了它的極限。

當亞理斯多德談到事物的「質料」與「形式」時，他所指的不僅是生物而已。正如雞的「形式」就是會咕咕叫、會鼓翅、會下蛋，石頭的形式就是會掉在地上。正如雞無法不咕咕叫一般，石頭也無法不掉在地上。當然你可以撿起一塊石頭，把它丟向空中，但由於石頭的天性就是要掉在地上，因此你無法把它丟向月亮。（你做這個實驗的時候可要小心，因為石頭可能會報復，並且由最短的一條路徑回到地球上。希望上帝保佑那些站在它的路徑上的人！）

目的因

在我們結束「所有生物、無生物的『形式』都說明他們可能採取的『行動』」這個話題前，我必須聲明亞理斯多德對自然界的因果律的看法實在很高明。

今天當我們談到一件事物的「原因」時，我們指的是這件事物為何會發生。窗子之所以被砸破是因為彼德丟了一塊石頭穿過它；鞋子之所以被製造出來，是因為鞋匠把幾塊皮革縫在一起。不過亞理斯多德認為自然界有各種不同的原因。他一共舉出了四種原因。我們必須瞭解他所謂的「目的因」是什麼意思。

在窗子被砸破後，問問彼德為何要丟石頭是一件很合理的事。我們所問的就是他的目的。在這裡，目的無疑扮演了一個重要的角色。在製鞋的例子中也是如此。同樣的，亞理斯多德認為自然界種種循環變遷中也可能有類似的「目的」存在。我們用一個簡單的例子來說明好了：

蘇菲，你認為天為什麼會下雨？不用說，你曾在學校裡念過天之所以下雨，是因為雲層中的濕氣冷卻凝結後變成雨滴，然後受重力的吸引，降落在地上。對這個說法，亞理斯多德應該會點頭同意。但是，他也會補充說你只提到其中的三種肇因。「質料因」是在空氣冷卻時濕氣（雲層）正好在那兒。「主動因」是濕氣冷卻，「形式因」則是水的「形式」（或天性）就是會降落地面。不過假如你只提到這三者，亞理斯多德會補充說，天空下雨的原因是因為植物和動物需要雨水才能生長，這就是他所謂的「目的因」。因此，你可以看出來，亞理斯多德賦予雨滴一個任務或「目的」。

我們也許可以反過來說，植物之所以生長是因為它們有了濕氣。你應該可以看出這兩種說法之間的不同，是不是？亞理斯多德相信自然界的每一件事物都有其目的。天空下雨是因為要讓植物生長，柳橙和葡萄之所以生長是為了供人們食用。

這並不是現代科學思維的本質。我們說食物、雨水是人類與動物維生的必要條件。如果沒有這些條件，我們就無法生存。不過，水或柳橙存在的目的並不是為了供人類食用。

因此，就因果律的問題而言，我們往往會認為亞理斯多德的想法是錯誤的。但我們且勿遽下定論。許多人相信上帝創造這個世界，是為了讓祂所有的子民都可以生活於其間。從這種說法來看，我們自然可以宣稱河流裡面之所以有水是因為動物與人類需要水才能生存。不過，話說回來，這是上帝的目的。雨滴和河水本身對我們人類的福祉可是一點也不感興趣。

邏輯

亞理斯多德說明人類如何區別世間事物時，強調了「形式」與「質料」的差別。

我們區別事物的方法是將事物分門別類。例如，我先看到一匹馬，然後又看到另外兩匹。這些馬並非完全相同，但也有一些相似之處。這些相似之處就是馬的「形式」。至於每匹馬與其他馬不同之處就是它的「質料」。

就這樣，我們把每一件事物都加以分類。我們把牛放在牛棚裡，把馬放在馬廄裡，把豬趕進豬圈裡，把雞關在雞舍裡。你在清理房間時，一定也是這樣做的。你會把書放在書架上，把書本放在書包裡，把雜誌放在抽屜裡，然後再把衣服摺得整整齊齊的，放在衣櫥裡：內衣放一格、毛衣放一格、襪子則單獨放在抽屜裡。注意，我們心裡也是做著類似的工作，我們把事物分成石頭做的、羊毛做的或橡膠做的；我們也把事物分成活的、死的、植物、動物或人類。

你明白了嗎？蘇菲。亞理斯多德想把大自然「房間」內的東西都徹底的分門別類。他試圖顯示自然界裡的每一件事物都各自有其所屬的類目或次類目。（例如，我們可以說漢密士是一個生物，但更嚴格的說，牠是一隻動物，再嚴格一點說，牠是一隻脊椎動物，更進一步說，牠是一隻哺乳類動物，再進一步說，牠是一隻狗，更精確的說，牠是一隻獵狗，更完整的說，牠是一隻雄獵狗。）

蘇菲，假設你進入房間，從地上撿起某樣東西。無論你撿的是什麼，你會發現它屬於一個更高的類目。如果有一天你看到了一樣你很難分類的東西，你一定會大吃一驚。舉例來說，如果你發現了一個小小的、不知道是啥玩意的東西，你不確定它是動物、植物還是礦物，我想你大概不敢碰它吧！

說到動物、植物與礦物，讓我想到一個大夥聚會時常玩的遊戲：當「鬼」的人必須要離開房間，當他再回來時，必須猜出大家心裡面在想什麼東西。在此之前，大家已經商量好要想的東西是那隻正在隔壁花園裡玩耍的貓咪「毛毛」。當「鬼」的人回到房間後就開始猜。其他人必須答「是」或「不是」。如果這個「鬼」受過良好的亞理斯多德式訓練的話，這個遊戲的情形很可能會像下面描述的一樣：

是具體的東西嗎？（是！）是礦物嗎？（不是！）是活的嗎？（是！）是植物嗎？（不是！）是動物嗎？（是！）是鳥嗎？（不是！）是哺乳類動物嗎？（是！）是一整隻動物嗎？（是！）是貓嗎？（是！）是「毛毛」嗎？（猜對了！大夥笑……）

如此看來，發明這個遊戲的人應該是亞理斯多德，而捉迷藏的遊戲則應該是柏拉圖發明的。至於堆積木的遊戲，我們早已經知道是德謨克里特斯發明的。

亞理斯多德是一位嚴謹的邏輯學家。他致力於澄清我們的概念。因此，是他創立了邏輯學這門學科。他以實例顯示我們在得出合乎邏輯的結論或證明時，必須遵循若干法則。我們只舉一個例子就夠了。如果我先肯定「所有的生物都會死」（第一前提），然後再肯定「漢密士是生物」(第二前提),則我可以從容的得出一個結論:「漢密士會死」。

這個例子顯示亞理斯多德的推理是建立在名詞之間的相互關係上。在這個例子中,這兩個名詞分別是「生物」與「會死」。雖然我們不得不承認這兩個結論都是百分之百正確,但我們可能會說:這些都是我們已經知道的事情呀。我們已經知道漢密士「會死」,(牠是一隻「狗」,而所有的狗都是「生物」,而所有的生物都「會死」,不像聖母峯的岩石一樣。)不用說,這些我們都知道,但是,蘇菲,各種事物之間的關係並非都是如此明顯。因此我們可能需要不時澄清我們的概念。

我舉一個例子就好了:一丁點大的小老鼠真的可能像小羊或小豬一樣吸奶嗎?對於小老鼠來說,吸奶當然是一件很吃力的工作。但我們要記得:老鼠一定不會下蛋,(我們什麼時候見過老鼠蛋?)因此,牠們所生的是小老鼠,就像豬生小豬,羊生小羊一般。同時,我們將那些會生小動物的動物稱為哺乳動物,而哺乳動物也就是那些吃母奶的動物。因此,答案很明顯了。我們心中原來就有答案,但必須要想清楚,答案才會出來。我們會一下子忘記了老鼠真是吃奶長大的。這也許是因為我們從未見過老鼠餵奶的緣故。理由很簡單:老鼠餵奶時很怕見人。

自然的層級

當亞理斯多德將人類的生活做一番整理時,他首先指出:自然界的萬事萬物都可以被分成兩大類。一類是石頭、水滴或土壤等無生物，這些無生物沒有改變的潛能。亞理斯多德認為無生物只能透過外力改變。另外一類則是生物，而生物則有潛能改變。

亞理斯多德同時又把生物分成兩類；一類是植物，一類是動物。而這些「動物」又可以分成兩類，包括禽獸與人類。

我們不得不承認亞理斯多德的分類相當清楚而簡單。生物與無生物（例如玫瑰與石頭）確實截然不同。而植物與動物（如玫瑰與馬兒）之間也有很大的不同。我們也會說，馬兒與人類之間確實是不相同的。但這些差異究竟何在呢？你能告訴我嗎？

很遺憾我沒有時間等你把答案寫下來，和一塊糖一起放在一個粉紅色的信封內。所以我就直接告訴你答案好了。當亞理斯多德把自然現象分成幾類時，他是以對象的特徵為標準。說得詳細一些，所謂標準就是這個東西能做什麼或做些什麼。

所有的生物（植物、動物與人類）都有能力吸收養分以生長、繁殖。所有的動物（禽獸與人類）則還有感知周遭環境以及到處移動的能力。至於人類則更進一步有思考（或將他們感知的事物分門別類）的能力。

因此，實際上自然界各類事物中並沒有清楚分明的界線。我們看到的事物從簡單的生物到較為複雜的植物，從簡單的動物到較為複雜的動物都有。在這些層級之上的就是人類。亞理斯多德認為人類乃是萬物中最完全的生命。人能夠像植物一般生長並吸收養分，也能夠像動物一般有感覺並能移動。除此之外，人還有一個與眾不同的特質，就是理性思考的能力。

因此，蘇菲，人具有一些神的理性。沒錯，我說的是「神」的理性。亞理斯多德不時提醒我們，宇宙間必然有一位上帝推動自然界所有的運作，因此上帝必然位於大自然層級的最頂端。

亞理斯多德猜想地球上所有的活動乃是受到各星球運轉的影響。不過，這些星球必定是受到某種力量的操控才能運轉。亞理斯多德稱這個力量為「最初的推動者」或「上帝」。這位「最初的推動者」本身是不動的，但他卻是宇宙各星球乃至自然界各種活動的「目的因」。

倫理學

讓我們回到人類這個主題。根據亞理斯多德的看法，人的「形式」是由一個「植物」靈魂、一個「動物」靈魂與一個「理性」靈魂所組成。同時他問道：「我們應該如何生活？」「人需要什麼才能過良好的生活？」我可以用一句話來回答：「人唯有運用他所有的能力與才幹，才能獲得幸福。」

亞理斯多德認為，快樂有三種形式。一種是過著享樂的生活，一種是做一個自由而負責的公民，另一種則是做一個思想家與哲學家。

接著，他強調，人要同時達到這三個標準才能找到幸福與滿足。他認為任何一種形式的不平衡都是令人無法接受的。他如果生在現今這個時代，也許會說：一個只注重鍛鍊身體的人所過的生活就像那些只動腦不動手的人一樣不平衡。無論偏向哪一個極端，生活方式都會受到扭曲。

同理也適用於人際關係。亞理斯多德提倡所謂的「黃金中庸」。也就是說：人既不能懦弱，也不能太過魯莽，而要勇敢（不夠勇敢就是懦弱，太過勇敢就變成魯莽）；既不能吝嗇也不能揮霍，而要慷慨（不夠慷慨即是吝嗇，太過慷慨則是揮霍）。在飲食方面也是如此。吃得太少或吃得太多都不好。柏拉圖與亞理斯多德兩人關於倫理道德的規範使人想起希臘醫學的主張：唯有平衡、節制，人才能過著快樂和諧的生活。

政治學

亞理斯多德談到他對社會的看法時，也主張人不應該走極端。他說人天生就是「政治動物」。他宣稱人如果不生存在社會中，就不算是真正的人。他指出，家庭與社區滿足我們對食物、溫暖、婚姻與生育的基本需求。但人類休戚與共的精神只有在國家中才能表現的淋漓盡致。

這就使我們想到一個國家應該如何組織起來的問題。（你還記得柏拉圖的「哲學國度」嗎？）亞理斯多德描述了三種良好的政治制度。

一種是君主制，就是一個國家只有一位元首。但這種制度如果要成功，統治者就不能致力於謀求私利，以免淪為「專制政治」。另一種良好的制度是「貴族政治」，就是國家由一羣人來統治。這種制度要小心不要淪於「寡頭政治」（或我們今天所稱的「執政團」式的政治制度）。第三種制度則是亞理斯多德所稱的Polity，也就是民主政治的意思。但這種制度也有不好的一面，因為它很容易變成暴民政治。（當年即使專制的希特勒沒有成為德國元首，他手下那些納粹分子可能也會造成可怕的暴民政治。）

對女人的看法

最後，讓我們來看看亞理斯多德對女性的看法。很遺憾的，他在這方面的觀點並不像柏拉圖那般崇高。亞理斯多德似乎傾向於認為女性在某些方面並不完整。在他眼中，女性是「未完成的男人」。在生育方面，女性是被動的，只能接受，而男性則是主動且多產的。亞理斯多德宣稱小孩只繼承男性的特質。他相信男性的精子中具有小孩所需的全部特質，女性只是土壤而已，她們接受並孕育種子，但男性則是「播種者」。或者，用亞理斯多德的話來說，男人提供「形式」，而女人則僅貢獻「質料」。

像亞理斯多德這樣有智慧的男人居然對兩性關係有如此謬誤的見解，的確令人震驚而且遺憾。但這說明了兩件事：第一，亞理斯多德對婦女與兒童的生活大概沒有多少實際的經驗。第二，這個例子顯示如果我們任由男人主宰哲學與科學的領域的話，可能發生何等的錯誤。

亞理斯多德對於兩性錯誤的見解帶來很大的負面作用，因為整個中世紀時期都受到他（而不是柏拉圖）的看法的影響。教會也因此繼承了一種歧視女性的觀點，而事實上，這種觀點在聖經上是毫無根據的。耶穌基督當然不是一個仇視婦女的人。

今天就到此為止吧。我會再和你聯絡的。

蘇菲把信又讀了一遍，讀到一半時，她把信紙放回棕色的信封內，仍然坐著發呆。她突然察覺到房間內是如何凌亂；地板上到處放著書本與講義夾，襪子、毛衣、襯衣與牛仔褲有一半露在衣櫥外，書桌前的椅子上放著一大堆待洗的髒衣服。

她突然有一股無法抗拒的衝動，想要把房間清理一下。首先她把所有的衣服都拉出衣櫥，丟在地板上，因為她覺得有必要從頭做起。然後她開始把東西摺得整整齊齊的，疊在架子上。衣櫥共有七格。一格放內衣，一格放襪子與襯衣，一格放牛仔褲。她輪流把每一格放滿。她從不曾懷疑過什麼東西應該放哪裡。髒衣服總是放在最底下一格的一個塑膠袋內。但是現在有一樣東西她不知道該放哪裡，那就是一隻白色及膝的襪子。因為，另外一隻不見了。何況，蘇菲從來沒有過這樣的襪子。

蘇菲仔細的看著這隻襪子，看了一、兩分鐘。襪子上並沒有任何標記，但蘇菲非常懷疑它的主人究竟是誰。她把它丟到最上面一格，和積木、錄影帶與紅絲巾放在一起。

現在，蘇菲開始把注意力放在地板上。她把書本、講義夾、雜誌與海報加以分類，就像她的哲學老師在講到亞理斯多德時形容的一般。完成後，她開始鋪床並整理書桌。

最後，她把所有關於亞理斯多德的信紙疊好，並找出一個沒有用的講義夾和一個打孔機，在每一張信紙上打幾個洞，然後夾進講義夾中，並且把這個講義夾放在衣櫥最上一格，白襪子的旁邊。她決定今天要把餅乾盒從密洞中拿出來。

從今以後，她將把一切收拾得井然有序。她指的可不止是房間而已。在讀了亞理斯多德的學說後，她領悟到她應該把自己的思想也整理得有條不紊。她已經將衣櫥的最上面一格留作這樣的用途。這是房間內唯一一個她還沒有辦法完全掌握的地方。

媽媽已經有兩個多小時沒有動靜了。蘇菲走下樓。在把媽媽叫醒之前，她決定先餵她的寵物。

她躬身在廚房裡的金魚缸前看著。三條魚中，有一條是黑色的，一條是橘色的，另一條則紅、白相間。這是為什麼她管牠們叫黑水手、金冠與小紅帽的緣故。

當她把魚飼料撒進水中時，她說：「你們屬於大自然中的生物。你們可以吸收養分、可以生長並且繁殖下一代。更精確的說，你們屬於動物王國，因此你們可以移動並且看著外面的這個世界。再說得精確些，你們是魚，用鰓呼吸，並且可以在生命的水域中游來游去。」

蘇菲把飼料罐的蓋子闔上。她很滿意自己把金魚放在大自然的層級中的方式，更滿意自己所想出來的「生命的水域」這樣的詞句。現在，該餵那些鸚哥了。

蘇菲倒了一點鳥食在鳥杯中，並且說：「親愛的史密特和史穆爾，你們之所以成為鸚哥是因為你們從小鸚哥的蛋裡生出來，也是因為那些蛋具有成為鸚哥的形式。你們運氣不錯，沒有變成叫聲很難聽的鸚鵡。」

然後，蘇菲進入那間大浴室。她的烏龜正在裡面一個大盒子裡緩緩爬動。以前媽媽不時在洗澡時大聲嚷嚷說，總有一天她要把那隻烏龜弄死。不過，到目前為止，她並沒有這樣做。蘇菲從一個大果醬罐子裡拿了一片萵苣葉，放在盒子裡。

「親愛的葛文達，」她說：「你並不是世間跑得最快的動物之一，但是你當然能夠感覺到一小部分我們所生活的這個偉大世界。你應該知足了，因為你並不是唯一無法超越自己限制的生物。」

雪兒也許正在外面抓老鼠，畢竟這是貓的天性。蘇菲穿過客廳，走向媽媽的臥室。一瓶水仙花正放在茶几上，蘇菲經過時，那些黃色的花朵彷彿正向她彎腰致敬。她在花旁停駐了一會兒，用手指輕輕撫摸著那光滑的花瓣。

她說：「你們也是屬於大自然的生物。事實上，比起裝著你們的花瓶來說，你們是非常幸福的。不過很可惜的是你們無法瞭解這點。」

然後蘇菲躡手躡腳的進入媽媽的房間。雖然媽媽正在熟睡，但蘇菲仍用一隻手放在她的額頭上。

「你是最幸運的一個。」她說：「因為你不像原野裡的百合花一樣，只是活著而已，也不像雪兒或葛文達一樣，只是一種生物。你是人類，因此具有難能可貴的思考能力。」

「蘇菲，你到底在說什麼？」媽媽比平常醒得更快。

「我只是說你看起來像一隻懶洋洋的烏龜。還有，我要告訴你，我已經用哲學家般嚴謹的方法把房間收拾乾淨了。」

媽媽擡起頭。

「我就來。」她說：「請你把咖啡拿出來好嗎？」

蘇菲遵照媽媽的囑咐。很快的，她們已經坐在廚房裡，喝著咖啡、果汁和巧克力。

突然間，蘇菲問道：「媽，你有沒有想過為什麼我們會活著？」

「天哪！你又來了！」

「因為我現在知道答案了。人活在這個星球上是為了替每一樣東西取名字。」

「是嗎？我倒沒有這樣想過。」

「那你的問題可大了，因為人是會思考的動物。如果你不思考，就不算是人。」

「蘇菲！」

「你有沒有想過，如果世間只有植物和動物，就沒有人可以區分貓和狗、百合與鵝莓之間的不同。植物和動物雖然也活著，但我們是唯一可以將大自然加以分類的生物。」

「我怎麼會生出像你這樣古怪的女兒？」媽媽說。

「我倒希望自己古怪一點。」蘇菲說。「每一個人或多或少都有些古怪。我是個人，因此或多或少總有些古怪。你只有一個女兒，因此我可以算是最古怪的。」

「我的意思是你剛才講的那些話可把我嚇壞了。」

「那你真是太容易受到驚嚇了。」

那天下午，蘇菲回到密洞。她設法偷偷的將大餅乾盒運回樓上的房間，媽媽一點也沒有發現。

回到房間後，她首先將所有的信紙按次序排列。然後她把每一張信紙打洞，並放在講義夾內亞理斯多德那一章之前。最後她在每一頁的右上角寫上頁序。總共有五十多頁。她要自己編纂一本有關哲學的書。雖然不是她寫的，卻是專門為她寫的。

她沒有時間寫星期一的功課了。明天宗教知識這門課或許會考試，不過老師常說他比較重視學生用功的程度和價值判斷。蘇菲覺得自己在這兩方面都開始有一些基礎了。

希臘文化

……一絲火花……

雖然哲學老師已經開始把信直接送到老樹籬內，但星期一早晨蘇菲仍習慣性地看了看信箱。

裡面是空的，這並不讓人意外。她開始沿著苜蓿巷往前走。

突然間她看到人行道上有一張照片。照片中有一輛白色的吉普車，上面插著一支印有聯合國字樣的藍色旗幟。那不是聯合國的旗幟嗎？

蘇菲把照片翻過來，發現這是一張普通的明信片。上面寫著「請蘇菲代轉席德」，貼著挪威郵票，並蓋著一九九〇年六月十五日星期五「聯合國部隊」的郵戳。

六月十五日！這天正是蘇菲的生日呀！

明信片上寫著：

親愛的席德：

我猜想你可能仍在慶祝你的十五歲生日。或者你接到信時，已經是第二天的早上了。無論如何，你都會收到我的禮物。就某個角度看，那是一份可以用一輩子的禮物。不過，我想向你再說一聲生日快樂。也許你現在已經明白我為何把這些明信片寄給蘇菲了。我相信她一定會把它們轉交給你的。

P.S.:媽媽說你把你的皮夾弄丟了。我答應你我會給你一百五十塊錢做為補償。還有,在學校放暑假前你也許可以重辦一張學生證。

愛你的爸爸

蘇菲站在原地不動。上一張明信片郵戳上的日期是幾號?她隱約記得那張海灘風景明信片上的郵戳日期也是六月——雖然這兩張明信片相隔了一個月。不過她並沒有看清楚。她看了一下腕錶,然後便跑回家中。她今天上學是非遲到不可了。

蘇菲進了門便飛奔到樓上的房間,在那條紅色絲巾的下面找到了第一張寫給席德的明信片。是的,上面的日期也是六月十五日,就是蘇菲的生日,也是學校放暑假的前一天。她跑到超級市場去和喬安會合時,心裡湧出無數個問號。

這個席德是誰?她爸爸為什麼會認定蘇菲可以找到她?無論如何,他把明信片寄給蘇菲,而不直接寄給他的女兒是說不通的。蘇菲想這絕不可能是因為他不知道自己女兒的地址。會是誰在惡作劇嗎?他是不是想找一個陌生人來當偵探和信差,以便在女兒生日那天給她一個驚喜呢?這就是他提前一個月讓她準備的原因嗎?他是不是想讓她這個中間人成為他女兒的新朋友,並以此做為送給她的生日禮物呢?難道她就是那個「可以用一輩子」的禮物嗎?

如果這個開玩笑的人真的在黎巴嫩，他何以能夠得知蘇菲的地址？還有，蘇菲和席德至少有兩件事情是相同的。第一，如果席德的生日也是六月十五日，那她們倆就是同一天出生的。第二，她們倆的父親都遠在天邊。

蘇菲覺得自己被拉進一個不真實的世界。也許，有時候人還真的不得不相信命運。不過，她還不能太早下結論。這件事可能仍然有個緣故。但是，如果席德住在黎樂桑，艾伯特是如何找到她的皮夾的呢？黎樂桑離這兒有好幾百哩呀！同時，這張明信片為什麼會躺在蘇菲家門口的人行道上？它是不是在郵差來到蘇菲家的信箱時由他的郵袋裡掉出來的？如果這樣，為什麼他別的不掉，偏偏掉這一張？

在超市等候的喬安好不容易才看到蘇菲出現。她忍不住說：「你瘋了嗎？」

「對不起！」

喬安緊緊皺起眉頭，像學校老師一樣。

「你最好給我解釋清楚。」

「都是聯合國的緣故。」蘇菲說。「我在黎巴嫩被敵方部隊拘留了。」

「少來。我看你是談戀愛了。」

他們沒命似的跑到學校。

第三節課時考了蘇菲昨天沒有時間準備的宗教知識這門課。題目如下：

生命與容忍的哲學

1、試列舉我們可以確實知道的一些事物。然後再列舉一些我們只能相信的事物。

2、請說明影響一個人的生活哲學的因素。

3、「良知」的意義為何？你認為每一個人都有同樣的良知嗎？

4、何謂價值的輕重？

蘇菲坐在那兒想了很久才開始作答。她可以運用她從艾伯特那兒學到的觀念嗎？她不得不這樣做，因為她已經有好幾天沒有打開宗教知識的教科書了。她一開始作答後，答案彷彿自然而然就從她的筆端流出來一般。

她寫道：我們可以確定的事包括月亮不是由綠乳酪做成的、月球較黑的那一面也有坑洞、蘇格拉底和耶穌基督兩人都被判死刑、每一個人都遲早會死、希臘高城宏偉的神殿是在西元前五世紀波斯戰爭後興建的，還有古希臘最重要的神諭是戴爾菲的神諭。至於我們不能確知的事物，蘇菲舉的例子包括：其他星球上是否有生物存在、世間是否真有上帝、人死後是否還有生命、耶穌是上帝之子或者只是一個聰明人。在舉出這些例子後，蘇菲寫道：「我們當然無法確知這世界從何而來。宇宙就好像是一隻被魔術師從帽子裡拉出來的大白兔。哲學家努力沿著兔子毛皮中的一根細毛往上爬，希望能一睹偉大魔術師的真面目。雖然他們不一定會成功，但如果所有哲學家都像疊羅漢一般一層一層往上疊，則他們就可以愈接近兔子毛皮的頂端。果真如此，在我認為，有一天他們也許真的可以爬到頂端。P.S.：聖經中有一個東西很像是兔子的細毛，那就是巴別塔。這個塔最後被偉大的魔術師摧毀了，因為他不希望這些微不足道的人類爬出他一手創造出的兔子的毛皮。」

第二個問題是：「請說明影響一個人的生活哲學的因素。」蘇菲認為教養與環境很重要。生在柏拉圖時代的人們所具有的生活哲學與現代人不同，因為他們生活的時代與環境與我們的不同。另外一個因素是人們選擇的經驗種類。一般常識不是由環境決定的，而是每一個人都具備的。也許我們可以把我們的環境與社會情況與柏拉圖的洞穴相比較。一個人若運用他的聰明才智，將可以使自己脫離黑暗。不過這樣的路程需要一些勇氣，蘇格拉底就是一個很好的例子，顯示一個人如何運用自己的聰明才智使自己不受當時思想主流的影響。最後，蘇菲寫道：「在當今這個時代，來自各個地方、各種文化的人們交流日益密切。基督徒、回教徒與佛教徒可能住在同一棟公寓中。在這種情況下，接受彼此的信仰要比去問為什麼大家不能有一致的信仰更加重要。」

嗯，答得不壞！蘇菲心想。她覺得自己已經運用她從哲學老師那兒學來的知識答出了一些重點。她只要加上一些自己的常識與她從別處聽來或讀到的東西就成了。

現在，她專心答第三道問題：「良知是什麼？你認為每個人都有同樣的良知嗎？」這個問題他們在課堂上已經討論過很多次了。蘇菲答道：「良知是人們辨別善惡是非的能力。我個人的看法是：每一個人天生都具備這種能力。換句話說，良知是與生俱來的。蘇格拉底應該也會持同樣的看法。不過良心對人的影響因人而異。在這方面我們可以說詭辯學派的主張不無道理。他們認為是非的觀念主要是由個人成長環境決定的。相反的，蘇格拉底則相信每一個人的良心都一樣。也許這兩種觀點都沒有錯。雖然並不是每一個人在大庭廣眾之下赤身露體時都會感到羞愧，但大多數人在欺負別人後多少都會良心不安。不過，我們也不要忘記，具有良知和運用良知是兩回事。有時有些人做起事來一副無恥的模樣，但我相信他們內心深處還是有某種良知存在的。就像某些人看起來似乎沒有大腦的樣子，但這只是因為他們不用腦筋罷了。P．S．：常識和良心就像肌肉一樣。你不去用它，它就會愈來愈萎縮。」

現在只剩下一個問題了：「何謂價值的輕重？」這也是他們最近時常討論的一個主題。舉例來說，開著車子迅速往來各地也許是很重要的，但如果駕駛車輛會導致森林遭到砍伐、自然環境受到污染等後果，我們就必須要做個選擇。在仔細考量之後，蘇菲的結論是：維護森林的健康和環境的純淨要比能夠節省上班途中的交通時間更有價值。她另外又舉了一些例子。最後，她寫道：「我個人認為哲學這門課要比英文文法更重要。因此，如果學校能將哲學課列入課程，並且略微減少英文課的時間，他們對價值輕重的判斷就是正確的。」

最後一次課間休息時，老師把蘇菲拉到一旁。

「我已經看過了你宗教課考試的試卷。」他說，「你那一份放在整疊試卷的最上面。」

「我希望它能給你一些啓發。」

「這就是我要跟你談的。你的答案在許多方面都很成熟，讓我非常訝異。同時你有很多自己的想法。不過，蘇菲，你有沒有做作業呢？」

蘇菲有點心虛。

「嗯，你不是說一個人要有自己的看法嗎？」

「是啊，我是說過……不過這總有個限度。」

蘇菲看著老師的眼睛。她覺得在最近經歷了這些事情後，她應該可以這樣做。

「我已經開始研究哲學了。」她說，「這使我有了一些形成自己意見的基礎。」

「不過這讓我很難給你的考卷打分數。要不是D要不就是A。」

「因為我要不就答得很對，要不就錯得很多。你的意思是這樣嗎？」

「那就算你A好了。」老師說。「不過下一次你可要做作業。」

那天下午蘇菲放學後一回到家，把書包丟在門前臺階上後，就馬上跑到密洞中。果然有一個棕色的信封躺在蚪結的樹根上。信封的邊緣已經乾了，可以想見漢密士已經把信送來很久了。

她拿了信，進了前門，餵寵物後就上樓。回房後，她躺在床上拆閱艾伯特的信：

希臘文化

蘇菲，我們又上課了。在讀完有關自然派哲學家、蘇格拉底、柏拉圖與亞理斯多德的理論後，你對歐洲哲學的基礎應該已經很熟悉了。因此，從現在起，我將省略掉用白色的信封所裝的前導式問題。更何況，我想學校給你們的作業和考試可能已經夠多了。

今天我要介紹的是從西元前第四世紀末亞理斯多德時期，一直到西元四百年左右中世紀初期的這一段很長的時期。請注意，我們如今講西元前、西元後乃是以耶穌降生的前後來區分，而事實上，基督教也是這個時期內最重要、最神祕的因素之一。

亞理斯多德於西元前三二二年去世，當時雅典人已經失去了統治者的地位。這一部分原因是亞歷山大大帝（西元前三五六～三二三年）征服各地後引發的政治動亂所致。

亞歷山大大帝是馬其頓的國王。亞理斯多德也是馬其頓人，甚至曾經擔任亞歷山大小時候的私人教師。亞歷山大後來打贏了對波斯人的最後一場決定性的戰役。更重要的是，他征服各地的結果使得埃及、東方（遠至印度）的文明與希臘的文明得以結合在一起。

在人類的歷史上，這是一個新紀元的開始。一個新文明誕生了。在這個文明中，希臘的文化與希臘的語言扮演了主導的角色。這段時期維持了大約三百年，被稱為「希臘文化」。這個名詞除了指這段時期外，也指在馬其頓、敘利亞與埃及這三個希臘王國風行的以希臘為主的文化。

然而，自從大約西元前五〇年以後，羅馬在軍事與政治上逐漸占了上風。這個新的超級強權逐漸征服了所有的希臘王國。從此以後，從西邊的西班牙到東邊的亞洲等地，都以羅馬文化與拉丁文為主。這是羅馬時期（也就是我們經常所說的「近古時期」）的開始。不過，我們不可以忘記一件事：在羅馬人征服希臘世界之前，羅馬本身也受到希臘文化的影響。因此，直到希臘人的政治勢力衰微很久以後，希臘文化與希臘哲學仍然繼續扮演了很重要的角色。

宗教、哲學與科學

希臘文化的特色在於國與國、文化與文化之間的界線泯滅了。過去希臘、羅馬、埃及、巴比倫、敘利亞、波斯等各民族各有我們一般所說的「國教」，各自崇奉不同的神明。但如今這些不同的文化都彷彿在女巫的咒語之下融成一爐，匯聚形成各種宗教、哲學與科學概念。

我們可以說希臘過去的市中心廣場已經被世界舞臺所取代。從前的市鎮廣場是一片人聲嘈雜的景象，有人販售各種商品，有人宣揚各種思想與概念。如今的市鎮廣場依舊充斥著來自世界各地的貨品與思想，只不過嘈雜的人聲中夾雜了各國的語言。

我們曾經提到在這個時候，希臘人的人生哲學影響的地區與範圍已經比過去擴大許多。不過，逐漸的，地中海地區的各個國家也開始崇奉東方的神祇。也許是在眾多古國原有宗教信仰的交互影響之下，新的宗教興起了。

我們稱這種現象為「信仰的混合」（syncretism）或「信仰的交互激盪」（the fusion of creeds）。

在此之前，人們都認同自己所屬的城邦。但隨著疆界之分逐漸泯滅，許多人開始懷疑自己的社會所持的生命哲學。一般而言，近古時期的特色就是充滿了宗教質疑、文化解體與悲觀主義。當時的人說：「世界已經衰老了。」希臘文化時期形成的各宗教信仰有一個共同的特徵，就是他們經常教導人應該如何獲得救贖，免於一死。這些教義通常都是以祕密的方式傳授。信徒只要接受這些教導，並進行某些儀式，就可望獲得不朽的靈魂與永遠的生命。但為了達成靈魂的救贖，除了舉行宗教儀式外，也有必要對宇宙真實的本質有某種程度的瞭解。

關於新宗教，我們就談到這裡了。不過在這個時期，哲學也逐漸朝「救贖」與平安的方向發展。當時的人認為，哲學的智慧不僅本身有其好處，也應該能使人類脫離悲觀的心態與對死亡的恐懼。因此，宗教與哲學之間的界線逐漸消失了。

整體來說，我們不得不承認希臘文化的哲學並沒有很大的原創性。在這個時期中，並未再出現一個柏拉圖或亞理斯多德。相反的，許多學派乃是受到雅典三大哲學家的啟發。待會兒，我將略微描述這些學派。

希臘的科學同樣的也受到各種不同文化的影響。亞力山卓（Alexandria）由於位居東西方的交會點，因此在這方面扮演了關鍵性的角色。在這個時期，由於雅典城內有一些繼柏拉圖與亞理斯多德之後的哲學學派，因此雅典仍是哲學中心，而亞力山卓則成為科學中心。那裡有規模宏大的圖書館，使得亞力山卓成為數學、天文學、生物學與醫學的重鎮。

當時的希臘文化可與現代世界相提並論。二十世紀的文明愈趨開放後，造成了宗教與哲學百花齊放的現象。在基督紀元開始前後，生活在羅馬的人們也可以見識到希臘、埃及與東方的各種宗教，就像在二十世紀末期的我們可以在歐洲各大小城市發現來自世界各地的宗教一般。

今天我們也可以看到新舊宗教、哲學與科學融合之後，如何形成了新的生命哲學。這些所謂的「新知識」實際上只是舊思想的殘渣而已，其中有些甚至可以追溯至希臘時代。

正如我剛才所說的，希臘哲學仍舊致力於解決蘇格拉底、柏拉圖與亞理斯多德等人提出的問題。他們都同樣亟欲找尋人類最佳的生、死之道。他們關心人的倫理與道德。在這個新的文明中，這個問題成為哲學家研討的重心。他們最關心的乃是何謂真正的幸福以及如何獲致這種幸福。下面我們將認識其中四個學派。

犬儒學派

據說，有一天蘇格拉底站在街上，注視著一個販賣各種商品的攤子。最後他說：「這些東西中有太多是我根本不需要的啊！」

這句話可以做為犬儒派哲學的註解。這個學派是在西元前四百年左右由雅典的安提塞尼斯（Antisthenes）所創。安提塞尼斯曾受教於蘇格拉底門下，對於蘇格拉底節儉的生活方式特別有興趣。

犬儒派學者強調，真正的幸福不是建立在外在環境的優勢──如豐裕的物質、強大的政治力量與健壯的身體──之上。真正幸福的人不依賴這些稍縱即逝的東西。同時，由於幸福不是由這類福祉構成的，因此每一個人都可以獲致幸福。更重要的是，一旦獲得了這種幸福，就不可能失去它。

最著名的犬儒派人士是安提塞尼斯的弟子戴奧基尼斯（Diogenes）。據說他住在一個木桶中，除了一襲斗篷、一支棍子與一個麵包袋之外，什麼也沒有。（因此要偷取他的幸福可不容易！）有一天他坐在木桶旁，舒服的曬著太陽時，亞歷山大大帝前來探望他。亞歷山大站在他的前面，告訴他只要他想要任何東西，他都可以賜予他。戴奧基尼斯答道：「我希望你閃到旁邊，讓我可以曬到太陽。」就這樣，戴奧基尼斯證明他比亞歷山大這位偉大的將軍要更富裕，也更快樂，因為他已經擁有了自己想要的一切。

犬儒學派相信，人們毋需擔心自己的健康，不應該因生老病死而苦惱，也不必擔心別人的痛苦而讓自己活受罪。

於是，到了今天，「犬儒主義」這些名詞的意思變成是對人類真誠的輕蔑不信，暗含對別人的痛苦無動於衷的態度與行為。

斯多葛學派

犬儒學派促進了斯多葛學派的發展。後者在西元三百年前左右起於雅典。它的創始人是季諾（Zeno）。此人最初住在塞浦勒斯，在一次船難後來到雅典，加入犬儒學派。他經常在門廊上聚集徒眾。斯多葛（Stoic）這個字就是源自希臘文stoa（門廊）這個字。這個學派後來對於羅馬文化有很大的影響。

就像赫拉克里特斯一樣，斯多葛派人士相信每一個人都是宇宙常識的一小部分，每一個人都像是一個「小宇宙」（microcosmos），乃是「大宇宙」（macrocosmos）的縮影。

他們因此相信宇宙間有公理存在，亦即所謂「神明的律法」。由於此一神明律法是建立在亙古長存的人類理性與宇宙理性之上，因此不會隨時空而改變。在這方面，斯多葛學派的主張與蘇格拉底相同，而與詭辯學派相異。

斯多葛學派認為，全體人類（包括奴隸在內）都受到神明律法的管轄。在他們眼中，當時各國的法律條文只不過是模仿大自然法則的一些不完美法條罷了。

斯多葛學派除了否認個人與宇宙有別之外，也不認為「精神」與「物質」之間有任何衝突。他們主張宇宙間只有一個大自然。這種想法被稱為「一元論」（monism，與柏拉圖明顯的「二元論」（dualism）或「雙重實在論」正好相反）。

斯多葛學派人士極富時代精神，思想非常開放。他們比那些「木桶哲學家」（犬儒學派）更能接受當代文化，他們呼籲人們發揚「民胞物與」的精神，也非常關心政治。他們當中有許多人後來都成為活躍的政治家，其中最有名的是羅馬皇帝奧瑞里亞斯（Marcus Aurelius，西元一二一～一八〇年）。他們在羅馬提倡希臘文化與希臘哲學，其中最出類拔萃的是集演講家、哲學家與政治家等各種頭銜於一身的西塞羅（Cicero，西元前一〇六～四三年），所謂「人本主義」（一種主張以個人為人類生活重心的哲學）就是由他創立的。若干年後，同為斯多葛學派的塞尼卡（Seneca，西元前四年～西元六五年）表示：「對人類而言，人是神聖的。」這句話自此成為人本主義的口號。

此外，斯多葛學派強調，所有的自然現象，如生病與死亡，都只是遵守大自然不變的法則罷了，因此人必須學習接受自己的命運。沒有任何事物是偶然發生的，每一件事物發生都有其必要性，因此當命運來敲你家大門時，抱怨也沒有用。他們認為，我們也不能為生活中一些歡樂的事物所動。在這方面，他們的觀點與犬儒學派相似，因為後者也宣稱所有外在事物都不重要。到了今天，我們仍用「斯多葛式的冷靜」（stoic calm）來形容那些不會感情用事的人。

伊比鳩魯學派

如上所述，蘇格拉底關心的是人如何能夠過著良好的生活，犬儒學派與斯多葛學派將他的哲學解釋成「人不能沉溺於物質上的享受」。不過，蘇格拉底另外一個弟子阿瑞斯提普斯(Aristippus)則認為人生的目標就是要追求最高度的感官享受。「人生至善之事乃是享樂。」他說：「至惡之事乃是受苦。」因此他希望發展出一種生活方式，以避免所有形式的痛苦為目標。(犬儒學派與斯多葛學派認為人應該忍受各種痛苦，這與致力避免痛苦是不同的。)

西元前三百年左右，伊比鳩魯(Epicurus，西元前三四一～二七〇年)在雅典創辦了「伊比鳩魯學派」。他將阿瑞斯提普斯的享樂主義加以發展，並與德謨克里特斯的原子論結合起來。

由於傳說中伊比鳩魯住在一座花園裡，因此這個學派的人士又被稱為「花園哲學家」。據說，在這座花園的入口處上方有一塊告示牌寫著：「陌生人，你將在此地過著舒適的生活。在這裡享樂乃是至善之事物。」

伊比鳩魯學派強調在我們考量一個行動是否有樂趣時，必須同時斟酌它可能帶來的副作用。如果你曾經放懷大嚼巧克力，你就會明白我的意思。如果你不曾這樣做過，那麼你可以做以下練習：把你存的兩百元零用錢全部拿來買巧克力(假設你很愛吃巧克力)，而且把它一次吃完(這是這項練習的重點)。大約半個小時以後，當所有美味的巧克力都吃光了之後，你就會明白伊比鳩魯所謂的「副作用」是什麼意思了。

伊比鳩魯並且相信在追求較短暫的快樂時，必須考慮是否另有其他方式可以獲致更大、更持久或更強烈的快樂。（譬如你決定一年不吃巧克力，因為你想把零用錢存起來買一輛新的腳踏車或去海外度一次豪華假期。）人類不像動物，因為我們可以規畫自己的生活。我們有能力從事「樂趣的計算」。巧克力固然好吃，但買一輛新腳踏車或去英國旅遊一趟更加美妙。

儘管如此，伊比鳩魯強調，所謂「樂趣」並不一定指感官上的快樂，如吃巧克力等。交朋友與欣賞藝術等也是一種樂趣。此外，我們若要活得快樂，必須遵守古希臘人自我規範、節制與平和等原則。自我的慾望必須加以克制，而平和的心境則可以幫助我們忍受痛苦。

當時有許多人由於懼怕神明而來到伊比鳩魯的花園。這是因為德謨克里特斯的原子理論可以有效袪除宗教迷信，而為了好好生活，克服自己對死亡的恐懼是很重要的。於是，伊比鳩魯便運用德謨克里特斯有關「靈魂原子」的理論來達到這個目的。你也許還記得，德謨克里特斯相信人死後沒有生命，因為當我們死時，「靈魂原子」就四處飛散。「死亡和我們沒有關係，」伊比鳩魯扼要的說：「因為只要我們存在一天，死亡就不會來臨。而當死亡來臨時，我們也不再存在了。」（說到這點，我們好像從沒聽說過有誰得了死亡這種病。）

伊比鳩魯以他所謂的「四種藥草」來總結他的哲學：

「神不足懼，死不足憂，禍苦易忍，福樂易求。」

對於希臘人而言，伊比鳩魯將哲學與醫學相提並論的做法並不新鮮。他的主旨是：人應該擁有一個「哲學的藥櫃」，儲存以上四種藥方。

與斯多葛學派截然不同的是，伊比鳩魯學派對於政治或團體生活並不感興趣。伊比鳩魯勸人要「離羣索居」。我們也許可以將他的「花園」比做時下的一些公社。我們這個時代確實也有許多人離開社會，前往某處去尋求「避風的港灣」。

在伊比鳩魯之後，許多伊比鳩魯學派的人士逐漸沉溺於自我放縱。他們的格言是「今朝有酒今朝醉」。Epicurean這個字如今已具有貶意，被人們用來形容那些專門追求享樂的人。

新柏拉圖派哲學

我們已經瞭解犬儒學派、斯多葛學派及伊比鳩魯學派與蘇格拉底哲學的淵源。當然，這些學派也採納了若干蘇格拉底之前的哲學家——如赫拉克里特斯與德謨克里特斯等人——的學說。

然而，希臘文化末期最令人矚目的哲學學派主要仍是受到柏拉圖學說的啓發，因此我們稱之為新柏拉圖派哲學。

新柏拉圖派哲學最重要的人物是普羅汀（Plotinus，約西元二〇五～二七〇年）。他早年在亞力山卓研讀哲學，後來在羅馬定居。當時，亞力山卓成為希臘哲學與東方神祕主義的交會點已經有好幾百年了。普羅汀從那兒將他的「救贖論」(doctrine of salvation)帶到羅馬。此一學說後來成為基督教的勁敵。不過,新柏拉圖派哲學對基督教神學也具有很大的影響力。

蘇菲,你還記得柏拉圖的理型論嗎?你應該記得他將宇宙分為理型世界與感官世界。這表示他將肉體與靈魂區分得很清楚。在這種情況下,人乃成為二元的造物:我們的身體就像感官世界,所有的事物一般是由塵與土所構成,但我們的靈魂卻是不朽的。早在柏拉圖之前,許多希臘人就已經持此觀念,而亞洲人也有類似的看法。普羅汀對這點相當熟悉。

普羅汀認為,世界橫跨兩極。一端是他稱為「上帝」的神聖之光,另一端則是完全的黑暗,接受不到任何來自上帝的亮光。不過,普羅汀的觀點是:這個黑暗世界其實並不存在,它只是缺乏亮光照射而已。世間存在的只有上帝。就像光線會逐漸變弱,終至於熄滅一樣,世間也有一個角落是神聖之光無法普照的。

根據普羅汀的說法,靈魂受到此一神聖之光的照耀,而物質則位於並不真正存在的黑暗世界,至於自然界的形式則微微受到神聖之光的照射。

讓我們想像夜晚升起一堆野火的景象。此時,火花四散,火光將黑夜照亮。從好幾哩外望過來,火光清晰可見。但如果我們再走遠一些,就只能看到一小點亮光,就像黑暗中遠處的燈籠一樣。如果我們再繼續走下去,到了某一點時,我們就再也看不見火光了。此時火光已消失在黑夜中。在這一片黑暗之中，我們看不見任何事物，看不見任何形體或影子。

你可以想像真實世界就像這樣一堆野火。發出熊熊火光的是「上帝」，火光照射不到的黑暗之處則是構成人與動物的冷冷的物質。最接近上帝的是那些永恆的觀念。它們是所有造物據以做成的根本形式。而人的靈魂則是那飛散的「火花」。大自然的每一處或多或少都受到這神聖之光的照耀。我們在所有的生物中都可以見到這種光，就連一朵玫瑰或一株風鈴草也不例外。離上帝最遠的則是那些泥土、水與石頭。

我的意思是說：世間存在的每一樣事物都有這種神祕的神聖之光。我們可以看到它在向日葵或罌粟花中閃爍著光芒。在一隻飛離枝頭的蝴蝶或在水缸中漫游穿梭的金魚身上，我們可以看到更多這種深不可測的神祕之光。然而，最靠近上帝的還是我們的靈魂。唯有在靈魂中，我們才能與生命的偉大與神祕合而為一。事實上，在某些很偶然的時刻中，我們可以體驗到自我就是那神聖的神祕之光。

普羅汀的比喻很像柏拉圖所說的洞穴神話：我們愈接近洞口，就愈接近宇宙萬物的源頭。不過，與柏拉圖的二元論相反的是，普羅汀理論的特色在於萬物一體的經驗。宇宙間萬事萬物都是一體，因為上帝存在於萬事萬物之中。即使在柏拉圖所說的洞穴深處的影子中也有微弱的上帝之光。

普羅汀一生中曾有一、兩次靈魂與上帝合而為一的體驗，我們通常稱此為神祕經驗。

除了普羅汀之外，也有人有過這種經驗。事實上，古今中外都有人宣稱他們有過同樣的體驗。細節也許不同，但都具有同樣的特徵。現在讓我們來看看這些特徵。

神祕主義

神祕經驗是一種與上帝或「天地之心」合而為一的體驗。許多宗教都強調上帝與整個宇宙之間的差距，但在神祕主義者的體驗中，這種差距並不存在。他（她）們有過與「上帝」合而為一的經驗。

他們認為，我們通常所稱的「我」事實上並不是真正的「我」。有時在一剎那間，我們可以體驗到一個更大的「我」的存在。有些神祕主義者稱這個「我」為「上帝」，也有人稱之為「天地之心」、「大自然」或「宇宙」。當這種物我交融的情況發生時，神祕主義者覺得他們「失去了自我」，像一滴水落入海洋一般進入上帝之中。一位印度的神祕主義者有一次如此形容他的經驗：「過去，當我的自我存在時，我感覺不到上帝。如今我感覺到上帝的存在，自我就消失了。」基督教的神祕主義者塞倫西亞斯（Silesius，西元一六二四～一六七七年）則另有一種說法：「每一滴水流入海洋後，就成為海洋。同樣的，當靈魂終於上升時，就成為上帝。」

你也許會反駁說，「失去自我」不可能是一種很愉快的經驗。我明白你的意思。但重點是，你所失去的東西比起你所得到的東西是顯得多麼微不足道。你所失去的只是眼前這種形式的自我，但同時，你卻會發現自己變得更廣大。你就是宇宙。事實上，你就是那天地之心，這時你也就是上帝。如果你失去了「蘇菲」這個自我，有一點可以讓你覺得比較安慰的是：這個「凡俗的自我」乃是你我無論如何終有一天會失去的。而根據神祕主義者的說法，你的真正的「自我」——這個你唯有放棄自我才能感受到的東西——卻像一股神祕的火焰一般，會燃燒到永恆。

不過，類似這樣的神祕經驗並不一定會自動產生。神祕主義者也許必須透過「淨化與啓蒙」才能與上帝交通。其方式包括過著簡樸的生活以及練習靜坐。之後，也許有一天他們可以達到目標，並宣稱：「我就是上帝。」

神祕主義在世界各大宗教中都見得到。來自各種不同文化的人們所描述的神祕經驗往往極為相似。唯有在神祕主義者試圖為他們的神祕經驗尋求宗教或哲學上的解釋時，文化差異才會顯現出來。

西方（猶太教、基督教與回教）的神祕主義者強調，他們見到的是一個人形的上帝。他們認為，儘管上帝存在於大自然與人的靈魂中，但祂也同時超越萬物之上。東方（印度教、佛教與中國的宗教）的神祕主義者則較強調他們的神祕經驗乃是一種與上帝或「天地之心」水乳交融的經驗。

神祕主義者可以宣稱：「我就是天地之心」或「我即上帝」，因為上帝不僅存在於天地萬物之中，祂本身就是天地萬物。

神祕主義在印度尤其盛行。早在柏拉圖之前，印度就已經有了濃厚的神祕主義色彩。曾促使印度教傳入西方的一位印度人余維卡南達（Swami Vivekenanda）有一次說道：「世界上有些宗教將那些不相信上帝以人形存在於眾生之外的人稱為無神論者，同樣的，我們也說那些不相信自己的人是無神論者。因為，我們認為，所謂無神論就是不相信自己靈魂的神聖與可貴。」

神祕經驗也具有道德價值。曾任印度總統的拉德哈克里許南（Sarvepalli Radhakrishnan）曾說：「你當愛鄰如己，因你的鄰人就是你，你是在幻覺中才將他當成別人。」

我們這個時代有些不信仰任何特定宗教的人也曾有過神祕經驗。他們會突然感受到某種他們稱之為「宇宙意識」或「大感覺」（oceanic feeling）的事物，覺得自己脫離時空，「從永恆的觀點」來感受這個世界。

蘇菲坐在床上，想感受一下自己的身體是否仍然存在。當她讀著柏拉圖與神祕主義的哲學時，開始覺得自己在房間內到處飄浮，飄到窗外，愈飄愈遠，浮在城鎮的上空，從那兒向下看著廣場上的人羣，然後不斷飄著，飄到地球的上方、飄到北海和歐洲的上空，再繼續飄過撒哈拉沙漠與非洲大草原。

她覺得整個世界就好像一個人一般，而感覺上這個人就是她自己。她心想，世界就是我。那個她過去經常覺得深不可測、令人害怕的遼闊宇宙，乃是她的「自我」。如今，宇宙依然莊嚴遼闊，但這個廣大的宇宙卻是她自己。

這種不尋常的感覺稍縱即逝，但蘇菲相信她永遠也忘不了。那種感覺就像是她體內的某種東西從她的額頭迸裂而出，與宇宙萬物融合在一起，就像一滴顏料使整罐水染上色彩一般。

這種感覺過後，人就像作了一個美夢，醒來時感到頭痛一般。當蘇菲意識到自己的軀殼仍然存在，且正坐在床上時，內心不免略微感到失望。由於剛才一直趴在床上看信，她的背現在隱隱作痛。不過，至少她已經體驗到這種令她難忘的感覺了。

最後，她振作精神，站了起來。她所做的第一件事就是在信紙上打洞，並把它放進講義夾內。然後，便走到花園裡去。

花園中鳥兒們正在歌唱，彷彿世界才剛誕生。老舊兔籠後的幾株樺樹葉子是如此嫩綠，彷彿造物主尚未完成調色的工作。

世間萬物果真都是一個神聖的「自我」嗎？她的靈魂果真是那神聖之火的「火花」嗎？蘇菲心想，如果這一切都是真的，那麼她確實是一個神聖的造物了。

明信片

……我對自己實施嚴格的檢查制度……

好幾天過去了，哲學老師都沒有來信。明天就是五月十七日星期四，挪威的國慶日了。學校從這天起放假，一直放到十八日。

放學回家途中，喬安突然說：「我們去露營吧！」

蘇菲本來想說她不能離家太久，但不知怎的，她卻說道：「好呀！」

幾個小時後，喬安揹了一個大登山背包來到蘇菲家門口。蘇菲已經打包完畢。她帶了一頂帳篷，他們兩人也都各自帶了睡袋、毛衣、睡墊、手電筒、大熱水瓶，以及很多心愛的食物。

五點鐘左右，蘇菲的媽媽回到家。她諄諄告誡兩人，要求他們遵守一些應該注意的事項。她並且堅持要知道他們紮營的地點。

於是，他們告訴她兩人計畫到松雞頂去。如果運氣好的話，也許第二天早上可以聽到松雞求偶的叫聲。

事實上，蘇菲之所以選擇去松雞頂是有「陰謀」的。在她印象中，松雞頂離少校的小木屋不遠。她心裡有一股衝動要回到那座木屋，不過她也明白自己不敢一個人去。

於是，他們兩人從蘇菲家花園門口那條小小的死巷子出發，沿著一條小路走下去。一路上，他們談天說地。蘇菲覺得暫時不用思考哲學之類問題的感覺還真不錯。

探險

八點時，他們已經在松雞頂上的一塊平地搭好帳篷，準備過夜了。他們的睡袋已經打開。吃完三明治後，蘇菲說：「喬安，你有沒有聽說過少校的小木屋？」

「少校的小木屋？」

「這附近的樹林裡有一座木屋……就在一座小湖邊。以前曾經有一個怪人住在那裡，是一個少校。所以人家才叫它『少校的小木屋』。」

「現在有沒有人住呢？」

「我們去看看好不好？」

「在哪裡呢？」

蘇菲指著樹林間。

喬安不是非常熱中，但最後他們還是去了。這時夕陽已經低垂天際。

最初，他們在高大的松樹間走著，不久就經過一片濃密的灌木林，最後走到了下面的一條小路。蘇菲心想，這是我星期天早上走的那條路嗎？

一定是的。她幾乎立刻就看到路右邊的樹林間有某個東西在閃爍。

「就在那兒。」她說。

很快的他們就到了小湖邊。蘇菲站在那兒，看著對岸的木屋。紅色的小屋如今門窗緊閉，一片荒涼景象。

喬安轉過身來，看著她。

「我們要怎麼過湖？用走的嗎？」

「當然不了，我們可以划船過去。」

蘇菲指著下面的蘆葦叢。小舟就像從前一般躺在那兒。

「你來過嗎？」

蘇菲搖搖頭。她不想提上次的事，因為那太複雜了，怎麼也說不清楚。同時，如果說了，她也不得不告訴喬安有關艾伯特和哲學課的事。

他們划船過湖，一路說說笑笑。當他們抵達對岸時，蘇菲特別小心的把小舟拉上岸。

他們走到小屋的前門。屋裡顯然沒有人，因此喬安試著轉動門柄。

「鎖住了……你不會以為門是開著的吧？」

「也許我們可以找到鑰匙。」

於是她開始在屋子底下的石縫間搜尋。

幾分鐘後，喬安說：「算了，我們回帳篷去吧。」

就在這時，蘇菲叫了一聲：「我找到了。就在這兒！」

她得意的高舉著那把鑰匙。然後，她把它插進鎖裡，門就開了。

兩人躡手躡腳的走進去，好像做什麼壞事一般。木屋裡又冷又黑。

「什麼也看不到！」喬安說。

不過，蘇菲是有備而來。她從口袋裡拿出了一盒火柴擦亮一根。在火光熄滅之前的那一剎那，他們看清楚小屋內空無一人。蘇菲擦亮另一根火柴，這次她注意到爐子上有一座鍛鐵做的燭臺，上面有半截蠟燭。她用第三根火柴把蠟燭點亮，於是小屋裡才有了一點光線，讓她們可以看清四周。

「這樣一根小小的蠟燭卻可以照亮如此的黑暗，這不是很奇怪嗎？」蘇菲說。

喬安點點頭。

「不過你看在某個地方光芒就消失了。」她繼續說。

「事實上，黑暗本身是不存在的。它只是缺少光線的照射罷了。」

喬安打了一個冷顫。「有點恐怖耶！我們走吧！」

「我們要看看鏡子才能走。」

蘇菲指著依舊掛在五斗櫃上方的那面銅鏡。

「很漂亮耶！」喬安說。

「可是它是一面魔鏡。」

「魔鏡！魔鏡！告訴我，這世界上誰最美麗？」

「喬安，我不是開玩笑。我敢說只要你看著它，就會看到鏡子裡有東西。」

「你確定你沒來過嗎？還有，你為什麼那麼喜歡嚇我？」

蘇菲答不出來。

「對不起。」

這回是喬安突然發現靠牆角的地板上有個東西。那是個小盒子，喬安把它撿了起來。

「是明信片耶！」她說。

蘇菲吃了一驚。

「別碰它！你聽到了嗎？千萬不要碰！」

喬安跳了起來，像被火燒到一樣趕緊把盒子丟掉。結果明信片散了一地。喬安隨即笑了起來。

「只不過是一些明信片罷了！」

喬安坐在地板上，開始把那些明信片撿起來。

過了一會兒，蘇菲也坐在她身旁。

「黎巴嫩……黎巴嫩……黎巴嫩……他們全都蓋著黎巴嫩的郵戳。」喬安說。

「我知道。」蘇菲說。

喬安猛然坐直，看著蘇菲的眼睛。

「原來你到過這裡。」

「是的，我想是吧！」

蘇菲突然想到，如果她承認來過這裡，事情會變得容易的多。即使她讓喬安知道最近這幾天來發生在她身上的神祕事情，也不會有什麼壞處的。

「我們來之前，我並不想讓你知道。」

喬安開始看那些明信片。

「這些卡片都是寫給一個名叫席德的人。」

蘇菲還沒碰那些卡片。

「地址是什麼？」

喬安唸了出來：「挪威Lillesand，請艾伯特代轉席德。」

蘇菲鬆了一口氣。她剛才還怕信上會寫：「請蘇菲代轉」。

她開始仔細檢查這些明信片。

「四月二十八日……五月四日……五月六日……五月九日……這些郵票都是前幾天才貼的。」

「還有，上面蓋的通通都是挪威的郵戳！你看……聯合國部隊……連郵票也是挪威的！」

「我想他們大概都是這樣。為了要感覺自然一些，他們在那邊也設了他們專用的挪威郵局。」

「但他們是怎麼把信寄回家的呢？」

「也許是透過空軍吧！」

蘇菲把燭臺放在地板上，兩人開始看這些明信片。喬安把他們按照時間先後的順序排好，先讀第一張：

親愛的席德：

我真的很盼望回到我們在黎樂桑的家。我預定仲夏節黃昏在凱耶維克機場著陸。雖然很想早些抵達以便參加你十五歲生日慶祝會，但我有軍令在身。為了彌補這點，我答應你我會全心準備給你的那份大生日禮物。

愛你並總是考慮到你的前途的老爸

P．S．我會把另一張同樣的明信片送到我們共同的朋友那兒。我想你會瞭解的，席德。目前的情況看起來雖然是充滿了神祕，但我想你會明白的。

蘇菲拿起了第二張：

親愛的席德：

在這裡，我們的時間過得很慢。如果這幾個月在黎巴嫩的日子有什麼事情值得記憶的話，那就是等待的感覺。不過我正盡全力使你有一個很棒的十五歲生日。目前我不能說太多。我絕對不能洩漏天機。

愛你的老爸

蘇菲與喬安坐在那兒，興奮的幾乎喘不過氣來。兩人都沒有開口，專心看著明信片。

親愛的孩子：

我最想做的事是用一隻白鴿將我心裡的祕密傳遞給你，不過黎巴嫩連一隻白鴿也沒有。我想這個備受戰火摧殘的國家最需要的也就是白鴿。我祈禱有一天聯合國真的能夠創造世界和平。

P.S.：也許你可以與別人分享你的生日禮物。等我回到家再談這件事好了。你還是不明白我在說些什麼，對不對？我在這裡可是有很多時間為咱倆打算呢！

老爸

他們一連讀了六張，現在只剩下最後一張了。上面寫道：

親愛的席德：

我現在內心滿溢有關你生日的祕密，以致我一天裡不得不好幾次克制自己不要打電話回家，以免把事情搞砸了。那是一件會愈長愈大的事物。而你也知道，當一個東西愈長愈大，你就愈來愈難隱藏它了。

愛你的爸爸

P．S．：有一天你會遇見一個名叫蘇菲的女孩。為了讓你們兩人在見面前有機會認識，我已經開始將我寫給你的明信片寄一份給她。我想她應該可以很快趕上。目前她知道得不比你多。她有一個朋友名叫喬安，也許她可以幫得上忙。

讀了最後一張明信片後，喬安與蘇菲靜靜坐著不動，彼此瞪大了眼睛對望。喬安緊緊的抓著蘇菲的手腕。

「我有點害怕。」她說。

「我也是。」

「最後一張明信片蓋的是什麼時候的郵戳？」

蘇菲再看看卡片。

「五月十六日，」她說。「就是今天。」

「不可能！」喬安大聲說，語氣中幾乎有些憤怒。

他們仔細的看了郵戳。沒錯，上面的日期的確是一九九〇年五月十六日。

「這是不可能的。」喬安堅持。「何況我也想不出來這會是誰寫的。一定是一個認識我們兩個的人。但他是怎麼知道我們會在今天來到這裡的？」

喬安比蘇菲更害怕，蘇菲卻已經習慣了。

「我想這件事一定與那面銅鏡有關。」

喬安再度跳起來。

「你的意思不是說這些卡片在黎巴嫩蓋了郵戳後就從鏡子裡飛出來吧？」

「難道你有更好的解釋嗎？」

「沒有。」

蘇菲站起身來，舉起蠟燭照著牆上的兩幅畫。

「『柏克萊』和『柏客來』。這是什麼意思？」

「我也不知道。」

蠟燭快要燒完了。

「我們走吧！」喬安說。「走呀！」

「我們得把鏡子帶走才行。」

蘇菲踮起腳尖，把那面大銅鏡從牆壁的鉤子上取下。喬安想要阻止她，但蘇菲可不理會。

當他們走出木屋時，天色就像尋常五月的夜晚一樣黑。天邊仍有一些光線，因此他們可以很清楚的看到灌木與樹林的輪廓。小湖靜靜躺著，彷彿是天空的倒影。划向彼岸時，兩個人都心事重重。

回到帳篷途中，喬安與蘇菲都不太說話，但彼此心裡明白對方一定滿腦子都是方才所見的事。沿途不時有受驚的鳥呱喇飛起。有幾次他們還聽到貓頭鷹「咕！咕！」的叫聲。

他們一到帳篷就爬進睡袋中。喬安不肯把鏡子放在帳篷裡。入睡前，兩人一致認為那面鏡子是滿可怕的，雖然它只是放在帳篷入口。蘇菲今天也拿走了那些明信片，她把它們放在登山背包的口袋裡。

第二天上午他們起得很早。蘇菲先醒過來。她穿上靴子，走出帳篷。那面鏡子就躺在草地上，鏡面沾滿了露水。

蘇菲用毛衣把鏡子上的露水擦乾，然後注視著鏡中的自己。她感覺彷彿自己正同時向下、向上的看著自己。還好她今天早晨沒有收到從黎巴嫩寄來的明信片。

在帳篷後面的平原上方，迷離的晨霧正緩緩飄移，逐漸形成許多小小片的棉絮。小鳥兒一度嘩然，彷彿受到驚嚇，但蘇菲既未看到也未聽見任何猛禽的動靜。

兩人各加了一、兩件毛衣後，便在帳篷外用早餐。他們談話的內容很快轉到少校的小木屋和那些神祕的明信片。

吃完早餐後，他們卸下帳篷，打道回府。蘇菲手臂下挾著那面大鏡子。她不時得停下來休息一下，因為喬安根本不願碰它。

他們快走到市郊時，聽到間歇的槍聲。蘇菲想起席德的父親提到的那備受戰火摧殘的黎巴嫩。她突然發現自己是多麼幸運，能夠生在一個和平的國家。後來，她才發現那些「槍聲」原來是有人放煙火慶祝仲夏節的聲音。

到家後，蘇菲邀請喬安進屋裡喝一杯熱巧克力。蘇菲的媽媽很好奇他們是在哪裡發現那面鏡子的，蘇菲說他們是在少校的木屋外面撿到的，媽媽於是又說了一遍那裡已經有許多年無人居住等等的話。

喬安走後，蘇菲穿上一件紅洋裝。那天雖是仲夏節，但與平常也沒什麼兩樣。到了晚上，電視新聞有個專題報導描寫挪威駐黎巴嫩的聯合國部隊如何慶祝仲夏節。蘇菲的眼睛一直盯著螢幕不放，她想她看到的那些人中有一個可能是席德的父親。

五月十七日那天，蘇菲做的最後一件事便是把那面大鏡子掛在她房間的牆上。第二天早上，密洞中又放了一個棕色的信封，蘇菲將信打開，開始看了起來。

兩種文化

……避免在真空中飄浮的唯一方式……

親愛的蘇菲：

我們相見的日子已經不遠了。我想你大概會回到少校的小木屋，所以我才把席德的父親寄來的明信片留在那兒，這是把那些明信片轉給她的唯一方式。你毋需擔心她如何才能拿到它們，在六月十五日以前有許多事可能會發生呢！

我們已經談過希臘文化時期的哲學家如何重新利用早期哲學家的學說，其中有人還把這些哲學家當成宗教先知。普羅汀就只差沒把柏拉圖說成人類的救星。

說到救星，我們知道，在這個時期，另外一位救星誕生了。這件事情發生在希臘羅馬地區以外的地方，我所說的這位救星就是拿撒勒的耶穌。在這一章中我們會談到基督教如何逐漸滲透希臘羅馬地區，就像席德的世界逐漸滲透我們的世界一樣。

耶穌是猶太人，而猶太人屬於閃族文化。希臘人與羅馬人則屬於印歐文化。我們可以斷言歐洲文明曾同時受到這兩種文化的孕育。不過，在我們詳細討論基督教如何影響希臘羅馬地區之前，必須先瞭解一下這兩種文化。

印歐民族

所謂印歐民族指的是所有使用印歐語言的民族與文化，包括所有的歐洲國家，除了那些講菲諾佽格里克（Finno-Ugrian）語族語言（包括斯堪地那維亞半島最北端的拉普蘭語、芬蘭語、愛沙尼亞語和匈牙利語）或巴斯克語的民族之外。除此之外，印度和伊朗地區的大多數語言也屬於印歐語系。

大約四千年前，原始的印歐民族住在鄰近黑海與裡海的地區。後來他們陸續向四方遷徙。他們往東南進入伊朗與印度，往西南到達希臘、義大利與西班牙，往西經過中歐，到達法國與英國，往西北進入斯堪地那維亞半島，往北進入東歐與俄羅斯。無論到什麼地方，這些印歐民族都努力吸收當地文化，不過在語言和宗教方面還是以印歐語和印歐宗教較占優勢。

無論是古印度的吠陀經、希臘的哲學或史特盧森（Snorri Sturluson）的神話都是以相近的印歐語言撰寫的。但相近的不只是語言而已，因為相近的語言往往導致相近的思想，這是我們為何經常談到印歐「文化」的緣故。

印歐民族相信宇宙間有許多天神（此即所謂的「多神論」），這對他們的文化有很深遠的影響。這些天神的名字和許多宗教辭彙曾出現在印歐文化所及的各個地區。下面我將舉一些例子：

古印度人尊奉的天神是戴歐斯（Dyaus），希臘文稱祂為宙斯（Zeus），拉丁文稱祂為朱彼得（Jupiter）（事實上是iov-pater，或「法父」之意），古斯堪地那維亞文則稱之為泰爾（Tyr）。這些名字事實上指的是同一個字，只是各地稱呼不同罷了。你可能讀過古代維京人相信他們所謂的Aser（諸神）的事，Aser這個字也出現在各印歐文化地區。在印度古代的傳統語言「梵語」中，諸神被稱為asura，在波斯文中則被稱為ahura。梵語中另外一個表示「神」的字為deva，在波斯文中為daeva，在拉丁文中為deus，在古斯堪地那維亞文中則為tivurr。

古代的北歐人也相信有一羣掌管萬物生育、生長的神（如尼歐德與芙瑞雅）。這些神有一個通稱，叫做vaner，而這個字與拉丁文中代表生育之神的字Venus（維納斯）相近。梵語中也有一個類似的字叫vani，為「慾望」之意。

有些印歐神話也很明顯有相近之處。在Snorri有關古代北歐諸神的故事中，有些與兩、三千年前印度流傳下來的神話非常相似。儘管Snorri的神話反映的是古代北歐的環境，印度神話則反映印度當地的環境，但其中許多神話都有若干痕跡顯示他們具有共同的淵源。其中最明顯的是那些關於長生不老仙丹與諸神對抗渾沌妖魔的神話故事。

此外，很明顯的，各印歐文化也有相近的思想模式。最典型的例子是他們都將世界看成善與惡無休無止相互對抗的場所，因此印歐民族才會經常試圖「預測」世界未來的前途。

我們可以說，希臘哲學源自印歐文化並非偶然。印度、希臘與古代北歐的神話明顯都有一種以哲學或「思索」的觀點來看這個世界的傾向。

印歐人希望能夠「洞察」世界的歷史。我們甚至可以發現在各印歐文化中都有一個特別的字來表示「洞見」或「知識」。在梵語中，這個字是vidya，這個字的意思與希臘文中的idea這個字相當。而idea此字在柏拉圖的哲學中占有很重要的分量。在拉丁文中這個字是video，不過對羅馬人來說，這個字只是「看見」的意思。在英文中，I see可能表示「我懂了」。在卡通影片中，啄木鳥想到一個聰明的辦法時，腦袋上方會有燈泡發亮。（到了現代，seeing 這個字才變成「盯著電視看」的同義字。）英文中有wise和wisdom這兩個字。在德文中有wissen（知道）這個字，在挪威文中則有viten。這些字的來源與印度文中的vidya、希臘文中的idea與拉丁文中的video這些字相同。

總而言之，我們可以斷定對印歐人而言，視覺乃是最重要的感官。印度、希臘、波斯與條頓民族（Teutons）的文學都以宏大的宇宙觀（cosmic vision）為特色（在這裡vision這個字源自拉丁文中的video這個動詞）。此外，印歐文化的另一個特色是經常製作描繪諸神以及神話事件的圖畫和雕刻。

最後一點，印歐民族認為歷史是循環的。他們相信歷史就像四季一樣會不斷循環。因此歷史既沒有開始，也沒有結束，只不過在無盡的生生死死中有不同的文明興亡消長罷了。

印度教與佛教這兩大東方宗教都源自印歐文化，希臘哲學亦然。我們可以看到這兩者間有明顯相似的痕跡。到了今天，印度教與佛教仍然充滿了哲學式的省思。我們可以發現，印度教與佛教都強調萬物皆有神性（此即「泛神論」），並主張人悟道後就可以成佛。（還記得普羅汀的說法嗎？）為了要悟道，人必須深深自省或打坐冥想。因此，在東方，清淨無為、退隱山林可以成為一種宗教理想。同樣的，在古代的希臘，許多人也相信禁慾苦修或不食人間煙火的生活可以使靈魂得救。中世紀僧侶的生活在許多方面就是受到希臘羅馬觀念的影響。

此外，許多印歐文化也有「靈魂轉生」或「生命輪迴」的觀念。兩千五百多年來，每一個印度人的生命終極目的就是要掙脫輪迴。柏拉圖也相信靈魂可以轉生。

閃族文化

現在讓我們來談一談閃族文化。這是一個完全不同的文化，他們的語言也和印歐語系完全不同。閃族人源自阿拉伯半島，不過他們後來同樣也遷徙到世界各地。兩千多年來，這些猶太人一直過著離鄉背井的生活。透過基督教與回教，閃族文化（歷史與宗教）的影響遍及各地。

西方三大宗教——猶太教、基督教（編按：Christianity，係包括所有信奉基督的教派，最重要的有四種：主要是天主教、基督教、東正教、英國聖公會，其中基督教又稱新教，是十六世紀宗教革命後才分出來的）與回教——都源出閃族。回教的聖經可蘭經與基督教的舊約聖經都是以閃族語系的語言寫成的。舊約中代表「神」的一個字和回文中的Al-lah（「阿拉」，就是「神」的意思）同樣都源自閃語。

談到基督教時，情況就變得比較複雜了。基督教雖然也是源自閃族文化，但新約則是以希臘文撰寫，同時，基督教的教義神學成形時，曾受到希臘與拉丁文化的影響，因此當然也就受到希臘哲學的影響。

我們說過，印歐民族乃是多神論者，但閃族一開始就相信宇宙間只有一個上帝，這就是所謂的「一神論」。猶太教、基督教與回教都是一神論的宗教。

閃族文化另外一個共同的特色是相信歷史乃是呈直線式發展，換句話說，他們認為歷史是一條不斷延伸的線。神在鴻濛太初時創造了世界，歷史從此展開，但終有一天它會結束，而這一天就是所謂的「最後審判日」，屆時神將會對所有生者與死者進行審判。

歷史扮演的角色乃是這西方三大宗教中一個很重要的特色。他們相信，上帝會干預歷史發展的方向，他們甚至認為歷史存在的目的，是為了讓上帝可以完成祂在這世界的旨意。就像祂曾經帶領亞伯拉罕到「應許之地」一般，祂將帶領人類通過歷史，邁向「最後審判日」。當這一天來臨時，世界上所有的邪惡都將被摧毀。

由於強調上帝在歷史過程中所扮演的角色，閃族人數千年來一直非常注重歷史的紀錄。這些歷史文獻後來成為聖經的核心。

到了今天，耶路撒冷城仍是猶太人、基督徒與回教徒共同的重要宗教中心。這顯示三大宗教顯然具有某種相同的背景。

耶路撒冷城內有著名的猶太教堂、基督教教堂與回教的清真寺。因此，耶路撒冷今天竟然會成為火藥庫（人們為了爭奪這座「永恆之城」的主權，不惜互相殘殺，動輒殲滅數千條人命）實在是一件很可悲的事。希望聯合國有一天能夠使耶城成為三大宗教的聖地！（這是這門哲學課比較實際的一個目的，但我們暫時先說到這裡為止。就讓席德的父親來操心這個問題吧！你現在大概已經知道他是聯合國駐黎巴嫩的觀察員。說得詳細一點，他現在的軍階是少校。如果你開始發現其中的一些關聯，那是很自然的。不過，我們還是不要有所期待吧！）

我們曾經說過，對印歐人而言，最重要的感官乃是視覺。而有趣的是，閃族文化中最重要的感官則是聽覺，因此猶太人的聖書一開始就是「聽哪！以色列」。在舊約聖經中我們也讀到人們如何「聽到」上帝的話語，而猶太先知通常也以「耶和華（上帝）說」這幾個字開始他們的布道。同樣的，基督教也強調信徒應「聽從」上帝的話語。無論基督教、猶太教或回教，同樣都有大聲朗誦經文的習慣。

此外，我曾提到印歐人經常以圖畫或雕刻來描繪諸神的形象。在這一點上閃族人正好相反，他們從來不這樣做，對閃族人而言，描繪或雕鑿神像是不可以的。舊約曾訓誡人們不要製作任何神像。直到今天，猶太教與回教仍舊遵從這種規定，其中回教更是厭惡攝影與藝術，因為「創造」乃是上帝的事，人們不應該與祂競爭。

你也許會想：「可是，基督教會的教堂卻到處都是耶穌與上帝的畫像呀！」沒錯，確是如此。不過，這是基督教受到希臘羅馬文化影響的結果（希臘與俄羅斯等地的希臘正教至今仍不許信徒製作有關聖經故事的雕像）。

與東方各大宗教相反的是，西方三大宗教強調上帝與造物之間有一段距離。對他們而言，生命的目的不在脫離輪迴，而在於從罪惡與譴責中得救。此外，西方的宗教生活較偏重祈禱、布道和研究聖經，而不在於自省與打坐。

以色列

蘇菲，我無意與你的宗教課老師互別苗頭，但現在我想簡短的談一下基督教與猶太文化的淵源。

一切都是從上帝創造世界時開始。你可以在聖經第一頁看到這件事的始末。後來人類開始反抗上帝，為了懲罰他們，上帝不但將亞當與夏娃逐出伊甸園，並且從此讓人類面對死亡。

人類對上帝的反抗乃是貫穿整部聖經的主題；舊約創世紀中記載洪水與諾亞方舟的故事。然後我們讀到上帝與亞伯拉罕以及他的子孫立約，要求亞伯拉罕與他的世代子孫都必須遵守上帝的戒律。為了獎賞他們，上帝答應保護亞伯拉罕的後裔。西元前一二〇〇年左右，上帝在西乃山上向摩西頒布十誡時，又再次與他立約。那時以色列人在埃及已經當了很久的奴隸，但藉著上帝的幫助，他們在摩西的領導下終於回到了以色列的土地。

約西元前一千年時（在希臘哲學誕生很久很久之前）有三位偉大的以色列王。第一位是掃羅王，第二位是大衛王，第三位是所羅門王。當時，所有的以色列子孫已經在這個王國之下團結起來。尤其是大衛王統治時期，以色列在政治、軍事與文化上都卓然有成。

依當時的習俗，國王被遴選出來時，要由人民行塗油禮，因此他們被賦予「彌賽亞」（意為「受膏者」）的稱號。在宗教的意義上，國王被視為上帝與祂的子民間的媒介，因此國王也稱為「上帝之子」，而他的王國則可稱為「天國」。

然而，不久之後，以色列的國力開始式微，國家也分裂成南北兩國，南國為「猶大」，北國則仍稱「以色列」。西元前七二二年時北國被亞述人征服，失去了政治與宗教的影響力。南國的命運也好不了多少。它在西元前五八六年時被巴比倫人征服，聖殿被毀，大多數人民也被運往巴比倫充當奴隸。這段「巴比倫奴隸時期」一直持續了四十餘年，直到西元前五三九年時以色列人民才獲准返回耶路撒冷，重建聖殿。然而，一直到基督降生，猶太人都生活在異族統治之下。

猶太人經常提出的一個問題是：上帝既已答應保護以色列，為何大衛的王國會被摧毀？猶太人又為何一次次遭逢劫難？不過，話說回來，人們也曾答應要遵守上帝的誡律。

因此，愈來愈多人相信，上帝是因為以色列不遵守誡律才加以懲罰。

西元前七五〇年左右，有多位先知開始宣稱上帝已因以色列不遵守誡律而發怒。他們說，總有一天上帝會對以色列進行最後的審判。我們稱這類預言為「末日預言」。

後來，又另有一些先知預言上帝將拯救少數的子民，並且派遣一位「和平之子」或大衛家族的國王協助他們重建大衛的王國，使這些人民享受繁榮的生活。

先知以賽亞說：「那坐在黑暗裡的百姓，看見了大光，坐在死蔭之地的人，有光發現照著他們。」我們稱這類預言為「救贖預言」。

總而言之，以色列的子民原來在大衛王的統治下安居樂業，但後來當情形每下愈況時，他們的先知開始宣稱有一天將會出現一位大衛家族的新國王。這位「彌賽亞」或「上帝之子」將「拯救」人民，使以色列重新成為一個偉大的國家，並建立「天國」。

耶穌

蘇菲，你還在看嗎？我剛才說的關鍵字是「彌賽亞」、「上帝之子」與「天國」。最初人們只是從政治角度來解釋這些字眼。在耶穌的時代，有很多人想像將來會出現一位「救世主」（像大衛王一樣有才幹的政治、軍事與宗教領袖）。這位「救世主」被視為國家救星，可以使猶太人脫離受羅馬人統治之苦。

這固然是一件美事，但也有許多人把眼光放得較遠。在那兩百年間，不斷有先知預言上帝應許派來的「救世主」將會拯救全世界。他不僅將使以色列人掙脫異族的桎梏，並將拯救所有世人，使其免於罪孽與上帝的責罰，得到永生。這種渴望救贖的想法在希臘文化影響所及的各地區也很普遍。

於是拿撒勒的耶穌出現了。他不是唯一以「救世主」姿態出現的人，但他同時也使用「上帝之子」、「天國」與「救贖」等字眼，因此保持了他與舊先知之間的聯繫。他騎驢進入耶路撒冷，接受羣眾讚頌為人民救星，彷彿從前的國王在登基時例行的「加冕典禮」一般。他並且接受民眾塗油。他說：「時候到了，天國近了。」

這些都很重要，但請你注意：耶穌不同於其他「救世主」，因為他聲明他並非軍事或政治叛徒。他的任務要比這偉大的多。他宣稱每一個人都可以得到上帝的拯救與赦免，因此他可以置身沿途所見的人羣中，對他們說：「你們的罪已經得到赦免了。」

這種「赦免罪惡」的方式是當時人聞所未聞的。更糟的是他稱上帝為「天父」。對於當時的猶太人而言，這是從未有過的事。於是，不久後，律法學者便一致起而反對他。他們一步一步的準備將他處決。

當時的情況是這樣：耶穌那個時代有許多人等待一位「救世主」在嘹亮的軍號聲中（換句話說，就是大舉揮軍）重建「天國」。耶穌傳道時的確也時常提到「天國」這個字眼，但意義要寬廣得多。耶穌說，「天國」就是愛你的鄰居、同情病弱窮困者，並寬恕犯錯之人。

於是，「天國」這樣一個原本具有戰爭意味的古老字眼，到了耶穌口中便在意義上有了一百八十度的轉變。人們原本期待的是一位很快能夠建立「天國」的軍事領袖，但他們看到的卻是穿著短袍、涼鞋，告訴他們「天國」——或「新約」——就是要「愛鄰如己」的耶穌。除此之外，耶穌還說我們必須愛我們的敵人，當他們打我們時，我們不得報復，不但如此，我們還要「把另外一邊臉轉過來」讓他們打，同時我們必須寬恕，不止寬恕七次，更要寬恕七十個七次。

耶穌用他一生的行動顯示，他並不以和妓女、貪污、放高利貸的人與政治顛覆分子交談為恥。但他所行之事還不止於此；他說一個把父親的家財揮霍淨盡的浪子或一個侵吞公款的卑微稅吏只要肯悔改並祈求上帝寬恕，在上帝眼中就是一個義人，因為上帝的恩典浩瀚廣大。

然而，耶穌有一點做得太過火了。他說，像浪子與稅吏這般的罪人在上帝眼中比那些到處炫耀自己德行的法利賽人要更正直，更值得寬恕。

耶穌指出，沒有人能夠獲得上帝的憐憫，我們也不能（像許多希臘人相信的）拯救自己。耶穌在「登山寶訓」中要求人們遵守的嚴格道德規範不僅顯示上帝的旨意，也顯示在上帝眼中，沒有人是正直的。上帝的恩典無垠無涯，但我們必須向祂祈禱，才能獲得寬恕。

有關耶穌與他的教誨的細節，我還是留給你的宗教老師來講授吧。這可不是一件容易的事。我希望他能夠讓你們瞭解耶穌是一個多麼偉大不凡的人。他很巧妙的用那個時代的語言，賦予一個古老的戰爭口號嶄新而寬廣的意義。無怪乎他會被釘上十字架，因為他那些有關救贖的嶄新訊息已經威脅到當時許多人的利益與在位者的權勢，因此他們非剷除他不可。

在談到蘇格拉底時，我們發現，如果有人訴諸人們的理性，對某些人可能會造成很大的威脅。同樣的，在耶穌的身上，我們也發現要求人們無條件的愛別人、無條件的寬恕別人，也可能對於某些人造成極大的威脅。即使在今天，我們也可以看到，當人民開始要求和平與愛、要求讓窮人免於饑餓、要求當權者赦免政敵時，強權也可能因此在一夕之間傾覆。

你也許還記得柏拉圖對於蘇格拉底這位雅典最正直的人居然被處死一事如何忿忿不平。根據基督教的教義，耶穌也是世上唯一正直的人。然而他最後還是被判了死刑。基督徒說他是為了人類而死，這就是一般所稱的「基督受難記」。耶穌是「受苦的僕人」（suffering servant），背負起人類所有的罪孽，以使我們能夠得到「救贖」，並免受上帝的責罰。

保羅

耶穌被釘上十字架後就下葬了。幾天後有人傳言他已經從墳墓中復活。他因此證明他並非凡人，而真正是「上帝之子」。

我們可以說復活節當天早上，人們傳言耶穌復活之時就是基督教會創始之日。保羅已經斷言：「若基督沒有復活，則我們所傳的便是枉然，你們所信的也是枉然。」

如今全人類都可以盼望「肉體的復活」，因為耶穌正是為了拯救我們才被釘上十字架。不過，蘇菲，你不要忘了：從猶太人的觀點來看，世間並沒有「不朽的靈魂」，也沒有任何形式的「轉生」。這些都是希臘人和整個印歐民族的想法。基督教認為人並沒有什麼東西（如靈魂）是生來就不朽的。雖然基督教會相信「人的肉體將復活並得到永生」，但我們之所以能免於死亡與「天譴」，乃是由於上帝所行的神蹟之故，並非由於我們自身的努力或先天的能力。

秉持著這種信念，早期的基督徒開始傳揚相信耶穌基督即可得救的「福音」。他們宣稱，在耶穌居間努力之下，「天國」即將實現。他們想使全世界歸於基督的名下。（Christ「基督」這個字是希臘文「救世主」的意思。在希伯來文中，此字為messiah，即「彌賽亞」。）

耶穌去世數年後，法利賽人保羅改信基督教。他在希臘羅馬各地遊歷布道，使基督教義傳遍世界各地。我們在聖經使徒行傳中可以讀到有關的記載。從他寫給早期教會會眾的多封使徒書信中，我們可以瞭解保羅傳揚的教義。

後來，保羅來到了雅典。他直接前往這個哲學首府的市中心廣場，據說當時他「看見滿城都是偶像，就心裡著急」。他拜訪了雅典城內的猶太教會堂，並與伊比鳩魯學派和斯多葛學派的哲學家談話。他們帶他到最高法院所在的一座小丘上，問他：「你所講的這新道，我們也可以知道嗎？因為你有些奇怪的事傳到我們耳中，我們願意知道這些事是什麼意思。」

蘇菲，你可以想像嗎？一個猶太人突然出現在雅典的市集，並開始談到一個被釘在十字架上而後從墳墓裡復活的救星。從保羅這次造訪雅典，我們便可察覺到希臘哲學與基督教救贖的教義間即將發生的衝突。不過保羅顯然辦到了一件事：他使得雅典人傾聽他的言論。在最高法院小丘——衛城的宏偉神殿下——他發表了以下演講：

眾位雅典人哪，我看你們凡事很敬畏鬼神。我遊行的時候，觀看你們所敬拜的，遇見一座壇，上面寫著未識之神。你們所不認識而敬拜的，我現在告訴你們。

創造宇宙和其中萬物的　神，既是天地的主，就不住人手所造的殿，也不用人手服侍，好像缺少什麼，自己倒將生命、氣息、萬物，賜給萬人。他從一本造出萬族的人，住在全地上，並且預先定準他們的年限和所住的疆界。要叫他們尋求　神，或者可以揣摩而得，其實他離我們各人不遠。我們生活、動作、存留都在乎他。就如你們作詩的，有人說，我們也是他所生的。我們既是　神所生的，就不當以為　神的神性像人用手藝、心思所雕刻的金、銀、石。世人蒙昧無知的時候，　神並不監察，如今卻吩咐各處的人都要悔改。

因為他已經定了日子，要藉著他所設立的人，按公義審判天下。並且叫他從死裡復活，給萬人作可信的憑據。

從保羅到雅典傳教開始，基督教會就逐漸滲透希臘羅馬地區。它雖不同於希臘原有的伊比鳩魯學派、斯多葛學派或新柏拉圖哲學，但保羅仍然在兩者間找到了共同點。他強調世人皆試圖尋找上帝。對希臘人而言這並非新的概念，但是保羅聲稱上帝已經向人類顯現祂自己，並且實際上已經把手伸給人類，因此祂不再是一位人們可用理性來瞭解的「哲學的上帝」，也不是「金、銀、石雕刻的偶像」（這兩者在希臘的衛城與市集中到處都是），而是一位「不住人手所造殿」的神，也是一位會干預歷史發展方向，並為世人而死在十字架上的人形的神。

根據使徒行傳的記載，保羅在最高法院小丘發表演講，提到耶穌死而復活的事時，有人就譏笑他，但也有人說：「我們再聽你講這個罷。」有些人後來追隨保羅，開始信奉基督教。其中有一個女人名叫大馬哩（Damaris）。這件事之所以特別值得一提，是因為婦女是最熱切信奉基督教的族群之一。

就這樣，保羅繼續他的傳教活動。耶穌受難數十年後，雅典、羅馬、亞力山卓、以弗所（Ephesus）與哥林多（Corinth）等重要的希臘羅馬城市都成立了基督教會。在後來的三、四百年之間，整個希臘文化地區都成為基督教的世界。

教義

保羅對基督教的貢獻不僅是做一個傳教士而已，他對基督教的教會也有很大的影響。因為當時的教徒普遍需要靈性上的指引。

耶穌受難後的最初幾年中，基督教面臨一個很重要的問題是：非猶太人（外邦人）是否可以成為基督徒？還是一定要先歸化為猶太人才可以？又，外邦人——如希臘人——應該遵守十誡嗎？保羅認為，外邦人不一定要成為猶太人才可以信奉基督教，因為基督教不只是猶太人的宗教。它的目標在拯救全體世人。上帝與以色列訂的「舊約」已經由耶穌代表上帝與人類訂的「新約」所取代。

無論如何，基督教並非當時唯一的宗教。我們已經看到希臘文化如何受到各種宗教的影響，因此，為了顯示與其他宗教有別，也為了防止教會內部分裂，基督教會認為有必要提出一套簡明扼要的教義。因此他們寫成了第一部《使徒信經》（Creed），總結基督徒教義的中心「信條」或主要教義。

其中一條是：耶穌是神，也是人。祂不僅是憑藉上帝之力的「上帝之子」，祂也是上帝本身。然而，祂同時也是一個為人類分擔災禍並因此在十字架上受苦的「真人」。

乍聽之下，這話也許有自相矛盾之嫌，但教會的意思正是：上帝已經變成了人，耶穌不是一位「半人半神」（當時希臘與地中海東岸的許多宗教都相信宇宙有此類「半人半神」的存在），教會宣稱耶穌乃是「完全的神，完全的人」。

後記

親愛的蘇菲，讓我再描述一下當時的整個情況。當基督教進入希臘羅馬地區後，兩種文化於是浩浩蕩蕩的交會融合，形成了歷史上的一大文化革命。

此時，距早期希臘哲學家的年代已經大約有一千年了。古代時期就要過去，歷史將進入以基督教為重心的中世紀。這段期間同樣維持了將近一千年之久。

德國詩人歌德曾經說過：「不能汲取三千年歷史經驗的人沒有未來可言。」我不希望你成為這些人當中之一。我將盡我所能，讓你熟習你在歷史上的根。這是人之所以為人（而不僅是一隻赤身露體的猿猴）的唯一方式，也是我們避免在虛空中飄浮的唯一方式。

「這是人之所以為人（而不僅僅是一隻赤身露體的猿猴）的唯一方式……」

蘇菲坐了一會兒，從樹籬的小洞中凝視著花園。她開始瞭解為何人必須要瞭解自己在歷史上的根。對於以色列的子民來說，這當然是很重要的。

她只是一個平凡的人而已。不過，如果她瞭解自己在歷史上的根，她就不至於如此平凡了。

同時，她生活在地球上的時間也不會只有幾年而已。如果人類的歷史就是她的歷史，那麼從某方面來說，她已經有好幾千歲了。

蘇菲拿著所有的信紙，爬出密洞，蹦蹦跳跳地穿過花園，回到樓上的房間。

中世紀

……對了一部分並不等於錯……

一個星期過去了，艾伯特並沒有來信，蘇菲也沒有再接到從黎巴嫩寄來的明信片。不過，她和喬安倒是還時常談到他們在少校的小木屋中發現的那些明信片。那次喬安真的是被嚇到了。不過由於後來也沒有再發生什麼事，於是當時的恐怖感就慢慢消褪在功課與羽球之中了。

蘇菲一遍遍重讀艾伯特的來信，試圖尋找一些線索以解答有關席德的謎，她因此有許多機會消化古典哲學。現在她已經能夠輕易的辨別德謨克里特斯與蘇格拉底的不同，以及柏拉圖與亞理斯多德的差異了。

五月二十五日星期五那天，媽媽還沒回家，蘇菲站在爐子前準備晚餐。這是他們母女訂的協議。今天蘇菲煮的是魚丸蘿蔔湯，再簡單不過了。

屋外的風愈來愈大。蘇菲站在那兒攪拌著湯時，轉身朝窗戶看。窗外的樺樹正像玉蜀黍莖一般的搖擺不定。

突然間，有個東西「啪」一聲碰到窗框。蘇菲再度轉身來看，發現有一張卡片貼在窗戶上。

那是一張明信片。即使透過玻璃，她也可以看清楚，上面寫著：「請蘇菲代轉席德」。

她早料到了。她打開窗戶取下那張明信片，它總不會是被風一路從黎巴嫩吹到這裡來的吧？

這張明信片的日期也是六月十五日。

蘇菲把湯從爐子上端下來，然後坐在餐桌旁。明信片上寫著：

親愛的席德：

我不知道你看到這張卡片時，你的生日過了沒有。我希望還沒有，至少不要過太久。對於蘇菲來說，一兩個星期也許不像我們認為的那麼漫長。我將回家過仲夏節。到時，我們就可以一起坐在鞦韆上看海看幾個小時。我有好多話要跟你說。對了，爸爸我有時對一千年來猶太人、基督徒與回教徒之間的紛爭感到非常沮喪。我必須時常提醒自己這三個宗教事實上都是從亞伯拉罕而來的。因此，我想，他們應該都向同一個上帝禱告吧！在這裡，該隱與亞伯仍然還未停止互相殘殺。

P.S.請替我向蘇菲打招呼。可憐的孩子，她還是不知道這到底是怎麼回事。不過我想你大概知道吧！

蘇菲把頭趴在桌子上，覺得好累。她的確不知道這究竟是怎麼回事。不過席德卻好像知道。

如果席德的父親要她向蘇菲打招呼，這表示席德對蘇菲的瞭解比蘇菲對她的瞭解多。這件事情實在太複雜了。蘇菲決定回去繼續做晚飯。

居然有明信片會自己飛到廚房的窗戶上來！這應該可以算是航空郵件了吧！

她剛把湯鍋放在爐子上，電話就響了起來。

如果是爸爸打來的該多好！她急切希望他趕快回家，她就可以告訴他這幾個禮拜以來發生的事。不過她想很可能只是喬安或媽媽打來的……蘇菲趕快拿起話筒。

「我是蘇菲。」她說。

「是我。」電話裡的聲音說。

是一個男人的聲音。蘇菲可以確定這人不是她爸爸，而且這個聲音她以前聽過。

「你是哪一位？」

「我是艾伯特。」

「哦！」

蘇菲講不出話來。她這才想到原來自己是在高城的錄影帶上聽過這個聲音。

「你還好嗎？」

「我沒事。」

「從現在起，我不會再寄信給你了。」

「不過，我並沒有寄一隻青蛙給你呀！」

「我們必須見面。因為，情況開始變得比較急迫了。」

「為什麼？」

「因為席德的爸爸正在向我們逼近。」

「怎麼逼近？」

「從四面八方逼近。現在我們必須一起努力。」

「怎麼做呢……？」

「在我告訴你有關中世紀的事以前，你是幫不上什麼忙的。還有，我們也應該談一談文藝復興時期和十七世紀。柏克萊是最重要的人物……」

「他不是少校的小木屋裡那幅肖像畫中的人嗎？」

「沒錯。也許這場對抗就是和他的哲學有關。」

「聽起來好像在打仗一樣。」

「我寧可說這是一場意志之戰。我們必須吸引席德的注意力，並且設法使她在她父親回到黎樂桑之前站在我們這邊。」

「我還是不懂。」

「也許那些哲學家們能夠讓你明白。早上四點你到聖瑪莉教堂來找我，不過你只能一個人來。」

「半夜去呀?」

電話「卡!」的響了一聲。

「喂?」

電話裡傳來嗡嗡的聲音。他把電話掛上了!蘇菲衝回爐子旁,湯已經沸騰,差點溢了出來。

她把魚丸和蘿蔔放進湯鍋中,然後開小火。

聖瑪莉教堂?那是一座中世紀的古老教堂,以石材建成,現在只有在開音樂會及特殊場合時才使用,夏天有時也會開放給遊客參觀。不過,半夜裡它不可能會開門吧?

午夜約會

當媽媽進門時,蘇菲已經把那張黎巴嫩寄來的明信片放在與艾伯特和席德有關的檔案裡。晚飯後,她便前往喬安家。

喬安剛開門,蘇菲便對她說:「我們必須做一個很特別的安排。」

然後她便不再作聲,直到喬安把臥室的門關上為止。

「這問題有點麻煩。」蘇菲說。

「你就說吧!」

「我必須告訴我媽我今天晚上要睡在你這裡。」

「好極了。」

「但這只是一個藉口而已，你懂嗎？我必須到別的地方去。」

「你好壞喔！要跟男生出去呀？」

「才不是，這件事和席德有關。」

喬安輕輕的吹了一聲口哨。蘇菲嚴肅的看著她的眼睛。

「我今天晚上會過來，」她說。「不過明天凌晨三點時，我必須溜出去。你得幫我掩護，直到我回來為止。」

「可是你要到哪裡去呢？有什麼事你非做不可？」

「抱歉，不能告訴你。」

對於蘇菲要在同學家過夜的事，媽媽一向不曾反對過。事實上有時蘇菲覺得媽媽好像滿喜歡一個人在家的樣子。

當蘇菲出門時，媽媽只問了一句：「你會回家吃早飯吧？」

「如果沒回來，那就是在喬安家。」

她為什麼要這樣說呢？這樣可能會有破綻。

蘇菲到了喬安家後，她倆就像一般的女孩一樣，嘰嘰喳喳聊到深夜。只不過，到了晚上一點左右他們終於準備要睡覺時，蘇菲把鬧鐘上到三點十五分。

兩個小時後，蘇菲把鬧鐘按掉，這時喬安醒了一下。

「你要小心。」她含含糊糊的說。

然後蘇菲便上路了。到聖瑪莉教堂要走好幾哩路。不過雖然她晚上只睡了兩、三個小時，此刻她仍覺得自己很清醒。這時，東方的地平線上已經有一抹微紅。

她到達聖瑪莉教堂的入口時，已經快要四點了。蘇菲推了一下那扇巨大的門，竟然沒有上鎖。

教堂裡面安靜而荒涼。一道淡藍色的光透過彩色玻璃照進來，照見了無數個在空中游移不定的細小塵粒。在光的照射下，這些塵粒在教堂內各處形成一道又一道粗大的光束。蘇菲坐在本堂中央的一張木椅上，視線穿過祭壇，落在一個古老、已經褪色的耶穌受難像上。

幾分鐘過去了。突然間管風琴開始演奏，蘇菲不敢環顧四周。風琴奏出的曲調聽起來頗為古老，也許是中世紀的樂曲。

不久，教堂內又恢復一片靜寂，然後蘇菲聽到有腳步聲從後面走來。她應不應該回頭看呢？她決定把目光集中在十字架上的耶穌身上。

腳步聲經過她，沿著側廊前行。蘇菲看到一個穿著棕色僧袍的身影，乍看之下彷彿是直接從中世紀走來的一個僧侶。

她有點緊張但不很害怕。這個僧侶在祭壇前轉了半圈，然後便爬上講壇。他把身子前傾，俯視著蘇菲，開始用拉丁文向她說話：

「Gloria Patri et Filio et Spiritui sancto. Sicut erat in principio et nunc et semper et in sæcula sæculorum. Amen.」

「誰聽得懂嘛！呆子！」她忍不住脫口而出。

她的聲音在整座教堂內回響。

雖然她確定這個僧侶就是艾伯特，但她還是很後悔自己在如此莊嚴神聖的地方說出這樣不恭敬的話。不過，這都是因為她太緊張的緣故。一個人緊張時，如果能打破一些禁忌就會覺得比較自在些。

黑暗時代

「噓！」艾伯特舉起一隻手，就像神父要羣眾坐好時所做的動作。

「現在幾點了，孩子？」他問。

「四點五分。」蘇菲回答。她不再緊張了。

「時候到了，中世紀已經開始了。」

「中世紀在四點鐘開始呀？」蘇菲問，覺得自己好蠢。

「是的，大約在四點鐘時，然後是五點、六點、七點。不過時間就好像靜止不動一樣。然後時間到了八點、九點與十點，但還是在中世紀。你也許會想，這是一個人起床展開新的一天的時刻。是的，我懂你的意思。不過，現在仍然是星期天，一長串無休無止的星期天。然後，時鐘會走到十一點、十二點與十三點。這是我們所稱的高歌德（High Gothic）的時期，也是歐洲各大教堂開始興建的時候。然後，大約在十四點時，有一隻公雞開始啼叫，於是漫長的中世紀就逐漸消逝了。」

「這麼說中世紀維持了十個小時囉？」蘇菲說。

艾伯特把頭探出棕色僧袍的頭罩，打量著他面前的聽眾（這時只有一個十四歲的女孩而已）。

「是的，如果每一個小時代表一百年的話。我們可以假裝耶穌是在午夜誕生的，快到凌晨一點半時，保羅開始四處遊歷傳教，一刻鐘後死於羅馬。在接近凌晨三點時，基督教教會大致上仍遭到禁止，但到了西元後三一三年時，基督教已經被羅馬帝國接受。這是在君士坦丁大帝統治的時候。許多年後，這位偉大的君主在臨死前受洗成為基督徒。從西元三八〇年起，基督教成為羅馬帝國的國教。」

「羅馬帝國最後不是衰亡了嗎？」

「這時它才剛開始瓦解而已。這段時期是文化史上變動最大的時期之一。第四世紀時，羅馬不但外有北方蠻族進攻的威脅，內部也處於分崩離析的狀態。西元三三〇年時，君士坦丁大帝將羅馬帝國的首都由羅馬遷到他在通往黑海之處所興建的一個城市——君士坦丁堡。許多人把這座新城市當成『第二個羅馬』。三九五年時，羅馬帝國一分為二：西方帝國以羅馬為中心，東方帝國則以君士坦丁堡為首都。四一〇年時，羅馬遭蠻族劫掠。到四七六年，整個西方帝國都被摧毀了。東方帝國則繼續存在，一直到一四五三年土耳其人征服君士坦丁堡為止。」

「那時君士坦丁堡就改名為伊斯坦堡嗎？」

「沒錯！另外一個值得注意的年代是西元五二九年，也就是教會關閉雅典的柏拉圖學園那一年。同年，聖本篤修會成立，成為史上第一個大修會。這一年因此成為基督教會箝制希臘哲學的一個象徵。從此以後，修道院壟斷了所有的教育與思想。這時，時鐘正滴答走向五點半……」

蘇菲很快便瞭解艾伯特的意思。午夜是零，一點鐘是西元後一百年，六點鐘是西元後六百年，十四點鐘則是西元後一四〇〇年。

艾伯特繼續說：

「中世紀事實上指的是界於兩個時代之間的一個時期。這個名詞是在文藝復興時期出現的。另外，這個時期又被稱為『黑暗時代』，因為它是古代與文藝復興時期之間籠罩歐洲的漫長的『一千年的夜晚』。如今英文『medieval』（中世紀）這個字仍被用來指那些過度權威、缺乏彈性的事物，具有貶意。不過，也有些人認為中世紀乃是各項體制萌芽成長的時期。例如，學校制度就是在中世紀建立的。歷史上第一批修道院學校在中世紀初期成立，教會學校則在十二世紀成立。在西元一二〇〇年左右，歷史上最早的幾所大學成立了。當時學校研習的科目也像今天一樣分成幾個不同的『學院』。」

「一千年真的是很漫長的一段時間。」

「是的，不過基督教也需要這樣的一段時間來招攬信徒。此外，許多民族也在這段時間內相繼建國，擁有自己的城市、公民、民俗音樂與民俗故事。如果沒有中世紀，哪來的這些民俗故事與民俗音樂呢？甚至，沒有中世紀，歐洲又會變成什麼模樣呢？也許仍然會是羅馬的一個省分吧！英國、法國或德國這些名詞就是在中世紀出現的。在中世紀這個浩瀚汪洋的深處，有許多閃閃發亮的魚兒游來游去，只是我們不見得都能看到。史特盧森就是中世紀的人，聖歐雷夫（Saint Olaf）與查里曼大帝也是，更不用提羅密歐與茱麗葉、聖女貞德、艾文豪、穿花衣服的吹笛手以及那些強大的王侯與君主、俠義的騎士、美麗的少女、不知名的彩色玻璃工匠與靈巧的管風琴師傅了。再說，我還沒提到那些修道士、十字軍與女巫哩！」

「你也沒提到那些牧師和教士呀！」

「對。基督教直到十一世紀才來到挪威。如果說北歐馬上就信奉了基督教，那是過於誇大其辭了。那時在基督教的表面之下，一些古代異教徒的信仰仍然存在，而這些早期的信仰有許多後來融入了基督教。舉例來說，在斯堪地那維亞半島上，聖誕節的慶典中至今仍可以看到基督教與古代北歐風俗結合的痕跡。俗話說，夫妻結合之後會愈來愈彼此相像。這兩種文化結合後也是如此。於是我們看到耶誕餅乾、耶誕小豬與耶誕麥酒等風俗，開始愈來愈像東方三智者與伯利恆的馬槽。無論如何，基督教逐漸成為北歐人主要的生活哲學。因此我們通常認為中世紀是一股以基督教文化來統一歐洲的力量。」

「那麼，中世紀也不算太糟囉？」

「西元四〇〇年以後的第一個一百年間確實是一段文化式微的時期。你要知道，在此之前的羅馬時期是一個『高等文化』，有許多大城市，城市裡有大型的排水溝、公共澡堂與圖書館等，還有許多宏偉的建築。然而，到了中世紀最初的幾百年間，這整個文化都瓦解了，貿易與經濟也崩潰了。中世紀的人們又回到以物易物的交易方式。當時的經濟是以『封建制度』為特色。所謂『封建制度』就是所有的田產都由少數勢力強大的貴族擁有，農奴必須要辛勤耕種才能生活。除此之外，在中世紀最初的數百年間，歐洲人口大量減少。舉個例子，在古代時期，羅馬的人口繁盛，一度超過一百萬，但到了西元六〇〇年時，卻減少到四萬人左右，真是天壤之別。當時，這些人生活在這個曾經繁華一時、建築宏偉的城市中，需要建材時，就從到處可見的廢墟中取用。對於現代的考古學家而言，這是很可悲的現象。他們多希望中世紀的人們不曾破壞這些古蹟。」

「這都是後見之明呀！」

「從政治方面來說，羅馬時期在第四世紀末時就結束了。不過，當時羅馬主教已經成為羅馬天主教教會的最高領袖。他被稱為『教宗』或『父』，並逐漸被視為基督在世上的代理人。因此，在中世紀的大多數時間裡，羅馬一直是基督教的首府。不過，當各新興民族國家的君主與主教勢力愈來愈強大時，有些人就開始反抗教會的勢力。」

「你說過教會關閉了雅典的柏拉圖學園。那是不是從此以後希臘哲學就統統被遺忘了？」

「這倒沒有。亞理斯多德與柏拉圖的部分著作仍然流傳下來，但古羅馬帝國卻逐漸分裂成三種不同的文化。其中在西歐的是拉丁式的基督文化，以羅馬為首都。在東歐則是希臘式的基督文化，以君士坦丁堡為首都。君士坦丁堡後來又改為希臘名『拜占庭』。因此我們現在一般都將歐洲的中世紀文化分成『拜占庭的中世紀』與『羅馬天主教的中世紀』。除此之外，北非與中東地區過去也曾是羅馬帝國的一部分。這個地區在中世紀期間發展成為講阿拉伯語的回教文化。西元六三二年穆罕默德去世後，中東與北非成了回教地區。不久後，西班牙也成為回教世界的一部分。回教將麥加、麥地那、耶路撒冷與巴格達視為『聖城』。從文化史的觀點來看，還有一件值得注意的事：當時阿拉伯人也占據了古代希臘羅馬地區的城市亞力山卓。因此，古希臘科學文明有一大部分為阿拉伯人所繼承。在整個中世紀期間，阿拉伯人在數學、化學、天文學與醫學等方面都居於領先的地位。直到今天，我們仍然使用所謂的『阿拉伯數字』。我們可以說，當時在若干領域中，阿拉伯文化確實是優於基督教文化。」

「我想知道後來希臘哲學怎麼了。」

「你能想像一條大河一下子分成三股支流，過了一段時間後又再度匯集成一條大河嗎？」

「嗯，可以。」

「那麼你也應該可以瞭解希臘羅馬文化如何分裂成三種文化，並分別在其中存活。這三種文化分別是：西邊的羅馬天主教文化、東邊的東羅馬帝國文化與南邊的阿拉伯文化。大致上，我們可以說新柏拉圖派哲學在西邊承傳了下來，柏拉圖與亞理斯多德的哲學則分別在東邊與南邊承傳了下來。不過，我們可以說，在這三種文化中，每種成分都各有一些。重要的是，在中世紀末期，這三種文化在義大利北部交會融合。阿拉伯文化的影響力來自於在西班牙的阿拉伯人，希臘文化的影響力來自於希臘和拜占庭帝國。這時，『文藝復興時期』（古代文化的『再生』）就逐漸開始了。從某個角度來看，古代文化在中世紀期間可說並未消亡。」

「原來如此。」

「不過，我們還是不要先談這個。我們應該先談一點中世紀哲學。我不想繼續站在講壇上說話了，我要下來。」

由於睡得太少，蘇菲的眼皮已經漸漸沉重。現在，當她看到這個奇怪的僧侶從聖瑪莉教堂的講壇走下來時，她感覺好像在作夢一般。

艾伯特走向祭壇的欄杆。他先擡起頭看著豎著古老的耶穌受難像的祭壇，而後眼光朝下看著蘇菲，並慢慢走向她。最後他與她並排坐在木椅上。

蘇菲頭一遭如此靠近他，感覺很奇特。他的頭罩下面是一雙深藍色的眼睛。這雙眼睛的主人是一個中年男子，有著黑色的頭髮，蓄著有點削尖的鬍子。你到底是誰呢？蘇菲心想。你為何要把我的生活弄得秩序大亂？

「我們將會慢慢彼此瞭解。」他說，彷彿能夠看穿她的心思。

當他們坐在一起時，透過彩色玻璃窗照進教堂的光線變得愈來愈強。艾伯特開始談論中世紀的哲學：

「中世紀的哲學家幾乎認定基督教義就是真理。」他一開始時說。

「他們的問題在於：我們是否一定要相信基督教的啓示？還是我們可以藉助理性來探索基督教的真理？希臘哲學家與聖經的記載有何關係？聖經與理性之間有牴觸嗎？還是信仰與知識是可以相容的？幾乎所有的中世紀哲學都圍繞在這些問題上打轉。」

蘇菲不耐煩的點點頭。她在宗教課考試時已經都談過這些了。

奧古斯丁

「我們將談一談最著名的兩大中世紀哲學家如何處理這個問題。我們還是從聖奧古斯丁（St. Augustine）開始好了。他生於西元三五四年，死於四三〇年。在他的一生中我們可以看到古代末期到中世紀初期的變遷。奧古斯丁出生於北非一個名叫塔加斯特（Tagaste）的小鎮。十六歲時，他前往迦太基求學。稍後，他轉往羅馬與米蘭，最後在迦太基西邊幾哩一個名叫西波（Hippo）的小鎮度過他的餘年。不過，他並非一生都是基督徒。他是在仔細研究各種不同的宗教與哲學後才決定信教。」

「你可以舉一些例子嗎？」

「有一段時間他信奉摩尼教。那是古代末期很典型的一個教派，一半是宗教，一半是哲學。他們宣稱宇宙由善與惡、光與暗、精神與物質等二元的事物所組成。人類可運用精神來超脫於物質世界之上，並藉此為靈魂的救贖做好準備。不過，這種將善與惡一分為二的理論並不能使年輕的奧古斯丁完全信服。他全心思考著我們所謂的『惡的問題』，也就是惡從何而來的問題。有一段時間他受到斯多葛派哲學的影響。斯多葛派認為，善與惡之間並沒有明顯的分界。然而，大致上奧古斯丁還是比較傾向於古代末期的另一派重要哲學，就是新柏拉圖派的哲學。他在其間發現了神聖的大自然整體存在的概念。」

「所以他成了一位信奉新柏拉圖派哲學的主教？」

「是的，可以這麼說。他成為基督徒在先，不過他的基督教理念大部分是受到柏拉圖派哲學觀的影響。因此，蘇菲，你必須瞭解，並非一進入基督教的中世紀，人們就與希臘哲學完全脫離了關係。希臘哲學有一大部分被像聖奧古斯丁這樣的教會領袖帶到這個新時代。」

「你的意思是說聖奧古斯丁一半是基督徒，一半是新柏拉圖派的哲學家嗎？」

「他認為他自己是百分之百的基督徒，因為他並不以為基督教的教義與柏拉圖的哲學之間有所矛盾。對他而言，柏拉圖哲學與天主教教義的相似之處是很明顯的，以致於他認為柏拉圖一定知道舊約的故事。這點當然很不可能。我們不妨說是聖奧古斯丁將柏拉圖加以『基督教化』的。」

「這麼說，他開始信仰基督教以後，並沒有把哲學完全拋到腦後是嗎？」

「是的，但他指出，在宗教問題上理性能做的事有限。基督教是一個神聖的奧祕，我們只能透過信仰來領會。如果我們相信基督，則上帝將會『照亮』我們的靈魂，使我們能夠對上帝有一種神奇的體悟。聖奧古斯丁內心深處一直覺得哲學能做的有限。他的靈魂一直無法獲得平靜，直到他決定成為基督徒為止。他寫道：『我們的心無法平靜，直到在祢（天主）中安息。』」

「我不太明白柏拉圖的哲學怎能與基督教並存，」蘇菲有點意見，「那關於永恆的理型又怎麼辦呢？」

「聖奧古斯丁當然認為上帝自虛空中創造了世界，這是聖經中的說法。希臘人則比較相信世界是一向都存在的。不過，聖奧古斯丁相信，在上帝創造世界之前，那些『理型』乃是存在於神的心中。因此他把柏拉圖所說的理型放在上帝的心中，藉此保存了柏拉圖有關永恆理型的看法。」

「他很聰明。」

「這顯示聖奧古斯丁與其他許多教會領袖是如何努力將希臘與猶太思想融合在一起。

就某一方面來說，他們是同時屬於兩種文化的。在有關惡的問題上，聖奧古斯丁也比較傾向新柏拉圖派哲學的看法。他和普羅汀一樣相信邪惡是由於『上帝不在』的結果。邪惡本身並不存在。因為實際上，上帝創造的事物只有好的，沒有壞的。奧古斯丁認為，邪惡是來自於人類的不服從。或者，用他的話來說：『善的意念是上帝的事功，惡的意念是遠離上帝的事功。』」

「他也相信人有一個神聖的靈魂嗎？」

「可以說是，也可以說不是。聖奧古斯丁主張上帝與世界之間有一道不可跨越的距離。在這方面他堅決支持聖經的說法，反對普羅汀所說『萬物皆為上帝的一部分』的主張。不過他仍然強調人是有靈性的生物。他認為人有一具由物質造成的軀體，這個軀體屬於『可為蟲蛾鐵鏽所腐』的物質世界，但同時人也有靈魂，可以認識上帝。」

「我們死了以後，靈魂會怎樣呢？」

「根據聖奧古斯丁的說法，自從亞當、夏娃被逐出伊甸園後，全人類都迷失了。不過上帝仍然決定要讓某些人免於毀滅。」

「如果是這樣，祂大可以拯救所有的人呀！」

「就這點來說，聖奧古斯丁否認人有權批評上帝，他引述保羅所寫的《羅馬書》中的一段句子：『你這個人哪，你是誰？竟敢向神強嘴呢？受造之物豈能對造他的神說：你為什麼這樣造我呢？窰匠難道沒有權柄，從一團泥裡拿一塊做成貴重的器皿，又拿一塊做成卑賤的器皿嗎?』」

「這麼說上帝是高高坐在天堂裡，把人類當成玩具，一旦他不滿意一件造物，就把它丟掉。」

「聖奧古斯丁的觀點是：沒有人值得上帝的救贖。然而上帝到底還是決定拯救某些人，使他們免下地獄。因此，對祂而言，誰會獲救，誰會受罰，並不是祕密。這都是事先注定的。我們完全任憑祂處置。」

「這樣說來，從某個方面來看，他又回歸到古老的迷信去了。」

「也許吧。不過聖奧古斯丁並不認為人類應該放棄對自己生命的責任。他教導眾人要有自己就是少數選民之一的自覺。他並不否認人有自由意志，只不過上帝已經『預見』我們將如何生活。」

「這不是很不公平嗎？」蘇菲問。「蘇格拉底說我們都有同樣的機會，因為我們都有同樣的智識。但聖奧古斯丁卻把人分成兩種，一種會得救，一種會受罰。」

「在這方面你說對了。一般認為，聖奧古斯丁的神學脫離了雅典的人本主義。但是，將人類分成兩種人的並非聖奧古斯丁。他只是解釋聖經中有關救贖與懲罰的教義罷了。他在《上帝之城》（The City of God）這本著作中就這點做了說明。」

「書裡說些什麼？」

「『上帝之城』或『天國』這個名稱來自聖經和耶穌的教誨。聖奧古斯丁相信，一部人類史就是『天國』與『世俗之國』之間奮戰的歷史。這兩『國』並非以政治區分，它們互相爭奪對個人的控制權。『天國』或多或少存在於教會中，而『世俗之國』則存在於各個國家，例如當時已漸趨沒落的羅馬帝國中。這個觀念在中世紀期間變得更加清晰，因為當時教會與各國不斷互爭主控權。當時有一個說法是：『除在教會之外，別無救贖。』聖奧古斯丁所說的『上帝之城』後來成為教會的同義字。一直要到第十六世紀的宗教改革運動，才有人敢駁斥『人們只能經由教會得救』的觀念。」

「的確是應該抗議了。」

「除此之外，聖奧古斯丁也是我們迄今所談到的第一個將歷史納入哲學理論的哲學家。他所說的善惡之爭並無新意，新鮮的是他說這場戰爭一直在歷史上演出。在這方面，聖奧古斯丁的理念並沒有太多柏拉圖的影子。事實上，對聖奧古斯丁影響較大的是舊約中的線性歷史觀，也就是『上帝要藉歷史來實現天國理想』的說法。聖奧古斯丁認為，為了使人類獲得啓蒙，也為了摧毀邪惡，歷史是有必要存在的。或者，就像聖奧古斯丁所說的：『神以其先知先覺導引人類的歷史，從亞當一直到世界末日。歷史就像一個人從童年逐漸成長、衰老的故事。』」

蘇菲看了看手錶。

「已經八點了。」她說。「我很快就得走了。」

「在此之前，我還要和你談談中世紀另外一個大哲學家。我們到外面去坐好嗎？」

艾伯特站起身來，雙掌合十，然後便大步沿著側廊走出去，看來彷彿正在祈禱，或正深思某個關於性靈的真理。蘇菲別無選擇，只好跟隨著他。

教堂外的地上仍然籠罩著一層薄薄的霧氣。旭日早已東升，但仍躲在雲層中。教堂所在的地區屬於舊市區的邊緣。

艾伯特在教堂外的一張長椅上坐下來。蘇菲心想，如果有人打這兒經過，看見他們，不知道會怎麼想呢。早上八點就坐在長椅上已經夠奇怪了，再加上身邊還有一個中世紀的僧侶，那更是怪上加怪了。

「已經八點了。」艾伯特開始說。「從聖奧古斯丁的時代到現在已經過了四百年了。現在，學校開始成立了。從現在起到十點鐘為止，修道院所辦的學校將會壟斷所有教育工作。在十點和十一點之間，第一所由教堂創辦的學校將會成立，到正午時，最早的幾所大學將會出現，幾座宏偉的歌德式大教堂也將在此時建成。這座聖瑪莉教堂也是在十三世紀（或稱『高歌德時期』）興建的。這個鎮沒錢蓋大一點的教堂。」

「他們也不需要太大的教堂啊！」蘇菲插嘴。「我討厭空空蕩蕩的教堂。」

「可是興建大教堂並不只是為了供一大羣人做禮拜，另外也是為了彰顯上帝的榮耀。大教堂本身就是一種宗教慶典。話說回來，這段時期內發生了一件事，對像我們這樣的哲學家別具意義。」

艾伯特繼續說：「在這個時期，西班牙的阿拉伯人所帶來的影響開始顯現。整個中世紀期間，阿拉伯人維繫了亞理斯多德的傳統。後來，從十二世紀末起，阿拉伯學者陸續在各王公貴族的邀請之下抵達義大利北部。許多亞理斯多德的著作因此傳揚開來，並且被人從希臘文與阿拉伯文譯成拉丁文。此舉使得人們對於自然科學重新燃起興趣，並為基督教教義與希臘哲學的關係注入了新生命。在科學方面，亞理斯多德的理論此時顯然又再度受到重視，但是，在哲學方面，人們何時應該聽從亞理斯多德的話，何時又應該謹守聖經的教誨呢？你明白問題所在嗎？」

聖多瑪斯

蘇菲點點頭。艾伯特繼續說：

「這段時期最偉大、最重要的哲學家是聖多瑪斯（Thomas Aquinas）。他生於一二二五到一二七四年間，家住羅馬與那不勒斯之間一個名叫阿奎諾（Aquino）的小鎮，後來他在巴黎大學教書。我稱他為哲學家，但事實上他也是一位神學家。當時，哲學與神學並沒有明顯的區分。簡而言之，我們可以說聖多瑪斯將亞理斯多德加以『基督教化』，就像中世紀初期的聖奧古斯丁將柏拉圖『基督教化』一樣。」

「把活在基督降生前好幾百年的哲學家加以基督教化，這不是很奇怪嗎？」

「你可以這麼說。不過，所謂『基督教化』的意思只是把這兩位希臘大哲學家的觀念，用一種不至於對基督教教義造成威脅的方式加以詮釋。聖多瑪斯就是那些試圖使亞里斯多德的哲學與基督教教義相容共存的人之一。我們可以說他把信仰與知識巧妙的融合在一起。他採取的方式是進入亞里斯多德的哲學世界，並以他的話來詮釋聖經。」

「對不起，我昨晚幾乎都沒睡，因此恐怕你得講清楚一些。」

「聖多瑪斯認為，哲學、理性這兩者和基督教的啟示與信仰之間並不一定有衝突。基督教的教義和哲學的道理其實往往是相通的。所以我們透過理性推斷的真理時常和聖經上所說的真理相同。」

「怎麼會呢？難道我們可以透過理性得知上帝在六天內創造了世界，或耶穌是上帝之子嗎？」

「不，這些所謂的『信仰的事實』只能透過信仰與基督的啟示得知。但聖多瑪斯認為世間有若干『自然的神學真理』。所謂『自然的神學真理』指的是一些既可以透過基督教的信仰，也可以透過我們與生俱來的理性得知的真理，例如『上帝確實存在』這個真理。聖多瑪斯指出，我們可以透過兩條途徑接近上帝。一條是經由信仰和基督的啟示，一條是經由理性和感官。其中，透過信仰和啟示這條是比較確實可靠的，因為我們如果光依靠理性的話，會很容易迷失方向。不過他的重點還是在於像亞里斯多德這樣的哲學理論和基督教的教義之間並不一定有衝突。」

「這麼說我們可以在亞里斯多德的話和聖經這兩者當中做一個選擇囉？」

「不，絕不是這樣。亞里斯多德的學說只對了一部分，因為他不曾受到基督的啟示。

可是對了一半並不等於錯。舉個例子，如果我說雅典位於歐洲，這句話並沒有錯，但也不算準確。如果一本書只告訴你雅典是歐洲的一個城市，那麼你最好查一下地理書。書上會告訴你雅典是歐洲東南部小國希臘的首都。運氣好的話，它還會告訴你有關高城的一些事情，還有蘇格拉底、柏拉圖和亞里斯多德等人的事蹟。」

「可是那最初有關雅典的資料是正確的。」

「沒錯。聖多瑪斯想要證明世間只有一個真理，而亞里斯多德所說的真理並未與基督教教義衝突。他指出，我們可以透過理性的思考與感官的證據推知一部分的真理，例如亞里斯多德對植物與動物王國的敘述。但另外一部分真理則是由上帝透過聖經對我們加以啟示。這兩方面的真理在一些重要的點上是互相重疊的。事實上，在許多問題上，聖經和理性所告訴我們的事情是一樣的。」

「譬如說上帝確實存在之類的？」

「一點沒錯。亞里斯多德的哲學也認定上帝（或『目的因』）是造成各種自然現象的力量。但是他對上帝並沒有進一步的描述，因此，聖多瑪斯認為在這方面我們只能仰賴聖經和耶穌的教誨。」

「上帝真的確實存在嗎？」

「這當然是一個很值得討論的問題。但即使在今天，大多數人仍然認為人無法憑理性證明上帝並不存在。聖多瑪斯則更進一步指出，他可以用亞里斯多德的哲學來證明天主確實存在。」

「不壞嘛！」

「他認為，我們用理性可以體認到我們周遭的事物必然有個『目的因』。這是因為上帝既透過聖經，也透過理性向人類顯現。所以世上既有『信仰神學』也有『自然神學』。在道德方面也是如此。聖經教導我們上帝希望人類如何生活，但上帝同時也賦予我們良心，使我們自然而然會分辨是非善惡。因此，我們要過道德的生活，也有兩條路可走。即使我們從來沒有在聖經上讀過『己所欲者施於人』的道理，我們也知道傷害人是不對的。在這方面，比較可靠的道路仍然是遵守聖經中的十誡。」

「我懂了。」蘇菲說。「這有點像是我們無論看到閃電或聽到雷聲，都可以知道有雷雨來臨一樣。」

「對，就是這樣。即使我們瞎了，也可以聽到雷聲，即使我們聾了，也可以看見閃電。當然如果我們能同時看到、聽到是最好的。可是我們所聽到和看到的事物兩者之間並不牴觸。相反的，這兩種印象具有彼此增強的作用。」

「我明白了。」

「我可以再舉一個例子。如果你讀一本小說，例如史坦貝克（John Steinbeck）的《人鼠之間》……」

「我真的讀過啦。」

「你難道不覺得你可以透過這本書瞭解作者的一些背景嗎？」

「我知道這本書一定是有人寫的。」

「你就只知道這點嗎？」

「他好像很關心弱者。」

「當你讀這本史坦貝克的『創作』時，應該可以約略瞭解史坦貝克這個人的性情。可是你無法從書中獲取任何有關作者的個人資料。例如，你讀了《人鼠之間》這本書後，可以知道作者在寫這本書時年紀多大、住在哪裡或有多少個孩子嗎？」

「當然不能。」

「但是你可以在一本史坦貝克的傳記裡得知這些資料。唯有透過傳記（或自傳）你才能夠更加瞭解史坦貝克這個人。」

「沒錯。」

「這多少就像是上帝的『創作』與聖經的關係一樣。我們只要在大自然中走動便可以體認到世間確實有上帝存在。我們很容易可以看出祂喜歡花兒與動物，否則祂不會創造它們。但有關上帝的資料，我們只能透過聖經得知。你可以說聖經就是天主的『自傳』。」

「你還真會舉例子。」

「嗯……」

這是第一次艾伯特坐在那兒想事情，沒有回答蘇菲的話。

「這些事情和席德有關嗎？」蘇菲忍不住問。

「我們不知道世上是否有『席德』這個人。」

「可是我們知道有人到處留下與她有關的證據，像明信片、絲巾、綠皮夾、襪子什麼的。」

艾伯特點點頭。「而且到底要留下多少線索似乎是由席德的父親來決定的。」他說。「到目前為止，我們只知道有一個人寄給我們很多張明信片。我希望他也能夠在信上寫一些關於他自己的事。不過這點我們待會兒還會談到。」

「已經十點四十五分了。我等不及談完中世紀就得回家了。」

「我只想再談一下聖多瑪斯如何在各個不與基督教神學牴觸的領域內採納亞里斯多德的哲學。這些領域包括他的邏輯學、知識理論與自然哲學。舉個例子，你是否還記得亞里斯多德如何描述從植物到動物到人類的生命層級？」

蘇菲點點頭。

「亞里斯多德認為，這個生命的層級顯示上帝乃是最高的存在。這個理論並不難與基督教的神學取得共識。聖多瑪斯認為，萬物的存在分成若干漸進的層次。最低的是植物，其次是動物，再其次是人類，再其次是天使，最上面則是上帝。人像動物一樣有身體和感官，但也有理性可以思考。天使既沒有身體也沒有感官，因此他們具有自發的、直接的智慧。他們不需要像人類一樣的『思索』，也不需要靠推理來獲致結論。他們不需要像我們一樣逐步學習，就可以擁有人類所有的智慧。而且由於沒有身體的緣故，他們也不會死亡。他們雖然無法像上帝一樣永遠存在（因為他們也是天主的造物），但由於他們沒有一個終有一天必須離開的身軀，因此他們也永遠不會死亡。」

「這倒挺不錯的。」

「高居天使之上的是掌管世間萬物的天主。他可以看見、知道每一件事物。」

「所以他現在也可以看見我們囉？」

「是的，也許是這樣的，但不是『現在』。上帝的時間和人類的時間不同，我們的『現在』不一定是天主的『現在』，人間的幾個星期並不等於天上的幾個星期。」

「真恐怖！」蘇菲用手掩住嘴巴。艾伯特俯視著她。她說：「我昨天接到席德的父親寄來的一張明信片，上面也說什麼『對蘇菲來說是一、兩星期的時間，對我們而言不見得這麼長。』這幾乎和你說的上帝一樣。」

蘇菲看到艾伯特在棕色頭罩下面的臉閃過一抹不悅的神色。

「他真應該覺得慚愧！」

蘇菲並不完全瞭解艾伯特的意思。他繼續說：「令人遺憾的是，聖多瑪斯也採取了亞里斯多德對於女人的觀點。你可能還記得亞里斯多德認為女人是一個不完整的男人。他並認為小孩子只繼承父親的特徵，因為婦女是被動的、只能接受的，而男人則是積極的、具有創造力的。聖多瑪斯認為這些觀點與聖經的話語一致。例如，聖經上就告訴我們女人是由亞當的肋骨所造的。」

「胡說八道！」

「事實上，人類是一直到一八二七年才發現哺乳類有卵子，因此難怪人們會認為男人是生殖過程中創造生命、賦予生命的力量。不過，聖多瑪斯認為，女人只有在身體的構造上比不上男人，但在靈魂上則與男人相當。此外，在天堂裡，兩性是完全平等的，因為在那裡所有身體上的性別差異都不存在了。」

「這點並不讓人覺得好過多少。中世紀難道沒有女哲學家嗎？」

「中世紀的教會大部分是男人的天下，不過這並不表示當時沒有女思想家。其中一位名叫席德佳（Hildegard of Bingen）……」

蘇菲睜大了眼睛：

「她和席德有什麼關係嗎？」

「怎麼會問這種問題呢？席德佳是一〇九八到一一七九年間一位住在萊茵河谷的修女。她雖然是個女人，卻身兼傳教士、作家、醫生、植物學家與博物學者等幾種頭銜。通常中世紀的婦女要比男人更實際，甚至可能更有科學頭腦，在這方面席德佳也許是一個象徵。」

「我問她到底和席德有沒有關係？」

「古代的基督徒和猶太人相信上帝不只是個男人而已。祂也有女性化——或所謂『母性』——的一面。他們認為女人也是依照上帝的形象創造的。在希臘文中，上帝女性化的那一面被稱為『蘇菲亞』（Sophia）。『蘇菲亞』或『蘇菲』（Sophie）就是智慧的意思。」

蘇菲無奈的搖搖頭。為什麼以前沒有人告訴她這件事呢？她又為什麼從來沒問過呢？

艾伯特繼續說：

「在中世紀期間，上帝的母性對於猶太人和希臘正教的教會而言別具意義，但在西方她則被人們所遺忘。所幸後來席德佳出現了。她宣稱她在幻象中看到了蘇菲亞，穿著一襲綴滿華貴珠寶的金色袍子……」

蘇菲從椅子上站了起來。蘇菲亞在夢境中向席德佳顯靈……

「也許我也會向席德現身。」

她再度坐了下來。艾伯特第三次把手放在蘇菲的肩膀上。

「這事我們必須好好談一談，不過現在已經快十一點鐘，你得回家了。我們很快就要講到一個新的紀元。下一次要講文藝復興時，我會通知你來。漢密士會到花園去接你。」

說完了，這位奇怪的僧侶就站了起來，開始向教堂走去。蘇菲留在原地，想著有關「席德佳和蘇菲亞、席德和蘇菲」的事。突然間她跳了起來，追趕穿著僧侶服的艾伯特，在他身後喊道：

「中世紀是不是也有一位艾伯特？」

他稍稍減緩了速度，偏了偏頭說道：「聖多瑪斯有一位著名的哲學老師，名叫大艾勃特（Albert the Great）……」

說完了，他便頷了頷首，跨進聖瑪莉教堂的門，消失無踪了。

蘇菲對他的回答並不滿意。她也緊跟著回到教堂內，然而現在裡面卻空無一人。難道他鑽進地板去了嗎？

她正要離開教堂時，看見一幅聖母像。她走近畫像，仔細審視。突然間她發現聖母的一隻眼睛下面有一小滴水。那是眼淚嗎？

蘇菲衝出教堂，跑回喬安家。

文藝復興

……呵！藏在凡俗身軀裡的神明子孫哪……

蘇菲氣喘吁吁的跑到喬安家的前門時，剛好過了十二點。喬安正站在他們那棟小黃屋前面的院子裡。

「你去了快十個小時了！」喬安提高了嗓門。

蘇菲搖搖頭。

「不，我去了一千多年了。」

「你究竟到哪裡去了？」

「……」

「你瘋了嗎？你媽媽半小時前打電話來。」

「你怎麼跟她說？」

「我說你到藥局去了，她說請你回來時打個電話給她。不過今天早上十點我爸和我媽端著熱巧克力和麵包進房裡來，卻發現你的床是空的。你真該看看他們臉上的表情。」

「你怎麼跟他們說？」

「我很尷尬。我告訴他們說我們吵了一架，你就跑回家了。」

「這麼說我們最好趕快言歸於好，而且這幾天內我們不能讓你爸媽和我媽說話。你想我們能不能辦得到？」

喬安聳聳肩。就在這個時候，喬安的爸爸從角落裡走過來，手裡推著一輛獨輪車。他身穿工人裝，正忙著清掃去年掉下來的最後一些落葉和樹枝。

「哈，你們和好了。你們看，我把地下室臺階上的落葉掃得乾乾淨淨，一片也不剩。」

「不錯。」蘇菲答道：「現在我們是不是可以在這邊喝熱巧克力了？」

喬安的爸爸勉強笑了一下，喬安則嚇了一跳。喬安的爸爸是一位財務顧問，因此喬安的家境比蘇菲好，而他們家人彼此之間講話是不像蘇菲家那樣直來直往的。

「對不起，喬安，我只是想我該幫你圓謊才對。」

「你要不要告訴我發生了什麼事？」

「當然要啦！如果你陪我回家的話。因為這些事是不能讓什麼財務顧問呀、超齡的芭比娃娃呀之類的人聽的。」

「說這種爛話！有的人結了婚，另外一半只好去出海，這種不穩定的婚姻我看也不見得比較好吧！」

「也許是吧！不管怎麼說，我昨晚幾乎都沒睡。還有，我開始好奇席德是不是能看到我們所做的每一件事情。」

她們開始朝苜蓿巷走去。

「你的意思是說她也許有第三隻眼睛？」

「也許是，也許不是。」

很明顯的，喬安對這個謎團並不熱中。

「不過這並不能解釋她爸爸為什麼會寄那麼多莫名其妙的明信片到樹林裡一座空著的木屋去呀！」

「我承認這一點是不太能說得通。」

「你要告訴我你到哪裡去了嗎？」

於是，蘇菲就一五一十的告訴了喬安，連同那神祕哲學課程的事。她要喬安發誓絕對不能把這個祕密告訴別人。

她們繼續向前走，有很長一段時間都沒有說話。

當他們走到苜蓿巷時，喬安說：「我不怎麼喜歡這件事。」

她在蘇菲家的門口停下來，轉身準備回家。

「沒有人要你喜歡。不過哲學不是一個無傷大雅的團體遊戲，它跟我們是誰、從何而來這些問題有關。你認為這方面我們在學校學的夠多嗎？」

「可是不管怎樣都沒有人能回答那些問題呀！」

「沒錯，但甚至沒有人告訴我們應該提出這些問題！」

蘇菲走進廚房時，午飯已經擺在桌上了。關於她沒有從喬安家打電話回家這件事，媽媽也沒說什麼。

夢境

午飯後，蘇菲宣布她要上樓睡午覺，她老實跟媽媽說她在喬安家幾乎都沒睡。不過話說回來，女孩子在一起過夜時，一整個晚上不睡覺也是常有的事。

在上床前，她站在牆上那面大銅鏡前看著，起先只看到自己蒼白疲倦的臉，但後來，在她的臉後面，似乎隱隱約約有另外一張浮現。蘇菲做了一、兩下深呼吸。她已經開始有幻覺了，這可不大妙。

她仔細審視著自己那張輪廓分明蒼白的臉，以及臉四周那一頭做不出任何髮型的難纏的頭髮。但在那張臉之外卻浮現了另外一個女孩的幽靈。

突然間，那個女孩瘋狂的眨著雙眼，彷彿是在向蘇菲做訊號，說她的確在那兒。這個幽靈出現的時間只有幾秒鐘，然後便消失了。

蘇菲坐在床沿。她萬分確信鏡子裡的女孩就是席德。她曾經在少校的小木屋內放著的一份成績單上看過席德的照片，剛才她在鏡子裡看到的一定就是她。

為什麼她總是在疲倦至極的時候遇見這類令人毛骨悚然的事呢？這不是很奇怪嗎？所以，每次事情發生後，她總得問問自己那是否是真的。

蘇菲把衣服放在椅子上，便爬上了床。她立刻睡著了，並且作了一個栩栩如生的夢。

她夢見自己站在一座大花園中。園裡有一道山坡向下通往一座船庫。船庫後面的平臺上坐著一個年輕的金髮女孩，正在眺望著大海。蘇菲走下去，坐在她身旁，但那女孩卻似乎沒有察覺她的到來。蘇菲開始自我介紹：「我叫蘇菲，」她說。但這個女孩顯然既沒看到她的人，也沒聽到她說話。「你顯然又聾又瞎。」蘇菲說。那女孩還是充耳不聞。突然間蘇菲聽到一個聲音在喊：「席德！」那女孩立刻跳起來，向船庫的方向飛奔。看來她既不聾也不瞎。此時一名中年男子從船庫大步向她走來。他身穿卡其色制服，頭戴藍扁帽。女孩展開雙臂抱住他的脖子，他則將她抱起，轉了幾圈。這時，蘇菲在女孩原先所坐之處看到一條小小的金色十字架鍊子。她將它撿起來，拿在手中，然後便醒了。

蘇菲看看時鐘，她已經睡了兩個小時。

她坐起來，想著這個奇怪的夢。夢境裡的一切是如此栩栩如生，她覺得自己好像確實到過那裡一樣，她也很確定那座船庫和平臺確實存在於某個地方。當然，它們看起來很像是她在少校的小木屋中見過的那幅風景畫。無論如何，她夢中的那個女孩無疑必是席德，而那個男人則是她的爸爸，剛從黎巴嫩回來。在夢中，他的樣子看起來很像艾伯特。

蘇菲起床開始整理床鋪時，在枕頭下發現一條金色的十字架鍊子。十字架的背面刻著席德這幾個字。

這並不是蘇菲第一次夢見自己撿到貴重的東西，但毫無疑問這是第一次那樣東西從夢裡跑了出來。

她生氣的打開櫥櫃的門，把那條精緻的十字架鍊子丟到最上面一格，跟絲巾、白襪子和從黎巴嫩寄來的明信片放在一起。

「去你的！」她大聲說。

面授課程

第二天早晨，蘇菲醒來時，媽媽已經弄好了一頓可口的早餐，有熱麵包、橘子汁、蛋和蔬菜沙拉。通常星期天早晨媽媽很少比蘇菲先起床，而每次她先起床時，總是會弄好一頓豐盛的早餐再叫醒蘇菲。

他們吃著早餐時，媽媽說：「花園裡有一隻很奇怪的狗，整個早上都在老樹籬旁邊嗅來嗅去。我實在不知道牠在那兒幹什麼，你呢？」

「我知道！」蘇菲脫口而出，隨即又後悔了。

「牠以前來過嗎？」

這時蘇菲已經離開餐桌，走到客廳向著花園的那扇窗戶往外看。果然不出她所料。漢密士正躺在密洞的入口前。

她該怎麼跟媽媽說呢？她還來不及想出什麼藉口時，媽媽已經走過來，站在她身邊。

「你剛才說牠以前來過這兒？」

「我想牠大概是以前在那裡埋了一根骨頭，現在想把牠挖出來。你知道，狗也有記性的……」

「大概是吧，蘇菲。你是我們家的動物心理學家。」

蘇菲急切的搜尋著藉口。

「我帶牠回家好了！」她說。

「你知道牠住哪裡嗎？」

蘇菲聳聳肩。

「項圈上也許會有地址吧！」

兩、三分鐘後，蘇菲已經走到了花園。漢密士一看到她，便三步兩步跑了過來，搖了搖尾巴，撲向蘇菲。

「乖狗狗！」

她知道媽媽正在窗戶那邊看著他們。她內心暗自祈禱漢密士不要鑽進樹籬。還好，牠只是衝向屋前的石子路，飛快的跑過前院，奔向大門。

大門關上後，漢密士繼續在蘇菲前面跑了幾碼。這段路程頗遠。由於是星期天的上午，路上有一些人在散步。眼看別人全家一起共度週末，蘇菲真是羨慕極了。

一路上，漢密士不時跑去嗅嗅別的狗或別人家花園籬笆旁邊的有趣玩意兒。不過只要蘇菲一叫，「狗狗，過來！」牠就立刻回來。

不一會兒，他們已經走過了一座老舊的牧場、一座大運動場和一個遊樂場，進入了人車較多的地區。他們繼續沿著一條鋪著圓石並有電車往來的大街向市中心走。到了市中心時，漢密士引導蘇菲穿越市中心廣場，走到教會街上。這裡屬於舊市區，四周都是十九世紀末、二十世紀初時興建的平凡單調的大宅子。時間已經將近下午一點半了。

現在他們已經到了市區的另外一邊。這裡蘇菲並不常來。她記得小時候有一次爸媽曾帶她到這裡的一條街上拜訪一位年老的姨媽。

最後他們走到位於幾棟舊宅子之間的一座小廣場。這座廣場雖然看起來非常古老，但卻名為「新廣場」。不過話說回來，這整座城鎮歷史已經很悠久了，它興建的年代可以遠溯到中世紀。

漢密士走向第十四號房屋，然後便停下來不動，等著蘇菲開門。蘇菲心跳開始加快。進了前門，蘇菲看到一塊嵌板上釘著幾個綠色的信箱，最上面一排有一個信箱口露出一張明信片。上面有郵局所蓋的「地址不詳」的印章。

明信片上的地址寫著「新廣場十四號，席德收」，日期是六月十五日。事實上還有兩個星期才到六月十五日，但郵差顯然沒有注意到。

蘇菲把明信片取下來看：

親愛的席德：

現在蘇菲已經到哲學家的家裡來了。她很快就要滿十五歲了，但你昨天就滿十五了。

還是今天呢？如果是今天的話，那麼信到的太遲了。不過我們兩個的時間並不一定一致。下一代出來後，上一代就老了。歷史就這樣發展下去。你有沒有想過歐洲的歷史就像一個人的一生？古代就像歐洲的童年，然後到了漫長的中世紀，這是歐洲的學生時期。最後終於到了文藝復興時期，此時，漫長的求學時期結束了。歐洲成年了，充滿了旺盛的活力以及對生命的渴望。我們可以說文藝復興時期是歐洲的十五歲生日！現在是六月中旬了，我的孩子，活著的感覺真好，不是嗎？

P.S.：很遺憾你丟了那條金十字架鍊子。你得學習照管自己的東西才行。爸爸就在你的身旁。

愛你的老爸

漢密士已經開始上樓了。蘇菲拿了明信片，跟著牠走。她必須用跑的才能趕上牠。牠一直快活的搖著尾巴。他們走上了二樓、三樓，到了四樓後只有一道通往閣樓的樓梯。難不成要上屋頂嗎？漢密士沿著樓梯上去，在一扇窄門前停下來，並用爪子抓門。

蘇菲聽到腳步聲從裡面走來。門開了，艾伯特站在那兒。他已經換了服裝，現在穿著另外一套衣服，包括白長襪、紅膝馬褲和黃色墊肩的緊身上衣。他使蘇菲想起撲克牌裡的小丑。如果她沒記錯的話，這是文藝復興時期典型的服裝。

「你這個小丑！」蘇菲喊，輕輕的推了他一把，以便走進屋裡。

在恐懼、害羞的情緒交集之下，蘇菲又不期然的拿她可憐的哲學老師當靶子。由於剛才在玄關處發現那張明信片，蘇菲現在的思緒是一片混亂。

「不要這麼容易激動，孩子。」艾伯特說，一面把門關上。

「你看這張明信片！」她說，一面把信交給他，好像他應該負責似的。

艾伯特看完信後搖搖頭。

「他愈來愈無所忌憚了。說不定他是利用我們做為他女兒的生日娛樂。」

說完後他將明信片撕成碎片，丟進字紙簍中。

「信上說席德丟了她的十字架。」蘇菲說。

「我看到了。」

「那個十字架被我發現了，就是那一個，放在我家的枕頭下面。你知道它怎麼會在那裡嗎？」

艾伯特嚴肅的看著她的眼睛。「這件事看起來也許很吸引人，但只是他不費一點力氣就能玩的小把戲罷了。我們還是集中精神來看那隻被魔術師從宇宙的禮帽中拉出來的大白兔吧！」

他們進入客廳。那是蘇菲所見過的最不尋常的房間之一。

這是一間寬敞的閣樓，四邊的牆壁略微傾斜。強烈的陽光透過其中一面的窗戶瀉滿了整個房間。另外一扇窗戶則開向市區，蘇菲可以從這裡看到舊市區裡所有房子的屋頂。

但最讓蘇菲驚訝的還是房間裡擺滿了各種年代的家具器物。有一張三十年代的沙發，一張二十世紀初期的舊書桌和一把看起來有幾百年歷史的椅子。除了家具之外，還有各式各樣骨董，不管是實用的還是裝飾的，統統凌亂的放在架子上或櫃子裡，包括古老的時鐘與花瓶、研缽和蒸餾器、刀子和娃娃、羽毛筆和書擋、八分儀和六分儀、羅盤和氣壓計等。有一整面牆放滿了書，而且都不是那些可以在書店裡看到的書，出版的年代橫跨數百年。另外一面牆則掛滿了素描與圖畫，有些是最近幾十年的，但大多數都是非常古老的作品。此外，每面牆上都掛有很多古老的圖表與地圖。從圖上挪威的大小與位置看來，這些地圖並不很精確。

有好幾分鐘的時間，蘇菲只是站在那兒，沒有說話。她東張西望了一陣子，直到她從各個角度把這個房間看過為止。

「你這裡蒐集的舊垃圾可真多！」

「你又來了。這個房間裡保存的是幾百年的歷史文物。應該不算是垃圾吧？」

「你是開骨董店的嗎？」

艾伯特的表情幾乎有點痛苦。

「我們不能讓自己被歷史的浪潮沖走，總得有人收拾河岸邊留下來的東西。」

「這話很奇怪。」

「是很奇怪，但卻一點不假。孩子，我們並不只活在我們所屬的時代裡，我們身上也扛著歷史。不要忘記你在這個房間內看到的每一樣東西都曾經是嶄新的。那個十六世紀的木娃娃也許是為了某個五歲女孩的生日做的，而製造的人也許就是她年老的祖母……然後小女孩長成了青少年，然後成年了，結婚了，也許也生了一個女兒，後來她把木娃娃傳給女兒，自己則漸漸老去，有一天就死了。雖然她活了很久，但總還是難免一死，從此一去不返。事實上她只是來到人間短暫一遊罷了。但是她的娃娃──你看，現在卻放在那個架子上。」

「經過你這麼一說，每一件事情都顯得悲傷而嚴肅。」

「生命本來就是悲傷而嚴肅的。我們來到這個美好的世界裡，彼此相遇，彼此問候，並結伴同遊一段短暫的時間。然後我們就失去了對方，並且莫名其妙就消失了，就像我們突然莫名其妙的來到世上一般。」

「我可以問你一件事嗎？」

「我們不再玩捉迷藏的遊戲了。」

「你為什麼會搬到少校的小木屋？」

「為了縮短我們之間的距離呀！因為那個時候我們全憑通信聯絡。我知道那時老木屋剛好是空的。」

「所以你就搬進去了？」

「沒錯。」

「那或許你也可以告訴我席德的爸爸是如何知道你在那裡的。」

「如果我說的沒錯，每一件事情他都知道。」

「但我還是不懂你怎麼有辦法讓郵差跑到森林裡面去送信！」

艾伯特淘氣的笑了一下。

「即使那樣的事情，對席德的父親來說也算不了什麼，只不過是個小把戲，妙手一揮就成了。我們現在可能正受到全世界最嚴密的監視。」

蘇菲頓時覺得一股怒氣往上升。

「要是讓我碰上他，一定把他的眼珠子挖出來。」

艾伯特走到房間的另外一邊，坐在沙發上。蘇菲跟著他，也坐在一張寬大的扶手椅上。

「只有哲學可以使我們更接近席德的父親。」他終於說。「今天我要跟你談文藝復興時期。」

「快說吧！」

文藝復興

「在聖多瑪斯的時代過後不久，原本團結一致的天主教文化開始出現分裂的現象。哲學與科學逐漸脫離教會的神學，使得宗教生活與理性思考之間的關係變得比較自由。當時有愈來愈多人強調人們不能透過理性與天主溝通，因為天主絕對是不可知的。對人來說，最重要的事不是去瞭解神的奧祕，而是服從神的旨意。」

「嗯。」

「既然宗教與科學的關係已經變得較為自由，新的科學方法與新的宗教狂熱於是逐漸產生。在這種環境下，十五與十六世紀發生了兩大變動，就是文藝復興運動與宗教改革運動。」

「我們可不可以一個一個來？」

「所謂文藝復興運動是指十四世紀末期起文化蓬勃發展的現象，最先開始於義大利北部，並在十五與十六世紀期間迅速向北蔓延。」

「你不是告訴我『文藝復興』這個字是表示『重生』的意思嗎？」

「沒錯。它是指古代藝術與文化的再生。另外我們也說它是『人道主義的復興』，因為在漫長的中世紀，生命中的一切都是從神的觀點來解釋，但到了文藝復興時期，一切又重新以人為中心。當時的口號是『回歸本源』，所謂本源主要是指古代的人文主義。

「在文藝復興時期，發掘古代的經卷典籍幾乎成為一種大眾休閒活動，學習希臘文也變成時髦的玩意。當時的人認為，修習希臘的人文主義有教導與啓發的功能，它除了可以使人瞭解古代的思想文化之外，也可以發展他們所謂的『人的特質』。他們認為：『馬生下來就是馬，但人要做為一個人，還需要靠後天慢慢的培養。』」

「我們一定要受教育才可以成為一個人嗎？」

「是的，當時的人觀念確是如此。不過在我們詳談文藝復興時期的人文理念之前，我們必須大略瞭解一下文藝復興時期的政治與文化背景。」

艾伯特從沙發上起身，開始在房間裡踱步。過了一會，他停下來，指著架子上放著的一件古代儀器。

「這是什麼？」他問。

「看起來像是一個很舊的羅盤。」

「沒錯。」

然後他又指著沙發後面的牆壁上掛著的一件古代火器。

「那又是什麼？」

「一支老式的步槍。」

「沒錯。這個呢？」

艾伯特從書架上抽出一本大書。

「是一本古書。」

「嚴格的說，這是一本古版書。」

「古版書？」

「是的，就是西元一五〇〇年前印製的古書。當時印刷業仍處於襁褓階段。」

「這本書真的有那麼古老嗎？」

「是的。羅盤、火器與印刷術這三大發明乃是文藝復興時期所以形成的重要因素。」

「請你說詳細一些。」

「有了羅盤，航海就比較容易了，這為後來一些偉大的探險航程奠定了基礎。火器也是一樣，這種新式的武器使得歐洲軍隊的軍力要比美洲和亞洲的軍隊強大。在歐洲內部，是否擁有火器也成為一個國家強大與否的關鍵因素。印刷術則在散布文藝復興時期的人本理念方面有很重要的貢獻，同時印刷術的發明也使得教會不再是唯一能夠散播知識的機構。在這段時期，各項新的發明與儀器接踵而來，速度既快，數量也多。其中很重要的一項就是望遠鏡的發明，它使得天文學邁入了新的紀元。」

「所以現在才會有火箭和太空探險之旅。」

「你的速度未免太快了吧。不過文藝復興時期所發生的一項轉變最後倒是把人類送上了月球，也間接導致廣島事件與車諾比核電廠爆炸事件。最初只是文化與經濟上的一些改變。其中很重要的一個現象是：自給自足式的經濟逐漸轉型為貨幣經濟體系。在中世紀末期時，由於貿易制度成功、新商品交易蓬勃，再加上已經建立貨幣經濟與銀行體系，於是各城市不斷發展，造成了一個新的中產階級。他們擁有決定自己生活環境的自由，可以用錢買到各種必需品。在這個時期，只要肯吃苦耐勞、有想像力、腦筋靈活，便可以獲得報償。因此，社會對個人的要求已經改變。」

「這和兩千年前希臘各城邦發展的情況有些類似。」

「你說對了幾分。我曾經說過，希臘哲學脫離了屬於農民文化的神話世界觀。同樣的，文藝復興時期的中產階級也開始脫離封建貴族與教會的勢力。這段期間，歐洲與西班牙的阿拉伯人和東方的拜占庭文化接觸日益密切，於是歐洲人又開始注意到希臘文化的存在。」

「於是古代的三條支流又匯集成一條大河。」

「你很用心。有關文藝復興時期的背景就講到這裡。現在我們要談這個時期一些新的理念。」

「好，不過我很快得回家吃飯了。」

艾伯特再度坐在沙發上，眼睛看著蘇菲。

「文藝復興運動最重要的影響是改變了大家對人類的看法。文藝復興時期的人文主義精神使得大家對人本身和人的價值重新產生了信心，這和中世紀時強調人性本惡的觀點截然不同。這個時期的哲學家認為人是極其崇高可貴的。其中最主要的人物之一是費其諾（Marsilio Ficino）。他告訴人們：「認識自己，呵，你這藏在凡俗身軀內的神明子孫啊！」另外一個主要人物是米蘭多拉（Pico della Mirandola），他寫了「頌揚人的尊貴」這篇文章，這在中世紀簡直是無法想像的。

人文主義

「在中世紀期間，上帝是一切事物的出發點。文藝復興時期的人文主義則以人為出發點。」

「希臘哲學家也是一樣啊！」

「這正是為什麼我們會說文藝復興時期是古代人文主義『重生』的緣故。但文藝復興時期的人文主義更強調個人主義。當時人的觀念是：我們不僅是人，更是獨一無二的個體。這種理念導致人們無限崇拜天才。理想中的人是我們所謂的『文藝復興人』，就是藝術、科學等十八般武藝樣樣精通的人。由於對人的觀點改變了，於是人們開始對人體的構造產生興趣。就像在古代一般，人們又開始解剖屍體以瞭解人體的結構。這對醫學和藝術而言都是很有必要的。同時，這個時期也再度出現許多描繪人體的藝術作品。在歷經一千年的假道學之後，這也該是時候了。人又有了膽量表現自己，不再以自己為恥。」

「太好了。」蘇菲說，一邊把雙臂靠在她和哲學家中間的小茶几上。

「的確如此。這種對人的新觀念創造了一個全新的視野。人並不只是為神而存在的，因此人也不妨即時行樂。有了這種新的自由之後，任何事情都是可能的。這個時期人們的目標是要打破所有的藩籬與禁忌。從希臘人文主義的觀點來說，這倒是一個新的想法，因為古代的人文主義強調的是寧靜、中庸與節制。」

「結果文藝復興時期的人文主義者就變得很放縱了嗎？」

「他們當然不是很有節制的。他們的所作所為就好像整個世界重新復甦了一般。他們強烈的感受到時代的精神，這是為何他們將介於古代與文藝復興時期之間的幾百年稱為『中世紀』的緣故。在文藝復興時期，各個領域都有無可比擬的進展。無論藝術、建築、文學、音樂、哲學與科學都以空前的速度蓬勃發展。舉一個具體的例子：我們曾經談到古代的羅馬曾有『城市中的城市』與『宇宙的中樞』等美稱，但在中世紀期間，羅馬漸漸衰微，到西元一四一七年時，人口只剩下一萬七千人。」

「比席德住的黎樂桑市多不了多少嘛。」

「文藝復興時期的人文主義者認為重建羅馬是他們的文化責任，而最重要的一項工作就是在聖彼得的墳墓上興建一座聖彼得大教堂。這座教堂號稱世界第一，極盡富麗與堂皇之能事。許多文藝復興時期的偉大藝術家都參與了興建工作。這項工程從一五〇六年開始，進行了一百二十年之久。後來，又花了五十年的時間興建宏偉的聖彼得廣場。」

「這座教堂一定很大！」

「它共有兩百多公尺長，一百三十公尺寬，占地一萬六千平方公尺以上。有關文藝復興時期人們大膽自信的心理我們就講到這裡了。還有很重要的一點是：文藝復興運動也使得人們對大自然有了新的看法。這時候的人們比較能夠盡情享受生活，不再認為人活著只是為死後的世界做準備，因此他們對物質世界的看法也完全改觀了。在人們眼中，大自然如今有了正面的意義。許多人認為上帝也存在於祂所創造的事物中。因為，如果神真的是無窮無限的，祂就會存在於萬事萬物中。這種觀念稱為泛神論。中世紀的哲學家一直堅持神與祂的造物之間有一道不可跨越的距離。文藝復興時期的人則認為大自然是神聖的，甚至是『神的花朵』。這類觀念有時會遭到教會的反對。布魯諾（Giordano Bruno）的命運就是一個很極端的例子。他不僅宣稱神存在於大自然中，而且相信宇宙是無限大的。結果他受到了非常嚴厲的懲罰。」

「什麼懲罰？」

「他在一六〇〇年時被綁在羅馬花市的一根柱子上活活燒死。」

「真是太爛了……太蠢了。這還叫人文主義嗎？」

「不，絕不是。布魯諾是人文主義者，但將他處決的人則不是。不過在文藝復興時期，所謂的『反人文主義』也同樣盛行。我所謂的『反人文主義』指的是各國政府與教會的威權。在文藝復興時期，審判女巫、燒死異教徒的風氣非常盛行。魔法、迷信充斥，而且不時有人發動血腥的宗教戰爭。美洲也是在這段時期被歐洲人用蠻橫的手段征服了。這些都是人文主義陰暗的一面。不過話說回來，沒有任何一個時代是完全好或完全壞的。善惡乃是人類歷史中不時交織在一起的兩股線。在我們下面要講到的另外一個文藝復興時期的新產物『新科學方法』方面也是如此。」

「當時的人是否興建了人類史上最早的一些工廠？」

「還沒有。不過多虧文藝復興時期發明的新科學方法，才會有後來那些科技發展。所謂新科學方法是指以嶄新的角度來看待科學，這種方法到後來才結出明顯的科技果實。」

「那是什麼樣的新方法？」

「它最主要的一點是用我們的感官來調查研究大自然。自從十四世紀以來，愈來愈多思想家警告人們不要盲目相信權威，無論是宗教教條或亞理斯多德的自然哲學。但也有人勸告大眾不要相信純粹憑思考就可以解決問題。在整個中世紀期間，人們過度迷信理性思考的重要性。到了文藝復興時期，則認為研究大自然現象必須以觀察、經驗與實驗為基礎。我們稱之為『實證法』。」

「意思是？」

「就是以親身經驗，而不是以古人的著作或憑空想像之物，來做為知識的基礎。古代也有實證科學，但從來不曾以有系統的方式做過實驗。」

「我猜他們大概沒有現代這些儀器設備。」

「當然，他們沒有計算機或電子尺這類工具，但是他們可以憑藉數學計算和普通的尺。對他們而言，最重要的一件事就是把科學觀察所得的結果用準確的數學辭彙表達出來。十七世紀的大科學家伽利略（Galileo Galilei）說：『我們要測量那些可以測量的東西，至於那些無法測量的，也要想辦法加以測量。』他並表示：『大自然這本書是用數學的語言寫的。』」

「有了這些實驗與測量結果之後，就自然會有新發明了。」

「新科學方法的出現促成了技術革命，這是第一個階段。而技術革命又為後來的每一項發明打下了基礎。可以說人類這時已經開始脫離自然環境了，人類不再僅僅是大自然的一部分。英國哲學家培根（Francis Bacon）表示：『知識即力量。』這句話強調了知識的實用價值，在當時也是一個很新的觀念。人們開始認真干預大自然並加以控制。」

「但這並不一定是好的，不是嗎？」

「對。我曾經提到過，我們所做的每一件事情都有正反兩面的作用。文藝復興時期展開的技術革命雖然帶來了紡織機，但也造成了失業；雖然帶來了新的藥物，但也帶來了新的疾病；雖然提高了農業效率，但也榨取了許多自然資源；雖然帶來了洗衣機、電冰箱等實用的器具，但也導致了污染與工業廢棄物處理的問題。今天我們面臨嚴重的環境污染問題已經使得許多人認為，技術革命乃是人類嘗試調整自然環境的一種危險做法，而且已經失敗。有人指出，這場革命最終將會走向失控的局面。比較樂觀的人士則認為我們目前仍處於科技的襁褓階段，同時，儘管在科學發展的過程中不免會有陣痛，但人類終將逐漸學習到如何控制大自然，而不致對環境構成威脅。」

「你覺得誰說的比較對？」

「我覺得雙方的說法或許都有點道理。在某些領域內我們必須停止干預自然，但在其他領域內我們則不妨更進一步。但有一件事情是可以確定的：我們絕不可能再走中世紀的老路。自從文藝復興時期以來，人類就不再只是創造物的一部分，而開始干預自然，並按照自己的心意來改造大自然。說真的，『人是多麼了不起呀！』」

「人類已經登陸月球了。在中世紀，誰會相信人能跑到月亮上去呀！」

新世界觀

「他們當然無法想像。說到這裡，我們要談談所謂的『新世界觀』。中世紀的人雖然也會坐在天空下，看著太陽、月亮與星球。但他們從不曾懷疑『地球是宇宙中心』的說法。他們認為地球是靜止不動的，而各個『天體』則在軌道上環繞著地球運行。這種觀念被稱為『以地球為中心的世界觀』，也就是『萬物皆以地球為中心』的意思。基督教相信上帝高居各天體之上，主宰宇宙，這也是當時人抱持這種觀念的原因之一。」

「世界真有這麼簡單就好了！」

「然而，在一五四三年，有一本名叫《天體運行論》（On the Revolutions of the Celestial Spheres）的小書出版了。作者是波蘭天文學家哥白尼（Nicolaus Copernicus）。他在這本書出版當天就去世了。哥白尼在書中宣稱，太陽並未繞地球運行，而是地球繞太陽運行。他根據觀察各星球的心得，認為這種可能性很高。他說，人們之所以相信太陽繞著地球轉，是因為地球繞著自己的軸心轉的緣故。他指出，如果我們假設地球和其他星球都繞著太陽轉，則我們所看到的天體運轉現象將會變得容易理解得多。

我們稱這種觀念為『以太陽為中心的世界觀』，也就是相信萬物以太陽為中心的意思。」

「這個世界觀應該是正確的囉？」

「也不全然。哥白尼的主要重點——地球圍繞著太陽轉——當然是正確的。不過他宣稱太陽是宇宙中心的說法可就錯了。我們現在已經知道太陽系只是宇宙中無數個星系之一。宇宙中共有數十億個銀河系，圍繞地球的星系只是其中之一罷了。哥白尼並且相信地球和其他星球都在圓形的軌道上運轉。」

「難道不是嗎？」

「不。他之所以相信軌道是圓形的，只是根據『天體是圓形的，且繞著圈圈轉』這個古老的觀念。自從柏拉圖的時代以來，球體與圓形就被認為是最完美的幾何圖形。但在十七世紀初期，德國天文學家克卜勒（Johannes Kepler）發表了他廣泛觀察的結果，顯示各星球實際上是以太陽為中心，繞著橢圓形的軌道運轉。他並且指出，一個星球在軌道上愈接近太陽的地方，運轉的速度愈快，離太陽愈遠則愈慢。在此之前從來沒有人明白提出『地球只是眾多行星之一』的說法。克卜勒同時強調宇宙每個地方都適用同樣的物理法則。」

「他怎麼知道呢？」

伽利略

「因為他用自己的感官來觀察、研究星球運轉的現象，而不盲目的接受古代的迷信。大約與克卜勒同一時代的還有一位義大利科學家伽利略。他也用天文望遠鏡來觀察天體的運轉。他在研究月球的表面後，宣稱月球像地球一樣有高山、有深谷。更重要的是，他發現木星有四個衛星。因此地球並非唯一擁有衛星的星球。然而，伽利略最偉大的成就還是他首度提出所謂的『慣性定律』。」

「那是什麼意思？」

「伽利略的說法是：『如果沒有外力強迫一個物體改變它所處的狀態，則這個物體將會一直維持它原來靜止或移動的狀態。』」

「這誰都知道呀！」

「但這個觀察很有意義。自從古代以來，反對『地球繞著自己的軸心轉』這個說法的人士所持的主要理由之一就是：地球果真繞著自己的軸心轉的話，則它的速度會很快，以致於當你垂直丟一塊石頭到空中時，它會掉落在好幾碼之外。」

「那這種現象為什麼不會發生呢？」

「如果你坐在火車裡，把一個蘋果丟在地上。蘋果並不會因為火車正在移動而向後掉落，而是垂直落地。這是由於『慣性定律』作用所致。蘋果維持在你將它丟下以前同樣的速度。」

「我懂了。」

「伽利略的時代並沒有火車。不過如果一個人一直向前運球，一旦突然放手後……」

「……球會一直滾動……」

「……因為在你放手後球仍然維持原來的速度……」

「不過它最後還是會停下來，如果房間夠大的話。」

「那是因為有其他外力迫使它停下來。第一種力來自於地板，尤其是那種粗糙不平的木頭地板。然後則是重力。在重力的作用之下，球遲早會停下來。不過，請等一下，我先讓你看一樣東西。」

艾伯特站起身來，走到那張古老的書桌前。他從抽屜裡拿出一樣東西，走回原來的地方，並把那樣東西放在茶几上。那是一塊木頭板子，一端有三、四公釐厚，另一端則極薄，整張板子幾乎就把茶几占滿了。艾伯特在板子旁放了一個綠色的彈珠。

「這叫做斜面，」他說。「如果我在比較厚的這一端把彈珠放掉，你想會發生什麼事？」

蘇菲無可奈何的嘆了口氣。

「我跟你賭十塊錢，它會一直滾到茶几上，最後掉在地板上。」

「我們試試看。」

艾伯特放掉彈珠。它果真像蘇菲所說的那樣滾到茶几上，然後啪一聲掉在地板上，最後碰到了通往走廊的門檻。

「真了不起呀！」蘇菲說。

「可不是嘛！這就是伽利略所做的實驗。」

「他真的有那麼笨嗎？」

「別急，他是想透過各種感官來觀察事物的原理。我們現在只不過剛開始而已。請你先告訴我彈珠為何會沿著斜面滾下去？」

「因為它有重量。」

「好，那麼請你告訴我重量是什麼。」

「這個問題問的太遜了。」

「如果你不能回答，它就不算遜。到底彈珠為什麼會滾落到地板上？」

「因為重力的緣故。」

「答對了，你也可以說是地心引力。重量與重力有關，而重力就是使得彈珠移動的那個力量。」

此時艾伯特已經把彈珠從地板上撿起來了。他再度俯身站在那塊斜面上方，手裡仍拿著彈珠。

「現在我要試著讓彈珠滾過斜面。」他說。「你注意看它怎樣移動。」

他把腰彎得更低，瞄準目標，試著讓彈珠滾過斜面。蘇菲看到彈珠逐漸沿著坡面斜斜的滾下來。

「發生了什麼事？」艾伯特問。

「它斜斜的滾，因為板子有坡度。」

「現在我要在彈珠上面塗墨汁……然後我們就可以看看到底你所謂的『斜斜的滾』是什麼意思。」

他找出一支墨水刷，把整個彈珠塗黑，然後再度使它滾動。這次蘇菲很明顯看到彈珠在斜面上滾動的路徑，因為它滾過之處留下了一條黑線。

「現在你可不可以描述一下彈珠移動的路線？」

「是弧形的……看起來好像是一個圓圈的一部分。」

「一點也沒錯。」

艾伯特擡頭看著蘇菲，眉毛擡得高高的。

「不過那並不完全是圓形。這種圖案叫做拋物線。」

「哦？」

「嗯。可是彈珠為什麼會這樣滾動呢？」

蘇菲用心的想了一下，然後說：「因為板子有坡度，所以彈珠被重力拉往地板的方向。」

「對了！這豈不是太讓人興奮了嗎？我隨便拉了一個小女孩到我的閣樓來，做一個實驗，她就可以領悟到伽利略所發現的原理！」

他拍拍手。有一陣子，蘇菲很擔心他已經瘋了。他繼續說：

「你剛才看到的是兩種力量同時作用在一個物體上時所產生的效果。伽利略發現這個原理同樣也適用在砲彈等的物體上。砲彈被推入空中後在一段時間內會繼續飛行，但遲早會被牽引到地面上，所以它會形成像彈珠滾過斜面一樣的軌線，這是伽利略那個時代的新發現。亞理斯多德認為一個斜斜向空中拋出的拋射體會先呈微微的弧形，然後垂直的向地面降落。但實際情況並非如此。不過沒有人知道亞理斯多德的錯誤，除非用實驗來證明。」

「這個定律有什麼重要性嗎？」

「當然！孩子，這件事意義非凡，而且肯定是人類史上最重要的一項科學發現。」

「為什麼呢？」

牛頓

「後來，在一六四二到一七二七年間，有一個名叫牛頓（Isaac Newton）的英國物理學家，他是將太陽系與星球軌道描述的最完整的一個科學家。他不但能說出各星球如何繞太陽運轉，而且可以解釋它們為何會如此運轉。其中一部分原因就是因為他參考了我們所稱的『伽利略動力學』。」

「那些星球是不是就像滾過斜面的彈珠一樣？」

「是的，有點像。不過不要急，蘇菲。」

「急也沒有用，是不是？」

「克卜勒曾經指出，各星球之間一定有某種力量使它們相互吸引。舉例來說，太陽一定有某種力量使得太陽系內的各星球都固定在軌道上繞著它運轉，這也是為何那些星球在離太陽愈遠的地方移動的愈慢的緣故。克卜勒並且相信潮汐的漲落一定是受到月亮引力的影響。」

「的確是這樣，不是嗎？」

「沒錯，是這樣。不過伽利略反對這種說法。他嘲笑克卜勒，說他居然贊同『月亮掌管海洋河流』的說法。這是因為伽利略不相信引重力能夠在很遠的距離外、或各星球之間發揮作用。」

「這回他可錯了。」

「嗯。在這一點上他是錯了。這事說來也滿奇怪的，因為伽利略一直專心研究地球引力與落體的原理。他甚至發現在引力增強時，物體的移動會如何受到影響。」

「你剛才不是已經開始談到牛頓了嗎？」

「是的。然後牛頓出現了。他提出我們所謂的『萬有引力定律』，就是說宇宙間兩個物體相互吸引的力量隨物體的大小而遞增，並隨兩物體之間的距離而遞減。」

「我懂了。例如，兩隻大象之間的引力要比兩隻老鼠之間的引力要大。而同樣一座動物園內的兩隻大象之間的引力，又比在印度的一隻印度象與在非洲的一隻非洲象兩者之間的引力要大。」

「沒錯，你的確懂了。現在我們要談到最重要的一點。牛頓證明這種引力是存在於宇宙各處的。也就是說，它在宇宙每個地方都發生作用，包括太空中的各個星球之間。據說他是坐在一棵蘋果樹下悟出這個道理的。當時他看到一個蘋果從樹上掉下來，他便問自己：月球是否同樣也受到地球力量的牽引，才會恆久繞著地球旋轉？」

「聰明。不過也不算真的很聰明。」

「為什麼呢？」

「這個嘛……如果月球是受到促使蘋果落地的同樣一種引力的影響，那麼總有一天月球會撞到地球，而不會一直繞著地球轉了。」

「這個我們就要談到牛頓的行星軌道定律了。在這個問題上，你只對了一半。月球為什麼不會撞到地球呢？因為地球的重力的確以強大的力量牽引著月球。你想想看漲潮的情景，要將海平面提高一、兩公尺需要多大的力量呀！」

「這個我不太懂。」

「你還記得伽利略的斜面嗎？當我讓彈珠滾過斜面時會有什麼現象？」

「是不是同時有兩種力量在影響月球？」

「一點沒錯。很久以前，當太陽系形成時，月球被一股很大的力量拋離地球。由於它在真空中移動，沒有阻力，因此這股力量會永遠不停的產生作用……」

「但它同時也受到地球引力的影響，被拉向地球，對嗎？」

「對。這兩股力量都是持續不停的，而且同時發生作用，所以月球才會一直繞著地球旋轉。」

「它的原理真的就這麼簡單嗎？」

「就是這麼簡單。而這種『簡單性』正是牛頓學說的重點。他說明少數幾種自然法則可以適用於整個宇宙。在計算行星軌道時，他只應用了伽利略所提出的兩個自然法則。一個是慣性定律。牛頓說明所謂慣性定律就是『一個物體除非受到外力的作用使它改變狀態，否則它會一直處在靜止或呈直線進行的狀態』。另外一項定律是伽利略利用斜面證明的定律，就是：當兩股力量同時作用於一個物體上時，這個物體會循橢圓形的路徑移動。」

「而牛頓就以此來解釋為何所有行星都圍繞太陽旋轉？」

「沒錯。由於受到兩種強弱不同的力量的影響，所有的行星都在橢圓形的軌道上繞太陽旋轉。其中一種是在太陽系形成時，他們呈直線進行的力量，另外一種則是他們受到太陽重力牽引的力量。」

「聰明。」

「很聰明。牛頓證明了若干關於物體移動的定律可以適用於宇宙每一個地方，他因此推翻了中世紀人們認為天上與人間分別適用兩套不同法則的看法。這時候，以太陽為宇宙中心的世界觀終於得到了徹底的證實以及完整的解釋。」

艾伯特站起身來，把斜面放回原來的抽屜裡。然後他彎腰從地上撿起那顆彈珠，把它放在他和蘇菲間的茶几上。

蘇菲心想，這一切居然都是科學家們從一小塊斜面的木板和一個彈珠推論出來的，這是多麼神奇呀！當她看著那顆仍然沾有墨水的綠色彈珠時，不禁想起地球來。她說：

「於是當時的人們就不得不接受人類其實是生活在太空中某處一個偶然形成的星球上囉？」

「是的。這個新的世界觀在許多方面都對人造成了很大的衝擊，這個情況和後來達爾文證明人類是從禽獸進化而來時所造成的影響相當。這兩個新發現都使人類失去他們在造物中的一部分特殊地位，於是也都遭遇到教會的強大阻力。」

「這是可以理解的。因為，在這些新觀念中，上帝被放在哪裡呢？從前人相信地球是宇宙中心，而上帝與各星球就在地球之上的想法倒是比較單純些。」

「但這還不是當時人面臨的最大挑戰。當牛頓證明宇宙各處適用同樣的法則時，有人可能會認為他破壞了人們心目中上帝無所不能的形象，但是牛頓本人的信仰卻從未動搖。他認為自然法則的存在正足以證明宇宙間確有一位偉大、萬能的上帝。事實上，受到更大衝擊的乃是人對自我的觀念。」

「怎麼說呢？」

「自從文藝復興時期以來，人們就不得不逐漸接受他們所居住的地球乃是浩瀚銀河中一個偶然形成的星球。即使到現在，我看還不見得大家都能夠完全接受這種想法。不過，即使在文藝復興時期，也有一些人認為，隨著新世界觀的產生，我們每一個人所處的地位也變得比以前更加重要。」

「我還是不太明白。」

「在此之前，世界的中心是地球。但天文學家卻告訴人們，宇宙根本沒有絕對的中心，因此，每一個人都是中心。」

「喔，是這個意思！」

「文藝復興運動造成了新的宗教情感（狂熱）。隨著哲學與科學逐漸脫離神學的範疇，基督徒變得更加虔誠。到了文藝復興時期，由於人類對自己有了新的看法，使得宗教生活也受到了影響。個人與上帝之間的關係變得比個人與教會組織之間的關係更加重要。」

「比如說在晚上自行禱告之類的嗎？」

宗教改革

「這也包括在內。在中世紀的天主教教會中，以拉丁文唸的祈禱文和教會例行禱告一直是宗教儀式的骨幹。只有教士和僧侶能看得懂聖經，因為當時的聖經都是拉丁文寫的。但是到了文藝復興時期，聖經被人從希伯來文與希臘文翻譯成各國語言。這是導致所謂『宗教革命』的主要因素。」

「馬丁路德……」

「是的，馬丁路德是一個很重要的人物，但他並不是當時唯一的宗教改革家。另有一些改革人士選擇留在羅馬天主教會中。其中之一是荷蘭的伊拉斯莫斯（Erasmus of Rotterdam）。」

「馬丁路德之所以和天主教會決裂是因為他不肯購買贖罪券，是嗎？」

「是的，但這只是其中原因之一。另外還有一個更重要的原因是：馬丁路德認為人們並不需要教會或教士居中代禱才能獲得上帝的赦免。同時，要取得上帝的赦免也不是靠購買教會所售的『贖罪券』。從十六世紀中期起，天主教教會就禁止買賣這些所謂的『贖罪券』。」

「天主應該很樂於見到這個情況。」

「總而言之，馬丁路德摒斥了教會中許多從中世紀起就形成的宗教習慣與教條。他希望回到新約中所描述的早期基督教的面貌。他說：『我們只信靠經文。』他希望以這個口號將基督教帶回它的『源頭』，就像文藝復興時期的人文主義者希望回到藝術與文化的古老源頭一般。馬丁路德將聖經譯成德文，因此創造了德文的文字。他認為應該讓每一個人都讀得懂聖經，並從某一個意義上來說，成為自己的教士。」

「自己的教士？這不是有點太過分了嗎？」

「他的意思是：教士與上帝的關係並不比一般人親近。路德派教會之所以僱用教士，乃是因為他們需要有人做一些實際的工作，如主持禮拜或料理日常事務等。但馬丁路德並不相信任何人能夠透過教會舉行的儀式，獲得上帝的赦免與寬宥。他說，人只能透過信仰得救，這是『無法用金錢交換的』。這些都是他在研讀聖經以後的心得。」

「這麼說馬丁路德也是典型的文藝復興人士囉？」

「也不盡然。馬丁路德重視個人，強調個人與上帝之間的關係。在這一點上他算是典型的文藝復興人士。也因此他從三十五歲開始自修希臘文，並進行將聖經翻譯成德文的繁重工作。他使得一般大眾使用的語言取代了拉丁文的地位，這也是他與典型文藝復興人士相像的另外一個特徵。然而，馬丁路德並不像費其諾或達文西一樣是人文主義者。同時，他也受到伊拉斯莫斯等人文主義者的批評，因為他們認為他對人的觀點太過消極了。馬丁路德曾經宣稱，自從亞當與夏娃被逐出伊甸園後，人類就徹底腐化了，他相信唯有透過上帝的恩典，人類才能免於罪孽。因為罪惡的代價就是死亡。」

「聽起來滿灰暗的。」

艾伯特起身，撿起綠黑相間的小彈珠，放在上衣的口袋內。

「天哪！已經過四點了！」蘇菲驚叫。

「下一個人類史上的偉大時期叫做巴洛克時期。不過，我們只好等到下一次再談了，親愛的席德。」

「你說什麼？」蘇菲從椅子上跳了起來。「你叫我席德！」

「是我一時不小心，喊錯了。」

「可是，無心之言或多或少都是有原因的。」

「也許你說的對。你可以注意到席德的父親已經開始透過我們的嘴巴講話了，我想他是故意趁我們漸漸疲倦，不太能為自己辯護的時候才這樣做。」

「你曾經說過你不是席德的爸爸。你可以保證這是真話嗎？」

艾伯特點點頭。

「但我是席德嗎？」

「我累了，蘇菲，請你諒解。我們坐在一起已經兩個多小時了，大部分的時間都是我在說話。你不是要回家吃飯嗎？」

蘇菲覺得艾伯特幾乎像是要趕她走似的。當她走進小小的走廊時，心裡一直想著他為何會喊錯她的名字。艾伯特也跟著她走出來。

漢密士正躺在壁上一排衣鉤的下面睡覺。衣鉤上掛著幾件很像是戲服的怪異服裝。艾伯特朝漢密士的方向點點頭說：「下次牠還是會去接你。」

「謝謝你為我上課。」蘇菲說。

她突然衝動的擁抱了艾伯特一下。「你是我所見過的最好、最親切的哲學老師。」她說。

然後她把通往樓梯的門打開。在關門之際，艾伯特說：

「我們不久就會再見面了，席德！」

之後門就關上了。

又喊錯名字了，這個壞蛋！蘇菲有一股強烈的衝動想要跑回去敲門，不過她還是沒有這樣做。

走到街上時，她突然想起自己身上沒錢，必須一路走回家。真氣人！如果她在六點前還沒回到家，媽媽一定會又生氣又著急的。

蘇菲走了幾碼路後，突然看到人行道上有一枚十元的錢幣，正好可以買一張公車票。

蘇菲找到了公車站，等候開往大廣場的公車。從大廣場那兒，她可以換車，一路坐回家門口，不必再買票。

一直到她站在大廣場等候下一輛公車時，她才開始納悶自己為何如此幸運，剛好撿到一個十塊錢的銅板。

難道是席德的爸爸放在那兒的嗎？他真是個高手，每次都把東西放得恰到好處。

但是這怎麼可能呢？他不是還在黎巴嫩嗎？

艾伯特又為什麼老是喊錯她的名字呢？不只一次哦！

蘇菲打了個冷顫。她覺得有一股寒氣沿著她的脊樑骨一路竄下來。

巴洛克時期

……宛如夢中的事物……

蘇菲已經有好幾天沒有接到艾伯特的消息了。她不時留意花園裡的動靜，希望能看到漢密士的影踪。她告訴媽媽那隻狗已經自己找到路回家了，後來牠的主人——一個退休的哲學老師——請她進屋裡去坐。他告訴蘇菲有關太陽系的構造和十六世紀發展出來的新科學。

她對喬安說得更多。她告訴她上次去找艾伯特的情形、信箱裡的明信片以及她在回家途中撿到十塊錢的事。但她沒有告訴喬安她夢見席德，並發現那條金十字架鍊子。

失控

五月二十九日星期二那天，蘇菲正在廚房裡洗碗。媽媽已經到客廳裡去看電視新聞了。當新聞節目的片頭音樂漸弱後，她從廚房裡聽到主播報導挪威聯合國部隊的某個少校被砲彈擊中斃命的消息。

蘇菲把擦碗布扔在桌上，衝進客廳，剛好在螢幕上看到那名喪生少校的臉。兩、三秒鐘後主播就開始播報其他新聞了。

「天哪！」她叫了出來。

媽媽轉過身來看著她。

「是啊，戰爭真是一件很可怕的事！」

蘇菲開始哭泣。

「可是，蘇菲，事情並沒有那麼糟呀！」

「他們有沒有報出他的名字？」

「有，不過我不記得了。只知道他好像是葛林史達那裡的人。」

「那不是和黎樂桑一樣嗎？」

「怎麼會呢？傻孩子。」

「可是如果你住在葛林史達，你不是也可能到黎樂桑來上學嗎？」

蘇菲已經停止哭泣，但現在輪到媽媽有反應了。她從椅子上站起來，關掉電視，問道：

「蘇菲，這到底是怎麼回事？」

「沒什麼。」

「我看一定有事。你有一個男朋友對不對？我猜他的年紀比你大很多。我要你現在就回答我：你認識一個在黎巴嫩的男人嗎？」

「不，不完全是……」

「你是不是認識某個在黎巴嫩的男人的兒子？」

「我沒有。我甚至連他的女兒都沒見過。」

「誰的女兒？」

「這件事跟你沒有關係。」

「我看大有關係。」

「我看問問題的人應該是我。為什麼爸爸老是不在家？是不是因為你們沒有膽量離婚？也許你交了男朋友，不希望讓爸爸和我知道……還有很多很多。要問就大家一起來問嘛！」

「我想我們需要好好談一談。」

「也許吧！不過我已經累了，我要睡覺了。我的月經來了。」

蘇菲幾乎是一邊飲泣一邊上樓。

她上完廁所，鑽進被窩後，媽媽就進房裡來了。

蘇菲假裝睡著了，雖然她知道媽媽不會相信的。她也知道媽媽知道她知道媽媽不會相信。儘管如此，媽媽還是假裝相信她已經睡著了。她坐在蘇菲的床邊，撫摸著她的頭髮。

蘇菲心想一個人同時過兩種生活是多麼複雜呀！她開始期待哲學課程早點結束。也許在她生日時就可以上完吧！至少在仲夏節席德的父親從黎巴嫩回來時……

「我想開一個生日宴會。」她突然說。

「好啊！你想請誰呢？」

「很多人……可以嗎？」

「當然可以。我們的花園很大……希望現在的好天氣會一直持續下去。」

「最重要的是我希望能在仲夏節那天舉行。」

「好，就這麼辦。」

「這是很重要的日子。」蘇菲說，心裡想的不只是她的生日而已。

「確實是。」

「我覺得我最近好像長大了不少。」

「很好呀！不是嗎？」

「我也不知道。」

到目前為止，蘇菲一直把頭半蒙在枕頭裡講話。現在媽媽說話了：「蘇菲，你一定要告訴我你剛才為什麼……為什麼好像……失去控制的樣子？」

「你十五歲的時候不是有時也會這樣嗎？」

「也許吧。可是你知道我在說什麼。」

蘇菲突然翻身面對著媽媽。「那隻狗的名字叫漢密士。」她說。

「是嗎？」

「牠的主人是一個名叫艾伯特的男人。」

「原來如此。」

「他住在舊城區。」

「你那天一直跟著那隻狗走到那兒去？」

「那裡並不危險。」

「你說過那隻狗常常到這兒來。」

「我說過嗎？」

她現在得好好想一想了。她想盡可能把一切事情告訴媽媽，但又不能全部吐露。

「你總是不在家。」她試探著。

「沒錯，我太忙了。」

「艾伯特和漢密士曾經到過這兒來很多次。」

「來幹什麼呢？他們曾經進屋子裡來嗎？」

「你就不能一次問一個問題嗎？他們從來沒有進屋裡來，不過他們經常到林子裡散步。這有什麼神祕嗎？」

「不，一點也不神祕。」

「他們散步時，就像其他人一樣，會經過我們的門口。有一天我放學回家後跟那隻狗說了幾句話，就這樣認識了艾伯特。」

「那有關白兔子和你說的那些話又是怎麼回事呢？」

「那是艾伯特告訴我的。他是一個真正的哲學家，他告訴我所有哲學家的事。」

「你們只是站在樹籬旁邊談嗎？」

「他也寫信給我。事實上，他寫了很多封。有時他用寄的，有時他會在散步途中把信放在我們家的信箱裡。」

「那就是我們說的『情書』囉？」

「嗯，只不過那不是真正的情書。」

「他在信上只談哲學嗎？」

「是的。你能想像嗎？我從他那兒學到的比我這八年來在學校裡學的更多。比方說，你聽說過布魯諾嗎？他在一六〇〇年被燒死在火刑柱上。或者，你有沒有聽說過牛頓的萬有引力定律呢？」

「沒有。有很多東西是我不知道的。」

「我敢說你一定不知道地球為什麼繞著太陽轉，對不對？——你看，你還住在地球上呢！」

「這個男人年紀多大？」

「不知道——大概有五十歲吧！」

「他跟黎巴嫩有什麼關係呢？」

這可不容易回答。蘇菲很快想了一下，決定選擇一個聽起來最可信的說法。

「艾伯特有一個弟弟是駐黎巴嫩聯合國部隊的少校，他住在黎樂桑。也許他就是從前住在小木屋裡的那個少校吧。」

「艾伯特這個名字有點奇怪，是不是？」

「大概吧！」

「聽起來像是義大利名字。」

「這個嘛……幾乎所有重要的東西好像都來自希臘或義大利。」

「可是他會說挪威話吧？」

「當然，說得才流利呢！」

「你知道嗎？蘇菲，我想你應該找一天請這個艾伯特到我們家來。我從來沒有遇見過真正的哲學家。」

「再說吧。」

「我們請他參加你的生日宴會，你看怎樣？請各種不同年紀的人來會很好玩的。說不定我也可以參加呀！至少，我可以幫你招待客人。你說這樣好不好？」

「如果他肯來的話。跟他說話比跟我們班上那些男生講話要有意思多了。只不過……」

「怎樣？」

「他們搞不好會起鬨，說艾伯特是我新交的男朋友。」

「那你就告訴他們他不是呀！」

「嗯，再說吧！」

「好吧。還有，蘇菲，我和你爸爸有時確實不是處得很好，但我們之間從來沒有第三者……」

「我想睡了。我經痛的很厲害。」

「你要不要吃一顆阿斯匹靈？」

「好。」

當媽媽拿著藥丸和水回到房裡時，蘇菲已經睡著了。

神奇的書信

五月三十一日是星期四。整個下午蘇菲在學校上課時都覺得時間很難挨。自從開始上哲學課後，她在某些科目上的成績進步了。通常她大多數科目的成績不是A就是B，但上個月她在公民課與作文課上都拿A。不過她的數學成績則遠遠落後。

最後一堂課時，老師發回上次寫的一篇作文。蘇菲選的題目是「人與科技」。她長篇大論的談到文藝復興時期的種種和當時在科技方面的突破、對大自然的新觀念，以及培根所說的「知識就是力量」。她特別指出是因為有了實證法才有種種科技的發明，然後她談了一些她認為對社會未必有利的科技發明。在最後一段，她寫道：人們做的每一件事都有利有弊。善惡好壞就像一股黑線與一股白線相互交織，有時甚至緊密的無法分開。

當老師把作業本發回時，他從講臺上看著蘇菲，戲謔似的向她點點頭。蘇菲得了一個A。老師的評語是：「你從哪裡學到這些的？」

她拿出一枝筆，在作業本旁邊的空白處寫：因為我正在研究哲學。

當她把作業本闔上時，有一個東西從裡面掉了出來。那是一張從黎巴嫩寄來的明信片。

蘇菲俯身在課桌前看著信中的內容：

親愛的席德：

當你看到這封信時，我們大概已經在電話中談過這裡發生的死亡悲劇。有時候我會問自己：如果人類的思想比較清楚的話，是否就能夠避免戰爭與暴力？也許消除戰爭與暴力最好的方法，就是為人們上一門簡單的哲學課程。也許我們應該出版一本《聯合國哲學小冊》，譯成各國語言，分發給未來每一位世界公民。我將向聯合國主席提出這個建議。

你在電話上說你愈來愈會收拾照管自己的東西了。我很高興，因為你是我所見過最會丟三落四的人。然後你又說自從我們上次通話後你只掉過一個十塊錢的銅板，我會盡量幫你找回來。雖然我遠在千里之外，可是我在家鄉有一個幫手。（如果我找到那十塊錢，我會把它跟你的生日禮物放在一起。）我感覺自己好像已經開始走上漫長的歸鄉路了。

愛你的老爸

蘇菲剛看完明信片，最後一堂課的下課鈴就響了。她的思緒再度陷入一團混亂。

喬安像往常一樣在遊樂場等她。在回家的路上，蘇菲打開書包，拿明信片給喬安看。

「郵戳上的日期是幾月幾號？」

「大概是六月十五日吧……」

「不，你看……上面寫的是5/30/90。」

「那是昨天呀……就是黎巴嫩那位少校死掉的第二天。」

「我懷疑從黎巴嫩寄來的明信片能夠在一天之內寄到挪威。」喬安繼續說。

「再加上地址又很特別：請富理亞初中的蘇菲代轉席德……」

「你認為它會是寄來的嗎？然後老師把它夾在你的作業本裡？」

「我不知道。我也不知道自己敢不敢跑去問老師。」

然後，他們換了一個話題。

「仲夏節那天，我要在我家花園裡舉行一個宴會。」蘇菲說。

「你會請男生來嗎？」

蘇菲聳聳肩。

「我們不一定要請那些笨蛋來。」

「可是你會請傑瑞米吧？」

「如果你想的話。還有，我可能會請艾伯特來。」

「你瘋了！」

「我知道。」

談到這裡，他們已經走到超市，只好分道揚鑣了。

蘇菲回家後的第一件事就是看看漢密士是否在花園裡。果然沒錯，牠就站在那裡，在蘋果樹旁邊嗅來嗅去。

「漢密士！」

有一秒鐘的時間，漢密士並沒有動。蘇菲知道為什麼：牠聽到她的叫聲、認出她的聲音，決定看看她是否在聲音傳來的地方。然後，牠看到了她，便開始向她跑來。牠愈跑愈快，最後四隻腳像鼓錘般的疾疾點地。

在這一秒鐘的時間裡，發生的事情還真不少。

漢密士衝向蘇菲，忙不迭的搖著尾巴，然後跳起來舔她的臉。

「漢密士，你真聰明。下去……下去……不要，不要把口水弄得我滿臉……好了，好了！夠了！」

蘇菲走進屋裡。雪兒又從樹叢裡跳了出來。牠對漢密士這位陌生訪客相當提防。蘇菲拿出貓食，在鸚哥的杯子裡倒一些飼料，拿一片生菜葉子給烏龜吃，然後便留一張紙條給媽媽。

她寫說她要帶漢密士回家。如果到七點她還沒回來的話，她會打電話。

然後他們便開始穿越市區。這次蘇菲特別在身上帶了點錢。她本來考慮帶漢密士一起坐公車，但後來決定還是問過艾伯特的意思再說。

當她跟著漢密士走的時候，腦海裡一直想著動物到底是什麼。狗和貓有什麼不同呢？她記得亞理斯多德說：人與動物都是自然的生物，有許多相同的特徵。但是人與動物之間卻有一個明顯不同的地方，那就是：人會思考。

他憑什麼如此確定呢？

相反的，德謨克里特斯則認為人與動物事實上很相似，因為兩者都由原子組成。他並不認為人或動物擁有不朽的靈魂。他的說法是：人的靈魂是由原子組成的，人一死，這些原子也就隨風四散。他認為人的靈魂與他的腦子是緊緊相連，密不可分的。

不過，靈魂怎麼可能是原子做的呢？靈魂不像身體其他部位一樣是可以碰觸到的。它是「精神性」的東西。

他們已經走過大廣場，接近舊城區了。當他們走到蘇菲那天撿到十塊錢的人行道上時，她自然而然的看著腳下的柏油路面。就在她那天彎腰撿錢的同一個地方，她看到了一張明信片，有風景的那面朝上。照片裡是一個種有棕櫚樹與橘子樹的花園。

蘇菲彎腰撿起明信片。漢密士開始低聲怒吼，彷彿不願意蘇菲碰那張明信片一般。

明信片的內容如下：

親愛的席德：

生命是由一長串的巧合組成的。你所遺失的十塊錢並非沒有可能在這裡出現。也許它是在黎樂桑的廣場上被一位預備前往基督山的老太太撿到，她從基督山搭乘火車去探視她的孫兒。很久以後也許她在新廣場這裡又把那枚銅板給丟了。因此那枚銅板非常可能在當天被一名急需要錢坐公車回家的女孩撿到了。這很難說，席德，但如果真是這樣，我們就必須問一問是否每一件事都是天意。現在，就精神上而言，我已經坐在咱家旁邊的船塢上了。

愛你的爸爸

P．S．：我說過我會幫你找回那十塊錢的。

地址欄上寫著：「請過路人代轉席德」郵戳日期是六月十五日。

蘇菲跟在漢密士的身後跳上臺階。艾伯特一打開門，她便說：

「閃開，老爹，郵差來了。」

她覺得自己現在有十足的理由生氣。

蘇菲進門時，艾伯特便讓到旁邊。漢密士像從前那樣躺在衣帽鉤架下面。

「少校是不是又給你一張明信片了，孩子？」

蘇菲擡眼看著他，發現他今天又穿了另外一套衣服。她最先注意到的是他戴了一頂長長鬈鬈的假髮，穿了一套寬鬆、鑲有許多花邊的衣服，脖子上圍了一條顏色異常鮮艷的絲巾。在衣服之上還披了一件紅色的披肩。另外他還穿著白色的長襪和顯然是皮製的薄薄的鞋子，鞋面上還有蝴蝶結。這一整套服裝使蘇菲想起她在電影上看到的路易十四的宮廷。

「你這個呆子！」她說，一邊把明信片遞給他。

「嗯……你真的在他放這張明信片的地方撿到了十塊錢嗎？」

「沒錯。」

「他愈來愈沒禮貌了。不過這樣也好。」

「為什麼？」

「這使我們比較容易拆穿他的面具。不過他這個把戲既誇張又不高明，幾乎像是廉價香水一樣。」

「香水？」

「因為他努力要顯得很高雅，但實際上卻虛有其表。你難道看不出來他居然厚臉皮的把他監視我們的卑鄙行為比做天意嗎？」

他指著那張明信片，然後就像以前那樣把它撕成碎片。為了不讓他更生氣，蘇菲就沒有再提在學校時從她作業本裡掉出來的那張明信片。

「我們進房裡坐吧。現在幾點了？」

「四點。」

「今天我們要談十七世紀。」

他們走進那間四面斜牆、開有天窗的客廳。蘇菲發現這次房裡的擺設和上次不同。茶几上有一個小小的骨董珠寶箱，裡面放著各式各樣的鏡片。珠寶箱旁邊擺著一本攤開來的書，樣子看來頗為古老。

「那是什麼？」蘇菲問。

「那是笛卡爾著名的《方法論》，是第一版，印製於西元一六三七年，是我最寶貝的收藏之一。」

「那個箱子呢……？」

「……是我獨家收藏的鏡片，也叫做光學玻璃。它們是在十七世紀中由荷蘭哲學家史賓諾沙（Spinoza）所打磨的。這些鏡片價格都非常昂貴，也是我最珍貴的收藏之一。」

「如果我知道史賓諾沙和笛卡爾是誰的話，也許比較能瞭解這些東西到底有多珍貴。」

「當然。不過還是先讓我們熟悉一下他們的時代背景好了。我們坐下來吧！」

理想與唯物主義

他們坐在跟上次一樣的地方。蘇菲坐在大扶手椅裡，艾伯特則坐在沙發上。那張放著書和珠寶箱的茶几就在他們兩人中間。當他們坐下來時，艾伯特拿下他的假髮，放在書桌上。

「我們今天要談的是十七世紀，也就是我們一般所說的『巴洛克時期（Baroque period）』。」

「巴洛克時期？好奇怪的名字。」

「『巴洛克』這個名詞原來的意思是『形狀不規則的珍珠』。這是巴洛克藝術的典型特徵。它比文藝復興時期的藝術要更充滿了對照鮮明的形式，相形之下，後者則顯得較為平實而和諧。整體來說，十七世紀的主要特色就是在各種相互矛盾的對比中呈現的張力。當時有許多人抱持文藝復興時期持續不墜的樂觀精神，另一方面又有許多人過著退隱山林、禁慾苦修的宗教生活。無論在藝術還是現實生活上，我們都可以看到誇張華麗的自我表達形式，但另外一方面也有一股退隱避世的潮流逐漸興起。」

「你是說，當時既有宏偉華麗的宮廷，也有僻靜的修道院？」

「是的。一點沒錯。巴洛克時期的口頭禪之一是拉丁諺語carpe diem，也就是『把握今天』的意思。另外一句也很流行的拉丁諺語則是memento mori，就是『不要忘記你將會死亡』。

「在藝術方面，當時的繪畫可能一方面描繪極其繁華奢靡的生活，但在角落裡卻畫了一個骷髏頭。從很多方面來說，巴洛克時期的特色是浮華而矯飾的。但在同一時期，也有許多人意識到世事無常，明白我們周遭的美好事物終有一天會消殞凋零。」

「沒錯。我想意識到生命無常的確是一件令人傷感的事。」

「你的想法就和十七世紀的許多人一樣。在政治方面，巴洛克時期也是一個充滿衝突的年代。當時的歐洲可說是烽火遍地。其中最慘烈的是從一六一八年打到一六四八年的『三十年戰爭』，歐洲大部分地區都捲入其中。事實上，所謂『三十年戰爭』指的是一連串戰役，而受害最深的是德國。由於這些戰事，法國逐漸成為歐洲最強大的國家。」

「他們為什麼要打仗呢？」

「有一大部分是由於基督新教與天主教之間的衝突。但也有一些是為了爭奪政權。」

「就像黎巴嫩的情況。」

「除此之外，十七世紀也是階級差距很大的時代。你一定聽過法國的貴族和凡爾賽宮。但我不知道你對法國人民窮困的生活知道多少。不過財富往往建立於權力之上。人們常說巴洛克時期的政治情勢與當時的藝術與建築有幾分相似。巴洛克時期的建築特色在於屋角與隙縫有許多細部裝飾。同樣的，當時政治情勢的特色就是各種陰謀與暗殺充斥。」

「不是有一位瑞典國王在戲院裡遇刺嗎？」

「你說的是古斯塔夫三世（Gustav Ⅲ）。這是一個很好的例子。古斯塔夫三世遇刺的時間其實是在一七九二年，但當時的情況卻與巴洛克時期很像。他是在一場化裝舞會中遇害的。」

「我還以為他是在戲院裡被殺的。」

「那場化裝舞會是在一座歌劇院舉行的。我們可以說瑞典的巴洛克時期隨著古斯塔夫三世的遇刺而結束。在古斯塔夫的時代已經開始有所謂的『開明專制』政治，與近一百年前路易十四統治的時期頗為相似。古斯塔夫三世本身也是一個非常虛榮的人，他崇尚所有的法國儀式與禮節。不過，他也很喜愛戲劇……」

「……他就是因此而死的對不對？」

「是的，不過巴洛克時期的戲劇不只是一種藝術形式而已，也是當時最常使用的象徵。」

「什麼東西的象徵？」

「生活的象徵。我不知道十七世紀的人究竟說過多少次『人生如戲』之類的話。總之，很多次就是了。現代戲劇——包括各種布景與舞臺機關——就是在巴洛克時期誕生的。演戲的人在舞臺上創造一種假象，最終目的就是要顯示舞臺上的戲劇不過是一種假象而已。戲劇因此成為整個人生的縮影。它可以告訴人們『驕者必敗』，也可以無情的呈現出人類的軟弱。」

「莎士比亞是不是巴洛克時期的人？」

「他最偉大的幾齣劇作是在一六〇〇年寫成的。因此可以說，他橫跨了文藝復興時期與巴洛克時期。莎士比亞的劇本中有許多片段講到人生如戲。你想不想聽我唸幾段？」

「當然想。」

「在『皆大歡喜』中，他說：

世界是一座舞台，
所有的男男女女不過是演員；
有上場的時候，也有下場的時候；
每個人在一生中都扮演著好幾種角色。」

「在『馬克白』中，他說：

人生不過是一個行走的影子，一個在舞臺上高談闊步的可憐演員，
無聲無臭地悄然退下；
這只是一個傻子說的故事，說得慷慨激昂，
卻毫無意義。」

「好悲觀哪！」

「那是因為他時常想到生命的短暫。你一定聽過莎士比亞最著名的一句臺詞吧？」

「存在或不存在，這是問題所在。」（To be or not to be—that is the question.）

「對，是哈姆雷特說的。今天我們還在世上到處行走，明天我們就死了，消失了。」

「謝啦！我明白了！」

「除了將生命比喻為舞臺之外，巴洛克時期的詩人也將生命比喻為夢境。例如，莎士比亞就說：

我們的本質原來也和夢一般，

短短的一生

就在睡夢中度過……」

「很有詩意。」

「西元一六〇〇年出生的西班牙劇作家卡德隆（Calderón de la Barca）寫了一齣名為『人生如夢』的戲。其中有一句臺詞是：『生命是什麼？是瘋狂的。生命是什麼？是幻象、是影子、是虛構之物。生命中至美至善者亦微不足道，因為生命只是一場夢境……』

「他說的也許沒錯。我們在學校裡也唸過一個劇本，名叫『傑普大夢』（Jeppe on the Mount）。」

「沒錯，是由侯柏格（Ludvig Holberg）寫的。他是北歐的大作家，是巴洛克時期過渡到開明時期的一個重要人物。」

「傑普在一個壕溝裡睡著了……醒來時發現自己躺在男爵的床上。因此他以為他夢見自己是一個貧窮的農場工人。後來當他再度睡著時，他們把他擡回壕溝去，然後他又醒過來了。這次他以為他剛才只是夢見自己躺在男爵的床上罷了。」

「侯柏格是從卡德隆那兒借用了這個主題，而卡德隆則是借用古代阿拉伯的民間故事『一千零一夜』中的主題。不過，在此之前，早已有人將生命比喻為夢境，包括印度與中國的作家。例如，中國古代的智者莊子就曾經說過：『昔者莊周夢為蝴蝶，栩栩然蝴蝶也……俄然覺，則蘧蘧然周也。不知周之夢為蝴蝶歟，蝴蝶之夢為周歟？』」

「這個嘛，我想我們實在不可能證明究竟哪一種情況才是真的。」

「挪威有一個巴洛克時期的天才詩人名叫達斯（Petter Dass），生於一六四七年到一七〇七年間。他一方面著意描寫人世間的現實生活，另一方面則強調唯有上帝才是永恆不變的。

「上帝仍為上帝，即便天地盡荒；上帝仍為上帝，縱使人人皆亡。

「但他在同一首讚美詩中也描寫挪威北部的鄉村生活，描寫魴魚、鱈魚和黑鱈魚等。這是巴洛克時期作品的典型特徵，一方面描寫今生與現實人間的生活，另一方面也描寫天上與來世的情景。這使人想起柏拉圖將宇宙分成具體的感官世界與不變的概念世界的理論。」

「這些巴洛克時期的人又有什麼樣的哲學呢？」

「他們的哲學特色同樣也是兩種完全相反的思想模式並存，而且兩者之中充滿了強烈的衝突。我說過，有許多人認為生命基本上具有一種崇高的特質。我們稱之為『理想主義』。另一種迥然相異的看法則被稱為『唯物主義』，就是指一種相信生命中所有的自然現象都是從肉體感官而來的哲學。十七世紀時也有許多人信奉物質主義。其中影響最大的可能是英國的哲學家霍布士（Thomas Hobbes）。他相信自然界所有的現象——包括人與動物——都完全是由物質的分子所組成的。就連人類的意識（也就是靈魂）也是由人腦中微小分子的運動而產生的。」

「這麼說，他贊同兩千年前德謨克里特斯的說法囉？」

「在整部哲學史上你都可以看到理想主義與唯物主義的影踪。不過兩者很少像在巴洛克時期這般明顯共存。由於受到各種新科學的影響，唯物主義日益盛行。牛頓證明整個宇宙適用同樣的運動定律，也證明自然界（包括地球和太空）的所有變化都可以用宇宙重力與物體移動等定律來加以說明。因此，一切事物都受到同樣的不變法則或同樣的機轉所左右。所以在理論上，所有自然界的變化都可以用數學精確的計算。就這樣，牛頓成就了我們所謂的『機械論的世界觀』。」

「他是否認為整個世界就是一部很大的機器？」

「是的。mechanic（機械論的）這個字是從希臘文mechane而來的，意思就是機器。值得注意的是：無論霍布士或牛頓都不認為機械論的世界觀與他們對上帝的信仰有何牴觸。但十八、十九世紀的唯物主義者則不然。十八世紀的法國物理學家兼哲學家拉美特利（La Mettrie）寫了一本名為《人這部機器》（L'homme machine）的書。他認為，就像人腿有肌肉可以行走一般，人腦也有『肌肉』可以用來思考。後來，法國的數學家拉普拉斯（Laplace）也表達了極端機械論的觀點。他的想法是：如果某些神祇在某個時刻能知道所有物質分子的位置，則『沒有任何事情是他們所不知道的，同時他們也能夠看到所有過去及未來的事情』。他認為所有事情都命中注定。一件事情會不會發生，都是冥冥中早有定數。這個觀點被稱為『決定論』。」

「這麼說，他們認為世間沒有所謂自由意志這回事囉？」

「是的。他們認為一切事物都是機械過程的產物，包括我們的思想與夢境在內。十九世紀德國的唯物主義者宣稱，思想與腦袋的關係就像尿液與腎臟、膽汁與肝的關係。」

「可是尿液和膽汁都是物質，但思想卻不是。」

「你說到重點了。我可以告訴你一個類似的故事。有一次，一位俄羅斯太空人與一位腦外科醫生討論宗教方面的問題。腦外科醫生是個基督徒，那位太空人不是。太空人說：『我到過太空許多次，但卻從來沒有見過上帝或天使。』腦外科醫生答道：『我開過很多聰明的腦袋，也沒看過一個思想呀！』」

「可是這並不代表思想並不存在。」

「沒錯。它強調了一個事實，那就是：思想並不是可以被開刀或被分解成較小單位的東西。舉例來說，如果一個人滿腦子幻想，你很難開刀將它去除。我們可以說，它生長的部位太深入了，無法動手術。十七世紀一位重要的哲學家萊布尼茲指出：物質與精神不同的地方在於物質可以不斷被分割成更小的單位，但靈魂卻連分割成一半也不可能。」

「是呀！要用什麼樣的手術刀才能分割靈魂呢？」

艾伯特只是搖搖頭。過了一會，他向下指著他們兩人中間的桌子說：

「十七世紀最偉大的兩位哲學家笛卡爾和史賓諾沙也曾絞盡腦汁思考靈魂與肉體的關

係，我們會更詳細的討論他們的思想。」

「好吧。不過如果我們到七點鐘還沒結束的話，我就得借你的電話用一用。」

喬斯坦．賈德於1995年法蘭克福書展會場與智庫公司人員暢談蘇菲的世界。

笛卡爾

……他希望清除工地上所有的瓦礫……

艾伯特站起身來，脫下紅色披風，擱在椅子上，然後再度坐在沙發的一角。

「笛卡爾誕生於一五九六年，一生中曾住過幾個歐洲國家。他在年輕時就已經有強烈的欲望要洞悉人與宇宙的本質。但在研習哲學之後，他逐漸體認到自己的無知。」

「就像蘇格拉底一樣？」

「是的，或多或少。他像蘇格拉底一樣，相信唯有透過理性才能獲得確實的知識。他認為我們不能完全相信古籍的記載，也不能完全信任感官的知覺。」

「柏拉圖也這麼想。他相信確實的知識只能經由理性獲得。」

「沒錯。蘇格拉底、柏拉圖、聖奧古斯丁與笛卡爾在這方面可說是一脈相傳。他們都是典型的理性主義者，相信理性是通往知識的唯一途徑。經過廣泛研究後，笛卡爾得到了一個結論：中世紀以來的各家哲學並不一定可靠。這和蘇格拉底不全然相信他在雅典廣場所聽到的各家觀點一樣。在這種情況下該怎麼辦呢？蘇菲，你能告訴我嗎？」

「那就開始創立自己的哲學呀！」

現代的哲學之父

「對！笛卡爾於是決定到歐洲各地遊歷，就像當年蘇格拉底終其一生都在雅典與人談話一樣。笛卡爾說，今後他將專心致力尋求前所未有的智慧，包括自己內心的智慧與『世界這本大書』中的智慧。因此他便從軍打仗，也因此有機會客居中歐各地。後來，他在巴黎住了幾年，並在一六二九年時前往荷蘭，在那兒住了將近二十年，撰寫哲學書籍。一六四九年時他應克麗思蒂娜皇后的邀請前往瑞典。然而他在這個他所謂的『熊、冰雪與岩石的土地』上罹患了肺炎，終於在一六五〇年的冬天與世長辭。」

「這麼說他去世時只有五十四歲。」

「是的，但他死後對哲學界仍然具有重要的影響力。所以說，稱笛卡爾為現代哲學之父是一點也不為過。在文藝復興時期，人們重新發現了人與大自然的價值。在歷經這樣一個令人興奮的年代之後，人們開始覺得有必要將現代的思想整理成一套哲學體系。而第一個創立一套重要的哲學體系的人正是笛卡爾。在他之後，又有史賓諾沙、萊布尼茲、洛克、柏克萊、休姆和康德等人。」

「你所謂的哲學體系是什麼意思？」

「我指的是一套從基礎開始創立，企圖為所有重要的哲學性問題尋求解釋的哲學。古代有柏拉圖與亞理斯多德這幾位偉大的哲學體系創立者。中世紀則有聖多瑪斯努力為亞理斯多德的哲學與基督教的神學搭橋。到了文藝復興時期，各種有關自然與科學、上帝與人等問題的思潮洶湧起伏，新舊雜陳。一直到十七世紀，哲學家們才開始嘗試整理各種新思想，以綜合成一個條理分明的哲學體系。第一位做這種嘗試的人就是笛卡爾。他的努力成為後世各種重要哲學研究課題的先驅。他最感興趣的題目，是我們所擁有的確實知識以及肉體與靈魂之間的關係。這兩大問題成為後來一百五十年間哲學家爭論的主要內容。」

「他一定超越了他那個時代。」

「嗯，不過這些問題卻屬於那個時代。在談到如何獲取確實的知識時，當時許多人持一種全然懷疑的論調，認為人應該接受自己一無所知的事實。但笛卡爾卻不願如此。他如果接受這個事實，那他就不是一個真正的哲學家了。他的態度就像當年蘇格拉底不肯接受詭辯學派的懷疑論調一樣。在笛卡爾那個時代，新的自然科學已經開始發展出一種方法，以便精確的描述自然界的現象。同樣的，笛卡爾也覺得有必要問自己是否有類似的精確方法可以從事哲學的思考。」

「我想我可以理解。」

「但這只是一部分而已。當時新興的物理學也已經提出『物質的性質為何？』以及『哪些因素影響自然界的物理變化？』等問題。人們愈來愈傾向對自然採取機械論的觀點。然而，人們愈是用機械論的觀點來看物質世界，肉體與靈魂之間有何關係這個問題也就變得愈加重要。在十七世紀以前，人們普遍將靈魂視為某種遍布於所有生物的『生命原理』。事實上，靈魂（soul）與精神（spirit）這兩個字原來的意思就是『氣息』與『呼吸』。這在幾乎所有的歐洲語言中都一樣。亞理斯多德認為靈魂乃是生物體中無所不在的『生命因素』（life principle），是不能與肉體分離的。因此，他有時說『植物的靈魂』，有時也說『動物的靈魂』。一直到十七世紀，哲學家才開始提出靈魂與肉體有所區分的論調。原因是他們將所有物質做的東西──包括動物與人的身體──視為一種機械過程。但人的靈魂卻顯然不是這個『身體機器』的一部分。因此，靈魂又是什麼呢？這時就必須對何以某種『精神性』的事物可以啓動一部機器這個問題做一個解釋。」

「想起來也真是奇怪。」

「什麼東西很奇怪？」

「我決定要舉起我的手臂，然後，手臂自己就舉起來了。我決定要跑步趕公車，下一秒鐘我的兩腿就像發條一樣跑起來了。有時我坐在那兒想著某件令我傷心的事，突然間我的眼淚就流出來了。因此，肉體與意識之間一定有某種神祕的關聯。」

「這正是笛卡爾所努力思考的問題。他像柏拉圖一樣，相信『精神』與『物質』有明顯的不同。但是究竟身體如何影響靈魂或靈魂如何影響身體，柏拉圖還沒有找到答案。」

我思故我在

「我也沒有。因此我很想知道笛卡爾在這方面的理論。」

「讓我們跟著他思想的脈絡走。」

艾伯特指著他們兩人中間的茶几上所放的那本書，繼續說道：

「在他的《方法論》中，笛卡爾提出哲學家必須使用特定的方法來解決哲學問題。在這方面科學界已經發展出一套自己的方法……」

「這你已經說過了。」

「笛卡爾認為除非我們能夠清楚分明的知道某件事情是真實的，否則我們就不能夠認為它是真的。為了要做到這點，可能必須將一個複雜的問題盡可能細分為許多不同的因素。然後我們再從其中最簡單的概念出發。也就是說每一種思想都必須加以『斟酌與衡量』，就像伽利略主張每一件事物都必須加以測量，而每一件無法測量的事物都必須設法使它可以測量一樣。笛卡爾主張哲學應該從最簡單的到最複雜的。唯有如此才可能建立一個新觀點。最後，我們還必須時時將各種因素加以列舉與控制，以確定沒有遺漏任何因素。如此才能獲致一個結論。」

「聽起來幾乎像是數學考試一樣。」

「是的。笛卡爾希望用『數學方法』來進行哲學性的思考。他用一般人證明數學定理的方式來證明哲學上的真理。換句話說，他希望運用我們在計算數字時所用的同一種工具——理性——來解決哲學問題，因為唯有理性才能使我們得到確實的知識，而感官則並非如此確定可靠。我們曾經提過他與柏拉圖相似的地方。柏拉圖也說過數學與數字的比例要比感官的體驗更加確實可靠。」

「可是我們能用這種方式來解決哲學問題嗎？」

「我們還是回到笛卡爾的思維好了。他的目標是希望能在生命的本質這個問題上獲得某種確定的答案。他的第一步是主張在一開始時，我們應該對每一件事都加以懷疑，因為他不希望他的思想是建立在一個不確定的基礎上。」

「嗯，因為如果地基垮了的話，整棟房子也會倒塌。」

「說得好。笛卡爾並不認為懷疑一切事物是合理的，但他以為從原則上來說懷疑一切事物是可能的。舉個例子，我們在讀了柏拉圖或亞理斯多德的著作後，並不一定會增強我們研究哲學的慾望。這些理論固然可能增進我們對歷史的認識，但並不一定能夠使我們更加瞭解這個世界。笛卡爾認為，在他開始建構自己的哲學體系之前，必須先掙脫前人理論的影響。」

「在興建一棟屬於自己的新房子以前，他想清除房屋基地上的所有舊瓦礫……」

「說得好。他希望用全新的材料來建造這棟房屋，以便確定他所建構的新思想體系能夠站得住腳。不過，笛卡爾所懷疑的還不止於前人的理論。他甚至認為我們不能信任自己的感官，因為感官可能會誤導我們。」

「怎麼說呢？」

「當我們作夢時，我們以為自己置身真實世界中。那麼，我們清醒時的感覺與我們作夢時的感覺之間有何區別呢？笛卡爾寫道：『當我仔細思索這個問題時，我發現人清醒時的狀態與作夢時的狀態並不一定有所分別。』他並且說：『你怎能確定你的生命不是一場夢呢？』」

「傑普認為他躺在男爵床上的那段時間只不過是一場夢而已。」

「而當他躺在男爵的床上時，他以為自己過去那段務農的貧窮生活只不過是個夢而已。所以，笛卡爾最終懷疑每一件事物。在他之前的許多哲學家走到這裡就走不下去了。」

「所以他們並沒有走多遠。」

「可是笛卡爾卻設法從這個零點開始出發。他懷疑每一件事，而這正是他唯一能夠確定的事情。此時他悟出一個道理：有一件事情必定是真實的，那就是他懷疑。當他懷疑時，他必然是在思考，而由於他在思考，那麼他必定是個會思考的存在者。用他自己的話來說，就是：Cogito,ergo sum。」

「什麼意思？」

「我思故我在。」

「我一點都不奇怪他會悟出這點。」

「不錯。但請你注意他突然間視自己為會思考的存在者的那種直觀的確定性。也許你還記得柏拉圖說過：我們以理性所領會的知識要比我們以感官所領會的更加真實。對笛卡爾來說正是如此。他不僅察覺到自己是一個會思考的『我』，也發現這個會思考的『我』要比我們的感官所觀察到的物質世界更加真實。同時，他的哲學探索並未到此為止。他仍舊繼續追尋答案。」

「我希望你也能繼續下去。」

「後來，笛卡爾開始問，自己是否能以同樣直觀的確定性來察知其他事物。他的結論是：在他的心靈中，他很清楚的知道何謂完美的實體，這種概念他一向就有。但是他認為這種概念顯然不可能來自他本身，因為對於完美實體的概念不可能來自一個本身並不完美的人，所以它必定來自那個完美實體本身，也就是上帝。因此，對笛卡爾而言，上帝的存在是一件很明顯的事實，就像一個會思考的存在者必定存在一樣。」

「他這個結論下得太早了一些。他一開始時似乎比較謹慎。」

「你說的對。許多人認為這是笛卡爾的弱點。不過你剛才說『結論』，事實上這個問題並不需要證明。笛卡爾的意思只是說我們都具有對於完美實體的概念，由此可見這個完美實體的本身必定存在。因為一個完美的實體如果不存在，就不算完美了。此外，如果世上沒有所謂的完美實體，我們也不會具有完美實體的概念。因為我們本身是不完美的，所以完美的概念不可能來自於我們。笛卡爾認為，上帝這個概念是與生俱來的，乃是我們出生時就烙印在我們身上的，『就像工匠在他的作品上打上記號一般』。」

「沒錯，可是我有『鱷象』這個概念並不代表真的有『鱷象』存在呀！」

「笛卡爾會說，『鱷象』這個概念中並不包含它必然存在的事實。但『完美實體』這個概念中卻包含它必然存在的事實。笛卡爾認為，這就像『圓』這個概念的要素之一就是，圓上所有的點必須與圓心等長一樣。如果不符合這點，圓就不成其為圓。同樣的，如果缺少『存在』這個最重要的特質，一個『完美的實體』也就不成其為『完美的實體』了。」

「這種想法很奇怪。」

「這就是典型的『理性主義者』的思考模式。笛卡爾和蘇格拉底與柏拉圖一樣，相信理性與存在之間有所關聯。依理性看來愈是明顯的事情，它的存在也就愈加可以肯定。」

「到目前為止，他只講到人是會思考的動物，以及宇宙間有一個完美的實體這兩件事。」

「是的。他從這兩點出發，繼續探討。在談到我們對外在現實世界（如太陽和月亮）的概念時，笛卡爾認為，這些概念可能都只是幻象。但是外在現實世界也有若干我們可以用理性察知的特點，這些特點就是它們的數學特質，也就是諸如長、寬、高等可以測量的特性。這些『量』方面的特性對於我們的理性來說，就像人會思考這個事實一般顯而易見。至於『質』方面的特性，如顏色、氣味和味道等，則與我們的感官經驗有關，因此並不足以描述外在的真實世界。」

「這麼說大自然畢竟不是一場夢。」

「沒錯。在這一點上，笛卡爾再度引用我們對完美實體的概念。當我們的理智很清楚的認知一件事物（例如外在真實世界的數學特性）時，那麼這件事物必定是如同我們所認知的那樣。因為一個完美的上帝是不會欺騙我們的。笛卡爾宣稱『上帝可以保證』我們用理智所認知到的一切事物必然會與現實世界相符。」

二元論

「那麼，他到目前為止已經發現了三件事：一、人是會思考的生物，二、上帝是存在的，三、宇宙有一個外在的真實世界。」

「嗯，但基本上這個外在的真實世界還是與我們思想的真實世界不同。笛卡爾宣稱宇宙間共有兩種不同形式的真實世界（或稱『實體』）。一種實體稱為思想或『靈魂』，另一種則稱為『擴延』（Extension），或稱物質。靈魂純粹是屬於意識的，不占空間，因此也不能再分解為更小的單位。而物質則純粹是擴延，會占空間，因此可以一再被分解為更小的單位，但卻沒有意識。笛卡爾認為這兩種本體都來自上帝，因為唯有上帝本身是獨立存在的，不隸屬任何事物。不過，『思想』與『擴延』雖然都來自上帝，但彼此卻沒有任何接觸。思想不受物質的影響，反之，物質的變化也不受思想的影響。」

「這麼說他將上帝的造物一分為二。」

「確實如此。所以我們說笛卡爾是二元論者，意思就是他將思想的真實世界與擴延的真實世界區分的一清二楚。比方說，他認為只有人才有靈魂，動物則完全屬於擴延的真實世界，牠們的生命和行為都是機械化的。他將動物當成是一種複雜的機械裝置。在談到擴延的真實世界時，他採取十足的機械論觀點，就像是一個唯物論者。」

「我不太相信漢密士只是一部機器或一種機械裝置。我想笛卡爾一定不是很喜歡動物。那麼我們人類又如何呢？我們難道也是一種機械裝置嗎？」

「一部分是，一部分不是。笛卡爾的結論是：人是一種二元的存在物，既會思考，也會占空間。因此人既有靈魂，也有一個擴延的身體。聖奧古斯丁與聖多瑪斯也曾經說過類似的話。他們同樣認為人有一個像動物一般的身體，也有一個像天使一般的靈魂。在笛卡爾的想法中，人的身體十足是一部機器，但人也有一個靈魂可以獨立運作，不受身體的影響。至於人體則沒有這種自由，必須遵守一套適用於他們的法則。我們用理智所思考的事物並不發生於身體內，而是發生於靈魂中，因此完全不受擴延的真實世界左右。順便一提的是，笛卡爾並不否認動物也可能有思想。不過，如果他們有這種能力，那麼有關『思想』與『擴延』的二分法必定也適用於他們。」

「我們曾經談過這個。如果我決定要追趕一輛公車，那麼我的身體這整部『機械裝置』都會開始運轉。如果我沒趕上，我的眼睛就開始流淚。」

「連笛卡爾也不能否認靈魂與身體之間時常相互作用。他相信只要靈魂存在於身體內一天，它就與會透過一個他稱為松果腺的腦部器官與人腦連結。『靈魂』與『物質』就在松果腺內時時相互作用。因此，靈魂可能會時常受到與身體需要有關的種種感覺與衝動的影響。不過，靈魂也能夠掙脫這種『原始』衝動的控制，而獨立於身體之外運作。它的目標是使理性獲得掌控權。因為，即使我肚子痛的很厲害，一個三角形內所有內角的總和仍然會是一百八十度。所以思想有能力超脫身體的需求，而做出『合乎理性』的行為。從這個角度來看，靈魂要比身體高尚。我們的腿可能會衰老無力，我們的背可能變駝，我們的牙齒會掉，但只要我們的理性存在一天，二加二就永遠是四。理性不會變駝、變弱。老化的是我們的身體。對笛卡爾而言，理性事實上就是靈魂。諸如慾望、憎恨等原始的衝動與感情與我們的身體功能關係較為密切，所以與擴延的真實世界的關係也較為密切。」

「我還是沒辦法接受笛卡爾將人體比做一部機器或一種機械裝置的說法。」

「這是因為在他那個時代，人們對於那些似乎能夠自行運轉的機器及鐘錶非常著迷。『機械裝置』指的就是一種能夠自行運轉的東西。不過這顯然只是一個幻覺，事實上他們並不是真的能夠自行運轉。舉例來說，一座天文鐘不但是由人類製造的，而且必須有人來上發條。笛卡爾強調，這類巧妙的發明事實上是由一些零件以簡單的方式組合而成。而組成人類與動物身體的各種骨骼、肌肉、神經、靜脈與動脈也可以說是一種零件，只是數量較為龐大而已。上帝為什麼不可能依照機械定律來創造動物或人類的身體呢？」

「現代有很多人談到所謂的『人工智慧』。」

「沒錯。這些都是現代的機械裝置。我們已經創造出一些有時看起來似乎很有智慧的機器。類似這樣的機器將會使笛卡爾嚇破膽。他也許會開始懷疑人類的理性是否真的像他所說的那麼獨立自主。現代也有一些哲學認為人的精神生活並不比身體各官能要自由。當然人的靈魂確實是比任何數據程式都要複雜的多，但有些人認為基本上我們就像這些數據程式一樣是不自由的。現在，蘇菲，我要給你看一樣東西。」

艾伯特指著位於房間另一頭的一張大書桌。上面放著一臺小電腦。他走過去，蘇菲也跟著他。

會面

艾伯特將電腦打開，螢幕的上方很快顯示出一個C：符號。他鍵入「萊拉」這個字，並向蘇菲解釋這是一個很先進的對話程式。

螢幕上方馬上出現一行字：

「嗨，我的名字叫萊拉。你現在坐的舒服嗎？」

雖然蘇菲還沒有坐下，但她仍鍵入：

「是的。」這時，艾伯特拿了一張椅子給她。

「你叫什麼名字？」螢幕問道。

「蘇菲。」蘇菲鍵入這幾個字。電腦回答道：

「苜蓿巷三號。很高興見到你，蘇菲。你是不是很盼望在十五日那天過生日？」

蘇菲嚇了一跳。艾伯特將一隻手放在她的肩膀上說道：

「我只不過是輸進你的姓名、地址和出生日期而已。就像你要被介紹給一個新朋友一樣，能夠事先對對方有點瞭解總是比較好。」

「還好。」蘇菲寫道。

「喔，蘇菲，我希望你沒有什麼地方不舒服。你必須要寫完整的句子才行。」

「謝謝你，我很好。我可以問你一件事嗎？」

「我很高興你沒事。有什麼事你就問吧！」

「你幾歲？」蘇菲寫道。

「我是一九八八年八月八日在亞特蘭大製造的，一九九〇年三月二十八日被挪威理工學院譯成挪威文。」

「天哪（Gosh）！」

「我說過你必須輸進完整的句子。」

「我只說天哪。」

「我不懂俚語。我的字庫裡有十多萬字，但我所能找到最接近『Gosh』的字是Gospel（福音）。」

「那是指有關耶穌的故事。」

「你是一個基督徒嗎？」

「我也不知道。」

「照道理，承認自己不知道乃是獲得新知識的一步。」

「蘇格拉底很可能也會這樣說，笛卡爾也是。」

「蘇格拉底是希臘哲學家，生於西元前四七〇年到三九九年。如果你希望知道的更多，請按F7鍵。笛卡爾是法國哲學家，生於西元一五九六年到一六五〇年間。如果你希望知道的更多，請按F8鍵。」

「謝謝你，這樣就夠了。我可以問你別的事嗎？」

「我很高興這樣就夠了。請問吧！」

艾伯特悄悄的笑了一下。蘇菲寫道：

「席德是誰？」

「席德住在黎樂桑，跟蘇菲同年。」

「你怎麼知道？」

「我不知道。我在硬碟上找到她的資料。」

蘇菲感覺有一隻手放在她的肩膀上。

「我已經把我們所知道的一點關於席德的資料輸進這個程式。」艾伯特說。

「關於席德，你還知道些什麼？」

「席德的父親是一位聯合國駐黎巴嫩的觀察員。他的軍階是少校，並且不斷寄明信片給他女兒。」

「我希望你能找到關於他的資料。」

「我不能。他不在我的檔案裡，而且我也沒有和其他的資料庫連線。」

「我要你找到他!!!!!!」

「你生氣了嗎?蘇菲。這麼多驚嘆號是顯示一種強烈感情的符號。」

「我要和席德的父親說話。」

「你好像很難控制自己。如果你想談談你的童年，請按F9。」

艾伯特再度把手放在蘇菲的肩上。

「電腦說得沒錯。它不是一個水晶球，萊拉只是一個電腦程式。」

「閉嘴!」蘇菲寫道。

「好吧!蘇菲。我們只認識了十三分五十二秒。我會記得我們所說的每一件事情。現在我要結束這個程式了。」

之後，C:這個符號再度出現於螢幕上。

「現在我們可以再坐下來了。」

但蘇菲已經按了其他幾個鍵。

「艾勃特。」她寫著。

下面幾行字立刻出現在螢幕上:

「我在這裡。」

現在輪到艾伯特嚇一跳了。

「你是誰？」蘇菲寫道。

「艾勃特少校向你報到。我直接從黎巴嫩來，請問我的女士有何命令？」

「再沒有比這個更過分的了！」艾伯特喘氣道，「這個鬼鬼祟祟的東西居然偷溜到硬碟裡來了！」

他把蘇菲推離椅子，並且坐到鍵盤前。

「你是怎麼跑進我的個人電腦裡面的？」

「小事一樁，我親愛的同仁。我想在哪裡，就在哪裡。」

「你這個可惡的電腦病毒！」

「此時此刻我可是以生日病毒的身分來到這裡。我可不可以說一些特別的賀詞？」

「不，謝了，我們已經看得夠多了。」

「我只花一點時間：親愛的席德，這都是因為你的緣故。讓我再說一次，祝你十五歲生日快樂。請你原諒我在這種場合出現。不過我只是希望無論你走到哪裡，都可以看到我寫給你的生日賀詞。我很想好好的擁抱你一下。愛你的爸爸。」

在艾伯特還沒有來得及鍵入什麼字之前，C:這個符號已經再度出現在螢幕上。

艾伯特鍵入「dir 艾勃特 ＊.＊」，結果在螢幕上叫出了下列資料：

艾勃特 .lib 147, 643 06/15–90 12:47

艾勃特.lil 326, 439 16-23-90 22:34

艾伯特鍵入「清除艾勃特＊．＊」，並關掉電腦。

「現在我可把他給消除了。」他說。「不過很難說他下次會在什麼地方出現。」

他仍然坐在那兒，盯著電腦看。然後他說：

「最糟糕的部分就是名字。艾勃特……」

蘇菲第一次發現艾勃特和艾伯特這兩個名字是如此相像。可是看到艾伯特如此生氣，她一句話也不敢說。他們一起走到茶几那兒，再度坐下來。

史賓諾莎

……上帝不是一個傀儡戲師傅……

他們坐在那兒，許久沒有開口。後來蘇菲打破沉默，想讓艾伯特忘掉剛才的事。

「笛卡爾一定是個怪人。他後來成名了嗎？」

艾伯特深呼吸了幾秒鐘才開口回答：

「他對後世的影響非常重大，尤其是對另外一位大哲學家史賓諾沙。他是荷蘭人，生於一六三二到一六七七年間。」

「你要告訴我有關他的事情嗎？」

「我正有此意。我們不要被來自軍方的挑釁打斷。」

「你說吧，我正在聽。」

「史賓諾沙是阿姆斯特丹的猶太人，他因為發表異端邪說而被逐出教會。近代很少有哲學家像他這樣因為個人的學說而備受毀謗與迫害，原因在於他批評既有的宗教。他認為基督教與猶太教之所以流傳至今完全是透過嚴格的教條與外在的儀式。他是第一個對聖經進行『歷史性批判』的人。」

「請你說得更詳細一些。」

「他否認整本聖經都是受到上帝啓示的結果。他說，當我們閱讀聖經時，必須時時記得它所撰寫的年代。他建議人們對聖經進行『批判性』的閱讀，如此便會發現經文中有若干矛盾之處。不過他認為『新約』的經文代表的是耶穌，而耶穌又是上帝的代言人。因此耶穌的教誨代表基督教已脫離正統的猶太教。耶穌宣揚『理性的宗教』，強調愛甚於一切。史賓諾沙認為這裡所指的『愛』代表上帝的愛與人類的愛。然而遺憾的是，後來基督教本身也淪為一些嚴格的教條與外在的儀式。」

「我想無論基督教會或猶太教大概都很難接受他這些觀念。」

「到事態最嚴重時，連史賓諾沙自己的家人也與他斷絕關係。他們以他散布異端邪說為由，剝奪他的繼承權。這點令人備感諷刺，因為很少人像史賓諾沙這樣大力鼓吹言論自由與宗教上的寬容精神。由於來自四面八方的反對，史賓諾沙最後決定過清靜隱遁的生活，全心研修哲學，並靠為人磨鏡片餬口。其中有些鏡片後來成為我的收藏品。」

「哇！」

「他後來以磨鏡片維生這件事可說具有象徵性的意義。一個哲學家必須幫助人們用一種新的眼光來看待生命。史賓諾沙的主要哲學理念之一就是要用永恆的觀點來看事情。」

「永恆的觀點？」

「是的，蘇菲。你想你可以用宇宙的觀點來看你自己的生命嗎？你必須試著想像此時此刻自己在人世間的生活……」

「嗯……不太容易。」

「提醒自己你只是整個大自然生命中很小的一部分，是整個浩瀚宇宙的一部分。」
「我想我瞭解你的意思……」
「你能試著去感覺嗎？你能一下子看到整個大自然（應該說整個宇宙）嗎？」
「我不確定。也許我需要一些鏡片。」
「我指的不僅是無窮的空間，也包括無限的時間。三萬年前在萊茵河谷住著一個小男孩，他曾經是這整個大自然的一小部分，是一個無盡的汪洋中的一個小漣漪。你也是，蘇菲。你也是大自然生命中的一小部分。你和那個小男孩並沒有差別。」
「只不過我現在還活著。」
「是的。但這正是我要你試著去想像的。在三萬年之後，你會是誰呢？」
「你說的異端邪說就是指這個嗎？」
「並不完全是……史賓諾莎並不只是說萬事萬物都屬於自然，他認為大自然就是上帝。他說上帝就是一切，一切都在上帝之中。」
「這麼說他是一個泛神論者。」

一元論

「沒錯。對史賓諾莎而言，上帝創造這個世界並不是為了要置身其外。不，上帝就是世界。有時史賓諾沙自己的說法會有些出入。他主張世界就在上帝之中。這裡他乃是引用保羅在雅典小丘上對雅典人說的話：『我們生活、動作、存留都在乎他。』不過我們還是追隨史賓諾沙的思想脈絡吧。他最重要著作是《幾何倫理學》（Ethics Geometrically Demonstrated）。」

「依幾何方式證明的倫理學？」

「聽起來可能有點奇怪。在哲學上，倫理學研究的是過善良生活所需的道德行為。這也是我們提到蘇格拉底或亞理斯多德的『倫理學』時所指的意思。可是到了現代，倫理學卻多多少少淪為教導人們不要冒犯別人的一套生活準則。」

「是不是因為時常想到自己便有自我主義之嫌？」

「是的，多少有這種意味。史賓諾沙所指的倫理學與現代不太相同，它包括生活的藝術與道德行為。」

「可是……怎樣用幾何方法來展現生活的藝術呢？」

「所謂幾何方法是指他所用的術語或公式。你可能還記得笛卡爾曾經希望把數學方法用在哲學性思考中。他的意思是用絕對合乎邏輯的推理來進行哲學性的思考。史賓諾沙也稟承這種理性主義的傳統。他希望用他的倫理學來顯示人類的生命乃是遵守大自然普遍的法則，因此我們必須掙脫自我的感覺與衝動的束縛。他相信唯有如此，我們才能獲得滿足與快樂。」

「我們不只受到自然法則的規範吧？」

「你要知道，史賓諾沙不是一位讓人很容易瞭解的哲學家，所以我們得慢慢來。你還記得笛卡爾相信真實世界是由『思想』與『外擴』這兩種完全不同的實體所組成的吧？」

「我怎麼可能忘記呢？」

「『實體』這個字可以解釋成『組成某種東西的事物』或『某種東西的本質或最終的面貌』。笛卡爾認為實體有兩種。每一件事物不是『思想』就是『擴延』。」

「你不需要再說一次。」

「不過，史賓諾沙拒絕使用這種二分法。他認為宇宙間只有一種實體。既存的每樣事物都可以被分解、簡化成一個他稱為『實體』的真實事物。他有時稱之為『上帝』或『大自然』。因此史賓諾沙並不像笛卡爾那樣對真實世界抱持二元的觀點。我們稱他為『一元論者』。也就是說，他將大自然與萬物的情況簡化為一個單一的實體。」

「那麼他們兩人的論點可說是完全相反。」

「是的。但笛卡爾與史賓諾沙之間的差異並不像許多人所說的那麼大。笛卡爾也指出，唯有上帝是獨立存在的。只是，史賓諾沙認為上帝與大自然（或上帝與祂的造物）是一體的。只有在這方面他的學說與笛卡爾的論點和猶太、基督兩教的教義有很大的差距。」

「這麼說他認為大自然就是上帝，只此而已。」

「可是史賓諾沙所指的『自然』並不僅指擴延的自然界。他所說的實體，無論是上帝或自然，指的是既存的每一件事物，包括所有精神上的東西。」

「你是說同時包括思想與擴延。」

「對。根據史賓諾沙的說法，我們人類可以認出上帝的兩種特質（或上帝存在的證明）。史賓諾沙稱之為上帝的『屬性』。這兩種屬性與笛卡爾的『思想』和『擴延』是一樣的。上帝（或『自然』）以思想或擴延的形式出現。上帝的屬性很可能無窮無盡，遠不止於此。但『思想』與『擴延』卻是人類所僅知的兩種。」

「不錯。但他把它說得好複雜呀！」

「是的。我們幾乎需要一把鍾子和一把鑿子才能參透史賓諾沙的語言，不過，這樣的努力還是有報償的。最後你會挖掘出像鑽石一般清澄透明的思想。」

「我等不及了。」

「他認為自然界中的每一件事物不是思想就是擴延。我們在日常生活中看到的每一種現象，例如一朵花或華茲華士的一首詩，都是思想屬性或擴延屬性的各種不同模態。所謂『模態』就是實體、上帝或自然所採取的特殊表現方式。一朵花是擴延屬性的一個模態，一首詠歎這朵花的詩則是思想屬性的一個模態。但基本上兩者都是實體、上帝或自然的表現方式。」

「你差一點把我唬住了。」

「不過，其中道理並沒有像他說的那麼複雜。在他嚴峻的公式之下，其實埋藏著他對生命美妙之處的體悟。這種體悟簡單得無法用通俗的語言表達出來。」

「我想我還是比較喜歡用通俗的語言。」

「沒錯。那麼我還是先用你來打個比方好了。當你肚子痛的時候，這個痛的人是誰？」

「就像你說的，是我。」

「嗯。當你後來回想到自己曾經肚子痛的時候，那個想的人是誰？」

「也是我。」

「所以說你這個人這會兒肚子痛，下一會兒則回想你肚子痛的感覺。史賓諾沙認為所有的物質和發生在我們周遭的事物都是上帝或自然的表現方式。如此說來，我們的每一種思緒也都是上帝或自然的思緒。因為萬事萬物都是一體的。宇宙間只有一個上帝、一個自然或一個實體。」

「可是，當我想到某一件事時，想這件事的人是我；當我移動時，做這個動作的人也是我。這跟上帝有什麼關係呢？」

「你很有參與感。這樣很好。可是你是誰呢？你是蘇菲，沒錯，但你同時也是某種廣大無邊的存在的表現。你當然可以說思考的人是你，或移動的人是你，但你也可以說是自然在透過你思考或移動。這只是你願意從哪一種觀點來看的問題罷了。」

「你是說我無法為自己做決定嗎？」

「可以說是，也可以說不是。你當然有權決定以任何一種方式移動自己的拇指。但你的拇指只能根據它的本質來移動。它不能跳脫你的手，在房間裡跳舞。同樣的，你在這個生命的結構中也有一席之地。你是蘇菲，但你也是上帝身體上的一根手指頭。」

「這麼說我做的每一件事都是由上帝決定的囉？」

「也可以說是由自然或自然的法則決定的。史賓諾沙認為上帝（或自然法則）是每一件事的『內在因』。祂不是一個外在因，因為上帝透過自然法則發言，而且只透過這種方式發言。」

「我好像還是不太能夠瞭解其間的差異。」

「上帝並不是一個傀儡戲師傅，拉動所有的繩子，操縱一切的事情。一個真正的傀儡戲師傅是從外面來操縱他的木偶，因此他是這些木偶做出各種動作的『外在因』。但上帝並非以這種方式來主宰世界。上帝是透過自然法則來主宰世界。因此上帝（或自然）是每一件事情的『內在部因』。這表示物質世界中發生的每一件事情都有其必要性。對於物質（或自然）世界，史賓諾沙所採取的是決定論者的觀點。」

「你從前好像提過類似的看法。」

自然法則

「你說的大概是斯多葛學派，他們確實也認為世間每一件事的發生都有其必要。這是為什麼我們遇到各種情況時要堅忍卓絕的緣故。人不應該被感情沖昏了頭。簡單的說，這也是史賓諾沙的道德觀。」

「我明白你的意思了。可是我仍然不太能夠接受我不能替自己決定任何事情的看法。」

「好，那麼讓我們再來談三萬年前石器時代那個小男孩好了。長大後，他開始用矛射殺野獸，然後愛上了一個女人並結婚生子，同時崇奉他們那個部落的神。你真的認為那些事情都是由他自己決定的嗎？」

「我不知道。」

「或者我們也可以想想非洲的一隻獅子。你認為是牠自己決定要成為一隻猛獸的嗎？牠是因為這樣才攻擊一隻跛腳的羚羊嗎？牠可不可能自己決定要吃素？」

「不，獅子會依照自己的天性來做。」

「所謂天性就是『自然法則』。你也一樣，蘇菲，因為你也是自然的一部分。你當然可以拿笛卡爾的學說來反駁我，說獅子是動物，不是一個具有自由心智的自由人。可是請你想一想，一個新生的嬰兒會哭會叫，如果沒有奶喝，它就會吸自己的手指頭。你認為那個嬰兒有自由意志嗎？」

「大概沒有吧。」

「那麼，一個孩子是怎樣產生自由意志的呢？兩歲時，她到處跑來跑去，指著四周每一樣東西。三歲時她總是纏著媽媽嘰哩呱啦說個不停。四歲時，她突然變得怕黑。所謂的自由究竟在哪裡？」

「我也不知道。」

「當她十五歲時，她坐在鏡子前面練習化妝。難道這就是她開始為自己做決定並且隨心所欲做事的時候嗎？」

「我開始明白你的意思了。」

「當然，她是蘇菲，但她同時也依據自然法則而活。問題在於她自己並不瞭解這點，因為她所做的每一件事背後都有很多複雜的理由。」

「好了，你不需要再說了。」

「可是最後你必須回答一個問題。在一個大花園中，有兩棵年紀一樣大的樹。其中一棵長在充滿陽光、土壤肥沃、水分充足的地方，另外一棵長在土壤貧瘠的黑暗角落。你想哪一棵樹會長得比較大？哪一棵樹會結比較多的果子？」

「當然是那棵擁有最佳生長條件的樹。」

「史賓諾沙認為，這棵樹是自由的，它有充分的自由去發展它先天的能力。但如果它是一棵蘋果樹，它就不可能有能力長出梨子或李子。同樣的道理也適用於我們人類。我們的發展與個人的成長可能會受到政治環境等因素的阻礙，外在的環境可能限制我們，只有在我們能夠『自由』發展本身固有能力時，我們才活得像個自由的人。但無論如何，我們仍然像那個生長在石器時代萊茵河谷的男孩、那隻非洲的獅子或花園裡那棵蘋果樹一樣受到內在潛能與外在機會的左右。」

「好了。我投降了。」

「史賓諾沙強調世間只有一種存在是完全自主，且可以充分自由行動的，那就是上帝（或自然）。唯有上帝或自然可以表現這種自由、『非偶然』的過程。人可以爭取自由，以便去除外在的束縛，但他永遠不可能獲得『自由意志』。我們不能控制發生在我們體內的每一件事，這是擴延屬性的一個模態。我們也不能『選擇』自己的思想。因此，人並沒有自由的靈魂，他的靈魂或多或少都被囚禁在一個類似機器的身體內。」

「這個理論實在很難瞭解。」

「史賓諾沙指出，使我們無法獲得真正的幸福與和諧的是我們內心的各種衝動，例如我們的野心和慾望。但如果我們體認到每一件事的發生都有其必然性，我們就可以憑直覺理解整個大自然。我們會很清楚的領悟到每一件事都有關聯，每一件事都是一體的。最後的目標是以一種全然接納的觀點來理解世間的事物。只有這樣，我們才能獲得真正的幸福與滿足。這是史賓諾沙所說的sub specie aeternitatis。』

「什麼意思？」

「從永恆的觀點來看每一件事情。我們一開始不就是講這個嗎？」

「到這裡我們也該結束了。我得走了。」

艾伯特站起身來，從書架上拿了一個大水果盤，放在茶几上。

「你走前不吃點水果嗎？」

蘇菲拿了一根香蕉，艾伯特則拿了一個綠蘋果。

她把香蕉的頂端弄破，開始剝皮。

「這裡寫了幾個字。」她突然說。

「哪裡？」

「這裡——香蕉皮裡面。好像是用毛筆寫的。」

蘇菲傾過身子，把香蕉拿給艾伯特看。他把字唸出來：

「席德，我又來了。孩子，我是無所不在的。生日快樂！」

「真滑稽。」蘇菲說。

「他愈來愈會變把戲了。」

「可是這是不可能的呀……是不是？黎巴嫩也種香蕉嗎？」

艾伯特搖搖頭。

「這種香蕉我才不要吃呢！」

「那就別吃吧。要是誰把送給女兒的生日賀詞寫在一根沒有剝皮的香蕉裡面，那他一定神經不太正常，可是一定也很聰明。」

「可不是嘛！」

「那我們可不可以從此認定席德有一個很聰明的父親？換句話說，他並不笨。」

「我不是早就告訴過你了嗎？上次我來這裡時，讓你一直叫我席德的人很可能就是他。也許他就是那個透過我們的嘴巴說話的人。」

「任何一種情況都有可能，但我們也應該懷疑每一件事情。」

「我只知道，我們的生命可能只是一場夢。」

「我們還是不要太早下結論。也許有一個比較簡單的解釋。」

「不管怎樣，我得趕快回家了。媽媽正在等我呢！」

艾伯特送她到門口。她離去時，他說：

「親愛的席德，我們會再見面。」

然後門就關了。

洛克

……赤裸、空虛一如教師來到教室前的黑板

蘇菲回到家時已經八點半了，比她和媽媽說好的時間遲了一個半小時。其實她也沒和媽媽說好，她只是在吃晚飯前離家，留了一張紙條給媽媽說她會在七點前回來。

「蘇菲，你不能再這樣了。我剛才急得打查號臺，問他們有沒有登記住在舊市區的艾伯特這個人，結果還被人家笑。」

「我走不開呀！我想我們正要開始解開這個大謎團。」

「胡說八道！」

「是真的。」

「你請他參加你的生日宴會了嗎？」

「糟糕，我忘了！」

「那麼，我現在一定要見見他。最遲在明天。一個年輕女孩像這樣和一個年紀比她大的男人見面是不正常的。」

「你沒有理由擔心艾伯特。席德的爸爸可能更糟糕。」

「席德是誰？」

「那個在黎巴嫩的男人的女兒。他真的很壞，他可能控制了全世界。」

「如果你不立刻介紹你的艾伯特給我認識，我就不准你再跟他見面。至少我要知道他長得什麼樣子，否則我不會放心。」

蘇菲想到了一個很好的主意。於是她馬上衝到房間去。

「你現在又是怎麼回事？」媽媽在她背後叫她。

一轉眼的工夫，蘇菲就回來了。

「你馬上就可以看到他的長相，然後我希望你就不要管這件事了。」

她揮一揮手中的錄影帶，然後走到錄影機旁。

「他給你一卷錄影帶？」

「從雅典……」

不久，雅典的高城就出現在螢幕上。當艾伯特出現，並開始向蘇菲說話時，媽媽看得目瞪口呆。

這次蘇菲注意到一件她已經忘記的事。高城裡到處都是遊客，三五成羣的往來穿梭。其中有一羣人當中舉起了一塊小牌子，上面寫著「席德」……艾伯特繼續在高城漫步。一會兒之後，他往下面走，穿過入口，並爬上當年保羅對雅典人演講的小山丘。然後他繼續從那裡的廣場上向蘇菲說話。

媽媽坐在那兒，不時簡短的發表著評論：

「真不可思議……那就是艾伯特嗎？他又開始講關於兔子的事了……可是……沒錯

哎，蘇菲，他真的是在對你講話。我不知道保羅還到過雅典……」

錄影帶正要放到古城雅典突然從廢墟中興起的部分，蘇菲連忙把帶子停掉。現在她已經讓媽媽看到艾伯特了，沒有必要再把柏拉圖介紹給她。

客廳裡一片靜寂。

「你認為他這個人怎麼樣？長得很好看對不對？」蘇菲開玩笑的說。

「他一定是個怪人，才會在雅典拍攝自己的錄影帶，送給一個他幾乎不認識的女孩子。他是什麼時候跑到雅典去的？」

「我不知道。」

「還有……」

「還有什麼？」

「他很像是住在林間小木屋的那個少校。」

「也許就是他呢！」

「可是已經有十五年都沒有人看過他了。」

「他也許到處遊歷……也許到雅典去了。」

媽媽搖搖頭。

「我在七〇年代看到他時，他一點都不比我剛才看到的這個艾伯特年輕。他有一個聽起來像是外國人的名字……」

「是艾伯特嗎？」

「大概吧。」

「還是艾勃特？」

「我一點都不記得了……你說的這兩個人是誰？」

「一個是艾伯特，一個是席德的爸爸。」

「你把我弄得頭都昏了。」

「家裡有東西吃嗎？」

「你把肉丸子熱一熱吧。」

失踪

整整兩個禮拜過去了，艾伯特消息全無。這期間蘇菲又接到了一張寄給席德的生日卡，不過雖然她自己的生日也快到了，她卻連一張卡片也沒接到。

一天下午，她到舊市區去敲艾伯特的門。他不在家，只見門上貼著一張短短的字條，上面寫著：

席德，生日快樂！現在那個大轉捩點就要到了。孩子，這是關鍵性的一刻。我每次想到這裡，就忍不住笑得差點尿褲子。當然這和柏克萊有點關係，所以把你的帽子抓緊吧！

蘇菲臨走時，把門上的字條撕了下來，塞進艾伯特的信箱。

該死！他不會跑回雅典去吧？還有這麼多問題等待解答，他怎麼可以離她而去呢？

經驗主義

六月十四日，她放學回家時，漢密士已經在花園裡跑來跑去了。蘇菲向牠飛奔過去，牠也快活的迎向她。她用雙手抱著牠，彷彿牠可以解開她所有的謎題。

這天，蘇菲又留了一張紙條給媽媽，但這一次她同時寫下了艾伯特的地址。

他們經過鎮上時，蘇菲心裡想著明天的事。她想的主要並不是她自己的生日。何況她的生日要等到仲夏節那一天才過。不過，明天也是席德的生日。蘇菲相信明天一定會有很不尋常的事發生。至少從明天起不會有人從黎巴嫩寄生日卡來了。

當他們經過大廣場，走向舊市區時，經過了一個有遊樂場的公園。漢密士在一張長椅旁停了下來，彷彿希望蘇菲坐下來似的。

於是蘇菲便坐了下來。她拍拍漢密士的頭，並注視著牠的眼睛。突然間漢密士開始猛烈的顫抖。蘇菲心想，牠要開始吠了。

然後漢密士的下顎開始振動，但牠既沒有吠，也沒有汪汪叫。牠開口說話了：

「生日快樂，席德！」

蘇菲驚訝的目瞪口呆。漢密士剛才真的跟她講話了嗎？

不可能的。那一定是她的幻覺，因為她剛才正想著席德的事。不過內心深處她仍相信漢密士剛才確實曾開口說話……而且聲音低沉而厚實。

一秒鐘後，一切又恢復正常。漢密士吠了兩、三聲，彷彿是要遮掩牠剛才開口說人話的事實。然後牠繼續往艾伯特的住所走去。當他們正要進屋時，蘇菲擡頭看了一下天色。今天整天都是晴朗的天氣，但現在遠方已經開始聚集了厚重的雲層。

艾伯特一打開門，蘇菲便說：

「別多禮了，拜託。你是個大白癡，你自己知道。」

「怎麼啦？」

「少校讓漢密士講話了！」

「哦，已經到了這個地步？」

「是呀！你能想像嗎？」

「那他說些什麼呢？」

「我讓你猜三次。」

「我猜他大概是說些類似生日快樂的話。」

「答對了！」

艾伯特讓蘇菲進門。這次他又穿了不同的衣裳，與上次的差別不是很大，但今天他身上幾乎沒有任何穗帶、蝴蝶結或花邊。

「可是還有一件事。」蘇菲說。

「什麼意思？」

「你沒有看到信箱裡的紙條嗎？」

「喔，你是說那個。我馬上把它扔掉了。」

「我才不在乎他每次想到柏克萊時是否真的尿濕了褲子，可是那個哲學家到底是怎麼回事，才會使他那個樣子？」

「這個我們再看看吧。」

「你今天不就是要講他嗎？」

「是啊，沒錯，就是今天。」

艾伯特舒適的坐在沙發上，然後說道：

「上次我們坐在這兒時，我向你說明笛卡爾和史賓諾沙的哲學。我們一致同意他們兩人有一點很相像，那就是：他們顯然都是理性主義者。」

「而理性主義者就是堅信理性很重要的人。」

「沒錯，理性主義者相信理性是知識的泉源。不過他可能也同意人在還沒有任何經驗之前，心中已經先有了一些與生俱來的概念。這些概念愈清晰，必然就愈與實體一致。你應該還記得笛卡爾對於『完美實體』有清晰的概念，並且以此斷言上帝確實存在。」

「我的記性還不算差。」

「類似這樣的理性主義思想是十七世紀哲學的特徵，這種思想早在中世紀時就紮下了深厚的基礎。柏拉圖與蘇格拉底也有這種傾向。但在十八世紀時，理性主義思想受到的批判日益嚴格。當時有些哲學家認為，如果不是透過感官的體驗，我們的心中將一無所有，這種觀點被稱為『經驗主義』。」

「你今天就是要談那些主張經驗主義的哲學家嗎？」

「是的。最重要的經驗主義哲學家是洛克、柏克萊與休姆，都是英國人。十七世紀主要的理性主義哲學家當中，笛卡爾是法國人，史賓諾沙是荷蘭人，萊布尼茲則是德國人。所以我們通常區分為『英國的經驗主義』與『歐陸的理性主義』。」

「這些字眼都好難呀！你可以把經驗主義的意思再說一次嗎？」

「經驗主義者就是那些從感官的經驗獲取一切關於世界的知識的人。亞理斯多德曾經說過：『我們的心靈中所有的事物都是先透過感官而來的。』這是對經驗主義的最佳說明。這種觀點頗有批評柏拉圖的意味。因為柏拉圖認為人生下來就從觀念世界裡帶來了一整套的『觀念』。洛克則重複亞理斯多德說的話，但他針對的對象是笛卡爾。」

「我們心靈中所有的事物都是先透過感官而來的？」

「這句話的意思是：我們在看到這個世界之前對它並沒有任何固有的概念或觀念。如果我們有一個觀念或概念是和我們所經驗的事實完全不相關的，則它將是一個虛假的觀念。舉例來說，當我們說出『上帝』、『永恆』或『實體』這些字眼時，我們並沒有運用我們的理智，因為沒有人曾經體驗過上帝、永恆或哲學家所謂的『實體』這些東西。因此，雖然有許多博學之士著書立說，探討這些事物，但事實上他們並沒有提出什麼新見解。這類精心構築的哲學體系可能令人印象深刻，但卻是百分之百的虛幻。十七、十八世紀的哲學家雖然繼承了若干這類理論，但他們現在要把這些理論拿到顯微鏡下檢視，以便把所有空洞不實的觀念淘汰掉。我們可以將這個過程比喻為淘金。你所淘取的東西大多是沙子和泥土，但偶爾你會發現一小片閃閃發亮的金屑。」

「那片金屑就是真正的經驗嗎？」

「至少是一些與經驗有關的思想。那些英國的經驗主義哲學家認為，仔細檢視人類所有的觀念，以確定它們是否根據實際的經驗而來，乃是一件很重要的事。不過，我們還是一次談一位哲學家好了。」

「好，那就開始吧。」

「第一位是英國哲學家洛克（John Locke）。他生於一六三二到一七〇四年間，主要的作品是《論人之理解力》（Essay Concerning Human Understanding），出版於一六九〇年。他在書中試圖澄清兩個問題：第一，我們的概念從何而來？第二，我們是否可以信賴感官的經驗？」

「有意思。」

「我們一次談一個問題好了。洛克宣稱，我們所有的思想和觀念都反映我們曾看過、聽過的事物。在我們看過、聽過任何事物之前，我們的心靈就像一塊Tabula rasa，意思是『空白的板子』。」

「請你不要再講拉丁文了。」

「洛克認為，在我們的感官察知任何事物前，我們的心靈就像老師還沒有進教室之前的黑板一樣空白。他也將此時我們的心靈比做一間沒有家具的房間。可是後來我們開始經驗一些事物，我們看到周遭的世界，我們聞到、嚐到、摸到、聽到各種東西。其中又以嬰兒最為敏銳。這是洛克所謂的『單一感官概念』。然而，我們的心靈除了被動的接收外界的印象之外，同時也積極的進行某種活動。它以思考、推理、相信、懷疑等方式來處理它所得到的各種單一感官概念，因此產生了洛克所謂的『思維』（reflection）。所以說，他認為感覺（sensation）與思維是不同的。我們的心靈並不只是一具被動的接收器，它也會將所有不斷傳進來的感覺加以分類、處理。而這正是我們需要當心的地方。」

「當心？」

「洛克強調，我們唯一能感知的事物是那些『單一感覺』。例如，當我吃一顆蘋果時，我並不能一次感知整顆蘋果的模樣與滋味。事實上，我所接收到的是一連串的單一感覺，諸如它是綠色的、聞起來很新鮮、嚐起來脆又多汁等。一直要等到我吃了許多口之後，我才能說：我正在吃『蘋果』。洛克的意思是，我們自己形成了一個有關『蘋果』的『複合概念』。當我們還是嬰兒，初次嚐到蘋果時，我們並沒有這種複合概念。我們只是看到一個綠色的東西，嚐起來新鮮多汁，好吃……還有點酸。我們就這樣一點一滴的將許多類似的感覺放在一起，形成『蘋果』、『梨子』或『橘子』這些概念。但根本上，使我們得以認識這個世界的所有材料都來自感官。那些無法回溯到一種單一感覺的知識便是虛假的知識，我們不應該接受。」

「無論如何，我可以確定這些事物便是像我們所看到、聽到、聞到和嚐到的一般。」

「可以說是，也可以說不是。談到這點，我們就要討論洛克嘗試解答的第二個問題。剛才他已經回答了『我們的概念從哪裡來？』這個問題。現在他的問題是：『這世界是否真的就像我們所感知的那樣？』答案並不很明顯。因此，蘇菲，我們不能太早下定論。一個真正的哲學家絕不會遽下定論。」

「我一句話也沒說呀！」

「洛克將感官的性質分為『主要』與『次要』兩種。在這方面他承認受到笛卡爾等大哲學家的影響。所謂的『主要性質』指的是擴延世界的特質，如重量、運動和數量等等。我們談的是這類特質時，我們可以確定我們的感官已經將它們加以客觀的再現。但事物還有其他特質，如酸或甜、綠或紅、熱或冷等。洛克稱它們為『次要性質』。類似顏色、氣息、味道、聲音等感覺並不能真正反映事物本身的固有性質，而只是反映外在實體在我們的感官上所產生的作用。」

「換句話說，就是人各有所好。」

「一點都沒錯。在尺寸、重量等性質上，每個人都會有一致的看法，因為這些性質就存在於事物本身之內。但類似顏色、味道等次要性質就可能因人而異，因動物而異，要看每個人感覺的本質而定。」

「喬安吃柳丁時，臉上的表情跟別人在吃檸檬時一樣。她一次最多只能吃一片，她說柳丁很酸。可是同樣的一個柳丁，我吃起來卻往往覺得很甜、很好吃。」

「你們兩個人沒有誰對，也沒有誰錯。你只是描述柳丁對你的感官所產生的作用而已。我們對顏色的感覺也是一樣。你也許不喜歡某種色調的紅，但如果喬安買了一件那種顏色的衣服，你最好還是不要加以批評。你對顏色的體驗與別人不同，但顏色的本身並沒有美醜可言。」

「可是每一個人都會說柳丁是圓的。」

「是的，如果你面前的柳丁是圓的，你就不會『以為』它是方的。你會『以為』它是甜的或酸的，但如果它的重量只有兩百公克，你不會『以為』它有八公斤重。你當然可以『相信』它重達幾公斤，但如果這樣的話，你一定是個不折不扣的呆子。如果你同時要幾個人來猜某個東西的重量，那麼一定會有一個人的答案比較接近。同樣的道理也適用於數目。罐子裡豌豆的數量要不就是九八六個，要不就不是。動作方面也是一樣。一輛汽車要不就是正在移動，要不就是在靜止的狀態。」

「我懂了。」

「所以當牽涉到『擴延』的實體時，洛克同意笛卡爾的說法，認為確實有些性質是人可以用理智來瞭解的。」

「在這方面取得共識應該不會太難才對。」

「洛克也承認笛卡爾所謂『直覺的』或『明示的』（demonstrative）知識在其他方面也存在。例如，他認為每個人都有相同的一些道德原則。換句話說，他相信世間有所謂『自然權利』（natural right）存在。這正是理性主義者的特徵。洛克與理性主義者相像的另外一點是：他相信人類憑理性就自然而然可以知道上帝的存在。」

「他說的也許沒錯。」

「你是指哪一方面？」

「上帝確實存在這件事。」

「這當然是有可能的。不過他並不以為這只是一種信仰，他相信關於上帝的概念是原本就存在於人的理性之內的。這也是理性主義者的特色。還有，他也公開提倡知識自由與寬容的精神，並很關心兩性平等的問題。他宣稱，女人服從男人的現象是受到男人操縱的結果，因此是可以加以改變的。」

「這點我不能不同意。」

「洛克是近代哲學家中最先關心性別角色的人之一。他對於另外一個英國哲學家彌爾（John Stuart Mill）有很大的影響。而後者又在兩性平等運動中扮演了舉足輕重的角色。總而言之，洛克倡導了許多開明的觀念，而這些觀念後來在十八世紀的法國啓蒙運動中終於開花結果。他也是首先倡導『政權分立』原則的人。」

「意思是不是說國家的政權必須由不同的機構共同持有……？」

「你還記得是哪幾個機構嗎？」

「人民所選出的代表握有立法權，法院握有司法權，政府握有行政權。」

「政權分立的觀念最初是由法國啓蒙運動時期的哲學家孟德斯鳩（Montesquieu）提出。但洛克最早強調立法權與行政權必須分立，以防止專制政治。他生在路易十四統治的年代。路易十四一人獨攬所有政權，並說：『朕即國家。』因此我們說他是很『專制』的君主。這種政治我們稱之為『無政府狀態』。洛克的觀點是：為了確保國家的法治，必須由人民的代表制定法律，而由國王或政府執行法律。」

休姆

……將它付之一炬……

艾伯特坐在那兒，低頭注視著茶几。最後他轉過身來，看著窗外。

「雲層愈來愈厚了。」蘇菲說。

「嗯，天氣很悶熱。」

「你現在要談柏克萊了嗎？」

「他是三位英國經驗主義哲學家中的第二位，但在許多方面他可說是自成一個格局。因此我們還是先談休姆（David Hume）好了。休姆生於一七一一到一七七六年間。他是經驗主義哲學家中最重要的一位，也是啓發大哲學家康德，使他開始走上哲學研究道路的人。」

「你不介意我對柏克萊的哲學比較有興趣嗎？」

休姆

「這不重要。休姆生長在蘇格蘭的愛丁堡附近，家人希望他修習法律，但他覺得自己『對哲學和學習以外的事務有不可抗拒的排斥心理』。他生在啓蒙時代，與法國大思想家伏爾泰與盧梭等人同一個時期。他早年曾經遍遊歐洲各地，最後才回到愛丁堡定居，度過餘年。他的主要作品是《人性論》(Treatise on Human Nature),在他二十八歲時出版。但他宣稱他在十五歲的時候就有了寫這本書的構想。」

「我看我也不應該再浪費時間了。」

「你已經開始了。」

「但如果我要建立一套自己的哲學,那這套哲學會和我們到目前為止所談過的任何哲學理論都大不相同。」

「你認為我們談的這些哲學理論缺少了什麼東西嗎?」

「這個嘛,首先,你談的這些哲學家都是男人,而男人似乎只活在他們自己的世界裡。我對真正的世界比較有興趣。我是指一個有花、有動物、有小孩出生長大的世界。你說的那些哲學家總是談什麼『人與人類』的理論。現在又有人寫了一本《人性論》,好像這裡面的『人』是一個中年男人似的。我的意思是,生命是從懷孕和生產開始的。但是到目前為止,卻從來沒有人談到尿布呀、嬰兒啼哭呀什麼的。也幾乎沒有人談到愛和友情。」

「你說得當然很對。但在這方面,休姆可能和其他哲學家不太一樣。他比任何一位哲學家都要能夠以日常生活為起點。我甚至認為他對兒童(世界未來的公民)體驗生命的方式的感覺很強烈。」

「那我最好洗耳恭聽。」

「身為一個經驗主義者,休姆期許自己要整理前人所提出的一些混淆不清的思想與觀念，包括中世紀到十七世紀這段期間，理性主義哲學家留傳下來的許多言論和著作。休姆建議，人應回到對世界有自發性感覺的狀態。他說，沒有一個哲學家『能夠帶我們體驗日常生活，而事實上哲學家們提示的那些行為準則都是我們對日常生活加以省思後，便可以領悟出來的』。」

「到目前為止他說的都不錯。你能舉一些例子嗎？」

「在休姆那個時代，人們普遍相信有天使。他們的模樣像人，身上長著翅膀。你見過這樣的東西嗎？」

「沒有。」

「可是你總見過人吧？」

「什麼傻問題嘛！」

「你也見過翅膀嗎？」

「當然，但不是長在人的身上。」

「所以，據休姆的說法，『天使』是一個複合的概念，由兩個不同的經驗組成。這兩個經驗雖然事實上無關，但仍然在人的想像中結合在一起。換句話說，這是一個不實的觀念，應該立即受到駁斥。同樣的，我們也必須以這種方式釐清自身所有的思想觀念和整理自己的藏書。他說，如果我們手裡有一本書……我們應該問：『書中是否包含任何與數量和數目有關的抽象思考？』如果答案是『沒有』，那麼我們應該再問：『書裡是否包含任何與事實和存在有關的經驗性思考？』如果答案還是『沒有』，那麼我們還是將它付之一炬吧，因為這樣的書內容純粹是詭辯和幻象。」

「好激烈呀！」

「但世界仍然會存在，而且感覺更清新，輪廓也更分明。休姆希望人們回到孩提時代對世界的印象。你剛才不是說許多哲學家都活在自己的世界裡，還說你對真實的世界比較有興趣嗎？」

「沒錯。」

「休姆可能也會說類似的話。不過我們還是繼續談他的理念吧。」

「請說。」

「休姆首先斷定人有兩種知覺，一種是印象，一種是觀念。『印象』指的是對於外界實在的直接感受，『觀念』指的是對印象的回憶。」

「能不能舉個例子呢？」

「如果你被熱爐子燙到，你會馬上得到一個『印象』。事後你會回想自己被燙到這件事，這就是休姆所謂的『觀念』。兩者的不同在於『印象』比事後的回憶要更強烈，也更生動。你可以說感受是原創的，而『觀念』（或省思）則只不過是模仿物而已。『印象』是在我們的心靈中形成『觀念』的直接原因。」

「到目前為止，我還可以理解。」

「休姆進一步強調印象與觀念可能是單一的，也可能是複合的。你還記得我們談到洛克時曾經以蘋果為例子嗎？對於蘋果的直接經驗就是一種複合印象。」

「對不起，打斷你的話。這種東西重要嗎？」

「你怎麼會問這種問題呢？就算哲學家們在建構一個理論的過程中偶爾會討論一些似乎不是問題的問題，但你也絕對不可以放棄。笛卡爾曾說，一個思考模式必須從最基礎處開始建立，我想休姆應該會同意這個說法。」

「好吧，好吧。」

「休姆的意思是：我們有時會將物質世界中原本並不共存的概念放在一起。剛才我們已經舉過天使這個例子。以前我們也曾提到『鱷象』這個例子，另外還有一個例子是『飛馬』。看過這些例子後，我們不得不承認我們的心靈很擅長剪貼拼湊的工作。因為，這些概念中的每一個元素都曾經由我們的感官體驗過，並以真正『印象』的形式進入心靈這個劇場。事實上沒有一件事物是由我們的心靈創造的。我們的心靈只是把不同的事物放在一起，創造一個虛假的『觀念』罷了。」

「是的，我明白了。這的確是很重要的。」

「明白了就好。休姆希望審查每一個觀念，看看它們是不是以不符合現實的方式複合而成的。他會問：這個觀念是從哪一個印象而來的？遇到一個複合觀念時，他要先找出這個觀念是由哪些『單一概念』共同組成的，這樣他才能夠加以批判、分析，並進而釐清我們的觀念。

「你可以舉一、兩個例子嗎?」

「在休姆的時代,許多人對『天堂』或『新耶路撒冷』有各種生動鮮明的想像。如果你還記得的話,笛卡爾曾說:假使我們對某些事物有『清楚分明』的概念,則這些事物就可能確實存在。」

「我說過,我的記性不差。」

「在經過分析後,我們可以發現我們對『天堂』的概念事實上是由許多元素複合而成的,例如『珍珠門』、『黃金街』和無數個『天使』等。不過到這個階段,我們仍然還沒有把每一件事物都分解為單一的元素,因為珍珠門、黃金街與天使本身都是複合的概念。只有在我們瞭解到我們對於天堂的概念實際上是由『珍珠』、『門』、『街道』、『黃金』、『穿白袍的人』與『翅膀』等單一概念所組成後,我們才能自問是否真的有過這些『單一印象』。」

「我們確實有過,只是後來又把這些『單一印象』拼湊成一幅想像的圖像。」

「對,正是這樣。我們在拼湊這類想像圖畫時除了不用剪刀、漿糊之外,什麼都用了。休姆強調,組成一幅想像圖畫的各個元素必然曾經在某一時刻以『單一印象』的形式進入我們的心靈。否則一個從未見過黃金的人又怎能想像出黃金街道的模樣?」

「很聰明,但他怎麼解釋笛卡爾對於上帝有很清晰判明的觀念這個現象呢?」

「休姆的解釋是:假設我們想像上帝是一個無限『智慧、聰明、善良的事物』,那麼

『上帝』這個觀念就是由某個無限智慧、某個無限聰明與某個無限善良的事物共同組成的一個『複合觀念』。如果我們不知道何謂智慧、何謂聰明、何謂良善的話，我們絕不可能形成這樣一個對上帝的觀念。當然，也有些人認為上帝是一個『嚴厲但公正的父親』，但這個觀念同樣是由『嚴厲』、『正義』與『父親』等元素所組成。休姆之後的許多宗教批評人士都指出，人類之所以對上帝有這些觀念，可能和我們孩提時代對父親的感覺有關。他們認為我們對於父親的觀念導致我們對於『天父』的概念。」

「也許是吧。但我從不認為上帝一定是個男人。有時我媽會叫上帝『天母』（Godiva）以求公平。」

「無論如何，只要是無法回溯到特定感官認知經驗的思想與觀念，休姆便不接受。他說他要『推翻那些長久以來主導哲學思想，使得哲學蒙羞的無稽之談』。在日常生活中，我們也常使用一些複合觀念，而不去思考這些觀念是否站得住腳。以『我』（或自我）這個問題為例。這是笛卡爾哲學的基礎，是他全部的哲學賴以建立的一個清晰判明的知覺。」

「我希望休姆不要否認『我』就是我，否則就真的是太胡扯了。」

「蘇菲，我希望這門課能教你不要妄下定論。」

「對不起。你繼續說吧。」

「不，我要你用休姆的方法來分析你所認知的你的『自我』。」

「那我必須先瞭解自我是一個單一概念，還是複合概念？」

「你認為呢？」

「我必須承認我覺得自己挺複雜的。比方說，我很容易發脾氣，也滿優柔寡斷的。有時候我會對一個人又愛又恨。」

「那麼，這個『自我概念』就是一個『複合觀念』。」

「好吧。那我現在得想一想我是否曾經對於這個自我有過這樣的『複合印象』。我想大概有吧。事實上，我一直都有。」

「你會因此而擔心嗎？」

「我是很善變的。今天的我已經不是四歲時的我。我的脾氣和我對自己的看法可能會在一分鐘內改變，我可能會突然覺得自己像『變了一個人』。」

不可知論者

「所以說，以為自己有一個不變的自我事實上是一種不實的認知。你對自我的認知實際上是一長串你同時體驗過的單一印象造成的結果。正如休姆說的，這個自我『只不過是一束不同的知覺以無法想像的速度接連而來，不斷改變並移動』的過程。他說，心靈是『一個劇場。在這個劇場裡，不同的感官認知在各種位置和情況下輪流出現、經過、再現、消退及融合』。休姆指出，我們心中有的只是這些來來去去的知覺與感覺，並沒有一定的『自我同一性』（personal identity）。這就好比我們看電影一樣。由於銀幕上的影像移動的如此之快，以致於我們無法看出這部電影事實上是由許多不相連的單一圖像所『組成』的。而實際上，一部影片只是許多片刻的集合而已。」

「我投降了。」

「你是說你不再認為人有一個不變的自我了嗎？」

「我想是吧。」

「你看，不久前你的想法還正好相反呢！我應該再提到一點：休姆的這些理論在兩千五百年前世界的另外一端已經有人提出了。」

「誰？」

「佛陀。不可思議的是，他們兩人的想法極為相似。佛陀認為人生就是一連串心靈與肉身的變化，使人處於一種不斷改變的狀態：嬰兒與成人不同，今日的我已非昨日的我。佛陀說，沒有什麼東西是『屬於我』的，也沒有什麼東西是我。因此，並沒有『我』或不變的自我。」

「這確實很像休姆的論調。」

「許多理性主義者因為認定人有一個不變的自我，所以也理所當然的認為人有一個不朽的靈魂。」

「難道這也是一個不實的認知嗎？」

「據休姆和佛陀的看法，這的確是一個不實的認知。你知道佛陀在圓寂前對弟子說什麼嗎？』

「我怎麼會知道？」

「『世間複合之物必然衰朽，應勤勉修持以求己身之解脫。』這很像是休姆或德謨克里特斯會說的話。無論如何，休姆認為人類沒有必要去證明靈魂不朽或上帝確實存在。這並不是因為他認為人沒有不朽的靈魂或上帝不存在，而是因為他認為要用人類的理性來證明宗教信仰是不可能的。休姆不是一個基督徒，但也不是一個無神論者，他是我們所謂的『不可知論者』。」

「什麼意思？」

「就是指一個懷疑上帝是否存在的人。休姆臨終時，有一個朋友問他是否相信人死後還有生命。據說他的回答是：『一塊煤炭放在火上也可能不會燃燒。』」

「我懂了。」

「休姆的心靈沒有任何成見。這個回答就是一個典型的例子。他只接受他用感官所認知的事物。他認為除此之外，一切事情都有待證實。他並不排斥基督教或奇蹟，但他認為兩者都屬於信仰的範疇，與知識或理性無關。我們可以說在休姆哲學的影響下，信仰與知識的關係終於被切斷了。」

「你說他並不否認奇蹟可能會發生？」

「但這也並不表示他相信奇蹟。事實上正好相反。休姆指出，這些被現代人稱為『超自然現象』的奇蹟似乎很少發生，因為我們所聽過的奇蹟統統發生在一些遙遠的地方或古老的年代。實際上，休姆之所以不相信奇蹟，只是因為他從未體驗過任何奇蹟。但他也從來沒有體驗過奇蹟一定不會發生。」

「請你說得明白一些。」

「根據休姆的看法，奇蹟是違反自然法則的。但是我們不能宣稱自己已經體驗過自然法則，因為這是沒有意義的。我們放掉一塊石頭時，會體驗到石頭掉在地上的事實。但如果石頭不掉在地上，那也是我們的體驗之一。」

「要是我的話，我就會說這是一個奇蹟，或是超自然現象。」

「這麼說你相信有兩種自然——一種是『自然的』自然，一種是『超自然』的自然。那你不是又回到理性主義的空談了嗎？」

「也許吧。但我還是認為我每次把石頭放掉時，它一定會掉到地上。」

「為什麼？」

「這還用問嗎？」

「不是這樣，蘇菲。哲學家問問題是絕對沒有錯的。從這個問題出發，我們也許會談到休姆哲學的要點。請你告訴我你為什麼會這麼肯定石頭每次都會掉下來？」

「我看過太多次了，所以我才百分之百肯定。」

「休姆會說你只是有許多次石頭掉在地上的經驗而已，但你從來沒有體驗過它一定會掉。通常我們會說石頭之所以掉到地上是受到重力定律的影響，但我們從未體驗到這種定律。我們只是有過東西掉下來的經驗而已。」

「那不是一樣嗎？」

「不完全一樣。你說你相信石頭會掉在地上的原因是你見過它發生很多次，這正是休姆的重點所在。事情發生一次又一次之後，你會變得非常習慣，以致於每次你放開石頭時，總會期待發生同樣的事，所以才會形成我們所謂的『自然界不變的法則』。」

「那麼他的意思是說石頭可能不會掉下來嗎？」

「他也許和你一樣相信石頭每次都會掉下來，但他指出他還沒有體驗到這種現象發生的原因。」

「你看，我們又遠離嬰兒和花朵了。」

「不，事實上正好相反。你大可以拿孩童來證明休姆的理論。如果石頭浮在空中一、兩個小時，你想誰會比較驚訝？是你還是一個一歲大的嬰兒？」

「我想是我。」

「為什麼呢？蘇菲。」

「因為我比那孩子更明白這種現象是超自然的。」

「為什麼那個孩子不認為這是一種超自然的現象呢？」

「因為他還沒有瞭解大自然的規律。」

「還是因為他還沒有習慣大自然？」

「我明白你的意思了。休姆希望人們能夠讓自己的知覺更敏銳。」

「所以現在我要你做個練習：假設你和一個小孩子一起去看一場魔術表演，看到魔術師讓一些東西浮在空中。你想，你們兩個當中哪一個會看得比較津津有味？」

「我想是我。」

「為什麼呢？」

「因為我知道這種現象是多麼不可能。」

「所以說，在那個孩子還不瞭解自然法則之前，他看到違反自然法則的現象時就不會覺得很有意思囉？」

「應該是吧。」

習慣性期待

「這也是休姆的經驗哲學的要點。他可能會說，那孩子還沒有成為『習慣性期待』的奴隸。在你們兩個當中，他是比較沒有成見的一個。我想，小孩子應該比較可能成為好哲學家，因為他們完全沒有任何先入為主的觀念。而這正是哲學家最與眾不同的地方。小孩子眼中所見到的乃是世界的原貌，他不會再添加任何的東西。」

「每一次我察覺到人家有偏見的時候，感覺都很不好。」

「休姆談到習慣對人的影響時，強調所謂的『因果法則』，也就是說每一件事的發生必有其原因。他舉兩個撞球檯上的球做為例子。如果你將一個黑球推向一個靜止的白球，白球會怎樣？」

「如果黑球碰到白球，白球就會開始滾動。」

「嗯，那麼白球為什麼會這樣呢？」

「因為它被黑球碰到了呀。」

「所以我們通常說黑球的撞擊是白球開始滾動的原因。可是不要忘了，我們只能討論我們自己實際經驗到的。」

「我已經有很多這種經驗了呀。喬安家的地下室就有一座撞球檯。」

「如果是休姆的話，他會說你所經驗到的唯一事件是白球開始滾過檯面。你並沒有經驗到它滾動的實際原因。你只經驗到一件事情發生之後，另外一件事情跟著發生，但你並沒有經驗到第一件事是第二件事的原因。」

「這不是有點吹毛求疵嗎？」

「不，這是很重要的。休姆強調的是，『一件事情發生後另外一件事情也會發生』的想法只是我們心中的一種期待，並不是事物的本質，而期待心理乃是與習慣有關。讓我們再回到小孩子的心態吧。一個小孩子就算看到一個球碰到另外一個，而兩個球都靜止不動時，也不會目瞪口呆。所謂『自然法則』或『因果律』，實際上只是我們所期待的現象，並非

『理當如此』。自然法則沒有所謂合理或不合理，它們只是存在罷了。白球被黑球碰到後會移動的現象只是我們的期待，並不是天生就會這樣。我們出生時對這世界的面貌和世間種種現象並沒有什麼期待。這世界就是這個樣子，我們需要慢慢去瞭解它。」

「我開始覺得我們又把話題扯遠了。」

「不。因為我們的期待往往使我們妄下定論。休姆並不否認世間有不變的『自然法則』。但他認為，由於我們無法體驗自然法則本身，因此很容易做出錯誤的結論。」

「比如說……？」

「比如說，因為自己看到的馬都是黑馬，就以為世間的馬都是黑色的。其實不是這樣。」

「當然不是。」

「我這一輩子只見過黑色的烏鴉，但這並不表示世間沒有白色的烏鴉。無論哲學家也好，科學家也好，都不能否認世間可能有白色的烏鴉。這是很重要的。我們幾乎可以說科學的主要任務就是找尋『白色的烏鴉』。」

「嗯，我懂了。」

「談到因果問題時，可能很多人會以為閃電是造成打雷的原因，因為每次閃電之後就會打雷，這個例子和黑白球的例子並沒有什麼不同。可是，打雷真的是閃電造成的嗎？」

「不是。事實上兩者是同時發生的。」

「打雷和閃電都是由於放電作用所致，所以事實上是另外一種因素造成了這兩個現象。」

「對。」

「二十世紀的實驗主義哲學家羅素（Bertrand Russell）舉了另外一個比較可怕的例子。他說，有一隻雞發現每天農婦來到雞舍時，牠就有東西可吃。久而久之，牠就認定農婦的到來與飼料被放在缽子裡這兩件事之間必然有某種關聯。」

「後來是不是有一天這隻雞發現農婦沒有餵牠？」

「不是，有一天農婦跑來把這隻雞的脖子扭斷了。」

「真噁心。」

「所以，我們可以知道：一件事情跟著另外一件事情發生，並不一定表示兩者之間必有關聯。哲學的目的之一就是教人們不要妄下定論。因為，妄下定論可能會導致許多迷信。」

「怎麼會呢？」

「假設有一天你看到一隻黑貓過街，後來你就摔了一跤，跌斷了手。這並不表示這兩件事有任何關聯。在做科學研究時，我們尤其要避免妄下結論。舉個例子，有很多人吃了某一種藥之後，病就好了，但這並不表示他們是被那種藥治好的。這也是為什麼科學家們在做實驗時，總是會將一些病人組成一個所謂的『控制組』。這些病人以為他們跟另外一組病人服用同樣的藥，但實際上他們吃的只是麵粉和水。如果這些病人也好了，那就表示他們的病之所以痊癒另有原因，也可能是因為他們相信那種藥有效，於是在心理作用之下，他們的病就好了。」

「我想我開始瞭解經驗主義的意義了。」

「在倫理學方面，休姆也反對理性主義者的想法。理性主義者一向認為人的理性天生就能辨別是非對錯。從蘇格拉底到洛克，許多哲學家都主張有所謂的『自然權利』。但休姆則認為，我們的言語和行為並不是由理性決定的。」

「那麼是由什麼決定的呢？」

「由我們的感情來決定。譬如說，當你決定要幫助某個需要幫助的人時，那是出自你的感情，而不是出自你的理智。」

「如果我不願意幫忙呢？」

「那也是由於你的感情。就算你不想幫助一個需要幫助的人，這也沒有什麼合理或不合理可言，只是不怎麼仁慈罷了。」

「可是這種事一定有個限度呀。譬如說，每一個人都知道殺人是不對的。」

「根據休姆的看法，每一個人都能感受到別人的悲喜苦樂，所以我們都有同情心。但這和理智沒有什麼關係。」

「這點我不太同意。」

「有時候，除掉一個人並不一定是不智的，甚至可能是個好辦法，如果你想達成某個目的的話。」

「嘿，慢著！我反對。」

「那麼請你告訴我，為什麼你認為我們不應該把一個使我們頭痛的人殺掉。」

「那個人也想活下去呀！因此你不應該殺他。」

「這個理由是根據邏輯嗎？」

「我不知道。」

「你從一句描述性語句『那個人也想活』而得出你的結論『因此你不應該殺他』。後者是我們所謂的『規範性語句』。從理性的觀點來看，這是說不通的。否則我們豈不是也可以說『有很多人逃漏稅，因此我也應該逃漏稅』。休姆指出，我們絕不能從『是不是』的語句，得出『該不該』的結論。不過，這種現象非常普遍，無論報紙的文章或政黨的演講都充滿了這樣的句子。你要不要我舉一些例子？」

「要。」

「『愈來愈多人出門時想搭飛機，因此我們應該興建更多的機場。』你認為這樣的結論成立嗎？」

「不，這是說不通的。我們必須考慮環保問題，我想我們應該興建更多的鐵路才對。」

「也可能有人會說：『開發油田將會提高人民的生活水準達百分之十，因此我們應該盡快開發新的油田。』」

「胡說八道。我們還是應該考慮我們的環境，何況挪威的生活水準已經夠高了。」

「有時有人會說：『這項法令已經由參議院通過了，因此所有民眾都應該加以遵守。』可是民眾常常並不認為他們應該遵守這類法案。」

「嗯，我明白。」

「所以我們已經肯定我們不能以理智做為行事的標準。因為，我們之所以做出負責任的舉動並不是因為我們的理智發達的結果，而是因為我們同情別人的處境。休姆說：『一個人可能寧願整個地球遭到毀滅也不願意自己的手指被割到。這與理智並沒有什麼衝突。』」

「這種說法真可怕。」

「如果你看看歷史，可能會覺得更可怕。你知道納粹分子殺害了幾百萬猶太人，你會說是這些人的理性有問題呢，還是他們的感情有問題？」

「他們的感情一定異於常人。」

「他們當中有許多都是頭腦非常清楚的人。要知道，最無情、最冷血的決定，有時是經過最冷靜的籌畫的。許多納粹黨人在戰後被定了罪，但理由並不是因為他們『沒有理性』，而是因為他們的罪行令人髮指。有時那些心智喪失的人倒可以免罪，因為我們說他們『無法為自己的行為負責』。可是到目前為止還沒有人因為喪失感情而被免罪。」

「本來就不應該這樣。」

「我們還是不要談這麼可怕的例子吧。現在如果有幾百萬人因為洪水而無家可歸，我們究竟要不要伸以援手完全是憑感情而定。如果我們是無情冷血、完全講求『理性』的人，我們也許會覺得在世界人口已經過剩的情況下，死掉個幾百萬人其實也沒什麼不好。」

「太過分了，怎麼可以這樣想呢？」

「請注意，現在生氣的並不是你的理智。」

「好吧，我懂你的意思了。」

柏克萊

……宛如燃燒的恆星旁一顆暈眩的行星……

艾伯特走到面向市區的那一扇窗戶旁。蘇菲也過去站在他身邊。當他們站在那兒看著外面那些古老的房子時，突然有一架小飛機飛到那些屋頂的上方，機尾掛了一塊長布條。蘇菲猜想那大概是某項產品、某種活動或某場搖滾音樂會的廣告。但是當它飛近，機身轉向時，她看到上面寫的是：

「席德，生日快樂！」

「不請自來。」艾伯特只說了一句。

這時，從南邊山上下來的濃厚烏雲已經開始聚集在市區上方了。小飛機逐漸隱沒在灰色的雲層中。

「恐怕會有暴風雨呢。」艾伯特說。

「所以我回家時必須坐車才行。」

「我只希望這不是少校的計謀之一。」

「他又不是萬能的上帝。」

艾伯特沒有回答。他走到房間的另一頭，再度坐在茶几旁。

過了一會，他說：「我們得談談柏克萊。」

此時蘇菲已經坐回原位。她發現自己開始咬起指甲來。

柏克萊

「柏克萊（George Berkeley）是愛爾蘭的一位天主教的主教，生於一六八五到一七五三年間。」艾伯特開始說，然後便沉默了很長一段時間。

「你剛才說到柏克萊是愛爾蘭的一位主教……」蘇菲提醒他。

「他也是一個哲學家……」

「是嗎？」

「他覺得當時的哲學與科學潮流可能會對基督徒的生活方式有不利的影響。他認為他那個時代無所不在的唯物主義，將會腐蝕基督徒對於上帝這位創造者與大自然保護者的信心。」

「是嗎？」

「然而他也是經驗主義哲學家中理論最一貫的一位。」

「他也認為我們對世界的知識只能經由感官的認知而獲得嗎？」

「不只是這樣。柏克萊宣稱世間的事物的確是像我們所感知的那樣。但它們並非『事物』。」

「請你解釋一下好嗎？」

「你還記得洛克說我們無法陳述事物的『次要性質』嗎?例如,我們不能說一個蘋果是綠的或酸的。我們只能說我們感覺到它是綠的或酸的。但洛克同時也說像密度、比重和重量等『主要性質』確實是我們周遭的外在真實世界的特性。而外在的真實世界具有物質的實體。」

「我記得。而且我也認為洛克區分事物的方式是很重要的。」

「是的,蘇菲,但事實上並不只於此。」

「說下去。」

「洛克和笛卡爾、史賓諾沙一樣,認為物質世界是真實的。」

「然後呢?」

「但柏克萊卻對這點提出了疑問。他利用經驗主義的邏輯提出這個疑問。他說,世間所存在的只有那些我們感受到的事情。但我們並未感受到『物質』或『質料』。我們無法察知我們所感受到的事物是否確實存在。他認為,如果我們認定自己所感知到的事物之下有『實體』存在,我們就是妄下結論,因為我們絕對沒有任何經驗可以支持這樣的說法。」

「胡說八道!你看!」

蘇菲用拳頭重重的捶了一下桌子。

「好痛。」她說。「難道這不能證明這張桌子的確是一張桌子,既是物質,也是質料?」

「你覺得這張桌子怎麼樣呢？」

「很硬。」

「你感覺到一個硬的東西，可是你並沒有感覺到實際存在於桌子裡的物質，對不對？同樣的，你可以夢見自己碰到一個硬物，可是夢裡不會有硬的東西，對不對？」

「沒錯。」

「人也會在被催眠的狀態下『感覺』冷或熱，感覺被人撫摸或被人打了一拳。」

「可是如果桌子實際上不是硬的，我又怎麼會有這種感覺呢？」

「柏克萊相信人有『靈』。他認為我們所有的觀念都有一個我們意識不到的成因。但這個成因不是物質的，而是精神性的。」

靈

蘇菲又開始咬指甲了。艾伯特繼續說；

「根據柏克萊的看法，我們的靈魂可能是形成我們本身各種概念的原因，就像我們在作夢時一般。但世間只有另外一個意志或靈可能形成造就這個『形體』世界的諸般概念。他說，萬物都是因為這個靈而存在，這個靈乃是『萬物中的萬物』的成因，也是『所有事物存在之處』。」

「他說的這個『靈』是怎樣的一個東西？」

「他指的當然是天主。他宣稱：『我們可以說天主的存在比人的存在要更能夠讓人清楚的感知到。』」

「難道連我們是否存在都不確定嗎？」

「可以說是，也可以說不是。柏克萊說，我們所看見、所感覺到的每一件事物都是『天主力量的作用』，因為天主『密切存在於我們的意識中，造成那些我們不斷體會到的豐富概念與感官體驗』。他認為，我們周遭的世界與我們的生命全都存在於天主之中。祂是萬物唯一的成因，同時我們只存在於天主的心中。」

「太讓人驚訝了。」

「因此，to be or not to be並不是唯一的問題。問題在於我們是什麼。我們真的是血肉之軀的人類嗎？我們的世界是由真實的事物組成的嗎？或者我們只是受到心靈的包圍？」

蘇菲再度咬起指甲來。艾伯特繼續說：

「柏克萊不只質疑物質真實性的問題，他也提出了『時間』和『空間』是否絕對存在或獨立存在的問題。他認為，我們對於時間與空間的認知可能也只是由我們的心靈所虛構的產物而已。我們的一、兩個星期並不一定等於上帝的一、兩個星期……」

「你剛才說柏克萊認為這個萬物所存在於其中的靈乃是天主？」

「是的。但對我們來說……」

「我們？」

「……對於你我來說，這個『造成萬物中之萬物』的『意志或靈』可能是席德的父親。」

蘇菲震驚極了。她的眼睛睜得大大的，一副不可置信的樣子。但同時她也開始悟出一些道理來。

「你真的這麼想嗎？」

「除此之外，我看不出還有別的可能。只有這樣，才能解釋我們所經歷的這些事情，包括那些到處出現的明信片和標語、漢密士開口說人話……還有我經常不由自主的叫錯你的名字。」

「我……」

「我居然叫你蘇菲，席德！我一直都知道你的名字不叫蘇菲。」

「你說什麼？你這回是真的胡塗了。」

「是的，我的腦子正轉呀轉的，像圍繞燃燒的恆星旋轉的一顆暈眩的星球。」

「而那顆恆星就是席德的父親嗎？」

「可以這麼說。」

「你是說他有點像是在扮演我們的上帝嗎？」

「坦白說，是的。他應該覺得慚愧才對。」

「那席德呢？」

「她是個天使，蘇菲。」

「天使？」

「因為她是這個『靈』訴求的對象。」

「你是說艾勃特把關於我們的事告訴席德？」

「也可能是用寫的。因為我們不能感知那組成我們的現實世界的物質，這是我們到目前為止所學到的東西。我們無法得知我們的外在現實世界是由聲波組成還是由紙和書寫的動作組成。根據柏克萊的說法，我們唯一能夠知道的就是我們是靈。」

「而席德是個天使……」

「是的，席德是個天使。我們就說到這裡為止吧。生日快樂，席德！」

突然間房裡充滿了一種紅光。幾秒鐘後，他們聽見雷電劈空的聲音，整棟房子都為之搖撼。

「我得回家了。」蘇菲說。她站起身，跑到前門。她剛走出來，原本在門廊上睡午覺的漢密士就醒過來了。她走時，彷彿聽到牠說：

「再見，席德。」

蘇菲衝下樓梯，跑到街上。整條街都空無一人。雨已經開始滂沱的下著。

偶爾有一、兩輛車在雨中穿梭而過。但卻連一輛公車的影踪也沒有。蘇菲跑過大廣場，然後穿過市區。她一邊跑時，腦中不斷浮現一個念頭。

明天就是我的生日了，蘇菲心想。在十五歲生日前夕突然領悟到生命只不過是一場夢境而已，那種感覺真是分外苦澀啊！就好像是你中了一百萬大獎，正要拿到錢時，卻發現這只不過是南柯一夢。

蘇菲啪躂啪躂的跑過泥濘的運動場。幾分鐘後，她看見有人跑向她，原來是媽媽。此時閃電正發怒般一再劈過天際。

當他們跑到彼此身邊時，媽媽伸出手臂摟著蘇菲。

「孩子，我們到底發生什麼事了？」

「我不知道，」蘇菲啜泣。「好像一場噩夢一樣。」

柏客來

……曾祖母向一名吉普賽婦人買的一面古老魔鏡……

在黎樂桑郊區古老的船長屋的閣樓裡，席德醒來了。她看看鐘，才六點而已，但天色已經大亮。早晨的太陽已經將房間內的一整面牆壁都照亮了。

她起床走向窗前，經過書桌時停了一下，看見桌曆上寫著：一九九〇年六月十四日星期四。她把這頁撕了下來，揉成一團，丟進字紙簍中。

現在桌曆上的日期是一九九〇年六月十五日星期五，簇新的日曆紙閃閃發亮。早在今年一月時，她就在這一頁上寫下了「十五歲生日」這幾個字。她覺得能在十五日這一天過十五歲生日實在很特別。這種機會一生只有一次。

十五歲！今天豈不是她過成人生活的第一天嗎？所以，她不能再回床上去睡了。再說，今天是學校放暑假前的最後一天，學生下午一點鐘必須在教堂集合。更何況，再過一個星期，爸爸就從黎巴嫩回來了。他答應要在仲夏節前回家。

席德站在窗前，俯瞰著外面的花園，以及紅色的小船屋後面的平臺。夏天用的汽艇還沒有擡出來，但那條老舊的小船已經繫在平臺邊了。她想到昨夜的那場傾盆大雨，便提醒自己今天一定要記得把小舟裡的積水舀出來。

現在，她俯視著那個小海灣，想起她還是個六歲的小女孩時，有一次曾經爬進那條小船，獨自一人划到狹灣去。後來她掉到水裡，勉強掙扎著上岸，然後渾身濕淋淋的穿過矮樹籬；當她站在花園裡仰望著她家的房子時，她媽媽跑過來了。那條小船和兩支槳就一直在狹灣裡漂浮著。如今她偶爾還會夢見小船空無一人、逕自漂流的情景。那真是很令人難為情的一次經驗。

她家的這座園子花草既不特別繁茂，也沒有經過刻意修整，但卻相當寬敞。這是屬於她的花園。園裡那棵久經風霜的蘋果樹和幾株光禿禿的灌木經過嚴寒的冬季暴風雪洗禮之後，仍然勁挺。在早晨明亮的陽光下，花崗岩與灌木叢之間的草坪上那座老舊的秋千顯得分外孤零。鞦韆上的沙發墊子已經不見了。可能是昨天夜裡媽媽匆匆跑出去收進來以免被雨淋濕。

為了避免暴風的吹襲，這座大花園四周都種有樺樹。正是因著這些樺樹，這棟房子才在一百多年前被改名為「柏客來」山莊。

這座山莊是在十九世紀末由席德的曾祖父興建的。他是一艘大帆船的船長，也因此到現在還有許多人稱這座宅子為「船長屋」。

今天早晨花園裡仍留有昨夜豪雨的痕跡。這場雨在昨天黃昏時突然下了起來，到了夜裡，席德幾度被怒吼的雷聲驚醒。但是今天卻是萬里無雲的晴朗天氣。

在風雨過後，萬物顯得如此清新。過去好幾個星期以來，天氣一直炎熱乾燥，以致樺樹的葉尖已經長出了難看的黃色斑點。現在，大地宛如剛剛經過一番清洗。席德覺得自己的童年彷彿也隨著這場風雨一去不返。

「春天的芽苞爆裂時確實是痛苦的……」不是有一位瑞典（還是芬蘭？）的女詩人說過類似的話嗎？

席德站在祖母的老五斗櫃上方所掛的那面沉重的銅鏡前。

她好看嗎？至少長得不醜。也許是介於兩者之間……

她有一頭金色的長髮。以前她總是希望自己的髮色能夠更亮或更暗一些，因為像這樣不上不下的顏色看起來是如此平凡無奇。還好她的頭髮天生微鬈，不需要像她那些朋友一般費盡心思，只為了讓頭髮鬈起一點點。她的另一個優點是一雙深綠色的眼睛。「真的是綠色的嗎？」以前她的叔叔嬸嬸們總是這麼說，同時一邊俯身端詳她。

席德站在鏡前，注視著自己的面容。她還是小女孩嗎？或是已經長成少女了？她覺得兩者都不是。她的身體也許已經頗有女人味了，但她的臉卻還是像一個未成熟的蘋果。

這面古老的鏡子總是讓席德想起她的父親，因為它從前一度掛在「工作室」裡。那間「工作室」就在船屋上面，是她父親讀書、寫作、休息的地方。他一直希望能寫一些有意義的東西。有一次他曾經試著寫一本小說，卻一直沒有完成。他寫的詩和他畫的島嶼素描不時刊登在一家全國性期刊上。席德每次看到爸爸的名字「艾勃特」登出來，都覺得好驕傲。這樣的事在黎樂桑還是不太常見的。

對了，這面鏡子！許多年前她的爸爸曾經開玩笑說，他只有在看著這面銅鏡時才能對著鏡中的影像同時眨動雙眼，因為它是曾祖母剛結完婚後向一個吉普賽婦人所買的古老魔鏡。

席德曾經試了無數次，但發現要對著鏡子眨動雙眼幾乎就像要逃離自己的影子一樣困難。最後爸媽把這件傳家寶給了她，由她保存。這幾年來她仍然不時練習這個不太可能達成的技巧。

她今天思緒洶湧，不停想著一些有關自己的事。但這是很正常的，畢竟她已經十五歲了……

生日禮物

這時她偶然瞥見床頭几上有一個大包裹，用美麗的藍紙包著，並綁著紅色的絲帶。不用說，一定是一份生日禮物！

難道這就是爸爸說過要送她的那份神祕的大禮物嗎？他從黎巴嫩寄來的明信片中曾經給她許多撲朔迷離的提示，可是卻說他「嚴格禁止自己洩漏天機」。

他在信裡透露，這份禮物會「愈來愈大」。然後他又提到一個她很快就會見到的女孩，並說他把寄給她的明信片也寄了一份給那女孩。席德曾試著套媽媽的話，希望她能透露一點口風，但媽媽也不知道爸爸在玩什麼把戲。

在各種提示中，最奇怪的一項是：這禮物將是一份她「可與別人共享的」的東西。席德的爸爸為聯合國工作不是沒有目的的。他的腦袋裡有許多想法，其中之一就是聯合國應該成為一個類似世界政府的機構。他曾經在一張明信片裡表示，希望聯合國有一天真的能夠使全人類團結起來。

待會兒，媽媽將會拿著麵包和汽水及挪威小國旗上樓到她的房裡來唱生日快樂歌。她可以在媽媽來到之前打開這個包裹嗎？應該可以吧。要不然它為什麼會放在那兒呢？

她悄悄走上前去，拿起那個包裹。乖乖！很重呢！她看到上面貼著一張紙，寫著：「給席德的十五歲生日禮物，爸爸贈。」

她坐在床上，小心的解開那條紅色的絲帶，然後打開藍色的包裝紙。

裡面是一個大大的講義夾。

這就是爸爸給她的生日禮物嗎？這就是他大費周章為她準備的十五歲生日禮物嗎？這就是那份會愈來愈大，可以與別人共享的禮物嗎？

席德很快發現講義夾內裝滿了打好字的紙張。她認出這是爸爸用他帶到黎巴嫩的那架打字機打出來的字。

難道他為她寫了一本書？

第一頁上面有用手寫的幾個大字：

蘇菲的世界

這是書名。

書名下面用打字機打了兩行詩：

真實啓蒙之於人
如同陽光之於土

——葛朗維格（N.F.S. Grundtvig）

席德翻到下一頁，也就是第一章的開始。這章題名為「伊甸園」。席德爬上床，舒服的坐在那兒，將講義夾放在膝蓋上，開始看了起來：

蘇菲放學回家了。有一段路她和喬安同行，他們談著有關機器人的問題。喬安認為人的腦子就像一部很先進的電腦，這點蘇菲並不太贊同。她想：人應該不只是一臺機器吧？

席德看著看著，忘記了其他一切的事情，甚至忘記了今天是她的生日。她讀著讀著，腦海中不時浮現一個問號：爸爸寫了一本書嗎？他在黎巴嫩時是否終於開始撰寫那部很有意義的小說，並且完成了呢？他以前時常抱怨他在那兒不知該如何打發時間。

蘇菲的爸爸也離家很遠。她也許就是那個席德將要開始認識的女孩……

唯有清晰的意識到有一天她終將死去，她才能夠體會活在世上是多麼美好……世界從何而來？……在某一時刻，事物必然曾經從無到有。然而，這可能嗎？這不就像世界一直存在的看法一樣不可思議嗎？

席德讀著讀著。當她讀到蘇菲接到一封來自黎巴嫩的明信片，上面寫著：「苜蓿路三號，蘇菲收，請代轉席德」時，不禁困惑的扭動著腿。

親愛的席德：你滿十五歲了，生日快樂！我想你會明白，我希望給你一樣能幫助你成長的生日禮物。原諒我請蘇菲代轉這張卡片，因為這樣最方便。

愛你的老爸

這個促狹鬼！席德知道爸爸一向愛耍花樣，但今天他才真正教她開了眼界。他沒有將卡片綁在包裹上，而是將它寫進書裡了。

只是可憐了蘇菲，她一定困惑極了。

怎麼會有父親把生日卡寄到蘇菲家？這明明不是給她的呀！什麼樣的父親會故意把信寄到別人家，讓女兒收不到生日卡呢？為什麼他說這是「最方便」的呢？更何況，蘇菲要怎樣才能找到這個名叫席德的人？

是呀，她怎麼找得到呢？

席德翻了兩、三頁，然後開始讀第二章「魔術師的禮帽」。她很快便讀到那個神祕的人寫給蘇菲的長信。她屏住了呼吸。

想知道為何我們會在這兒並不像蒐集郵票一樣是一種休閒式的興趣。那些對這類問題有興趣的人所要探討的，乃是自地球有人類以來人們就一直辯論不休的問題。

「蘇菲真是累極了。」席德也是。爸爸為她的十五歲生日寫了一本書，而這是一本又奇怪又精采的書。

簡而言之，這世界就像魔術師從他的帽子裡拉出的一隻白兔。只是這白兔的體積極其龐大，因此這場戲法要數十億年才變得出來。所有的生物都出生於這隻兔子的細毛頂端，他們剛開始對於這場令人不可置信的戲法感到驚奇。然而當他們年紀愈長，也就愈深入兔子的毛皮，並且待了下來……

蘇菲並不是唯一覺得自己正要在兔子的毛皮深處找到一個舒適的地方待下來的人。今天是席德的十五歲生日。她覺得現在正是她決定未來的道路應該怎麼走的時候。

她讀到希臘自然派哲學家的學說。席德知道爸爸一向對哲學很有興趣，他曾經在報紙上發表過一篇主張哲學應該列入學校基本課程的文章，題目為：「為何哲學應該列入學校課程？」他甚至曾在席德的班上舉行的家長會中提出這項建議，讓席德覺得很不好意思。

席德看了一下時鐘。七點半了。大概還要再過半小時，媽媽才會端著早餐托盤上樓來。謝天謝地，因為現在她滿腦子都是蘇菲和那些哲學問題。她讀到德謨克里特斯那一章。蘇菲正在思考一個問題：為什麼積木是世界上最巧妙的玩具？然後她又在信箱裡發現了一個「棕色的大信封」：

德謨克里特斯同意前面幾位哲學家的看法，認為自然界的轉變不是因為任何事物真的有所「改變」。他相信每一種事物都是由微小的積木所組成，而每一塊積木都是永恆不變的。德謨克里特斯把這些最小的單位稱為原子。

席德讀到蘇菲在床底下發現那條紅色絲巾時，不禁大感生氣。原來它跑到那裡去了！可是絲巾怎麼可能跑到一個故事裡去呢？它一定是在別的地方……

有關蘇格拉底那一章一開始是蘇菲在報紙上看到「挪威聯合國部隊在黎巴嫩的消息」。爸爸就是這樣！他很在意挪威人對聯合國和平部隊的任務不感興趣這件事，所以才故意做這樣的安排，讓蘇菲非關心不可。這樣他就可以把這件事寫進他的故事裡，藉此得到一些媒體的注意。

席德讀到哲學家寫給蘇菲的信後面的附註時，不禁笑了起來。附註的內容是這樣的：

如果你在某處看到一條紅色的絲巾，請加以保管，那樣的東西常常會被人拿錯。尤其是在學校等地，而我們這兒又是一所哲學學校。

席德聽到媽媽上樓的腳步聲。在她敲門前，席德已經開始讀到蘇菲在她的密洞中發現雅典的錄影帶那一段。

「祝你生日快樂！祝你生日快樂！……」

樓梯上到一半，媽媽就已經開始唱了。

「親愛的席德，生日快樂！祝你生日快樂！」

「請進。」席德說。這時她正讀到哲學家老師從希臘高城向蘇菲說話。看起來他和席德的爸爸幾乎一模一樣，留了一嘴「修剪整齊的黑鬍子」，頭戴藍扁帽。

「席德，生日快樂！」

「嗯。」

「席德？」

「放在那兒就好了。」

「你不……？」
「你沒看到我正在看東西嗎？」
「真奇妙呀，你已經十五歲了！」
「媽，你有沒有去過雅典？」
「沒有，你問這幹嘛？」
「那些古老的神廟到現在還屹立不搖，多奇妙呀！它們真的已經有兩千五百年的歷史了。還有，最大的一座名叫『處女之地』。」
「你打開爸爸給你的禮物了嗎？」
「什麼禮物？」
「席德，請你把頭擡起來。你怎麼一副迷迷糊糊的樣子？」
席德讓講義夾滑到她的懷中。
此時媽媽正站在床頭，手端著托盤，俯身看著她。托盤上有幾根已經點燃的蠟燭、幾個夾著鮮蝦沙拉的奶油麵包和一罐汽水。旁邊也有一個小包裹。媽媽站在那兒，兩手端著托盤，一邊的腋下夾著一面旗子，樣子很笨拙。
「喔，謝謝媽媽。你真好，可是你看我現在正忙著呢！」
「你今天下午一點才要上學。」
這時席德似乎才想起自己身在何處。媽媽把托盤放在床頭几上。

「對不起，媽。我完全被這東西吸引住了。」

「席德，他寫些什麼？我和你一樣一直搞不清楚你爸爸葫蘆裡賣什麼膏藥。這幾個月來沒聽他講過一句讓人聽得懂的話。」

不知道為什麼，席德覺得很不好意思。

「喔，只不過是個故事而已。」

「一個故事？」

「嗯，一個故事，也是一部哲學史。反正是這類的東西啦。」

「你不想打開我送你的禮物嗎？」

席德不想偏心，所以她立刻打開媽媽送的那個小包裹。原來是一條金鍊子。

「很漂亮。多謝，媽！」

席德從床上站起來，給了媽媽一個擁抱。

他們坐著聊了一會兒。

然後席德說：「媽，可不可以請你離開了。現在他正站在高城居高臨下呢。」

「誰？」

「我不知道，蘇菲也不知道。問題就在這裡。」

「我也該去上班了，別忘了吃點東西。我已經把你的衣服掛在樓下了。」

媽媽終於下去了，蘇菲的哲學老師也是。他從高城循著階梯往下走，然後站在法院小丘的岩石上，不久就消失在雅典古廣場的人羣間。

當席德看到那些古老的建築突然從廢墟中再現時，不禁打了一個冷顫。她爸爸最得意的構想之一，就是讓聯合國所有的會員國共同參與重建雅典廣場的工作，使它成為進行哲學討論與裁軍會談的場所。他認為這樣一個龐大的計畫將可使世界各國團結一致，他說：「畢竟我們在興建油井和月球、火箭方面已經成功了。」

然後，席德讀到了柏拉圖的學說。「靈魂渴望乘著愛的翅膀回『家』，回到理型的世界中。它渴望自肉體的枷鎖……」

蘇菲爬過樹籬，跟蹤漢密士，但被牠給擺脫了。在讀了柏拉圖的理論後，她繼續深入樹林，發現了小湖邊的紅色小木屋。裡面掛著一幅「柏客來」的畫。從書中的描述看來，那房子顯然就是席德家。但是牆上另有一幅名叫「柏克萊」的男人的肖像。「多奇怪呀！」

席德將那本沉重的講義夾放在床上，走到書架旁，找出「讀書俱樂部」出版的那三冊百科全書（這是她十四歲時的生日禮物），開始查「柏克萊」這個人。找到了！柏克萊：

Berkeley, George，一六八五～一七五三年，英國哲學家，克羅尼地區的主教。他否認在人類的心靈之外存在著一個物質世界，認為我們的感官認知乃是自天主而來。他同時也以批評世俗的看法而聞名。主要著作是《人類知識原理》（A Treatise Concerning the Principle of Human Knowledge, 1710）。

的確是很古怪。席德站在那兒想了幾秒鐘，才回到床上的講義夾旁。

爸爸一定是故意把那兩幅畫掛在牆上。但是「柏克萊」和「柏客來」這兩者之間除了名字相似之外，還有什麼關聯呢？

柏克萊否認在人類心靈之外存在有物質世界，這種看法非常奇特，但也不容易反駁。尤其在蘇菲身上倒很適用，因為她所有的「感官認知」不都是出自席德父親的手筆嗎？

不管怎樣，她應該繼續看下去。當她讀到蘇菲發現鏡子裡有一個女孩同時向她眨著雙眼時，不禁仰頭微笑起來。「那個女孩彷彿是在向蘇菲眨眼，對她說：我可以看見你，蘇菲。我在這兒，在另外一邊。」

後來，蘇菲發現了那個綠色的皮夾，裡面有錢，還有其他的東西。它怎麼會跑到那兒去呢？

荒謬！有一剎那，席德真的相信蘇菲找到了那個皮夾。然後她試著想像蘇菲對這整件事的感受。她一定覺得很令人費解、很不可思議吧。

席德開始有一股強烈的欲望想要和蘇菲見面。她想告訴她整件事情的始末。

現在蘇菲必須在被人逮到之前離開小木屋，但小舟這時卻正漂浮在湖面上。（當然啦，像爸爸這樣的人怎會放棄重提當年小舟事件的機會呢？）

席德喝了一口汽水，咬了一口鮮蝦沙拉麵包。這時她正讀到那封談「嚴謹」的邏輯學家亞理斯多德的信，其中提到亞理斯多德如何批評柏拉圖的理論。

亞理斯多德指出，我們對於自己感官未曾經驗過的事物就不可能有意識。柏拉圖則會說：不先存在於理型世界中的事物就不可能出現在自然界中。亞理斯多德認為柏拉圖如此的主張會使「事物的數目倍增」。

席德從來不知道發明「動物、植物、礦物」這個遊戲的人就是亞理斯多德。亞理斯多德想把大自然「房間」內的每樣東西都徹底的分門別類。他想要證明自然界裡的每一件事物都各自有其所屬的類目或次類目。

當她讀到亞理斯多德對女人的看法時，覺得非常生氣，也很失望。沒想到這麼聰明的科學家居然是一個瞧不起人的大笨蛋。

亞理斯多德激發了蘇菲清理房間的衝動。接著她在房裡發現了那隻一個月前從席德的衣櫃裡消失的白長襪！蘇菲將所有艾伯特寫來的信都放在一個講義夾裡。「總共有五十多頁。」但席德拿到的卻有一百二十四頁，不過其中還包括蘇菲的故事還有所有艾伯特的來信。

下面這一章題名為「希臘文化」。一開始，蘇菲發現了一張印有聯合國吉普車照片的明信片。上面蓋的郵戳是「六月十五日聯合國部隊」。這又是一張爸爸寫給席德但沒有投郵，卻將它寫進故事裡的明信片。

親愛的席德：

我猜想你可能仍在慶祝你的十五歲生日。或者你接到信時，已經是第二天的早上了。無論如何，你都會收到我的禮物。從某個角度看，那是一份可以用一輩子的禮物。不過，我想向你再說一聲生日快樂。也許你現在已經明白我為何把這些明信片寄給蘇菲了。我相信她一定會把它們轉交給你的。

P.S：媽媽說你把你的皮夾弄丟了。我答應你我會給你一百五十塊錢做為補償。還有，在學校放暑假前你也許可以重辦一張學生證。

愛你的爸爸

不錯嘛！她又可以多一百五十塊錢了。他也許認為只送她一份自己做的禮物實在是有點太寒酸了。

如此看來，六月十五日那天也是蘇菲的生日。但對蘇菲而言，現在還是五月中旬。這一定是爸爸撰寫那一章的時間，但他在寫給席德的「生日卡」中所註明的日期都是六月十五日。可憐的蘇菲，她跑到超級市場去和喬安會面的時候，心裡一直納悶：

這個席德是誰？她爸爸為什麼會認定蘇菲可以找到她？無論如何，他把明信片寄給蘇菲，而不直接寄給他的女兒是說不通的。

席德讀到普羅汀的理論時，也有宛如置身天外的感受。

世間存在的每一樣事物都有這種神祕的神聖之光。我們可以看到它在向日葵或罌粟花中閃爍著光芒。在一隻飛離枝頭的蝴蝶或在水缸中優游穿梭的金魚身上，我們可以看到更多這種深不可測的神祕之光。然而，最靠近上帝的還是我們的靈魂。唯有在靈魂中，我們才能與生命的偉大與神祕合而為一。事實上，在某些很偶然的時刻中，我們可以體驗到自我就是那神聖的神祕之光。

這是席德到目前為止讀到的最令人目眩神馳的一段文字，但它的內容卻極其簡單：萬物都是一體的，而這個「一體」便是萬物所共有的神聖的奧祕。

這樣的道理是不言可喻的，席德想。事實本來如此。而每一個人對「神聖」這個名詞都可以有自己的解釋。

她很快翻到下一章。蘇菲和喬安在五月十七日前夕去露營。她們走到少校的小木屋……

席德才讀了幾頁便憤怒的將被子一掀，站起來在房內踱步，手中仍緊握住那本講義夾。

這實在是太過分了！她爸爸讓這兩個女孩在林間的小木屋內，發現了他在五月的前兩個星期寄給席德的所有明信片的副本。這些都確實是爸爸寫給她的親筆函，她曾經一讀再讀，每一個字她都記得。

親愛的席德：

我現在內心滿溢有關你生日的祕密，以致我一天裡不得不好幾次克制自己不要打電話回家，以免把事情搞砸了。那是一件會愈長愈大的事物。而你也知道，當一個東西愈長愈大，你就愈來愈難隱藏它了。

蘇菲又上了一課，瞭解了猶太民族、希臘民族的特色以及他們的偉大文化。席德很高興能對歷史做這樣的綜覽，因為她在學校裡從未學到這些。老師們講的似乎都是一些枝枝節節的東西。她讀完這一課後，對耶穌與基督教有了新的認識。

她喜歡那段引自歌德的文字：「不能汲取三千年歷史經驗的人沒有未來可言。」

下面一章開始時，蘇菲看到一張明信片貼在她家廚房的窗戶上。當然，那又是一封寄給席德的生日卡：

親愛的席德：

我不知道你看到這張卡片時，你的生日過了沒有。我希望還沒有，至少不要過太久。

對於蘇菲來說，一兩個星期也許不像我們所認為的那麼漫長。我將回家過仲夏節。到時，我們就可以一起坐在秋千上看海看幾個小時。我有好多話要跟你說……

然後艾伯特打電話給蘇菲。這是她第一次聽到他的聲音。

「聽起來好像在打仗一樣。」

「我寧可說這是一場意志之戰。我們必須吸引席德的注意力，並且設法使她在她父親回到黎樂桑之前站在我們這邊。」

於是蘇菲在一座十二世紀的古老岩石教堂內與扮成中世紀僧侶的艾伯特見面了。

天哪！那座教堂！席德看了看時間。一點十五分了……她完全忘記了時間。在她生日這天不去上學也許沒有什麼關係，但這樣一來她就沒辦法跟同學一起慶祝了。不過，反正已經有很多人祝她生日快樂了。

現在她讀到艾伯特發表長篇大論那一段。這個人扮起中世紀教士的角色可真是一點也不費力。

當她讀到蘇菲亞在夢中向席德佳顯靈那一段，她再次去查她的百科全書，但兩個名詞都沒查到。其實哪次不是這樣呢？只要是關於女人的事，這百科全書就像月球表面一樣什麼也沒有。

難道整套書都經過「保護男人學會」審查過了嗎？

席德佳是傳教士、作家、醫生、植物學家兼生物學家。「通常中世紀的婦女要比男人實際，甚至可能有科學頭腦，在這方面席德佳也許是一個象徵。」

然而「讀書俱樂部」的百科全書卻沒有任何關於她的記載。真是爛透了！

席德從來沒有聽說過上帝也有「女性化的一面」或「母性」。她的名字是蘇菲亞，可是那些出版商顯然好像覺得不值得為她浪費油墨似的。

她在百科全書中所能找到最近似的條款是關於君士坦丁堡（現在的伊斯坦堡）的聖蘇菲亞教堂，名為Hagia Sophia，意思是「神聖的智慧」。但裡面卻沒有任何文字提到蘇菲亞是女性。這不是言論箝制是什麼？

說到顯靈，席德認為蘇菲也曾向她「顯靈」過，因為她一直都在想像這個長了一頭直髮的女孩是什麼模樣……

蘇菲在聖瑪莉教堂幾乎待了一整個晚上。她回到家後，站在她從林間小木屋裡拿回來的銅鏡前面。

她仔細審視著自己那張輪廓分明蒼白的臉，以及臉四周那一頭做不出任何髮型的難纏的頭髮。但在那張臉之外卻浮現了另外一個女孩的幽靈。

突然間，那個女孩瘋狂的眨著雙眼，彷彿是在向蘇菲做訊號，說她的確在那兒。這個幽靈出現的時間只有幾秒鐘，然後便消失了。

不知道有多少次，席德也曾像那樣站在鏡子前面，彷彿在鏡裡找尋另外一個人似的。但是爸爸又怎麼知道的呢？她不是也一直在找一個深色頭髮的女人嗎？曾祖母不就是向一個吉普賽女人購買那面鏡子的嗎？

席德察覺自己捧著書的雙手正在發抖。她覺得蘇菲確實存在於「另外一邊」的某處。現在蘇菲正夢見席德和柏客來山莊。席德既看不見她，也聽不見她。後來蘇菲在平臺上撿到了席德的金十字架鍊子，而當她一覺醒來時，那條刻有席德姓名的十字架鍊子正躺在她的床上！

席德強迫自己努力回想。她應該沒有把那條祖母送給她當受洗禮物的金十字架鍊子也弄丟吧？她走到櫃子旁，拿出她的珠寶盒。奇怪，鍊子居然不見了！

這麼說她真的把它搞丟了。好吧。但這件事連她自己也不曉得，爸爸又是如何知道的呢？

還有，蘇菲顯然曾經夢到席德的父親從黎巴嫩回來了。但那時距父親預定回來的日子還有一個星期呀！蘇菲的夢難道是一種預兆嗎？爸爸的意思難道是當他回家時，蘇菲也會在場嗎？他在信上曾說她將會有一個新朋友……

在那一瞬間，席德很清楚的感覺到蘇菲不只是書中的人物而已。她的確存在於這世上。

啓蒙

……從製針的技術到鑄造大砲的方法……

席德正要開始閱讀「文藝復興」那一章時，聽到樓下傳來媽媽進門的聲音。她看看鐘，已經下午四點了。

媽媽跑上樓來，打開席德的房門。

「你沒去教堂嗎？」

「去啦。」

「可是……你穿什麼衣服去的？」

「就是我現在身上穿的呀！」

「你的睡衣嗎？」

「那是一座中世紀的古老岩石教堂。」

「席德！」

她把講義夾滑到懷中，擡起頭來看著媽媽。

「媽，我忘記時間了。對不起，可是我正在讀一些很有趣的東西。」

媽媽忍不住笑起來。

「這是一本很神奇的書。」席德說。

「好吧。我再說一次生日快樂，席德！」

「又來了，我都快聽煩了。」

「可是我還沒有……我要去休息一會，然後我會弄一頓豐盛的晚餐。你知道嗎？我好不容易買到一些草莓。」

「好。那我就繼續看書囉。」

媽媽走出房間。席德繼續看下去。

蘇菲跟著漢密士來到鎮上。在艾伯特的門廊上，她看到一張剛從黎巴嫩寄來的明信片。上面的日期也是六月十五日。

席德已經逐漸瞭解這些日期安排的模式了。那些在六月十五日以前的明信片是席德已經接到的那些明信片的副本。而那些寫著六月十五日的明信片則是她今天才第一次在講義夾裡看到的。

親愛的席德：

現在蘇菲已經到哲學家的家裡來了。她很快就要滿十五歲了，但你昨天就滿十五了。還是今天呢？如果是今天的話，那麼信到的太遲了。不過我們兩個的時間並不一定一致

……

席德讀到艾伯特和蘇菲談論文藝復興運動與新科學，還有十七世紀理性主義者與英國的經驗主義。

每一次席德看到父親設法夾藏在故事中的明信片和生日賀詞時，都嚇了一跳。他讓它們從蘇菲的作業本裡掉出來，在香蕉皮內層出現，有的甚至藏在電腦程式裡。他輕而易舉的讓艾伯特把蘇菲的名字叫成席德。最過分的是他居然讓漢密士開口說：「席德，生日快樂！」

席德同意艾伯特的說法，爸爸是做得太過分了一些，居然把自己比做上帝和天意。可是讓艾伯特說這些話的人不正是她的爸爸嗎？其實她想想，爸爸將自己比做上帝畢竟也不算很那個，因為在蘇菲的世界裡面，爸爸不就像是一個無所不能的上帝嗎？

當艾伯特談到柏克萊的哲學時，席德和蘇菲一樣完全被迷惑了。下一步會發生什麼事呢？書裡已經多次暗示當他們談到這位不認為人的意識之外有物質世界存在的哲學家（席德偷偷看了一下百科全書）時，就會有一件很特別的事發生。

這章一開始是艾伯特和蘇菲兩人站在窗前，看著那架拖著長長的「生日快樂」布條的小飛機。這個時候，烏雲開始在市區上方聚集。

因此，to be or not to be並不是唯一的問題。問題在於我們是什麼。我們真的是血肉之軀的人類嗎？我們的世界是由真實的事物組成的嗎？或者我們只是受到心靈的包圍？

難怪蘇菲要開始咬指甲。席德過去從來沒有咬指甲的壞習慣，不過她現在很同情蘇菲。最後一切終於明朗化了：

「……對於你我來說，這個『造成萬物中之萬物』的『意志或靈』可能是席德的父親。」

「你是說他有點像是在扮演我們的上帝嗎？」

「坦白說，是的。他應該覺得慚愧才對。」

「那席德呢？」

「她是個天使，蘇菲。」

「天使？」

「因為她是這個『靈』訴求的對象。」

說到這裡，蘇菲衝了出去，離開艾伯特，跑進風雨之中。那會是昨天晚上（就在蘇菲跑過鎮上幾個小時之後）吹襲柏客來山莊的那場暴風雨嗎？

明天就是我的生日了，蘇菲心想。在十五歲生日前夕突然領悟到生命只不過是一場夢境而已，那種感覺真是分外苦澀啊。就好像是你中了一百萬大獎，正要拿到錢時，卻發現這只不過是南柯一夢。

蘇菲啪躂啪躂的跑過泥濘的運動場。幾分鐘後，她看見有人跑向她。原來是媽媽。此時閃電正發怒般一再劈過天際。

當他們跑到彼此身邊時，媽媽伸出手臂摟著蘇菲。

「孩子，我們到底發生什麼事了？」

「我不知道，」蘇菲啜泣。「好像一場噩夢一樣。」

席德覺得她的眼淚要掉下來了。「存在或不存在，這正是問題所在。」她把講義夾丟到床尾，站了起來，在地板上來回踱步。最後她在那面銅鏡前駐足，就這樣一直站著。直到媽媽來敲門宣布晚餐已經弄好，她才猛然驚覺自己不知道已經站了多久。

不過有一點她百分之百確定的是：她看到鏡中的人影同時向她眨動雙眼。

吃晚飯時，她努力要當一個知道惜福感恩的壽星，可是她從頭到尾滿腦子想的都是蘇菲和艾伯特。

眞相

現在他們已經知道所有事情都是席德的父親一手安排的，以後他們會發生什麼事呢？

事實上，說他們「知道」什麼事也許是太誇張了，也是沒有意義的。不是只有爸爸才能讓他們知道任何事情嗎？

然而，不管從哪一個角度來看，問題都是一樣的。一旦蘇菲和艾伯特「知道」一切事情的真相，他們就等於走到路的盡頭了。

她吃著飯時，突然想到同樣的問題可能也存在於她自己的世界。想到這裡，她差點梗到。如今，人們對大自然的法則日益瞭解。一旦哲學與科學這張拼圖板上的最後一片放好時，歷史還會一直繼續下去嗎？觀念、科學的發展與溫室效應、森林消失這兩者之間不是有某種關聯嗎？也許，將人類對於知識的饑渴稱為「遠離上帝的恩典」，並不是一種很荒謬的說法。

這個問題太大，也太令人害怕，席德試著把它忘掉。她想，她應該繼續再讀爸爸給她的生日書，這樣也許她會瞭解的更多一些。

「……祝你生日快樂！……」他們吃完冰淇淋和義大利草莓後，媽媽又開始唱。「現在我們來做一件你最想做的事。」

「媽，我知道我這樣有點神經，不過我現在最想做的就是讀爸爸送給我的那本書。」

「好吧，只要他不會讓你變得不知所云就好了。」

「才不會呢！」

「待會兒我們看你愛看的偵探影集時，可以一起吃比薩餅。」

「好啊，如果你想吃的話。」

席德想到蘇菲對她媽媽說話的方式。爸爸在寫蘇菲的母親這個角色時該不會以媽媽為藍本吧？為了保險起見，席德決定不要提任何有關白兔被魔術師從禮帽裡拉出來的事。至少今天不要。

「對了，媽！」在離開餐桌時她突然想到。

「什麼事？」

「我到處找都找不到我的金十字架。」

媽媽看著她，臉上有一種謎樣的表情。

「幾個禮拜前我在平臺下面撿到它。一定是你掉的，你這個丟三落四的小鬼頭。」

「你有沒有把這件事告訴爸爸呢？」

「我想想看……應該有吧。」

「那條鍊子現在在哪裡呢？」

媽媽上樓去拿她的珠寶盒。席德聽到臥室傳來一小聲驚訝的叫聲。不一會，媽媽就回到客廳來了。

「奇怪，好像不見了。」

「我想也是。」

她擁抱了媽媽一下，隨即跑上樓到房間去。現在她終於又可以讀有關蘇菲和艾伯特的種種了。她像以前那樣坐在床上，膝蓋上放著那本沉重的講義夾，開始讀下一章。

生日

第二天早上蘇菲醒來時，媽媽正端著一個放滿各色生日禮物的托盤進入她的房間。盤子上還有一個空汽水瓶，裡面插著一面國旗。

「蘇菲，生日快樂！」

蘇菲揉一揉惺忪的睡眼。她努力回想昨晚發生的事，可是所有的事卻像一堆混雜在一起的拼圖一般。其中一片是艾伯特，另外一片是席德和少校。第三片是柏克萊，第四片是柏客來。最黑的一片是昨晚那場狂風暴雨。她當時真的嚇呆了。媽媽用一條毛巾幫她擦乾全身，讓她喝了一杯加了蜂蜜的熱牛奶後就讓她上床了。然後，她立刻就睡著了。

「我還活著吧？」她有氣無力的說。

「你當然還活著！今天你滿十五歲了呢！」

「你確定嗎？」

「當然確定。難道做媽媽的會不知道她的獨生女是什麼時候生的嗎？那是一九七五年六月十五日……下午一點半的時候。是我一生中最快樂的時刻。」

「你確定那不是一場夢嗎？」

「如果醒來就有麵包、汽水和生日禮物的話，那一定是一場好夢囉。」

媽媽把放禮物的托盤擺在一張椅子上，然後走出房間。沒一會她就回來了，手裡端著另外一個放有麵包和汽水的托盤。她把盤子放在床尾。

這表示她們家傳統的生日節目就要開始了。先是拆禮物，然後媽媽就無限感懷的回憶起十五年前她第一次陣痛的情景。媽媽送蘇菲的禮物是一支網球拍。蘇菲從來沒有打過網球，不過離苜蓿巷幾分鐘處就有幾座露天網球場。爸爸寄給她的禮物則是一臺迷你電視兼調頻收音機。電視的螢幕只有一張相片那麼大。此外，還有年老的姑媽們和一些叔伯阿姨們送的禮物。

之後，媽媽說道：

「你要不要我今天請假在家陪你呢？」

「不要，你沒有理由這樣做呀。」

「你昨天好像心情很不好。如果繼續這樣下去，我想我們應該去看心理醫生。」

「不用啦！」

「是因為暴風雨的緣故嗎？還是因為艾伯特呢？」

「那你昨天又是怎麼回事呢？你說：『孩子，我們到底發生什麼事了？』」

「我是想到我不應該讓你隨隨便便跑到鎮上去見一個神祕人物……那也許是我的錯。」

「那不是任何人的『錯』，我只是利用閒暇的時間上一門哲學課而已。你去上班吧！今天學校十點才有課，而且只是去拿成績單、跟同學聊聊天而已。」

「你知道你這學期成績如何嗎？」

「反正會比我上學期好就對了。」

媽媽走了沒多久，電話響了。

「喂，我是蘇菲。」

「我是艾伯特。」

「喔。」

「少校連昨天晚上也不放過。」

「什麼意思？」

「那場暴風雨呀。」

「我已經不知道該怎麼想了。」

「這是一個真正的哲學家最崇高的美德。蘇菲，我真是以你為榮。你在這麼短的時間內就學到了這麼多。」

「我怕沒有一件事情是真的。」

「這種感覺叫做『存在的焦慮』。通常只是在邁向獲得新意識的過程中的一個階段而已。」

「我恐怕有一段時間不能上課了。」

「現在花園裡有那麼多青蛙嗎？」

蘇菲笑了出來。艾伯特繼續說：

「我想我們還是應該繼續下去。對了，順便說一聲：生日快樂。我們必須在仲夏節前上完這門課。這是我們最後的機會。」

反抗

「什麼最後機會？」

「你現在坐得舒服嗎？我們要花一段時間來談這個。」

「好，我坐下來了。」

「你還記得笛卡爾嗎？」

「就是說：『我思故我在』的那個人？」

「對。談到我們心中的疑問，必須要從頭講起。我們甚至不能確定自己是否在思考。也許我們會發現自己只是別人的一些想法罷了，這和思考是很不一樣的。我們有很充分的理由相信我們只不過是席德的父親創造出來的人物，好做為他女兒生日時的消遣。你明白嗎？」

「嗯……」

「可是這當中本身就有矛盾。如果我們是虛構的人物，我們就沒有權利『相信』任何事情。如果這樣的話，我們這次的電話對談純粹都是想像出來的。」

「而我們沒有一點點自由意志，因為我們的言語行動都是少校計畫好的。所以我們現在還不如掛斷電話算了。」

「不，你現在又把事情看得太簡單了。」

「那就請你說明白吧。」

「你會說人們夢見的事情都是他們自己計畫好的嗎？也許席德的爸爸確實知道我們做的每一件事，也許我們確實很難逃離他的監視，就像我們很難躲開自己的影子一樣。但是我們並不確定少校是否已經決定了未來將發生的每一件事，這也是我開始擬定一項計畫的原因。少校也許要到最後一分鐘——也就是創造的時刻——才會做成決定。在這樣的時刻我們也許可以自己決定要說些什麼、做些什麼。比起少校的重型大砲來，我們這一點點自主性當然只能算是極其微弱的力量。我們很可能沒法抵抗一些外力（如會說話的狗、香蕉裡寫的字和事先預定的暴風雨等等）的干預，但是我們不能放棄自己頑強抵抗的能力，不管這種能力是多麼微弱。」

「這怎麼做得到呢？」

「少校當然知道我們這個小小世界裡發生的每一件事，但這並不表示他是無所不能的。無論如何我們必須假裝他不是這樣，照常過我們的生活。」

「我想我明白你的意思了。」

「其中關鍵就在我們是否能設法自己做一些事情，一些不會讓少校發現的事情。」

「可是，如果我們不存在的話，我們怎麼能夠做這些事呢？」

「誰說我們不存在？問題不在於我們究竟存不存在，而是在於我們是什麼？我們是誰？就算最後事實證明我們只不過是少校的雙重人格裡的一些念頭，那也並不一定能否定我們這一點點存在的價值呀。」

「也不能否定我們的自由意志，對嗎？」

「這個我正在想辦法。」

「可是席德的爸爸一定知道你正在想辦法。」

「當然囉。可是他並不知道我們確切的計畫是什麼。我正試圖要找到一個阿基米德點。」

「阿基米德點？」

「阿基米德是希臘的一個科學家。他說：『給我一個穩固的點，讓我站在上面，我就能夠移動地球。』我們必須找到那個支點，才能把我們自己移出少校的內在宇宙。」

「這可不簡單哪！」

「問題是在我們還沒有上完哲學課之前，我們不可能溜得走。在上課期間，他會把我們抓得緊緊的。他顯然已經決定要我引導你瞭解從近代到現代這幾個世紀的哲學。可是我們只剩下幾天的時間了，因為他再過幾天就要在中東某個地方登機了。如果在他抵達柏客來之前，我們還沒有脫離他那牛皮糖一般的想像力的話，我們就完了。」

「說的真嚇人。」

「首先我要告訴你法國啓蒙運動時期最重要的一些事情，然後我們會扼要的討論一下康德的哲學，以便接著談浪漫主義。黑格爾也將是這裡面的一個重要人物。談到他時，我們勢必要談到祁克果（Kierkegaard）如何怒氣勃勃的駁斥黑格爾的哲學。然後，我們將簡短的談一下馬克思、達爾文和佛洛伊德等人。最後如果我們能夠想辦法談一下沙特和存在主義，我們的計畫就可以付諸行動了。」

「這麼多東西，一個星期怎麼談得完？」

「所以我們才要馬上開始呀。你現在可以過來嗎？」

「我今天要上學。我們要開同學會，拿成績單。」

「別去了。如果我們只是虛構的人物，我們能嚐到糖果和汽水的味道才怪。」

「可是我的成績單……」

「蘇菲，你應該關心你自己究竟是住在一個美妙宇宙中的一個小小星球上的人，還是只是少校心靈中的一些電磁波。但你卻只擔心你的成績單！你真應該感到慚愧呀！」

「對不起。」

「不過你還是先去上學好了。如果你在學期最後一天蹺課，可能會把席德帶壞。她也許連她生日那一天都會去上學呢！她是個天使，你知道嗎？」

「那我放學後就直接去你那兒。」

「我們可以在少校的小木屋見面。」

「少校的小木屋？」

「卡！」一聲，電話掛上了。

席德讓講義夾滑到懷中。爸爸的話讓她有點良心不安——她在學期最後一天的確沒有上學。真是的，這個老滑頭！

她坐了一會，心想不知道艾伯特究竟擬了什麼樣的計畫。她該不該偷看最後一頁呢？不，那樣就算作弊了。她最好趕緊把它讀完。

不過她相信艾伯特有一點（很重要的一點）說得對。爸爸的確對蘇菲和艾伯特經歷過的事通盤瞭解。但他在寫作時，可能也不完全知道未來將發生的事。他可能會在匆忙之間寫下一些東西，並且很久以後才注意到。這樣一來，蘇菲和艾伯特就有相當的空間可以發揮了。

席德再次覺得她相信蘇菲和艾伯特是確實存在的。真人不露相，她心裡這麼想。

這個意念為什麼會進入她心中呢？

那當然不是一個會在表面激起漣漪的想法。

就像每次班上有人過生日時一樣，同學們今天都圍著蘇菲紛紛起鬨。由於暑假前的氣氛、成績單和汽水等等，蘇菲自己也滿高興受人注目。

當老師祝大家暑假愉快，並且宣布解散後，蘇菲馬上衝回家。喬安本想留住她，但蘇菲回過頭大聲對喬安說她必須去辦一件事。

她在信箱裡發現了兩張從黎巴嫩寄來的明信片，上面都印有「祝你十五歲生日快樂！」的字樣。其中一張仍舊寫著「請蘇菲代轉席德」，但另外一張則是直接寫給蘇菲的。兩張明信片上都蓋著「六月十五日聯合國部隊」的郵戳。

蘇菲先讀那張寫給她的明信片：

親愛的蘇菲：

今天我也要向你祝壽，祝你生日快樂。並謝謝你為席德做了這麼多事。祝安好。

艾勃特少校

席德的父親終於也寫明信片給她了。蘇菲真不知道自己該有什麼反應。

給席德的明信片內容是這樣的：

親愛的席德：

我不知道此刻在黎樂桑是什麼日期或什麼時間。但是，就像我說過的，這並不重要。

如果我沒有看錯你的話，我這段最後（或倒數第二）的生日賀詞到得並不算太晚。可是要注意，不要熬夜熬得太晚喔。艾伯特很快就會告訴你法國啓蒙運動的思想。他會把重心放在七點上。這七點包括：

1、反抗權威
2、理性主義
3、啓蒙運動
4、文化上的樂觀態度
5、回歸自然
6、自然宗教
7、人權

他顯然仍監視著他們。

蘇菲進了門，把全部是A的成績單放在廚房的桌子上，然後便鑽過樹籬，跑進樹林中。

不久她再次划船渡湖。

她到達小屋時，艾伯特已經坐在門前的臺階上等她了。他招手示意，要她坐在他身旁。

今天天氣晴朗，不過湖面上有一層薄薄的水氣往上升，彷彿湖水尚未完全從那場暴風雨中復原似的。

「我們還是開門見山的談吧。」艾伯特說。

啓蒙運動

「休姆之後出現的另一位大哲學家是德國的康德（Immanuel Kant）。但十八世紀的法國也出現了許多重要的思想家。我們可以說十八世紀前半歐洲的哲學中心是在英國，十八世紀中期是在法國，十八世紀末則是在德國。」

「從西邊一直換到東邊。」

「沒錯。我首先要大略描述一下法國啓蒙時期哲學家的一些共通特點。其中最重要的幾個人物是孟德斯鳩、伏爾泰和盧梭。當然，除此之外還有很多哲學家。我將把重心放在七點上。」

「我早就知道啦！」

蘇菲把席德的父親寄來的明信片遞給艾伯特。艾伯特深深的歎了口氣：「他實在不必這麼費事的……首先，這個時期最重要的口號就是反抗權威。當時許多法國哲學家都到過英國。那時的英國在很多方面都比法國開明。這些哲學家受到英國自然科學——尤其是牛頓的宇宙物理學——的吸引，也受到英國哲學——尤其是洛克的政治哲學——的啓發。他們回到法國後，對於傳統的權威愈來愈不能認同，認為有必要對前人所謂的真理抱持懷疑的態度。他們的想法是：每一個人都必須自行找尋問題的答案。在這方面他們受笛卡爾的啓發很大。」

「因為他的思想體系是從頭建立的。」

「可以這麼說。不過，反對權威的口號也有一部分是針對當時的教士、國王和貴族。在十八世紀時，這幾種人在法國的勢力比在英國要大得多。」

「後來就發生了法國大革命？」

「是的，一七八九年法國大革命發生了，但是革命的理念是在很早之前就萌芽了。下面一個關鍵名詞是理性主義。」

「我還以為理性主義隨著休姆消逝了。」

「休姆本人到一七七六年才逝世。那時孟德斯鳩已經死了大約二十年了。兩年後，也就是一七七八年，伏爾泰和盧梭雙雙去世。可是他們三人都到過英國，非常熟悉洛克的哲學。你也許還記得洛克的經驗主義理論前後並不一致。例如他相信人對上帝的信仰和若干道德規範是人的理性中所固有的。這個想法也是法國啓蒙運動的核心。」

「你說過法國人總是比英國人更理性。」

「是的。這項民族性的差異可以回溯到中世紀。英國人通常會說『這是常識』，但法國人卻會說『這很明顯』。英國人說『這是大家都知道的』，但法國人卻會說『這是很明顯的』，也就是說對於人的理性來說是很明顯的。」

「原來如此。」

「大多數啟蒙時期的哲學家和蘇格拉底及斯多葛學派這些古代的人文主義者一樣，堅決相信人的理性，所以法國啟蒙運動時期時常被稱為『理性時代』。當時，新興的自然科學已經證明自然是受理性所管轄的，於是哲學家們認為他們也有責任依據人不變的理性為道德、宗教、倫理奠定基礎。啟蒙運動因此而產生。」

「這是第三點，對不對？」

「他們想要『啓』發羣眾的『蒙』昧，以建立更好的社會。他們認為人民之所以過著貧窮、備受壓迫的生活，是由於他們無知、迷信所致。因此他們把重點放在教育兒童與一般大眾上。所以，教育學這門學科創立於啓蒙時代並非偶然。」

「這麼說，學校制度開始於中世紀，而教育學則開始於啓蒙時代。」

「可以這麼說。啓蒙時代最大的成就是出版了一套足以代表那個時代的大規模百科全書。這套書共有二十八冊，在一七五一年到一七七二年間出版。當時所有知名的哲學家與文人都參與了編纂工作。他們打出的口號是：『你在這套書中可以查到所有的知識，上自鑄造大砲的方法，下至製針的技術。』」

「下面你是不是要談到文化上的樂觀態度？」

「我說話時請你不要看那張明信片好嗎？」

「喔，對不起。」

「啓蒙時期的哲學家認為一旦人的理性發達、知識普及之後，人性就會有很大的進步，所有非理性的行為與無知的做法遲早都會被『文明』的人性取代。這種想法後來成為西歐地區的主要思潮，一直到前幾十年為止。今天我們已經不再相信所有的『發展』都是好的。事實上，早在法國啓蒙時期，就已經有哲學家對所謂的『文明』提出批評。」

「也許我們早應該聽他們的話。」

「當時有些人提出『回歸自然』的口號，但對於啓蒙時期的哲學家而言，『自然』幾乎就代表『理性』，因為人的理性乃是自然的賜予，而不是宗教或『文明』的產物。他們的說法是：所謂的『原始民族』常常比歐洲人要更健康、更快樂，因為他們還沒有被『文明化』。盧梭提出『人類應該回歸自然』的口號，因為自然是好的，所以人如果能處於『自然』的狀態就是好的，可惜他們卻往往受到文明的敗壞。盧梭並且相信大人應該讓小孩子盡量停留在他們天真無邪的『自然』狀態裡。所以我們可以說體認童年的價值的觀念從啓蒙時代開始。在此之前，人們都認為童年只不過是為成年人的生活做準備而已。可是我們都是人，兒童跟大人一樣，也是生活在這個地球上的人。」

「可不是嘛！」

「他們也認為宗教必須加以自然化。」

「怎麼說呢？」

「他們的意思是，宗教也必須與『自然』的理性和諧共存。當時有許多人為建立所謂的『自然宗教』而奮鬥。這就是我們要談的第六點。當時有很多唯物論者不相信上帝，自稱為無神論者。但大多數啓蒙時期的哲學家認為否認上帝存在是不合乎理性的，因為這個世界太有條理了，因此不可能沒有上帝的存在。牛頓就持這樣看法。同樣的，這些啓蒙時期的哲學家也認為相信靈魂不朽是合理的。他們和笛卡爾一樣，認為人是否有一個不朽的靈魂不是信仰問題，而是理性的問題。」

「我覺得這種說法很奇怪。在我認為，這個問題的關鍵正在於你相不相信，而不在於你知不知道。」

「這是因為你沒有生在十八世紀的緣故。據啓蒙時期哲學家的看法，宗教上所有不合理的教條或教義都有必要去除。因為耶穌的教誨本來是很簡單的，這些不合理的教條或教義都是在後來教會傳教的過程才添加上去的。」

「原來如此。」

「所以後來有許多人宣稱他們相信所謂的『自然神論』。」

「那是一種什麼樣的理論？」

「所謂『自然神論』是指相信上帝在萬古之前創造了世界，但從此以後就沒有再現身。上帝成了一個『至高的存在』，只透過大自然與自然法則向人類顯現，絕不會透過任何『超自然』的方式現身。我們在亞理斯多德的著作中也可以發現類似這種『哲學上帝』的說法。

對他而言，上帝乃是『目的因』或『最初的推動者』。」

「我們只剩下人權這一點還沒講了。」

「但這也許是最重要的一點。大致上來說，法國啓蒙時期的哲學家要比英國哲學家更注重實踐。」

「你是說他們比較依照自己的哲學生活？」

「沒錯，法國啓蒙時期的哲學家對於一般人在社會的地位並不滿意。他們積極爭取所謂的『自然權利』，並首先發起一項反對言論管制、爭取新聞自由的運動。此外他們認為個人在宗教、道德與政治方面的思想與言論自由也有待爭取。他們同時也積極提倡廢除奴隸制度並以更合乎人性的方式對待罪犯。」

「他們大多數的觀點我都贊同。」

「一七八九年，法國國民議會通過『人權與民權宣言』，確立了『個人權利不可侵犯』的原則。挪威在一八一四年制定的憲法正是以這份宣言為基礎。」

「可是目前世界上仍然有很多人享受不到這些權利呀！」

「是的，這很不幸的。不過啓蒙時期的哲學家希望能夠確立每個人生來就有的一些權利，這就是他們所謂『自然權利』的意思。到現在我們仍然使用『自然權利』的字眼來指一種可能會與國家法律發生衝突的權利。此外，也時常有人——甚至整個國家——在反抗專制、奴役和壓迫時打著『自然權利』的口號。」

「那婦女的權利呢?」

「一七八七年的法國革命確立了所有『公民』都能享有的一些權利。但問題在於當時所謂『公民』幾乎都是指男人。儘管如此,女權運動還是在法國革命中萌芽了。」

「也該是時候了。」

「早在一七八七年時,啓蒙運動的哲學家龔多塞(Condorcet)就發表了一篇有關女權的論文。他主張婦女也和男人一樣有『自然權利』。在一七八九年法國大革命期間,婦女們非常積極的反抗舊日的封建政權。舉例來說,當時領導示威遊行,迫使國王離開凡爾賽宮的就是一些女人。後來婦女團體陸續在巴黎成立。他們除了要求和男人享有一樣的參政權之外,也要求修改婚姻法,並提高婦女的社會地位。」

「結果他們得到和男人相同的權利了嗎?」

「沒有。女權問題只是當時政治鬥爭的一個工具而已。到了新政權上任,一切恢復正常之後,又恢復了昔日以男人為主的社會制度。這種情形後來也屢次發生。」

「每次都這樣。」

「法國大革命期間爭取女權最力的人士之一是德古日(Olympe de Gouges)。她在革命結束兩年後,也就是一七九一年,出版了一篇有關女權的宣言。在此之前,有關民權的宣言從來沒有提到婦女的自然法權。而德古日在這篇宣言中卻要求讓婦女享有和男人完全相等的權利。」

「結果怎麼樣？」

「她在一七九三年被砍頭，女權運動也從此被禁。」

「真可恥呀！」

「直到十九世紀女權運動才真正在法國和歐洲各地展開，並且逐漸開花結果。不過，以挪威為例，婦女直到一九一三年才享有投票權。而目前世界上仍有許多地區的婦女無法享有充分的人權。」

「我和她們站在同一條陣線上。」

艾伯特坐在那兒，目光越過湖面。一、兩分鐘後他說：

「關於啓蒙運動我大致上就談到這兒了。」

「你說大致上是什麼意思？」

「我有一種感覺，以後不會再有了。」

他說完這話時，湖水開始起了一些變化。有某種東西在湖心冒泡，彷彿湖底的水突然一下噴湧上來一般。

「是水怪！」蘇菲說。

那隻黑色的怪物前後扭動了幾下身子後，便潛入湖水中消失無蹤。湖面又恢復了平靜。

艾伯特轉過身去。

「我們進屋去吧！」他說

他們便雙雙起身走進小木屋。

蘇菲站在那兒看著「柏克萊」和「柏客來」那兩幅畫。她指著「柏客來」那幅說：

「我想席德大概住在裡面的某個地方。」

今天那兩幅畫中間多了一幅刺繡作品。上面繡著：

「自由、平等、博愛。」

蘇菲轉身對艾伯特說：

「是你把它掛在那兒的嗎？」

他只是搖搖頭，臉上有一種憂傷的表情。

然後蘇菲在壁爐架上發現一個小小的信封，上面寫著：「致席德與蘇菲」。蘇菲立刻知道是誰寫的。他居然開始直接針對她了。這倒是新鮮事。

她折開信，大聲唸出來：

親愛的蘇菲和席德：

蘇菲的哲學老師應該強調啓蒙運動的意義在於它創立了聯合國賴以成立的一些理想與原則。兩百年前，「自由、平等、博愛」這個口號使得法國人民團結起來。今天，同樣的字眼應該也可以使得全世界團結起來。全人類應該成為一個大家庭，如今這個目標已經比從前更加迫切。想想看，我們的子子孫孫會從我們這裡繼承什麼樣的世界呢？

席德聽見媽媽在樓下喊說電視的偵探影集在十分鐘內就要開演了，同時她也已經把比薩餅放進了烤箱。讀了這麼多東西後，席德覺得好累。她今天早上六點就起床了。

她決定今晚要好好和媽媽一起慶祝她的生日。不過現在她必須在百科全書裡查一些東西。

Gouges……不，是De Gouges嗎？還是不對。是Olympe de Gouges嗎？還是查不到。這部百科全書中沒有一個字提到那個因為獻身自己的政治理念而被砍頭的女人。這不是太爛了嗎？

她該不會是爸爸捏造出來的人物吧？

席德跑到樓下，找一部比較大的百科全書。

「我必須查一些東西。」她對滿臉訝異神色的媽媽說。

她在那一大套家庭百科全書中找出了FORV到GP那一冊，然後便再次跑到樓上的房間。

Gouges……有了！

德古日（Gouges, Marie Olympe，一七四八～九三年），法國作家，在法國革命期間出版了許多社會問題論述和若干劇本，因此成為革命中的知名人物。

她是革命期間少數為婦女爭取權利的人士之一，於一七九一年出版了「女權宣言」。一七九三年時因為膽敢為路易十六辯護、反抗羅伯斯比而被砍頭。（請參照一九〇〇年所出版的《當代女權運動的起源》）

康德

……頭上閃爍的星空與心中的道德規範……

過了午夜，少校才打電話回家祝席德生日快樂。是媽媽接的電話。

「席德，是找你的。」

「喂？」

「我是爸爸。」

「你瘋了嗎？現在已經半夜了。」

「我只是想跟你說生日快樂……」

「你已經說了一整天了。」

「可是……在今天還沒過完前，我不想打電話給你。」

「為什麼？」

「你沒收到我的禮物嗎？」

「收到了。謝謝你。」

「那你就別賣關子了。你覺得怎麼樣？」

「很棒！我今天幾乎一整天都沒吃東西。」

「你要吃才行。」

「可是那本書太吸引人了。」

「告訴我你讀到哪裡了？」

「他們進去少校的小木屋了，因為你找了一隻水怪來作弄他們。」

「那你是讀到啓蒙時期那一章了。」

「還有德古日。」

「那麼我並沒有弄錯。」

「弄錯什麼？」

「我想你還會再聽到一次生日快樂。不過那次是用音樂來表現的。」

「那我想我最好在睡覺前再讀一些。」

「那麼你還沒有放棄囉？」

「我今天學到的比……比從前都要多。我幾乎不能相信現在距離蘇菲放學回家發現第一封信時還不到二十四小時。」

「是呀，真奇怪，居然只花了這麼一點時間。」

「可是我還是忍不住替她難過。」

「你是指媽媽嗎？」

「不，我說的當然是蘇菲。」

「為什麼呢？」

「她完全被搞胡塗了，真可憐。」

「可是她只是……我的意思是……」

「你是不是想說她只是一個虛構的人物？」

「是的，可以這麼說。」

「可是我認為蘇菲和艾伯特真有其人。」

「等我回家時我們再談好了。」

「好吧！」

「祝你有個美好的一天。」

「你說什麼？」

「我是說晚安。」

「晚安。」

半小時後，席德上床了。此時天色仍然明亮，她可以看見外面的花園和更遠處的小海灣。每年這個時節，天色從來不會變暗。

她腦海裡想像著她置身於林間小木屋牆上那幅畫的裡面。她很好奇，不知道一個人是否可以從畫中伸出頭來向四周張望。

入睡前，她又看了幾頁大講義夾裡的東西。

蘇菲將席德的父親寫的信放回壁爐架上。

「有關聯合國的事並不是不重要，」艾伯特說，「但我不喜歡他干擾我上課。」

「這點你不需要太擔心。」

「無論如何，從今天起，我決定要無視於所有類似水怪等等的不尋常現象。接下來我要談康德的哲學。我們就坐在窗戶旁吧！」

蘇菲注意到兩張扶手椅間的小茶几上放著一副眼鏡。她還發現那鏡片是紅色的。

也許是遮擋強光的太陽眼鏡吧。

「已經快兩點了。」她說。「我得在五點前回家。媽媽可能已經安排好了我的生日節目。」

「算算還有三小時。」

「那我們就開始吧！」

「康德於一七二四年誕生於普魯士東部的哥尼斯堡（Königsberg），父親是一位馬鞍師傅。康德一輩子都住在這個小鎮上，一直到他八十歲過世為止。他們一家人都是非常虔誠的教徒，而他的宗教信仰也成為他的哲學的重要背景之一。他和柏克萊一樣，覺得有必要鞏固基督徒信仰的基礎。」

「謝啦！我已經聽太多柏克萊的事了。」

「康德是我們到目前為止談過的哲學家中唯一曾在大學裡教授哲學的人。他是一位哲學教授。」

「教授？」

「世上有兩種哲學家。一種是不斷找尋他對哲學問題的答案的人。另一種則是精通哲學史，但並不一定曾建立自己的哲學理論的人。」

「康德就是那種嗎？」

「他兩者都是。如果他只是一個很好的哲學教授，通曉其他哲學家的理念，他就不會在哲學史上有一席之地。不過，有一點很重要的就是：康德對於古往今來的哲學傳統有很深厚的瞭解。他對笛卡爾和史賓諾沙的理性主義與洛克、柏克萊和休姆等人的經驗主義都很精通。」

「我說過請你不要再提柏克萊了。」

「你應該還記得理性主義者認為人類的心靈是所有知識的基礎，而經驗主義者則認為我們對於世界的瞭解都是從感官而來的。休姆更指出，我們透過感官認知所能獲得的結論顯然有其限制。」

「那麼康德同意哪一派說法呢？」

「他認為兩派的說法都有一部分正確，也有一部分是錯誤的。在這方面大家一致關心的問題是：我們對於這個世界能夠有什麼樣的知識？自從笛卡爾以來的哲學家們都專注於思考這個問題。他們提出兩種最大的可能性：一、這世界正如我們感官所認知到的那樣，

二、這世界乃是像我們的理性所體悟到的一般。」

「那康德怎麼想呢？」

「康德認為我們對於這個世界的觀念是我們同時透過感官與理性而得到的。不過他認為理性主義者將理性的重要性說得太過火了，而經驗主義者則過分強調感官的經驗。」

「如果你不趕快舉一個例子，這些話我可是聽不懂。」

「首先，康德同意休姆和經驗主義者的說法，認為我們對於世界的瞭解都是透過感官而來的，但他也贊成理性主義者的部分說法，認為我們的理性中也有一些因素可以決定我們如何認知周遭的世界。換句話說，他認為我們對於世界的觀念會受到人類心靈中某些狀況的影響。」

「這就是你舉的例子呀？」

「我們還是來做一個小小的實驗好了。請你幫我把那邊茶几上的眼鏡拿來好嗎？對，就是那副。好，請你戴上它。」

蘇菲把眼鏡戴上。於是她眼中所看到的每一件事物全都變紅了。原本淡淡的顏色變成了粉紅色，原本是深色的，則變成深紅色。

「你看到什麼？」

「每一件東西都跟以前一樣，只不過都變紅了。」

「這是因為眼鏡限制了你感知現實世界的方式。你看到的每一件東西都是你周遭世界的一部分，但你怎麼看它們卻取決於你所戴的眼鏡。因此，即使你看到的一切東西都是紅色的，你也不能說世界是紅色的。」

「現在你如果到樹林裡去散步，或回到船長彎去，你會看到平常你見到的一切，只是它們統統會變成紅色的。」

「當然囉。」

「對，只要我不拿下這副眼鏡。」

「這正是康德之所以認為我們的理性中有若干傾向會左右我們獲得的經驗。」

「什麼樣的傾向？」

「我們所見到的事物首先會被看成是時間與空間裡的一個現象。康德將『時間』與『空間』稱為我們的兩種『直觀形式』（form of intuition）。他強調我們心靈中的這兩種『形式』先於一切經驗。換句話說，我們在還沒有經驗事物之前，就可以知道我們感知到的將是一個發生在時間與空間裡的現象。因為我們無法脫掉理性這副『眼鏡』。」

「所以他認為我們天生就能夠在時間與空間裡感知事物？」

「是的，可以這麼說。我們看見什麼雖然視我們生長在印度或格陵蘭而定，但不管我們在哪裡，我們體驗到的世界就是一連串發生在時間與空間裡的過程。這是我們可以預知的。」

「可是時間和空間難道不是存在於我們本身之外的事物嗎？」

「不。康德的概念是：時間與空間屬於人類的條件。時、空乃是人類感知的方式，並非物質世界的屬性。」

「這種看事情的方式倒是很新穎。」

「因為人類的心靈不只是純粹接收外界感官刺激的『被動的蠟』，也是一個會主動塑造形狀的過程。心靈影響了我們理解世界的方式，就像你把水倒進一個玻璃壺裡面，水立刻會順應水壺的形狀一般。同樣的，我們的感官認知也會順應我們的『直觀形式』。」

「我想我懂你的意思了。」

因果律

「康德宣稱，不僅心靈會順應事物的形狀，事物也會順應心靈。他把這個現象稱為人類認知問題上的『哥白尼革命』。意思是這種看法和從前的觀念截然不同，就像哥白尼當初宣稱地球繞著太陽轉，而不是太陽繞著地球轉一樣。」

「我現在瞭解為何他認為理性主義者與經驗主義者都只對了一部分了。理性主義者幾乎忘記了經驗的重要性，而經驗主義者則無視於我們的心靈對我們看世界的方式的影響。」

「就拿因果律來說，休姆認為這是人可以經驗到的，但在康德的想法中，因果律仍然屬於心靈這部分。」

「請你說明白一些。」

「你還記得休姆宣稱，我們只是因為受到習慣的驅策，才會以為各種自然現象之間有所關聯嗎？根據休姆的說法，我們無法感知黑球是促使白球移動的肇因，因此我們無法證明黑球一定會使白球移動。」

「對，我記得。」

「休姆認為我們無法證明因果律，康德則認為因果律的存在正是人類理性的特色。正因為人類的理性可以感知事物的因果，因此因果律是絕對的，而且永恆不變的。」

「可是在我認為因果律是存在於物質世界的法則，並不存在於我們的心靈。」

「康德的理論是：因果律是根植於我們的內心的。他同意休姆的說法，認為既然我們無法確知世界本來的真貌，我們只能根據自己的認識來瞭解世界。康德對哲學最大的貢獻在於他認為 das Ding an sich 和 das Ding für mich 是不相同的。」

「拜託，我的德文不是很好。」

「康德認為『事物本身』和『我眼中的事物』是不一樣的。這點很重要。我們永遠無法確知事物『本來』的面貌。我們所知道的只是我們眼中『看到』的事物。從另外一個角度來看，我們在每一次經驗之前都可以預知我們的心靈將如何認知事物。」

「真的嗎？」

「你每天早上出門前，一定不知道今天會看到什麼事情或有什麼經驗。但你可以知道你所看到、經驗到的事物都是發生在時間和空間裡的事物。你也可以確定這些事物可以適用因果律，因為你的意識裡就存在著這個因果律。」

「你的意思是說我們人類的構造不一定會像現在這樣？」

「是的，我們可能會有不同的感官構造，對於時間和空間可能也會有不同的感覺。我們甚至可能被創造成一種不會到處去尋求我們四周事物的成因的生物。」

「這是什麼意思？」

「假設有一隻貓躺在客廳的地板上，然後突然有一個球滾進來。你想那隻貓會有什麼反應？」

「這個我試過好幾次了。這時候貓咪就會去追那個球。」

「好，現在再假設坐在客廳裡的是你。如果你突然看到一個球滾進來，你也會跑去追那個球嗎？」

「首先我會轉身看看球是從哪裡來的。」

「對了，因為你是人，你勢必會尋求每一件事物的原因，因為因果律是你構造中的一部分。」

「然後呢？」

「休姆認為我們既不能感知自然法則，也不能證明自然法則。康德對這點不太苟同。他相信他可以證明事實上我們所謂的自然法則乃是人類認知的法則，由此而證明這些法則的真實性。」

「小孩子也會轉身看看球從哪裡來的嗎？」

「可能不會。但康德指出，小孩子的理性要等到他有若干感官的材料可以處理後才會充分發展。談論一個空白的心靈是沒有意義的。」

「這樣的心靈將是很奇怪的心靈。」

「所以我們現在可以做個總結。根據康德的說法，人類對於世界的觀念受到兩種因素左右。一個是我們必須透過感官才能知道的外在情況，我們可以稱之為知識的原料。另外一個因素就是人類內在的情況，例如我們所感知的事物都是發生在時、空之中，而且符合不變的因果律等。我們可以稱之為知識的形式。」

艾伯特和蘇菲繼續坐了一會，看著窗外的世界。突然間蘇菲瞥見湖對岸的樹叢間有一個小女孩。

「你看！」蘇菲說。「那是誰？」

「我不知道。」

小女孩只出現了幾秒鐘就消失了。蘇菲注意到她好像戴了一頂紅色的帽子。

「我們絕對不可以因為那種事情而分心。」

「那你就繼續說吧。」

「康德相信我們的心靈所能感知的事物很明顯的有其限制，你可以說是我們的心靈所戴的『眼鏡』給我們加上了這種限制。」

「怎麼會呢？」

「你應該還記得康德之前的哲學家曾經討論過一些很『大』的問題，如人是否有不朽的靈魂、上帝是否存在、大自然是否由很多看不見的分子所組成，以及宇宙是有限還是無限的等等。」

「嗯。」

「康德認為我們不可能得到這些問題確實的答案，這並不是因為他不肯討論這方面的問題，相反的，如果他對這些問題不屑一顧，那他就不能夠稱得上是一個哲學家了。」

「那他怎麼說呢？」

「慢慢來，要有耐心。康德認為在這些大問題上，理性所能夠運作的範圍超過了我們人類所能理解的程度。可是在這同時，我們的本性中有一種基本的慾望要提出這些問題。可是，舉個例子，當我們問『宇宙是有限還是無限？』時，我們的問題關係到的是一個我們本身在其中占一小部分的事物。因此我們永遠無法完全瞭解這個事物。」

「為什麼不能呢？」

「當你戴上那副紅色的眼鏡時，根據康德的想法，有兩種因素影響我們對世界的瞭解。」

「感官知覺和理性。」

「對。我們的知識材料是透過感官而來，但這些材料必須符合理性的特性。舉例來說，理性的特性之一就是會尋求事件的原因。」

「譬如說看到球滾過地板的時候就會問球從哪裡來。」

「沒錯。可是當我們想知道世界從何而來，並且討論可能的答案時，我們的理性可以說『暫時停止作用』。因為它沒有感官的材料可以加以處理，也沒有任何相關的經驗可資利用，因為我們從未經驗過我們渺小的人類所隸屬的這個大宇宙。」

「也可以說我們是滾過地板這個球的一小部分，所以我們不知道它是從哪裡來的。」

「可是人類理性的特色就是一定會問球從哪裡來。這也是為什麼我們會一問再問，全力解答這些艱深問題的原因。可是我們從來沒有獲得過任何確定的材料，所以我們永遠不能得到滿意的答案，因為我們的理性不能發揮作用。」

「謝啦。這種感覺我很清楚。」

「談到現實世界的本質這類重量級的問題，康德指出，人永遠會有兩種完全相反，但可能性相當的看法，這完全要看我們的理性怎麼說。」

「請舉一些例子好嗎？」

「我們可以說世界一定有一個開始的時刻，但我們也可以說，世界無所謂終始。這兩種說法同樣都有道理。這兩種可能性對於人的理性來說，同樣都是無法想像的。我們可以宣稱世界一直都存在，但如果世界不曾開始的話，如何一直存在呢？因此我們勢必被迫採取另外一種相反的觀點。於是，我們說世界一定是在某一時刻開始的，而且一定是無中生有的。可是一件事物可能會無中生有嗎？」

「不，這兩種可能性都一樣無法想像。可是兩者之中一定有一個是對的，有一個是錯的。」

「你可能還記得德謨克里特斯和那些唯物論者曾說過，大自然中的萬物一定是由一些極微小的分子組成的。而笛卡爾等人則認為擴延的真實世界必然可以一再分解成更小的單位。他們兩派到底誰對呢？」

「兩派都對，也都不對。」

「還有，許多哲學家都認為自由是人類最珍貴的財產之一。但也有一些哲學家，像是斯多葛學派和史賓諾沙等人，相信萬事萬物的發生根據自然法則而言都是有必要的。康德認為，在這個問題上人類的理性也一樣無法做一個合理的判斷。」

「這兩種看法都一樣合理，也一樣不合理。」

信仰

「最後，如果我們想藉理性之助證明上帝存在或不存在的話，也一定不會成功。笛卡爾等理性主義者曾試圖證明上帝必然存在，理由是：我們都有一個關於『至高存在』的概念。而亞理斯多德和聖多瑪斯等人之所以相信上帝存在的理由是：一切事物必然有一個最初的原因。」

「那康德的看法呢？」

「這兩種理由他都不接受。他認為無論理性或經驗都無法確實證明上帝的存在。對於理性而言，上帝存在與上帝不存在這兩者都有可能。」

「可是你剛開始時說過康德想維護基督教信仰的基礎。」

「是的，他開創了一個宗教的空間。在這個空間中，理性和經驗都派不上用場，因此形成了一種真空的狀況。這種真空只能用信仰來填補。」

「這就是他挽救基督教的方式嗎？」

「可以這麼說。值得一提的是康德是一個新教徒。自從宗教革命以來，基督新教的特色就是強調信仰的重要性。而天主教自從中世紀初期以來就傾向於相信理性乃是信仰的支柱。」

「原來如此。」

「不過康德除了認定這些大問題應該交由個人的信仰來決定之外，他還更進一步認為，為了維護道德的緣故，我們應該假定人有不朽的靈魂、上帝確實存在以及人有自由意志。」

「這麼說他所做的和笛卡爾是一樣的。首先他懷疑我們所能理解的事物，然後他從後門把上帝走私進來。」

「不過他和笛卡爾不同的一點是：他特別強調讓他如此做的並不是他的理性，而是他的信仰。他稱這種對靈魂不朽、上帝存在以及自由意志的信仰為『實踐的設準』。」

「意思是……？」

「所謂『設準』就是某個無法證實的假設。而所謂『實踐的設準』則是某個為了實踐（也就是說，為了人類的道德）而必須假定為真的說法。康德說：『為了道德的緣故，我們有必要假定上帝存在。』」

這時突然有人敲門。蘇菲立刻起身要開門，但艾伯特卻一點也沒有要站起來的意思。蘇菲問道：

「你不想看看是誰嗎？」

艾伯特聳聳肩，很不情願的站起來。他們打開門，門外站了一個穿著白色夏裝、戴著紅帽的小女孩，也就是剛才出現在湖對岸的那個女孩。她一隻手臂上挽著一個裝滿食物的籃子。

「嗨！」蘇菲說，「你是誰？」

「你難道看不出來我就是小紅帽嗎？」

蘇菲擡頭看著艾伯特，艾伯特點點頭。

「你聽到她說的話了。」

「我在找我奶奶住的地方。」小女孩說。「她年紀大又生病了，所以我帶點東西給她吃。」

「這裡不是你奶奶的家。」艾伯特說，「你最好還是趕快上路吧。」

他手一揮，蘇菲覺得他彷彿是在趕蒼蠅似的。

「可是有人託我轉交一封信。」戴紅帽的小女孩說。

接著她抽出一個小信封，遞給蘇菲，然後就蹦蹦跳跳地走開了。

「小心大野狼啊！」蘇菲在她身後喊。

這時艾伯特已經走向客廳了。蘇菲跟著他，兩人又像從前那樣坐了下來。

「哇！居然是小紅帽耶！」蘇菲說。

「你警告她是沒有用的。她還是會到她奶奶家，然後被大野狼吃掉。她不會學到什麼教訓的。事情會一再重演，一直到時間的盡頭。」

「可是我從來沒有聽說過她到奶奶家前曾經敲過別人家的門。」

「只不過是一個小把戲罷了。」

蘇菲看著小紅帽給她的那封信。收信人是席德。她把信拆開，唸了出來：

親愛的席德：

如果人類的腦袋簡單得足以讓我們瞭解的話，我們還是會愚笨的無法理解它。

愛你的爸爸

艾伯特點點頭。

「沒錯。我相信康德也說過類似的話。我們不能夠期望瞭解我們是什麼。也許我們可以瞭解一朵花或一隻昆蟲，但我們永遠無法瞭解我們自己。」

蘇菲把信上謎樣的句子唸了好幾遍。艾伯特又繼續說：

倫理學

「我們不要被水怪之類的東西打斷。在我們今天結束前，我要和你談康德的倫理學。」

「請快一點，我很快就得回家了。」

「由於休姆懷疑我們透過理性與感官能夠獲得的知識，因此康德不得不把生命中許多重要的問題再想透徹。其中之一就是關於倫理的問題。」

「休姆說我們永遠不能證明什麼是對的，什麼是錯的，不是嗎？他說我們不能從『是不是』的語句得出『該不該』的結論。」

「休姆認為無論我們的理性或經驗都不能決定是非與對錯，決定這些的乃是我們的感覺。對於康德而言，這種理論基礎實在太過薄弱。」

「這是可以想像的。」

「康德一向覺得是與非、對與錯之間確實是有分別的。在這方面他同意理性主義者的說法，認為辨別是非的能力是天生就存在於人的理性中的。每一個人都知道何謂是、何謂非。這並不是後天學來的，而是人心固有的觀念。根據康德的看法，每一個人都有『實踐理性』，也就是說每個人都有辨別是非的智慧。」

「這是天生的？」

「辨別是非的能力就像理性的其他特質一樣是與生俱來的。舉個例子，就像我們都有感知事物因果關係的智慧一樣，我們也都能夠感知普遍的道德法則。這種道德法則和物理法則一樣都是絕對能夠成立的。對於我們的道德意識而言，這是很基本的法則，就像對我們的智慧而言，『事出必有因』以及『七加五等於十二』乃是很基本的觀念一樣。」

「這個道德法則的內容是什麼呢？」

「由於這個法則在於每個經驗之先，因此它是『形式的』，也就是說，它必不限於任何特定的情況。因為它適用於古往今來每個社會、每一個人，所以它不會告訴你你在什麼情況下應該做什麼事，而是告訴你在所有的情況下你應該有的行為。」

「可是就算你內心有一套道德法則，如果它不能告訴你在某些情況下應該怎麼做，那又有什麼用呢？」

「康德指出，這套道德法則乃是『無上命令』（categorical imperative），意思就是這套法則是『無條件的』、適用於所有情況的。它也是一項『命令』，是強迫性的，因此也是絕對權威的。」

「原來如此。」

「康德用好幾種方式來說明這個『無上命令』。首先他說應如此做，好使你做事的原則將透過你的意志而成為普遍的自然法則。」

「所以當我做某件事時，我必須確定自己希望其他人在同樣情況下也會做同樣的事情。」

「一點也沒錯。只有在這種情況下，你才會依據內心的道德法則來行事。康德也說明『無上命令』的意義乃是：尊重每一個人的本身，而不要將他當成達成某種外在目的的手段。」

「所以我們不能為了自己的利益利用別人。」

「沒錯，因為每一個人本身就是目的。不過，這個原則不只適用於他人，也適用於我們自己。我們也不可以利用自己，把自己當成達到某種目的的手段。」

「這使我想到聖經上的金科玉律：欲人施於己者，己必施諸人。」

「是的，這也是一個『形式上』的行為準則，基本上適用於所有道德抉擇。你可以說你剛才講的金科玉律正是康德所謂的普遍性道德法則。」

「可是這顯然只是一種論斷而已。休姆說我們無法以理性證明何者是、何者非的說法也許是有道理的。」

「根據康德的說法，這個道德法則就像因果律一樣是絕對的、放諸四海而皆準的。這當然也是無法用理性來證明的，但是它仍然是絕對的、不可改變的。沒有人會否認它。」

「我開始覺得我們談的其實就是良心。因為每個人都有良心，不是嗎？」

「是的，當康德描述道德法則時，他所說的正是人類的良心。我們無法證明我們的良心告訴我們的事情，但我們仍然知道它。」

「有時候我們對別人很好或幫助別人，可能只是因為我們知道這樣做會有好處，也可能是因為我們想成為一個受歡迎的人。」

「可是如果你只是為了想受人歡迎而與別人分享東西，那你就不算是真正依據道德法則行事。當然你的行為並沒有違反道德法則（其實這樣就算不錯了），但是真正的道德行為是在克服自己的情況下所做的行為。只有那些你純粹是基於責任所做的事才算是道德行為。所以康德的倫理觀有時又被稱為『義務倫理觀』。」

「譬如說，我們可能會感覺為紅十字會或教會的義賣籌款是我們的義務。」

「是的，重要的是：你是因為知道一件事情是你應該做的才去做它。即使你籌的款項在街上遺失了，或它的金額不足以使那些你要幫助的人吃飽，你仍然算是已經遵守道德法則了，因為你的行為乃是出自一片善意。而根據康德的說法，你的行為是否合乎道德正取決於你是否出自善意而為之，並不取決於你的行為後果。因此康德的倫理學有時也被稱為善意的倫理學。」

「為什麼他一定要分清楚在哪一種情況下我們做的事才真正符合道德原則？我想最重

要的應當是我們做的事確實對別人有所幫助。」

「的確如此。我想康德一定不會反對你的說法。但是，只有我們自己確知我們純粹是為了遵守道德法則而行動時，我們的行為才是自由的。」

「只有在遵守一項法則的時候，我們的行為才是自由的？這不是很奇怪嗎？」

「對於康德來說並不奇怪。你也許還記得他必須『假定』人有自由意志。這一點很重要，因為康德也說過每一件事都服從因果律，那麼我們怎麼會有自由意志呢？」

「我怎麼會知道？」

「在這點上，康德把人分為兩部分，有點像笛卡爾說人是『二元的受造物』一樣，因為人有身體，也有心靈。康德說，做為一個由物質形成的生物，我們完全受到不變的因果律的支配。我們不能決定自己的感官經驗。這些經驗因為某種必要性而發生在我們身上，並對我們造成影響，不管我們樂意與否。但我們不僅是由物質形成的受造物，也是具有理性的受造物。」

「請你再說明一下。」

「做為一個由物質形成的存在者，我們完全屬於自然界，因此受到因果律的支配。在這種情況下我們沒有自由意志可言。可是做為一個有理性的存在者，我們在康德所謂的『物自身』（與我們的感官印象沒有關係的世界本身）中占有一席之地。只有在我們追隨我們的「實踐理性」，並因此得以做道德上的抉擇時，我們才有自由意志可言。因為當我們遵守道德法則時，我們也正是制定這項法則的人。」

「是的，從某個角度來說，這是對的。因為是我自己（或我內心的某種東西）決定不要對別人不好的。」

「所以當你選擇不要對別人不好時——即使這樣會違反你自己的利益——你就是在從事自由的行為。」

「而如果你只是做自己想做的事，你就不算自由或獨立。」

「我們可能會成為各種事物的奴隸，我們甚至可能成為我們的自我中心思想的奴隸。獨立與自由正是我們超脫自我的慾望與惡念的方法。」

「那動物呢？我想牠們大概只是遵循自己的天性和需求，而沒有任何遵守道德法則的自由，不是嗎？」

「對。這正是動物與人不同的地方。」

「我懂了。」

「最後，我們也許可以說康德指引了一條道路，使哲學走出了理性主義與經驗主義之間的僵局。哲學史上的一個紀元於是隨著康德而結束。他死於一八〇四年，當時我們所謂的『浪漫主義』正開始發展。康德死後葬在哥尼斯堡。他的墓碑上刻著一句他最常被人引用的名言：『有兩件事物我愈是思考愈覺神奇，心中也愈充滿敬畏，那就是我頭頂上的星空與我內心的道德準則。它們向我印證：上帝在我頭頂，亦在我心中。』」

艾伯特靠回椅背。

「說完了。」他說。「我想我已經把康德最重要的理念告訴你了。」

「也已經四點十五分了。」

「不過還有一件事。請你再給我一分鐘的時間。」

「老師沒講完，我是不會離開教室的。」

「我有沒有說過康德認為如果我們只是過著感官動物的生活，我們就沒有自由可言？」

「有，你說過類似的話。」

「可是如果我們服膺宇宙普遍的理性，我們就是自由和獨立的。我也說過這樣的話嗎？」

「說過呀。你幹嘛要再說一遍？」

艾伯特傾身向前，靠近蘇菲，深深地凝視她的眼睛，並輕聲的說道：

「蘇菲，不要相信你所看到的每一件事物。」

「你是什麼意思？」

「孩子，你要走另外一條路。」

「我不懂。」

「人們通常說：眼見為信。可是即使是你親眼見到的，也不一定能相信。」

「你以前說過類似的話。」

「是的，在我講帕梅尼德斯的時候。」

「可是我還是不懂你的意思。」

「唔……我們坐在臺階上講話的時候，不是有一隻所謂的水怪在湖裡翻騰嗎？」

「對呀。真是太奇怪了。」

「一點也不奇怪。後來小紅帽來到門口說：『我在找我奶奶住的地方。』多愚蠢的表演哪！那只是少校的把戲，蘇菲。就像那香蕉裡寫的字和那愚蠢的雷雨一般。」

「你以為……」

「我說過我有一個計畫。只要我們堅守我們的理性，他就不能騙過我們。因為就某一方面來說，我們是自由的。他可以讓我們『感知』各種事物，但沒有一件事物會讓我感到驚訝。就算他讓天色變黑、讓大象飛行，我也只會笑笑而已。可是七加五永遠是十二。不管他要再多的把戲，這仍然會是一個事實。哲學是童話故事的相反。」

有好一會兒，蘇菲只是坐在那兒驚奇的注視著他。

「你走吧。」他終於說。「我會打電話通知你來上有關浪漫主義的課。除此以外，你也得聽聽黑格爾和祁克果的哲學。可是只剩一個禮拜少校就要在凱耶維克機場著陸了。在那之前，我們必須設法掙脫他那死纏不休的想像力。我就說到這裡為止了，蘇菲。不過我希望你知道我正在為我們兩人擬定一個很棒的計畫。」

「那我走囉。」

「等一下——我們可能忘了最重要的事。」

「什麼事？」

「生日快樂歌。席德今天滿十五歲了。」

「我也是呀。」

「對，你也一樣。那麼我們就來唱吧。」

於是他們兩人便站起身來唱：

祝你生日快樂

祝你生日快樂

祝親愛的席德生日快樂

祝你生日快樂

已經四點半了。蘇菲跑到湖邊，划到對岸。她把船拉進草叢間，然後便開始快步穿過樹林。

當她走到小路上時，突然看到樹林間有某個東西在動。她心想不知道是不是小紅帽獨自一人走過樹林到她奶奶家，可是樹叢間那個東西形狀比小紅帽要小得多。

她走向前去，那個東西只有一個娃娃大小。它是棕色的，身上穿了一件紅色的毛衣。

當她發現那是一個玩具熊時，便陡然停下了腳步。

有人把玩具熊留在森林裡，這並不是什麼奇怪的事。問題是這隻玩具熊是活的，並且正專心一意的忙著某件事。

「嗨！」蘇菲向牠打招呼。

「我的名字叫波波熊。」牠說。「很不幸的，我在樹林裡迷路了。唉，本來我今天過得很好的。咦，我以前從來沒有見過你。」

「也許迷路的人是我。」蘇菲說。「所以，你現在可能還是在你的家鄉百畝林。」

「你說的話太難懂了。別忘了，我只是一隻小熊，而且不是很聰明。」

「我聽說過你的故事。」

「你大概是愛麗絲吧！有一天羅賓告訴我們你的事。所以我們才見過面。你從一個瓶子裡喝了好多好多的水，於是就愈變愈小。可是然後你又喝了另外一瓶水，於是又開始變大了。你真該小心不要亂吃東西。有一次我吃得太多，居然在一個兔子洞裡被卡住了。」

「我不是愛麗絲。」

「我們是誰並沒有關係，重要的是我們是什麼，這是貓頭鷹說的話。牠是很聰明的。有一天，天氣很好時，牠說過七加四等於十二。驢子和我都覺得自己好笨，因為算算術是很難的。算天氣就容易得多。」

「我的名字叫蘇菲。」

「很高興見到你，蘇菲。我說過了，我想你一定是沒到過這兒。不過我現在得走了，因為我必須要找到小豬。我們要去參加一個為兔子和牠的朋友們舉行的盛大花園宴會。」

牠揮了揮牠的手掌。蘇菲看到牠的另外一隻手掌裡拿著一小片捲起來的紙。

「你手裡拿的是什麼東西？」蘇菲問。

小熊拿出那張紙說：

「我就是因為這個才迷路的。」

「可是那只是一張紙呀！」

「不，這不只是一張紙。這是一封寫給『鏡子另外一邊的席德』的信。」

「原來如此，你可以交給我。」

「你就是鏡子裡面的那個女孩嗎？」

「不是，可是……」

「信一定要交給本人。羅賓昨天才教過我。」

「可是我認識席德。」

「那又怎樣？就算你跟一個人很熟，你也不應該偷看他的信。」

「我的意思是我可以幫你轉交給席德。」

「那還差不多。好吧，蘇菲，你拿去吧。如果我可以把這封信交出去，也許我也可以找到小豬。你如果要找到鏡子那邊的席德，必須先找到一面大鏡子。可是要在這裡找到鏡子可不簡單哪！」

小熊說完了，就把那張折起來的紙交給蘇菲，然後便用牠那雙小腳走過樹林。牠消失不見後，蘇菲打開那張紙開始看：

親愛的席德：

很可惜艾伯特沒有告訴蘇菲，康德曾經倡議成立「國際聯盟」。他在「永遠的和平」那篇論文中寫道，所有國家都應該聯合起來成立一個國際聯盟，以確保各國能夠和平共存。這篇論文寫於一七九五年。過了大約一二五年，在第一次世界大戰結束後，國際聯盟成立了，但在第二次大戰後被聯合國取代。所以康德可說是聯合國概念之父。康德的主旨是，人的「實踐理性」要求各國脫離製造戰爭的野蠻狀態，並訂定契約以維護和平。雖然建立一個國際聯盟是一件辛苦的工作，但我們有責任為世界「永久的和平」而努力。對康德而言，建立這樣一個聯盟是遠程目標。我們幾乎可以說那是哲學的終極目標。我此刻仍在黎巴嫩。

愛你的爸爸

蘇菲將紙條放進口袋，繼續走回家。艾伯特曾經警告她在樹林裡會發生這樣的事，但她總不能讓那隻小玩具熊在樹林裡滾來滾去，不停的找尋「鏡子那邊的席德」吧！

浪漫主義

……神祕之路通向內心……

席德任由那本沉重的講義夾滑入懷中，並繼而滑落到地板上。

現在的天色已經比她剛上床時明亮。她看看時鐘，已經快三點了。她鑽進被窩，閉上眼睛。她入睡時心裡仍在好奇為何爸爸會開始將小紅帽和波波熊寫進書中……

第二天早上她睡到十一點。醒來時全身肌肉都繃得緊緊的，於是她知道自己昨晚又做了許多夢，可是她已經不記得自己夢見什麼了，感覺上就好像她活在一個完全不同的世界似的。

她下樓準備早餐。媽媽已經把她那套藍色的工人裝拿出來了，預備到船屋那兒去修理汽艇。雖然它一直都沒有下水，在爸爸從黎巴嫩回來前還是得把它整理得比較像樣些。

「你想不想來幫我的忙？」

「我得先讀一點書。你要不要我帶一杯茶和一些點心去呢？」

「都快中午了還用吃點心嗎？」

席德吃完早餐就回到房裡。她把床鋪整理了一下，然後舒服的坐在上面，膝上放著那本講義夾。

哲學宴會

蘇菲鑽過樹籬，站在花園裡。這座大花園曾經是她心目中屬於她的伊甸園……園裡到處散布著昨天晚上被暴風雨吹落的枝葉。她覺得那場暴風雨和落葉和她遇見小紅帽與波波熊這件事似乎有某種關聯。

蘇菲信步走到秋千那兒，撣落上面的松針與松枝。還好秋千上的座墊是塑膠的，所以下雨時也不需要把它們收進屋裡去。

蘇菲走進屋裡。媽媽已經回到家了，正把幾瓶汽水放進冰箱裡。餐桌上放著一塊花結狀的乳酪餅和一小堆杏仁圈圈餅。

「我們家有客人要來嗎？」蘇菲問。她幾乎已經忘記今天是她的生日了。

「我們要到星期六才請客，不過我想我們今天也應該稍微慶祝一下。」

「怎麼慶祝呢？」

「我請了喬安和她的爸媽。」

蘇菲聳聳肩。

「好啊！」

快到七點半時，客人就到了。氣氛滿拘謹的，因為蘇菲的媽媽很少和喬安的爸媽往來。

不久蘇菲與喬安就到樓上蘇菲的房間去寫花園宴會的邀請函。由於艾伯特也在應邀之列，因此蘇菲興起了舉辦一個「哲學花園宴會」的念頭，喬安也沒有反對，畢竟這是蘇菲的宴會。於是她們便決定舉辦一個有主題的宴會。

她們花了兩個小時才擬好邀請函。兩個女孩都笑彎了腰。

親愛的……

敬邀您在六月二十三日仲夏節當天晚上七點，前來首蓿巷三號參加哲學性的花園宴會，以期解開生命之謎。請攜帶保暖的毛衣與適於解開哲學之謎的高明主意。為免引發森林火災，我們很遺憾屆時將無法升起營火，不過歡迎大家盡情燃亮想像力的火焰。應邀貴賓中將至少有一位是真正的哲學家。因此之故，此一宴會將不對外開放。新聞界人士也恕不招待。

順頌　時祺

籌備委員　喬安

宴會主人　蘇菲

寫完後，她們便下樓去見爸媽。此時他們正在聊天，氣氛已經比較輕鬆自然了。蘇菲將她用鋼筆寫的邀請函文稿交給媽媽。

「請幫我複印十八份。」這已經不是蘇菲第一次請媽媽利用上班時間幫她影印東西了。

媽媽看過邀請函後，便將它遞給喬安的爸爸。

「你看我說得沒錯吧？她已經暈頭轉向了。」

「不過看起來還滿吸引人的。」喬安的爸爸說，一邊把那張文稿遞給他太太。「如果可以的話，我也想參加呢！」

喬安的媽媽芭比看了邀請函後說道：「嗯，真不錯。蘇菲，我們也可以參加嗎？」

蘇菲信以為真，便說：「媽，那你就幫我印二十份吧。」

「你瘋了不成！」喬安說。

當天晚上蘇菲上床前，在窗前站了許久，看著窗外的景色。她還記得有一次曾經在黑暗中看到艾伯特的身影。這已經是一個多月前的事了。現在又是深夜時分，只不過由於已是夏日，天色仍然明亮。

直到星期二上午，艾伯特才和她聯絡。蘇菲的媽媽剛出門上班，他就打電話來了。

「喂，我是蘇菲。」

「我是艾伯特。」

「我猜到了。」

「很抱歉我沒有早一點打電話來，因為我一直忙著擬定我們的計畫。這段時間少校把全副注意力都放在你的身上，所以我才能夠單獨做一些事，不受干擾。」

「這事實在很詭異。」

「然後我就抓住這個機會躲了起來，你明白嗎？就算是全世界最好的監視網路，如果只由一個人控制的話，也會有它的缺點……我收到你的卡片了。」

「你是說邀請函嗎？」

「你敢冒這個險嗎？」

「為什麼不敢？」

「像那樣的宴會，什麼事都可能發生。」

「你來不來呢？」

「當然來啦。可是有一件事：你還記得那天席德的爸爸會從黎巴嫩回來嗎？」

「老實說，我忘記了。」

「他讓你在他回到柏客來那一天舉行哲學性的花園宴會，一定不可能是什麼巧合。」

「我沒想到這個耶！」

「我敢說他一定想到了。不過沒有關係，我們以後再談這件事好了。你今天上午能到少校的小木屋來嗎？」

「我今天要修剪花壇的草。」

「那就下午兩點好了。你能來嗎？」

「可以。」

蘇菲到達小木屋時，艾伯特已經坐在門前的臺階上了。

「到這裡來坐！」他說，然後就馬上開始上課了。

浪漫主義

「我們已經講過了文藝復興運動、巴洛克時期與啓蒙運動。今天我們要談浪漫主義。這可以說是歐洲最後一個偉大的文化紀元。到這裡，我們就接近尾聲了。」

「浪漫主義時期有這麼久嗎？」

「它從十八世紀末開始，一直持續到十九世紀中期。到了一八五〇年以後就不再有一個涵蓋詩、哲學、藝術、科學與音樂的『紀元』了。」

「浪漫主義時期就是這些紀元當中的一個嗎？」

「有人說浪漫主義是歐洲人士最後一次對生命的『共同進路』。這個運動從德國開始，最初是為了反對啓蒙時期的哲學家過於強調理性的做法。在康德和他那冷靜的知性主義成為過去式後，德國的青年彷彿鬆了一口氣，如釋重負。」

「那他們用什麼東西來取代康德的哲學呢？」

「當時的新口號是『感情』、『想像』、『經驗』和『渴望』。過去部分啓蒙時期的哲學家，包括盧梭在內，也曾經提到感情的重要性。到了浪漫主義時期，人們開始批評過於偏重理性的做法。以往隱而不顯的浪漫主義如今成為德國文化的主流。」

「這麼說康德對人們的影響力並沒有持續很久囉？」

「可以說是，也可以說不是。許多浪漫主義者自認是康德的傳人，因為康德已經確認我們對於『物自身』所知有限，同時他也強調自我的作用對於知識（或認知）的重要性。在這種情況下，個人可以完全隨心所欲的以自己的方式來詮釋生命。浪漫主義者便利用這點發展出幾乎毫無限制的『自我崇拜』，並且因此而歌頌藝術方面的天才。」

「那時候有很多這樣的天才嗎？」

「貝多芬就是其中之一。他用音樂來表達自我的情感與渴望。比起巴哈和韓德爾這些多半以嚴格的音樂形式創作樂曲，以歌頌上帝的巴洛克時期大音樂家，貝多芬可以說是一個『自由的』藝術家。」

「我只聽過月光奏鳴曲和第五號交響曲。」

「那你應該可以聽得出月光奏鳴曲是多麼浪漫，而貝多芬在第五號交響樂中又是如何生動的表現自己。」

「你說過文藝復興時期的人文主義者也是個人主義者。」

「是的。文藝復興時期與浪漫主義時期有許多相似的地方，其中最典型的就是兩者都強調藝術對人類認知的重要性。在這方面康德有很大的貢獻，他在他的美學理論中研究了當我們受到美（例如一幅藝術作品）的感動時會發生什麼情況。他認為，當我們忘記自我，忘記一切，完全沉浸於藝術作品的時候，我們就比較能夠體驗到『物自身』。」

「這麼說藝術家可以提供一些哲學家無法表達的東西囉？」

「這正是浪漫主義者的看法。根據康德的說法，藝術家可以隨心所欲的運用他的認知能力。德國詩人席勒（Shiller）更進一步發揮康德的想法。他說，藝術家的創作活動就像玩遊戲一般，而人唯有在玩遊戲的時候才是自由的，因為那時他可以自己訂定遊戲規則。浪漫主義者相信，唯有藝術才能使我們更接近那『無以言喻』的經驗。有人甚至將藝術家比做上帝。」

「因為藝術家創造自己的世界，就像上帝創造這個世界一般。」

「有人說藝術家有一種『創造宇宙的想像力』。當他內心充滿藝術的狂喜時，他可以跨越夢境與現實的藩籬。年輕的藝術天才諾瓦里思（Novalis）曾經說過：『人世變成了一場夢，而夢境成為現實。』他寫了一部名為海因利希．馮．歐夫特丁根（Heinrich von Ofterdingen）的中世紀小說。此書雖然在他一八〇一年去世時仍未完成，但仍是一本非常重要的小說。書中敘述年輕的海因利希一心一意找尋他曾經在夢中見到、渴望已久的『藍色花朵』。除此之外，英國的浪漫主義詩人柯立芝（Coleridge）也曾表達同樣的意念：『萬一你睡著了呢？萬一你在睡眠時作夢了呢？萬一你在夢中到了天堂，在那兒採下了一朵奇異而美麗的花？萬一你醒來時，花兒正在手中？啊，那時你要如何呢？』」

「好美啊！」

「這種渴望遙不可及的事物的心態正是浪漫主義者的特色。他們也可能會懷念一個已經逝去的年代，例如中世紀。歷經啓蒙時期對中世紀的貶謫後，浪漫主義者開始熱烈重估中世紀的價值。此外，他們對神祕的東方等遙遠的文化也懷有一份憧憬。有些浪漫主義者則受到夜晚、黃昏、古老的廢墟與超自然事物的吸引。他們滿腦子都是我們通常所說的人生的『黑暗面』，也就是一些陰暗、神祕、不可思議的事物。」

「聽起來像是一個滿刺激的時代。那些浪漫主義者都是些什麼人呢？」

「浪漫主義主要興盛於都市地區。十九世紀的前半在德國等許多歐洲地區，都可見到興盛蓬勃的都市文化。最典型的浪漫主義者都是年輕人，通常是一些並不一定很認真讀書的大學生。他們有一種明顯的反中產階級的生活態度，有時會稱警察或他們的房東為『庸俗市儈』，或甚至稱他們是『敵人』。」

「要是我的話，可不敢租房子給浪漫主義者！」

「一八〇〇年左右的第一代浪漫主義者都是年輕人。事實上我們可以稱浪漫主義運動為歐洲的第一個學生運動。那些浪漫主義者有點像是一百五十年後的嬉皮。」

「你是說那些留長髮、漫不經心的彈吉他並且隨地躺來躺去的人？」

「對。曾有人說：『閒散是天才的理想，懶惰是浪漫主義者的美德。』浪漫主義者的職責就是體驗生活──或是成天作白日夢、浪費生命。至於日常的事務留給那些俗人做就行了。」

「拜倫是浪漫主義時期的詩人，不是嗎？」

「是的。拜倫和雪萊都是所謂的『惡魔派』的浪漫主義詩人。拜倫更成為浪漫主義時期的偶像。所謂的『拜倫式的英雄』就是指那些無論在生活上還是藝術上都特立獨行、多愁善感、叛逆成性的人。拜倫本人可能就是一個既任性又熱情的人，再加上他外貌英俊，因此受到了許多時髦婦女包圍。一般人認為，拜倫那些充滿了浪漫奇遇的詩其實就是反映他個人的生活。然而，他雖然有過許多韻事緋聞，但對於他而言，真愛卻像諾瓦里思夢中的藍色花朵一般不可捉摸、遙不可及。諾瓦里思曾和一名十四歲的少女訂婚，但她卻在滿十五歲生日的四天之後去世。可是諾瓦里思對她的愛卻是一生不渝。」

「你說她在滿十五歲生日的四天後死去嗎？」

「是的……」

「我今天就是十五歲又加四天。」

「喔。」

「她叫什麼名字？」

「她的名字叫蘇菲。」

「什麼？」

「是的，她的名字就叫……」

「嚇死我了。難道是巧合嗎？」

「我不知道。不過她的名字確實叫蘇菲。」

「繼續。」

「諾瓦里思本人在二十九歲時去世。他是那些『早夭』的人之一。許多浪漫主義者都在很年輕時死去，通常是由於肺結核的緣故，有些人則是自殺而死。」

「嗯！」

「那些活得比較久的人通常到大約三十歲時就不再信仰浪漫主義了，其中有些人後來甚至成為徹頭徹尾的中產階級保守人士。」

「那他們不等於是投誠到敵方去了嗎？」

「也許吧。剛才我們講到浪漫主義的愛情。單戀式的愛情這個主題早在一七四四年就出現了。那年歌德寫了一本書信體的小說《少年維特的煩惱》。書中的男主角維特最後因為無法獲得所愛女人的芳心而舉槍自殺……」

「有必要這麼極端嗎？」

「自從這本書出版後，自殺率似乎有上升的趨勢，因此有一段時間這本書在丹麥和挪威都被列入禁書。所以做一個浪漫主義者並不是沒有危險的。他們的情緒通常都很強烈。」

「當你說『浪漫主義』的時候，我腦海裡出現的就是那些巨幅的風景畫，上面有幽暗的森林、蠻荒崎嶇的自然景觀……還有，最好籠罩在一片繚繞的霧氣中。」

「是的。浪漫主義的特徵之一就是嚮往大自然和大自然的神祕。就像我剛才所說的，這種嚮往並不是鄉村生活的產物。你可能還記得盧梭首先提出『回歸自然』的口號，但真正使這句口號風行起來的卻是浪漫主義者。浪漫主義代表人們對啓蒙時期哲學家眼中機械化宇宙的反動。有人說浪漫主義骨子裡是古老宇宙意識的一種復興。」

「請你說明一下。」

「意思就是將大自然看成是一個整體。浪漫主義者宣稱不僅史賓諾沙，連普羅汀和波赫姆（Jakob Böhme）、布魯諾等文藝復興時期的哲學家都可以算是他們的祖師爺。這些思想家的共同特色是他們都在大自然中體驗到一種神聖的『自我』。」

「那麼他們是泛神論者囉……」

「笛卡爾和休姆兩人曾經將自我與『擴延』的實在界區分得很清楚。康德也認為『自我』對自然的認知與自然『本身』是明顯不同的。浪漫主義時期的說法則是：大自然就是一個大『我』。浪漫主義同時也使用『世界靈魂』與『世界精神』等名稱。」

「原來如此。」

謝林

「浪漫主義時期最主要的哲學家是謝林（Schelling），生於一七七五年到一八五四年間。他主張將心靈與物質合而為一。他認為，大自然的全部——包括人的靈魂與物質世界——都是一個『絕對存在』（Absolute）（或世界精神）的表現。」

「就像史賓諾沙一樣。」

「謝林說，自然是肉眼可見的精神，精神則是肉眼看不見的自然，因為我們在大自然中到處都可感受到『產生結構的精神』（structuring spirit）。他說，物質乃是沉睡中的智性。」

「請你解釋得清楚些。」

「謝林在大自然中看到了『世界精神』，但他也在人類心靈中看到同樣的『世界精神』。自然與精神事實上都是同一事物的顯現。」

「對呀。」

「因此我們無論在大自然中或自我的心靈中都可發現世界精神。所以，諾瓦里思才說：『神祕之路通往內心。』他的意思是整個大自然都存在於人的心中，如果人能進入自己的心中，將可以接近世界的神祕。」

「這種想法很不錯。」

「對於許多浪漫主義者而言，哲學、自然科學研究和詩學都是不分家的。坐在自家的閣樓上，寫一些靈感泉湧的詩歌和研究植物的生命或岩石的成分只是一體的兩面，因為大自然不是一個死的機械，而是一個活生生的世界精神。」

「再聽你講下去，我也要變成一個浪漫主義者了。」

「定居在德國，並因此被沃格蘭（Wergeland）稱為『自挪威飄落的月桂葉』的挪威裔自然學家史代芬（Henrik Steffens），一八〇一年在哥本哈根發表有關德國浪漫主義的演講時，曾一語道破了浪漫主義運動的特色。他說：『我們厭倦了無休無止地與粗糙的物質世界奮戰，因此決定選擇另外一個方式，企圖擁抱無限。我們進入自己的內心，在那裡創造了一個新的世界……』」

「你怎麼會背得這麼清楚呢？」

「小事一樁。」

「繼續講吧。」

「謝林並且發現在大自然中，從泥土、岩石到人類的心靈，有一種逐漸發展的現象。他提醒人們注意大自然從無生物逐漸發展到較複雜的生命體的現象。大致上來說，浪漫主義者把大自然視為一個有機體，也就是一個不斷發展其內在潛能的一個整體。大自然就像一株不斷伸展枝葉與花瓣的花，也像一個不斷吟詠出詩歌的詩人。」

「這不是和亞理斯多德的說法很像嗎？」

「確實如此。浪漫主義時期的自然哲學與亞理斯多德和新柏拉圖派的哲學有點相似。亞理斯多德要比持機械論的唯物主義者更傾向於認為大自然是一個有機體。」

「我也是這麼想……」

「在歷史方面，浪漫主義者也有同樣的看法。生於一七四四年到一八〇三年間的歷史哲學家赫德（Johann Gottfried von Herder）後來成為對浪漫主義者而言非常重要的一位人物。他認為歷史的特性就是連續、進化與設計。我們說他的歷史觀是『動態的』，因為他把歷史當成一個過程。過去，啓蒙時期哲學家的歷史觀通常是『靜態的』。對於他們而言，世間只有一種普遍理性，而歷史上的各個時期或多或少都具有這種理性。但赫德指出，每一個歷史紀元各自有其價值，而每一個國家也都各有其個性或『靈魂』。問題在於我們是否能認同其他的文化。」

「嗯。我們必須要認同別人的情況才能瞭解他們，同樣的，我們也必須認同別的文化才能理解這些文化。」

「這個觀念如今已經被視為理所當然的了。可是在浪漫主義時期，這仍然是一個新觀念。浪漫主義加強了人們對自己民族的認同感，因此，挪威爭取民族獨立的運動在一八一四這一年澎湃洶湧並不是偶然的。」

「原來如此。」

「由於浪漫主義使得許多領域都重新定位，因此一般通常將浪漫主義分為兩種。一種是我們所稱的『普世性的浪漫主義』，就是指那些滿腦子自然、世界靈魂與藝術天才的浪漫主義者。這種浪漫主義最先興起，尤其是在一八〇〇年左右在耶納（Jena）這個小鎮上。」

「那另外一種呢？」

「另外一種被稱為『民族浪漫主義』，不久就日益風行，尤其是在海德堡。民族浪漫主義關切的重點是『民族』的歷史、『民族』的語言和『民族』的文化。他們將民族視為一個不斷開展它的內在潛能的有機體，就像自然與歷史一樣。」

「就像人家說的：『告訴我你住哪裡，我就可以告訴你你是誰。』」

藝術

「使這兩種浪漫主義相連結的主要是『有機體』這個名詞。浪漫主義者把植物和國家都當成活生生的有機體。因此一首詩也是一個有生命的有機體，語言也是一個有機體，甚至整個物質世界都被看成有機體。從這方面說，民族浪漫主義與一般性浪漫主義之間並沒有明顯的區分。民族與民間文化之中也像自然與藝術一樣存在有世界精神。」

「然後呢？」

「赫德首開風氣之先，前往各地採集民謠，將它們稱為『民族之聲』。他甚至把民俗故事稱為『民族的母語』。人們也開始在海德堡採集民謠與童話故事。你可能聽過格林童話故事。」

「當然啦，像白雪公主和七個小矮人、小紅帽、灰姑娘、漢斯和桂桃……」

「……還有其他許多許多。在挪威則有艾思比楊生（Asbjørnsen）和莫伊（Moe）等人走訪全國各地採集『人民自己的故事』。在當時，民間故事就好像是一種才剛被人發現的、既美味又營養的水果一般，必須趕緊加以採收，因為它們已經開始從枝頭掉落了。除了民間故事之外，他們也採集各種民謠、整理挪威的語言，並挖掘異教時代各種古老的神話與傳奇冒險故事。歐洲各地的作曲家也開始將民俗音樂寫進他們的作品中，以拉近民俗音樂與藝術音樂之間的距離。」

「什麼叫藝術音樂？」

「藝術音樂是由個人（如貝多芬）創作的音樂，民俗音樂則不是由任何人寫成的，它來自整個民族。這也是為什麼我們無法確知各個民謠發源的時間的緣故。同樣的，民俗故事和藝術故事也是不同的。」

「所謂藝術故事是……」

「它們是由某位作家——如安徒生（Hans Christian Andersen）——所寫成的。而民俗故事則是浪漫主義者所積極開發的類型。德國有位霍夫曼（Hoffmann）就是此中大師。」

「我好像聽過『霍夫曼的故事』。」

「童話故事是浪漫主義者理想中最完美的文學類型，就像劇場是巴洛克時期最完美的藝術形式一般。它使得詩人有充分的空間探索他自己的創造力。」

「他可以在他虛構的世界中扮演上帝的角色。」

「正是如此。說到這裡我們也可以做個總結了。」

「浪漫主義的哲學家將『世界靈魂』看成是一個『自我』，而這個自我在夢般的情境下創造了世間的一切。哲學家費希特（Fichte）說，大自然源自一個更高的、無意識的想像力。謝林則明白的說世界『在上帝之內』。他相信上帝意識到世界的一部分，但是大自然中也有另外一些部分代表上帝不為人知的一面。因為上帝也有祂的黑暗面。」

「這種想法既有趣又嚇人，使我想起柏克萊。」

「藝術家和他的作品之間的關係也是一樣的。童話故事讓作家可以自由自在的利用他那『創世的想像力』，但即使是這樣的創造行為也並不一定完全是有意識的。作家可能會感覺到他的內心有一股力量驅策他把一個故事寫出來。他在寫作時也許是處於一種被催眠般的恍恍惚惚的狀態。」

「請說吧。」

「真的嗎？」

「是的，不過後來他也可能會突然打破這種幻象。他會出面干涉，向讀者說一些諷刺性的話，讓他們至少在那一剎那間會想起他們所讀的畢竟只是一個虛構的故事而已。」

「原來如此。」

「同時作者也可能會提醒他的讀者，使他們明白是他在操縱這個虛構的世界。這種打破幻象的形式叫做『浪漫主義的反諷』（romantic irony）。例如在挪威劇作家易卜生所寫的『皮爾金』這齣戲裡，有一個角色就說出『沒有人會在第五幕演到一半的時候死掉』這樣的臺詞。」

「真滑稽。他真正的意思是他只不過是一個虛構的人物罷了。」

「這話充滿反諷的意味。我們真應該另起一段來加以強調。」

「你的意思是……？」

「沒什麼，蘇菲。不過我們剛才曾講到諾瓦里思的未婚妻和你一樣名叫蘇菲，而且她在十五歲又四天的時候就去世了……」

「你把我嚇壞了。你難道不知道嗎？」

艾伯特坐在那兒看著她，臉色凝重。然後他說：

「可是你不需要擔心你的命運會像諾瓦里思的未婚妻一樣。」

「為什麼呢？」

「因為後面還有好幾章。」

「你在說什麼呀？」

「我是說任何一個讀到蘇菲和艾伯特的故事的人都可以憑直覺知道後面還有很多頁，因為我們才談到浪漫主義而已。」

「我真是被你弄昏頭了。」

「事實上是少校想把席德弄昏頭。他這樣做不是很惡劣嗎？另起一段吧。」

艾伯特才剛講完，就有一個男孩從樹林裡跑出來。他穿著阿拉伯人的服裝，頭上包著頭巾，手中提著一盞油燈。

蘇菲抓住艾伯特的手臂。

「那是誰呀？」她問。

男孩自己先回答了。

「我名叫阿拉丁。我是一路從黎巴嫩來的。」

艾伯特嚴肅的看著他。

「那你的油燈裡有什麼呢？」

男孩擦了擦油燈，便有一股濃霧從中升起，最後變成一個人形。他有一嘴像艾伯特一樣的黑鬍子，頭上戴著藍扁帽，在油燈上方飄浮。他說：

「席德，你能聽到我講話嗎？我猜現在再向你說生日快樂已經太遲了。我只想跟你說柏客來山莊和南部的鄉村對我而言，也好像是童話世界一般。過幾天我們就能夠在那裡見面了。」

說完後，這個人形便再度變成一股雲霧，被吸回油燈裡。包著頭巾的男孩將燈夾在腋下，又跑回樹林中不見了。

「我簡直沒辦法相信。」

「只不過是個小把戲罷了。」

「油燈的精靈說話的樣子就像席德的爸爸一樣。」

「那是因為它就是席德的爸爸的精靈。」

「可是……」

禮物

「你我兩人和我們周遭的每一件事物都活在少校的內心深處。現在是四月二十八日星期六深夜，少校周圍的所有聯合國士兵都熟睡了。少校本身雖然還醒著，但他的眼皮已經很沉重。可是他必須完成這本要給席德做十五歲生日禮物的書，所以他必須工作。也因此，這個可憐人幾乎都沒有休息。」

「我放棄了！」

「另起一段吧。」

蘇菲和艾伯特坐在那兒，看著小湖的對岸。艾伯特似乎有點神智恍惚。過了一會後，蘇菲鼓起勇氣輕輕推了一下他的肩膀。

「你在作夢嗎？」

「他這回真的是直接進來干涉了，最後幾段完全是他在講話。他真該覺得慚愧。不過現在他可是露了馬腳，無所遁形了。現在我們知道我們是活在一本席德的父親將寄回家給席德做為生日禮物的書中。你聽到我說的話了嗎？事實上，說話的人並不是『我』。」

「如果真是這樣，那我要從這本書裡面逃走，過我自己的生活。」

「這就是我正在計畫的事情。可是在這之前，我們必須試著和席德談談。她讀了我們所說的每一句話。一旦我們從這裡逃走，以後想再跟她聯絡就難了，所以我們必須現在就把握機會。」

「那我們要說些什麼呢？」

「我想少校就快要坐在打字機前睡著了，雖然他的手指仍然快速的在鍵盤上移動……」

「真恐怖！」

「現在他也許會寫出一些他事後會後悔的東西，而且他沒有修正液。這是我的計畫中很重要的一部分。你可不許拿修正液給少校！」

「我連一小片修正帶也不會給他。」

「我現在就要請求可憐的席德反抗她的父親。她應該很慚愧自己居然會被他這種肆意玩弄影子的把戲所取悅。如果他本人也在這裡面就好了，我們要讓他嚐一嚐我們憤怒的滋味。」

「可是他不在這裡呀！」

「他的精神和靈魂在這裡面，可是他同時也很安全的躲在黎巴嫩。我們周遭的一切事物都是少校的自我。」

「可是他還有一些部分是我們在這裡看不到的。」

「我們只是少校靈魂裡的影子，一個影子要攻擊它的主人可不容易，需要聰明和謀略才行。可是我們有機會影響席德，她是天使，只有天使才能夠反抗上帝。」

「我們可以請席德在他回家後把他罵一頓，說他是個惡棍。她可以把他的船撞壞，或至少把那盞油燈砸掉。」

艾伯特點點頭。然後他說：

「她也可以逃離他身邊。她這樣做會比我們容易得多。她可以離開少校的家，從此再也不回去。這樣豈不是他應得的懲罰嗎？誰教他要把他那『創世的想像力』建築在我們的痛苦上。」

「嗯。我可以想像那種情景。到時候少校會走遍全世界找尋席德，但她已經消失無踪了，因為她不能忍受跟一個利用艾伯特和蘇菲來裝瘋賣傻的爸爸住在一起。」

「對了，就是這樣。裝瘋賣傻。我說他用我們做為生日的餘興節目就是一種裝瘋賣傻的手段。可是他最好小心一點。席德也是！」

「你是什麼意思？」

「你坐得很安穩嗎？」

「只要什麼油燈精靈的東西不要再來就沒事。」

「你不妨試著想像我們身上所發生的每一件事都是在另一個人的心中進行的。我們就是那心靈。這表示我們自己沒有靈魂，而是別人的靈魂。這些都是我們已經談過的哲學理論。無論柏克萊或謝林都會豎起耳朵注意聽。」

「然後呢？」

「很可能這個靈魂就是席德的父親。他在遙遠的黎巴嫩寫一本有關哲學的書以慶賀他女兒的十五歲生日。六月十五日那一天席德醒來時，發現她身旁的桌子上放了這本書。現在她——或任何其他人——也許正在讀我們的故事。他很早就曾經提示說這個『禮物』可以和別人分享。」

「對呀，我記得。」

「我現在對你說的話將會被席德讀到，就在她遠在黎巴嫩的父親想像我告訴你他在黎巴嫩之後……想像我告訴你他在黎巴嫩……」

蘇菲覺得頭昏腦脹。她努力回想過去所聽過的有關柏克萊和浪漫主義的話。艾伯特繼續說：

「不過他們不應該因此洋洋得意。他們是最不應該得意洋洋的人，因為樂極可能生悲。」

「你說的他們是誰？」

「席德和她的父親。我們說的難道不是他們嗎？」

「可是他們為什麼不應該洋洋得意呢？」

「因為可能他們自己同樣也是活在別人的心靈裡。」

「怎麼可能呢？」

「如果對柏克萊和浪漫主義者來說是可能的，那就有可能是這樣。說不定少校也是一本有關他和席德的書當中的一個影子。當然那本書也是有關我們兩人的，因為我們是他們生活中的一部分。」

「這樣一來，我們就只是影子的影子。這不是更糟糕了嗎？」

「不過很可能某個地方有另外一個作者正在寫一本，關於一個為他的女兒席德寫一本書的聯合國少校艾勃特的書，而艾勃特所寫的這本書則是，關於一個叫艾伯特的人突然開始寄一些討論哲學的信函給住在首蓿巷三號的蘇菲。」

「你相信嗎？」

「我只說這是有可能的。對於我們而言，那位作者將是一個『看不見的上帝』。雖然我們所做、所說的每一件事都是從祂而來的（因為我們就是祂），但我們將永遠無法知道有關祂的任何事情。我們是在那最裡面的一個盒子裡面。」

艾伯特和蘇菲坐在那兒，很久彼此都沒有說話。最後蘇菲終於打破沉默：

「可是如果真有一個作者正在寫一個有關席德的爸爸在黎巴嫩的故事，就像他正在寫一個關於我們的故事一樣……」

「怎麼樣？」

「……那麼也許他也不應該太洋洋得意。」

「你的意思是……？」

「他坐在某個地方，腦袋裡的深處裝著席德和我。難道他不也可能是某個更高高在上的心靈的一部分嗎？」

艾伯特點點頭。

「當然可能。如果真是這樣，那表示他讓我們進行這席哲學性的對話是為了提出這種可能。他想要強調他也是一個無助的影子，而這本關於席德和蘇菲的書事實上是一本哲學教科書。」

「教科書？」

「因為我們所有的談話，所有的對話……」

「怎麼樣？」

「……事實上只是一段很長的獨白。」

「我感覺好像每一件事物都融進心靈與精神中去了。我很高興我們還有一些哲學家沒談。隨著泰利斯、恩培竇可里斯和德謨克里特斯這些人而堂堂皇皇展開的哲學思潮不會就這樣被困在這裡吧？」

「當然不會。我還沒跟你談黑格爾呢。當浪漫主義者將每一件事都融進精神裡去時，他是第一個出來拯救哲學的哲學家。」

「我倒很想聽聽他怎麼說。」

「為了不要再受到什麼精神或影子的打擾，我們還是進屋裡去好了。」
「好吧，反正這裡也愈來愈冷了。」
「下一章！」

黑格爾

……可以站得住腳的就是有道理的……

「砰！」一聲，席德腿上的大講義夾落到地上。她躺在床上瞪著天花板，腦中的思緒一團混亂。

爸爸真的把她弄得頭昏腦脹。這個壞蛋！他怎麼可以這樣呢？

蘇菲已經試著直接對她說話了。她要求她反抗她的父親，而且她真的已經讓她腦海中浮現了某個念頭。一個計畫……

蘇菲和艾伯特對他是完全無可奈何，但是席德卻不然。透過席德，蘇菲可以找到她爸爸。

她同意蘇菲和艾伯特的說法，爸爸在玩他的影子遊戲時的確是做得太過分了。就算艾伯特和蘇菲只是他虛構的人物，可是他在展示他的力量時也應該有個限度呀。

可憐的蘇菲和艾伯特！他們對於少校的想像力完全沒有抵抗能力，就像電影螢幕無法抵抗放映機一般。

席德心想，在他回家時，她一定得給他一些教訓！她已經大致想出一個作弄他的好辦法了。

她起床走到窗前去眺望海灣。已經快兩點了。她打開窗戶，對著船屋的方向喊：

「媽！」

媽媽出來了。

「我再過一個小時左右就會帶三明治到你那兒去，好嗎？」

「好。」

「我要讀有關黑格爾那一章。」

艾伯特和蘇菲坐在面湖的窗戶旁邊的兩張椅子上。

黑格爾

「黑格爾（Georg Wilhelm Friedrich Hegel）乃是浪漫主義的傳人。」艾伯特開始說。「我們幾乎可以說他是隨著德國精神的發展而成長的。他在一七七〇年出生於斯圖加特，十八歲時開始在土賓根（Tübingen）研究神學。一七九九年時他在耶納鎮與謝林一起工作。當時正是浪漫主義運動狂飆的年代。他在耶納當了一段時間的助理教授後，便前往德國民族浪漫主義的中心海德堡擔任學校教授。一八一八年時，他在柏林任教。當時柏林正逐漸成為德國的精神中心。他在一八三一年死於霍亂。後來他的『黑格爾主義』在德國各大學內吸引了無數的信徒。」

「這麼說他的歷練很廣囉？」

「沒錯，他的哲學也是。黑格爾幾乎統一了所有曾在浪漫主義時期出現的理念，並且加以發展。可是他卻受到謝林等許多人的尖銳批評。」

「謝林怎麼批評他的?」

「謝林和其他的浪漫主義者曾經說過,生命最深刻的意義在於他們所謂的『世界精神』上。黑格爾也用『世界精神』這個名詞,可是意義卻不相同。黑格爾所指的『世界精神』或『世界理性』乃是人類理念的總和,因為惟獨人類有『精神』可言。只有從這個角度,他才可以談世界精神在歷史上的進展。但我們不可以忘記:這裡他所說的世界精神是指人類的生命、思想與文化。」

「這樣子這個精神聽起來就不會這麼恐怖了。不再像是個潛伏在岩石、樹叢間的一個『沉睡的精靈』。」

「你應該還記得康德曾經談過一種他稱為『物自身』的東西。雖然他否認人可以清楚認知自然最深處的祕密,但他承認世間有一種無法追求到的『真理』。黑格爾卻說『真理是主觀的』,因此他不承認在人類的理性之外有任何『真理』存在。他說,所有的知識都是人類的知識。」

歷史之河

「他必須使哲學家們再度腳踏實地,對不對?」

「嗯,也許可以這麼說。不過,黑格爾的哲學可說是無所不包、豐富多樣,因此我們在這裡只能重點式的談一談他的某些主要理論。事實上，我們究竟是否能說黑格爾有他自己的哲學是很有疑問的。通常所謂的『黑格爾哲學』主要是指一種理解歷史進展的方法。黑格爾的哲學所教導我們的只有生命的內在本質，不過也可以教我們如何從思考中獲取結論。」

「這也不算不重要。」

「黑格爾之前的哲學體系都有一個共通點，就是試圖為人們對世界的知識建立一套永恆的標準。笛卡爾、史賓諾沙、休姆和康德等人都是如此。他們每一個人都曾經試圖探索人類認知的基礎，但他們都聲稱人類對於世界的知識是不受時間影響的。」

「那不就是哲學家該做的事嗎？」

「黑格爾認為這是不可能的。他相信人類認知的基礎代代不同，因此世間並沒有『永恆的真理』，沒有『永久的理性』。哲學唯一可以確切掌握的一個定點就是歷史。」

「請你說清楚一些好嗎？歷史處於不斷變化的狀態，它怎麼會是一個定點呢？」

「一條河也是處於不斷變化的狀態，但這並不表示你無法談論它。可是你不能說這條河流到河谷裡的那一點時才是『最真』的河。」

「沒錯，因為它流到哪裡都是河。」

「所以，對黑格爾來說，歷史就像一條流動的河。河裡任何一處河水的流動都受到上游河水的漲落與漩渦的影響。但上游河水的漲落與漩渦又受到你觀察之處的岩石與河彎的影響。」

「我大概懂了。」

「思想(或理性)的歷史就像這條河流。你的思考方式乃是受到宛如河水般向前推進的傳統思潮與當時的物質條件的影響。因此你永遠無法宣稱任何一種思想永遠是對的。只不過就你所置身之處而言,這種思想可能是正確的。」

「這和宣稱每一件事物都對、也都不對是不同的,不是嗎?」

「當然不同。不過事情的對錯要看歷史的情況而定。如果今天你還提倡奴隸制度,一定會被人恥笑。但在二五〇〇年前,這種想法也並不可笑,雖然當時已經有人開始主張廢除奴隸制度。不過,我們還是來舉一個範圍比較小的例子吧。不到一百年前,人們還認為大舉焚燒森林以開墾土地的做法沒有什麼不對,但在我們今天看來,這種做法簡直是胡搞。這是因為我們現在有了新的、比較好的依據可以下這種判斷。」

「我懂了。」

「黑格爾指出哲學思維也是如此。我們的理性事實上是動態的,是一種過程。而『真理』就是這個過程,因為在這個歷史的過程之外,沒有外在的標準可以判定什麼是最真、最合理的。」

「請舉一些例子吧。」

「你不能從古代、中世紀、文藝復興時期或啓蒙運動時期挑出某些思想,然後說它們是對的，或是錯的。同樣的，你也不能說柏拉圖是錯的，亞理斯多德是對的，或者說休姆是錯的，而康德和謝林是對的。因為這樣的思考方式是反歷史的。」

「嗯，這樣做好像是不對。」

「事實上，你不能將任何哲學家或任何思想抽離他們的歷史背景。不過這裡我要講到另外一點：由於新的事物總是後來才加上去的，因此理性是『漸進的』。換句話說，人類的知識不斷在擴張，在進步。」

「這個意思是不是說康德的哲學還是比柏拉圖的有道理？」

「是的。從柏拉圖到康德的時代，世界精神已經有了發展和進步，這也是我的想法。再以剛才說的河流為例，我們可以說現在的河水比從前多，因為它已經流了一千多年了。但話說回來，康德也不能認為他所說的『真理』會像那些巨大的岩石一樣一直留在河岸上。他的想法同樣也會再經過後人的加工，他的『理性』也會成為後世批評的對象。而這些事情確實都發生了。」

「可是你說的河……」

「怎樣？」

「它會流到哪裡去呢？」

「黑格爾宣稱『世界精神』正朝著愈來愈瞭解自己的方向發展，河流也是一樣。它們離海愈近時，河面愈寬。根據黑格爾的說法，歷史就是『世界精神』逐漸實現自己的故事。雖然世界一直都存在，但人類文化與人類的發展已經使得『世界精神』愈來愈意識到它固有的價值。」

「他怎麼能這麼確定呢？」

「他宣稱這是歷史的事實，不是一個預言。任何研究歷史的人都會發現人類正朝向愈來愈『瞭解自己』、『發展自己』的方向前進。根據黑格爾的說法，各項有關歷史的研究都顯示：人類正邁向更多的理性與自由。儘管時有震盪起落，但歷史的發展仍是不斷前進的。所以我們說歷史是超越的，或是有目的的。」

「這麼說歷史很明顯的不斷在發展。」

「沒錯。歷史是一長串的思維。黑格爾並指出這一長串思維的規則。他說，任何深入研究歷史的人都會發現：每一種新思想通常都是以前人的舊思想為基礎，而一旦有一種新思想被提出來，馬上就會出現另外一種和它牴觸的思想，於是這兩種對立的思想之間就會產生一種緊張狀態，但這種緊張狀態又會因為有人提出另外一種融合了兩種思想長處的思想而消除。黑格爾把這個現象稱為一種辯證過程。」

「你可以舉個例子嗎？」

「你還記得蘇格拉底之前的哲學家討論過原始物質與自然界變化的問題嗎？」

「多少記得一點。」

「後來伊利亞派的哲學家宣稱事實上變化不可能發生。雖然他們能透過感官察覺到各種變化的發生，但他們仍然否認任何變化的存在。伊利亞派哲學家所提出的這種觀點，就是黑格爾所稱的『正題』。」

「然後呢？」

「可是根據黑格爾的法則，這樣強烈的說法一被提出後，就一定會出現另外一種與它牴觸的學說。黑格爾稱此為『反題』或『否定』。而否定伊利亞派哲學的人就是赫拉克里特斯。他宣稱『萬事萬物都是流動的』。這樣一來，這兩種完全相反的思想流派之間就出現了一種緊張狀態。但這種緊張狀態後來被恩培竇可里斯消除了，因為他指出兩種說法都各有正確之處，也各有錯誤之處。」

「對，我現在想起來了。」

「恩培竇可里斯認為，伊利亞派哲學家指出沒有什麼事物會真正發生變化這點是對的，但他們錯在認為我們不能依賴感官。赫拉克里特斯說我們可以依賴感官，這是正確的，但他說萬事萬物都是流動的，這點卻是錯誤的。」

「因為世間的物質不只一種。流動的是物質的組合，而不是物質本身。」

「沒錯。恩培竇可里斯的觀點折衷了兩派的思想，這就是黑格爾所稱的『否定的否定』。」

「多可怕的名詞！」

辯證法

「他也稱這三個知識的階段為『正』、『反』、『合』。舉例來說，你可以稱笛卡爾的理性主義為『正』，那麼與他正好相反的休姆的經驗主義就是『反』。但這兩種思潮之間的矛盾或緊張狀態後來被康德的『合』給消除了。康德同意理性主義者的部分論點，但也同意經驗主義者的部分論點。可是故事並非到此為止。康德的『合』現在成了另外一個三段式發展的起點，因為一個『合』也會有另外一個新的『反』與它相抵觸。」

「這一切都非常理論。」

「沒錯，這當然是很理論的。可是黑格爾並不認為這樣的描述是把歷史壓縮為某種架構。他認為歷史本身就展現了這種辯證模式。他並因此宣稱他已經發現了理性發展（或『世界精神』透過歷史進展）的若干法則。」

「又來了！」

「不過黑格爾的辯證法不僅適用於歷史而已。當我們討論事情時，我們也是以辯證的方式來思考。我們會試著在別人所說的道理中找出缺失。黑格爾稱此為『否定的思考』。可是當我們在一個道理中找到缺點時，我們也會把它的優點保存下來。」

「請你舉一個例子。」

「當社會主義者和保守派人士一起坐下來討論如何解決一個社會問題時，由於他們的思想型態互相矛盾，因此彼此間很快就會出現緊張狀態。可是這並不表示他們當中有一個絕對正確，而另外一個完全錯誤。可能他們兩個都有一部分對，一部分錯。在爭辯過程中，雙方論點中最佳的部分通常都會顯現出來。」

「希望如此。」

「可是當我們正在討論問題時，並不容易看出哪一方的說法比較合理。可以說，究竟誰是誰非，必須由歷史來決定。可以站得住腳的就是有道理的。」

「也就是說能夠留存下來的觀點就是對的。」

「反過來說也就是：對的才能留存下來。」

「你可以舉一個小小的例子，好讓我能確切瞭解嗎？」

「一百五十年前有很多人為婦女爭取權益，但也有許多人激烈反對。今天我們閱讀雙方的論點時，並不難看出哪一方的意見比較『有道理』。但不要忘了我們這是後見之明。『事實證明』那些爭取兩性平等的人是對的。如果我們在書上讀到自己的祖父在這個問題上的看法，一定有很多人會覺得很難為情。」

「一定的。那黑格爾有什麼看法呢？」

「你是說關於兩性平等？」

「我們現在說的不就是這個嗎？」

「我可以引述他在書裡寫的一段話，你想不想聽？」

「當然想。」

「黑格爾說，男女之不同猶如植物與動物之不同。動物具有較多的男人性格，而植物則較具女人性格，因為女人的發展基本上是屬於靜態的。在本質上她是一個猶豫不決的感情體系。如果由女人來領導政府，則國家將有覆亡之虞，因為她們並不是依據整體的需求行動，而是隨興之所至而決定的。女人主要是透過生活（而非讀書）吸收思想，藉此獲得某種教育。相反的，男人為了在社會上爭取一席之地，則必須勤練技能、苦心研讀。」

「謝啦，這樣就夠了。這類的話我可不想再聽了。」

「不過這正是一個很好的例子，足以證明人們對於事情合理與否的觀念一直都隨著時間改變。它顯示黑格爾也會受到當代觀念的影響，我們也是。我們心目中很『理所當然』的看法也不一定經得起時間的考驗。」

「什麼樣的看法？請舉個例子。」

「我舉不出什麼例子來。」

「為什麼？」

「因為我所能舉的例子都是一些已經開始在改變中的事物。舉例來說，我會說開車是很愚笨的行為，因為車輛會污染環境。但許多人已經想到這點了。可是歷史將會證明那些被我們認為是理所當然的事物有很多是無法在歷史上立足的。」

「原來如此。」

「還有一件事：黑格爾的時代有許多男人大放厥辭，聲稱女人不如男人，但事實上他們這種做法正加速了女權運動的發展。」

「為什麼會這樣呢？」

「他們提出了一個『正題』。為什麼呢？因為婦女已經開始反抗了。否則如果大家的看法一致，就沒有必要再發表意見了。而他們愈是高唱女人不如男人的論調，否定的力量也就變得更強。」

「當然囉。」

「可以說一種意見如果能受到激烈的反對，那是再好不過的事。因為反對者愈極端，他們所激發的反應也就愈強。有人說這是『穀子愈多，磨坊就磨得愈起勁』。」

「我的磨坊在一分鐘以前就開始磨得更起勁了。」

「從純粹邏輯或哲學的觀點來看，兩個觀念之間總是存在有一種辯證式的緊張關係。」

「例如？」

「如果我思考『存在』這個概念，我勢必需要引進『不存在』這個相反的概念。你不可能思考自我的存在而不立即體悟自己不會永遠存在的事實。然後『存在』和『不存在』之間的緊張關係被『變化』這個觀念消除了。因為如果某件事物正在變化的過程中，則它可以算是『存在』，也可以算是『不存在』。」

「我懂了。」

「因此黑格爾的『理性』有一種動態的邏輯。既然『事實』的特性就是會有相反的事物，因此要描述事實就必須同樣描述與事實相反的事物。我再舉一個例子：據說，丹麥核子物理學家波爾（Niels Bohr）在他的前門上方掛了一個馬蹄鐵。」

「那是為了帶來好運氣。」

「可是這只是個迷信而已，而波爾卻是個一點也不迷信的人。當有人問他是否真的相信這種事情時，他說，不，我不相信，但人家告訴我這樣真的有效。」

「真奇怪。」

「他的回答相當具有辯證意味，幾乎可說是自相矛盾。波爾就像我們挪威的詩人文耶（Vinje）一樣，是以模稜兩可而出名。他有一次說：世間有兩種真理。一種是表面的真理，與它相反的說法顯然是錯誤的。但另外一種則是深層的真理，與這樣的真理相反的說法卻是對的。」

「這些是什麼樣的真理呢？」

「例如我說生命是短暫的……」

「我同意。」

「可是在另外一種場合，我可能會張開雙臂說生命是漫長的。」

「嗯，從某個角度來看，這也沒錯。」

「最後我要舉一個例子顯示一種辯證的緊張關係如何能夠導致一個自發性的行動，並因此造成突然的改變。」

「請說吧。」

「假設有一個小女孩總是回答她媽媽說『是，媽』、『好的，媽』、『我聽你的，媽』、『馬上，媽』。」

「真可怕！」

「過了一陣子，她的媽媽對女兒這種過度順從的態度感到很惱火。於是她大吼：『請你不要再當這樣一個乖寶寶了！』而這女孩仍然回答說：『好的，媽。』」

「要是我，就會給她一巴掌。」

「我想你一定會的。可是如果那女孩回答說：可是我想當一個乖寶寶呀！那你會怎麼做呢？」

「這個回答很奇怪。也許我還是會打她一巴掌。」

「換句話說，這種情況就是一個僵局。在這裡，辯證式的緊張關係已經到了一種一定會發生某件事情的地步。」

「比如說打她一個耳光之類的？」

「我們還要講到黑格爾哲學的最後一個層面。」

「我在聽呀！」

「你還記得我們說過浪漫主義者是個人主義者嗎？」

「神祕之路通往內心……」

「這種個人主義在黑格爾的哲學中也遇到了它的否定或相反。黑格爾強調他所謂的『客觀的』力量，意思就是家庭和國家。你也可以說黑格爾對個人抱持著一種不信任的態度，他認為個人是團體的一個有機的部分。理性（或『世界精神』）必須透過人與人之間的互動才會彰顯。」

「請你說明的詳細一點。」

「理性最主要是透過語言而顯現，而我們說什麼語言是一出生就注定的。即使沒有漢生（Hansen）先生這個人，挪威語也一樣很好，但漢生先生沒有挪威話就不行了。因此並不是個人造就語言，而是語言造就個人。」

「應該是這樣的吧。」

「除了語言之外，我們會有哪一種歷史背景也是一生下來就注定了。沒有人和這類背景之間能有一種『自由』的關係。因此，那些無法在國家中找到定位的人就是沒有歷史的人。你也許還記得這種觀念也是雅典哲學家的重點。沒有人民，固然就沒有國家，但如果沒有國家，也就沒有人民。」

「顯然是這樣。」

「根據黑格爾的說法，國家並不只是由人民形成的一個集合。因此黑格爾說人不能

『捨棄社會』。因此，如果有人對他們所生長的社會不屑一顧，而一心一意只想『尋找自己的靈魂』，是會受到恥笑的。」

「我不確定我完全同意這點，但這沒有關係。」

「根據黑格爾的說法，個人不能發現自我，只有世界精神能夠發現自我。」

「世界精神發現它的自我？」

「黑格爾說世界精神回到自我的過程可分為三個階段，也就是說世界精神在經歷三個階段後才意識到自我。」

「你就一次說個清楚吧。」

「首先，世界精神意識到自我在個人中的存在。黑格爾稱此為主觀精神。然後它在家庭、社會與國家之中達到更高的意識。黑格爾稱此為客觀精神，因為它在人與人之間的互動顯現。可是還有第三個階段……」

「那是什麼？」

「世界精神在『絕對的精神』中達到最高形式的自我實現。這個『絕對的精神』就是藝術、宗教和哲學。其中又以哲學為最高形式的知識，因為，在哲學中，世界精神思考它對歷史的衝擊，因此世界精神是最先在哲學中發現了它的自我。你不妨說哲學是世界精神的鏡子。」

「這太神祕了，我需要時間好好消化一下。不過我喜歡你說的最後一句。」

「你是說『哲學是世界精神的鏡子』這一句嗎？」

「對，這句話很美。你想這話和那面銅鏡有關係嗎？」

「既然你問到了，我只好說是。」

「什麼意思？」

「我猜那面銅鏡一定有某種特別的意義，才會時常被提到。」

「你一定知道它有什麼意義吧？」

「我不知道。我只是說，如果它對席德和她的父親沒有什麼特別的意義的話，它不會時常出現。只有席德知道它有什麼意義。」

「這算是浪漫主義的反諷嗎？」

「這種問題是不會有答案的，蘇菲。」

「為什麼呢？」

「因為運用這些手法的不是我們，我們只是那個反諷中兩個倒楣的受害者罷了。假使一個大小孩在一張紙上畫了一個東西，你不能問那張紙說他畫的那東西是代表什麼。」

「你這話真可怕。」

祁克果

……歐洲正邁向破產的地步……

席德看了看時間。已經過了四點了。她把講義夾放在書桌上，然後便跑到樓下的廚房。她得在媽媽等得不耐煩之前趕快到船屋那兒去。她經過那面銅鏡前看了它一眼。

她很快的把茶壺拿出來，準備燒茶，並以加倍的速度做了幾個三明治。

她已經決定要跟她爸爸開幾個玩笑。她開始覺得自己愈來愈站在蘇菲和艾伯特這一邊了。等爸爸到達哥本哈根時，那些玩笑就要開始了。

很快的，她已經端著一個大托盤，站在船屋那兒了。

「我們的早午餐來了。」她說。

媽媽正拿著一塊用沙紙包著的東西。她把一綹散落的髮絲從額前拂開，她的頭髮上也有沙子。

「那我們就不要吃晚餐好了。」

他們坐在外面的平臺上，開始吃起來。

「爸爸什麼時候到家？」過了一會兒，席德問。

「星期六。我還以為你知道呢。」

「可是幾點呢？你不是說他要在哥本哈根換機嗎？」

「沒錯……」

媽媽咬了一口肝醬黃瓜三明治。

「他大約五點會抵達哥本哈根，七點四十五分有一班飛機開往基督山。他大概會在九點半時在凱耶維克機場著陸。」

「這麼說他在卡斯楚普機場會停留幾個小時……」

「嗯，幹嘛？」

「沒事。我只是想他一路不知道會怎樣。」

他們繼續吃著。當席德認為時間已經夠久時，便假裝不經意的說：

「你最近有沒有安娜和歐雷的消息？」

「他們不時打電話來。七月時他們會回家度假。」

「他們不會提前來嗎？」

「我想不會。」

「這麼說他們這個星期會在哥本哈根……」

「到底怎麼回事？席德。」

「沒事，只是聊聊。」

「你提到哥本哈根兩次了。」

「有嗎？」

「在剛才我們談到爸爸在……」

「我大概是這樣才想到安娜和歐雷吧。」

他們一吃完，席德就收拾杯盤，放在托盤上。

「媽，我得回去繼續看書了。」

「我想也是。」

她的回答裡有譴責的意味嗎？他們以前曾經說好在爸爸回家前要一起把船整修好。

「爸爸差點沒要我答應他在他回家前把那本書念完呢。」

「這真是有點太胡鬧了。他雖然離家在外，也不需要這樣子指揮家裡的人呀。」

「你才知道，他可是會指揮人呢！」席德高深莫測的說。「而且你無法想像他多喜歡這樣呢！」

她回到房裡，繼續看下去。

突然間蘇菲聽到有人敲門。艾伯特嚴肅的看著她。

「我們不想被人打攪。」

敲門聲又響了，這回更大聲。

「我要和你談一位丹麥的哲學家。他對黑格爾的哲學非常不滿。」

敲門聲愈來愈激烈，以致於整扇門都在晃動。

「一定是少校派了什麼童話人物來看看我們是不是上鉤了。」艾伯特說。「他這樣做根本不費吹灰之力。」

「可是如果我們不開門看看是誰，他也可以不費吹灰之力的把這整棟房子拆掉呀！」

「你說得可能有道理。我們最好還是開門吧。」

於是他們打開門。由於剛才的敲門聲大而有力，蘇菲預期這個人一定長得很魁梧。可是站在門前臺階上的卻是一位有著一頭金色的長髮，穿了印花夏裝的小女孩。她兩手各拿了一個小瓶子。一瓶是紅的，一瓶是藍的。

「嗨！」蘇菲說。「你是誰？」

「我名叫愛麗絲。」小女孩說，一邊害羞的一鞠躬。

「果然不出我所料。」艾伯特點點頭。「是愛麗絲夢遊仙境裡的愛麗絲。」

「她是怎麼找到我們的？」

愛麗絲解釋說：

「仙境是一個完全沒有疆界的國度。這表示仙境無所不在——當然也在聯合國。它應該成為聯合國的榮譽會員國。我們應該派代表參加他們所有的委員會，因為聯合國當初成立也是一個奇蹟。」

「哼……又是少校搞的鬼。」艾伯特嘀咕著。

「你來這兒做什麼呢？」蘇菲問。

「我是來拿這些小哲學瓶子給蘇菲的。」

她把瓶子遞給蘇菲。兩個瓶子都是透明玻璃做的，其中一個裝了紅色的液體，另一個則裝了藍色的。紅瓶子上貼了一張標籤，寫著：請把我喝下去。藍瓶子上的標籤則寫著：請把我也喝下去。

這時忽然有一隻白兔子從小木屋旁跳過去。牠全身挺直，只用兩隻腳來走路，身上穿了一件背心和外套。來到小木屋前時，牠從背心口袋裡掏出了一個懷錶，並且說：

「糟了，我要遲到了！」

然後牠就跑走了。愛麗絲開始追牠。就在她跑進樹林前，她姿態優美的鞠了一個躬，說道：

「現在又要開始了。」

「請幫我向蒂娜和皇后打招呼好嗎？」蘇菲在她身後喊。

小女孩消失了。艾伯特和蘇菲仍站在臺階上，仔細看著那兩個瓶子。

「『請把我喝下去』和『請把我也喝下去。』」蘇菲唸了出來。「我不知道我敢不敢呢。裡面可能有毒。」

艾伯特只是聳聳肩。

「他們是少校派來的。而從少校那邊來的每一件事物都是純粹存在心靈中的，所以這並不是真的水。」

蘇菲把紅瓶子的瓶蓋拿掉，小心的把瓶子送到唇邊。瓶裡的水有一種很奇怪的甜味，還有一些別的味道。當她喝下去時，她周遭的事物開始發生了一些變化。

感覺上彷彿小湖、樹林和小木屋都融成一體了。很快的，她所見到的一切似乎只是一個人，而這個人就是蘇菲她自己。她擡頭看了艾伯特一眼，但他似乎也成了蘇菲靈魂的一部分。

「奇怪，真奇怪。」她說。「一切事物看起來都和從前沒有兩樣，但現在卻都成了一體了。我覺得一切事物好像都變成一個思想了。」

艾伯特點點頭，但蘇菲的感覺卻好像是她自己在向她點頭似的。

「這是泛神論或觀念論，」他說。「這是浪漫主義者的世界精神。在他們的體驗中，每一件事物都屬於一個大的『自我』，這也是黑格爾的哲學。他批評個人主義，認為每一件事物都是世間唯一的世界理性的表現。」

「我應該也喝另外一瓶嗎？」

「標籤上是這麼說的。」

蘇菲把藍瓶子的蓋子拿掉，喝了一大口。裡面的水嚐起來比另一瓶新鮮，味道也較重。喝了之後，她周遭的每一件事物又開始改變了。

在那一瞬間，紅瓶子所造成的效果消失了，一切事物都回到原來的位置。艾伯特還是艾伯特，樹也回到林子裡，湖看起來又是湖了。

可是這種感覺只持續了一秒鐘。因為，所有的東西都一直繼續移動，愈分愈開。樹林已經不再是樹林，每一株小樹現在看起來似乎本身就是一個世界，連最細小的樹枝彷佛都是一個寶庫，裝著一千年的童話故事。

那小湖突然變成了一座無邊無際的汪洋，雖然它沒有變深，也沒有變廣，但湖裡卻出現了許多晶瑩閃爍、細密交織的波紋。蘇菲覺得她即使一輩子注視著這裡的湖水，直到她死去之日也參不透那裡面深不可測的祕密。

她擡起頭看著一棵樹的頂端。上面有三隻小麻雀正全神貫注的玩著一種奇怪的遊戲。她過去也知道樹上有小鳥（即使在她喝了紅瓶子裡的水以後），可是她卻從來沒有好好的看過牠們。紅瓶子裡的水使得所有事物的差異和各自的特色都泯滅了。

蘇菲從她所站立的大石階上跳下來，蹲在草地上。她在那裡又發現了一個新世界，就像是一個深海的潛水伕第一次在海底睜開眼睛一樣。在綠草的莖梗間，青苔顯得纖毫畢露。蘇菲看著一隻蜘蛛不慌不忙的爬過青苔，向著牠的目標走去……一隻紅色的虱子在草葉上來回奔跑……一羣螞蟻正在草叢間合力工作。可是每一隻小螞蟻走路的方式都各有特色。

最奇怪的是，當她再度站起來，看著仍然站在木屋前階梯上的艾伯特時，居然看到了一個奇妙不可思議的人。感覺上他像是從另外一個星球來的生物，又像從童話故事裡走出來的一個被施了魔法的人。同時，現在她也以一種嶄新的方式感受到自己是一個獨一無二的個體。她不只是一個人而已，也不只是一個十五歲的女孩。她是蘇菲，而世間只有她是蘇菲這個人。

「你看見什麼了？」艾伯特問。

「你看起來像是一隻奇怪的鳥。」

「你這麼想嗎？」

「我想我永遠也無法理解做另外一個人是什麼樣子。世間沒有兩個人是一樣的。」

「那樹林呢？」

「感覺起來也不一樣了，像是一個充滿神奇故事的宇宙。」

祁克果

「果然不出我所料。藍瓶子是個人主義，打個比方，是祁克果（Søren Kierkegaard）對浪漫主義者的理想主義的反動。但它也包括了跟祁克果同一時期的一個丹麥人的世界觀。他就是著名的童話故事作家安徒生。他對大自然種種不可思議的細微事物也有很敏銳的觀察力。比他早一百多年的德國哲學家萊布尼茲也看到相同的事物。萊布尼茲對史賓諾沙的理想主義哲學的反動就像是祁克果對黑格爾的反動一般。」

「你說的話聽起來好滑稽，使我很想笑。」

「這是可以理解的。你再喝一口紅瓶子裡的水。來吧，我們坐在臺階這裡。在今天結束之前我們要談談祁克果的哲學。」

蘇菲坐在艾伯特的身旁。她從紅瓶子裡喝了一小口，然後所有的事物又開始重新聚合。事實上它們聚合的太過了，以致她再次感覺一切事物之間沒有什麼差別，於是她又將藍瓶子拿到唇邊喝了一口。這回她周遭的世界看起來便與愛麗絲拿著這兩個瓶子來時沒有什麼兩樣了。

「可是哪一種感覺是真實的呢？」她問道。「使我們看到真實畫面的是紅瓶子還是藍瓶子？」

「兩者都是。我們不能說浪漫主義者是錯的，或說世間其實只有一個真實世界。可是也許他們的視野都有點太狹窄了。」

「那藍瓶子呢？」

「我想祁克果一定從那個瓶子裡喝了幾大口。不用說，他對個體的意義有很敏銳的觀察力。我們不只是『時代的產物』。我們每一個人都是獨一無二的個體，只活一次。」

「而黑格爾在這方面看到的並不多？」

「嗯。他對廣闊的歷史比較有興趣，這正是祁克果對他如此不滿的原因。祁克果認為浪漫主義者的理想主義與黑格爾的『歷史觀』都抹煞了個人對自己的生命所應負的責任。因此，對祁克果來說，黑格爾和浪漫主義者有同樣的缺點。」

「我可以瞭解他為什麼會這麼生氣。」

「祁克果生於一八一三年，從小受到父親的嚴格管教，並且遺傳了父親的宗教憂鬱症。」

「聽起來好像不太妙。」

「由於得了憂鬱症，他覺得自己必須解除婚約。但此舉不太受到哥本哈根中產階級的諒解，所以他在很早的時候就成為一個受人唾棄和恥笑的對象。後來他逐漸也厭棄世人、恥笑世人，並因此而逐漸成為後來易卜生所描述的『人民公敵』。」

「這一切都只是因為他解除了婚約嗎？」

「不只是因為這樣。他在晚年時，對於社會更是大肆批評。他說：『整個歐洲正走向破產的地步。』他認為他生活在一個完全缺乏熱情和奉獻的時代。他對丹麥路德派教會的了無生氣尤其感到不滿，並對所謂的『星期日基督徒』加以無情的抨擊。」

「這年頭還有所謂的『堅信禮基督徒』。因為，大多數孩子只是為了想得到禮物而接受堅信禮。」

「是的，你說到要點了。對於祁克果而言，基督教對人的影響是如此之大，而且是無法用理性解釋的。因此一個人要不就是相信基督教，要不就不信，不可以持一種『多少相信一些』或『相信到某種程度』的態度。耶穌要不就是真的在復活節復活，要不就是沒有。如果他真的死而復活，如果他真的為我們而死的話，那麼這件事實在深奧難解，勢必會影響我們整個生命。」

「嗯。我明白。」

「可是祁克果看到教會和一般大眾都對宗教問題採取一種曖昧含糊的態度。對於他而言，宗教和知識可說是水火不容。光是相信基督教是『真理』並不夠。相信基督教就要過著基督徒般的生活。」

「這和黑格爾有什麼關係呢？」

「你說得對。我們也許應該另起一個頭。」

「所以我建議你重新開始。」

「十七歲那年，祁克果開始研究神學，但他對哲學問題卻日益感到興趣。他二十七歲時，以『論反諷觀念』這篇論文獲得了碩士學位。他在這篇論文中批評浪漫主義的反諷以及浪漫主義者任意玩弄幻象的做法。他並提出『蘇格拉底式的反諷』做為對比。蘇格拉底雖然也以反諷技巧得到很大的效果，但他這樣做的目的乃是為了要尋求有關生命的根本真理。祁克果認為，蘇格拉底與浪漫主義者不同之處在於他是一位『存在主義』的思想家，也就是說他是一位完全將他的存在放進他的哲學思考的思想家。」

「然後呢？」

「一八四一年解除婚約後，祁克果前往柏林訪問，並在那兒聽了謝林講課。」

「他有沒有遇見黑格爾呢？」

「沒有，那時黑格爾去世已有十年了。不過他的思想已經在柏林等許多歐洲地區成為主流。他的『體系』被用來說明每一種問題。祁克果表示，黑格爾主義所關切的那種『客觀真理』與個人的生命是完全不相關的。」

「那麼什麼樣的真理才是相關的呢？」

「祁克果認為，與其找尋那唯一的真理，不如去找尋那些對個人生命具有意義的真理。他說，找尋『我心目中的真理』是很重要的。他藉此以個人來對抗『體系』。祁克果認為，黑格爾忘記了自己是一個人。他並且如此描述那些教導黑格爾主義的教授：『當那令人厭煩的教授先生解釋生命的玄祕時，他太過專注，以致忘了自己的姓名，也忘了自己是一個人，而不只是八分之三段精采的文章。』」

「那麼祁克果認為人是什麼呢？」

「這很難做概括性的說明。對他而言，描繪人或人性的面貌是完全沒有意義的。他認為，世間唯一重要的事只有每一個人『自己的存在』。而你無法在書桌後面體驗自己的存在。唯有在我們行動——尤其是做一些重要的選擇——時，我們才和自我的存在有關聯。有一個關於佛陀的故事可以說明祁克果的意思。」

「關於佛陀的故事？」

「是的，因為佛教的哲學也是以人的存在為起點。從前有一個和尚問佛陀他如何才能更清楚的回答『世界是什麼？』『人是什麼？』等根本性的問題。佛陀在回答時，將他比喻為一個被毒箭射傷的人。他說，這個受傷的人不會對『這支箭是什麼材料做的？』『它沾了什麼樣的毒藥？』或『它是從哪個方向射來的？』這些問題感到興趣。」

「他應該是希望有人能夠把箭拔出來，並治療他的傷口。」

「沒錯。這對於他的存在是很重要的。佛陀和祁克果都強烈感受到人生苦短的現象。而就像我說的，你不能只是坐在書桌後面，構思有觀世界精神的本質的哲學。」

「當然。」

「祁克果並說真理是『主觀的』。他的意思並不是說我們想什麼、相信什麼都無所謂。他的意思是說，真正重要的真理都是屬於個人的。只有這些真理『對我而言是真的』。」

「你能舉一個例子說明什麼是主觀的真理嗎？」

「舉例來說，有一個很重要的問題是基督教是否是真實的。這不是一個理論上或學術上的問題。對於一個『瞭解自我生命』的人而言，這是一個關乎生與死的問題，而不是一個你光是坐下來為了討論而討論的問題。這樣的問題應該以最熱情、最真誠的態度來討論。」

「我可以理解。」

「如果你掉到水裡，你對你是否會淹死的理論不會感到興趣。而水裡是否有鱷魚的問題既不『有趣』，也不『無趣』，因為你已經面臨生死關頭了。」

「我懂了。謝謝你。」

「所以我們必須區分『上帝是否存在』這個哲學性的問題與個人與這些問題的關係。每一個人都必須獨自回答這些問題。而這類根本性的問題只能經由信仰來找尋答案。依照祁克果的看法，那些我們能經由理性而得知的事情（也就是知識）是完全不重要的。」

「你最好說清楚一些。」

「八加四等於十二，這是我們絕對可以確定的。這是笛卡爾以來每位哲學家都談論到的那種『可以推算的真理』。可是我們會把它放在每天的祈禱文中嗎？我們躺著時會去思考這樣的問題而不去想我們什麼時候會死嗎？絕不是的。那樣的真理也許『客觀』，也許『具有普遍性』，但對於每個人的存在卻完全無關緊要。」

「那麼信仰呢？」

「你永遠不會知道當你對不起一個人的時候，他是否會原諒你，因此這個問題對你的存在而言是很重要的，這是個你會極度關切的問題。同樣的，你也不可能知道一個人是否愛你，你只能相信他愛你或希望他愛你。可是這些事情對你而言，要比『三角形內各內角的總合等於一八〇度』更加重要。你在第一次接吻時絕不會去想什麼因果律啦、知覺模態啦這類的問題。」

「會才怪！」

「在與宗教有關的問題上，信仰是最重要的因素。祁克果曾寫道：『如果我能客觀的抓住上帝，我就不會相信祂了。但正因為我無法如此，所以我必須信祂。如果我希望保守我的信心，我必須時時緊握住客觀的不確定性，以便讓我即使在七萬噚深的海上，仍能保有我的信心。』」

「滿難懂的。」

「許多人曾經試圖證明上帝的存在，或至少嘗試用理性去解釋祂。但是如果你滿足於這樣的證明或理論，你就會失去你的信仰，同時也會失去你的宗教熱情。因為重要的並不是基督教是否真實，而是對你而言，它是否真實。中世紀的一句格言『我信，因為荒謬』（credo quia absurdum）也表達了同樣的想法。」

「哦？」

「這話的意思是：正因為它是非理性的，所以我才相信。如果基督教所訴求的是我們的理性，而不是我們的另外一面，那它就不叫做信仰了。」

「現在我懂了。」

「我們已經談到了祁克果所說的『存在的』和『主觀真理』的意義，以及他對『信仰』的觀念。他創造這三個觀念是為了批評傳統的哲學，尤其是黑格爾的哲學。不過其中也包含尖銳的『社會批評』在內。他說，現代都市社會中的個人已經成為『大眾』了，而這些大眾或羣眾最主要的特色就是喜歡說一些含糊不確定的話語。他的意思就是每一個人所『想』、所『相信』的都是同樣的東西，而沒有人真正對這些東西有深刻的感受。」

人生的階段

「我實在很想知道祁克果對喬安的父母會有什麼看法。」

「他對人的評語有時滿嚴苛的。他的筆鋒犀利，諷刺起人來也很尖酸刻薄。比方說，他會說『羣眾就是虛偽』、『真理永遠是少數』，以及大多數人對生命的態度都很膚淺之類的話。」

「蒐集芭比娃娃已經夠糟了，但更糟的是自己就是一個芭比娃娃。」

「這我們就要談到祁克果所說的『人生三階段』的理論了。」

「對不起，我沒聽清楚。」

「祁克果認為生命有三種不同的形式。他本人所用的名詞是『階段』。他把它們稱為『美感階段』、『道德階段』和『宗教階段』。他用『階段』這個名詞是為了要強調人可能會生活在一個較低的階段，然後突然躍升到一個較高的階段。許多人終其一生都活在同樣的階段。」

「請你再解釋清楚。因為我很想知道自己現在是在哪個階段。」

「活在美感階段的人只是為了現在而活，因此他會抓住每個享樂的機會。只要是美的、令人滿足的、令人愉快的，就是好的。這樣的人完全活在感官的世界中，是他自己的慾望與情緒的奴隸。對他而言，凡是令人厭煩的，就是不好的。」

「謝啦，我想我對這種態度很熟悉。」

「典型的浪漫主義者也就是典型的活在美感階段的人，因為這個階段所包涵的並不只是純粹的感官享樂而已。一個從美感的角度來看待現實，或自己的藝術，或他所信仰的哲學的人，就是活在美感階段裡。他們也可能從美學的角度來看待痛苦或悲傷，但這只是虛榮心作祟罷了。易卜生的『皮爾金』這齣戲的男主角就是典型的活在美感階段的人。」

「我想我懂你的意思了。」

「你認識這樣的人嗎？」

「沒有很典型的。不過我想少校有點像是那樣。」

「也許吧，也許吧，蘇菲……雖然這是他展現他那病態的浪漫主義反諷的又一個例子。你應該把你的嘴巴洗一洗。」

「什麼？」

「好吧，這不是你的錯。」

「那就請你繼續說下去吧。」

「一個活在美感階段的人很容易有焦慮或恐懼和空虛的感受。但果真這樣，他就有救了。祁克果認為，害怕幾乎是有正面意義的。它表示這個人正處於『存在的狀態中』，可以躍升到更高階段。可是你要不就晉升到較高的階段，要不就停留原地。如果你不採取行動，而只是在即將躍升的邊緣徘徊是沒有用的。這是個兩者只能擇其一的情況，而且沒有人能夠幫你做這件事，這是你自己的抉擇。」

「這很像是決定要不要戒酒或戒毒一樣。」

「是的，有可能。祁克果所描述的這個『決定的範疇』（category of decision）可能會使人想起蘇格拉底所說的所有真正的智慧都來自內心的話。是否要從美感階段躍升到道德階段或宗教階段，必須是發自個人內心的決定。易卜生在《皮爾金》裡面也描繪了這一點。另外，杜思妥也夫斯基在他的大作《罪與罰》這本小說中，也生動的描述了存在的抉擇如何必須發自內心的需要與絕望的感受。」

「那時你最佳的選擇就是過一種完全不同的生活。」

「如此你也許才可以開始活在道德階段。這個階段的特色就是對生命抱持認真的態度，並且始終一貫的做一些符合道德的抉擇。這種態度有點像是康德的責任道德觀，就是人應該努力依循道德法則而生活。祁克果和康德一樣注重人的性情。他認為，重要的不是你認為何者是、何者非，而是你開始在意事情的是非對錯。相反的，活在美感階段的人則只注重一件事是否有趣。」

「像那樣活在道德階段，人難道不會變得太嚴肅了嗎？」

「確實可能。祁克果從不認為道德階段是很圓滿的。即使是一個敬業盡責的人，如果一直徹底的過著這種生活，最後也會厭倦的。許多人到了年長之後開始有這種厭倦的感受。有些人就因此而重新回到美感階段的生活方式。可是也有人進一步躍升到宗教階段。

他們一步就跳進信仰那『七萬噚的深淵裡』。他們選擇信仰，而不選擇美感的愉悅和理性所要求的責任。而就像祁克果所說的，雖然『跳進上帝張開的雙臂』也許是一件很令人害怕的事，但這卻是得到救贖唯一的途徑。」

「你的意思是信仰基督教。」

「是的，因為對祁克果而言，活在『宗教階段』就等於是信奉基督。不過對於非基督徒的思想家而言，他也是很重要的一個人物。盛行於二十世紀的存在主義就是受到這位丹麥哲學家的啓發。」

蘇菲看看她的手錶。

「已經快七點了。我必須衝回家去了。媽媽不急死才怪。」

她向艾伯特揮一揮手，就跑到小船那兒去了。

馬克思

……在歐洲作祟的幽靈……

席德起床走到面向海灣的窗戶。今天是星期六，一早她就開始讀有關蘇菲十五歲生日的那一段。前一天則是她自己的生日。

如果她爸爸以為她會在昨天讀到蘇菲生日那一段，他顯然不太實際。她今天整天什麼事也沒做，只有讀書。可是有一點他說對了：後來他只再向她說過一次生日快樂而已，就是當艾伯特和蘇菲對她唱生日快樂歌的時候。席德心想，這真是太不好意思了。

現在蘇菲已經邀請朋友，在席德的爸爸預定從黎巴嫩回來的那一天，到她家參加一場哲學性的花園宴會了。席德相信那天一定會發生什麼事，但究竟會如何不只是她，恐怕連她爸爸也不是很確定。

不過有一件事是可以確定的：她爸爸在回到柏客來山莊之前，一定會大吃一驚。這是她能為蘇菲和艾伯特所盡的一點心力，尤其是在他們向她求助之後……

媽媽仍在船屋那邊。席德跑下樓走到電話旁。她查到了安娜和歐雷在哥本哈根的電話號碼，並小心的按下那幾個數字。

「喂，我是安娜。」

「嗨，我是席德。」

「哦，太好了。你們在黎樂桑還好吧？」

「很好，我們放假了。爸爸再過一個星期也要從黎巴嫩回來了。」

「那真是太好了。」

「是啊，我好希望他趕快回來。所以我才打電話給你……」

「原來如此。」

「我想他會在二十三號星期六下午五點左右在卡斯楚普機場著陸。那個時候你會不會在哥本哈根呢？」

「我想會吧。」

「不知道你能不能為我做一件事情。」

「當然可以啦。」

「這件事情滿特別的，我甚至不確定是不是行得通。」

「你可把我的好奇心給勾起來了……」

席德開始把事情的始末──包括那講義夾、蘇菲和艾伯特等所有的事情──告訴安娜。這當中有好幾次她和安娜都忍不住大笑，以致於她不得不重新講過。但是當席德掛上電話時，她的計畫也開始實行了。

她自己也得開始準備準備，還好時間仍很充裕。

那天下午和晚上，席德都和媽媽在一起度過，最後他們開車去基督山看電影。由於前一天席德的生日時她們並沒有特別慶祝，因此她們覺得應該利用今天補償補償。當她們的車子經過通往凱耶維克機場的出口時，席德計畫中的神祕行動又向前推進了幾步。

當天晚上她上床時，夜已經深了，但是她仍拿起講義夾，讀了幾頁。

蘇菲從樹籬鑽出密洞時，時間已經快八點了。當她出現時，她的媽媽正在前門旁的花壇那兒除草。

「你是從哪裡冒出來的？」

「從樹籬裡。」

「從樹籬裡？」

「你不知道那邊有一條小路嗎？」

「你到底到哪裡去了呢？這是你第二次無消無息就憑空消失了。」

「對不起，媽。因為今天天氣實在太好了，所以我去散步散了很久。」

媽媽從那堆雜草上擡起身子，嚴厲的看著她。

「你該不是又跑去跟那個哲學家在一起吧？」

「老實說，是的。我告訴過你他喜歡散步。」

「他會來參加我們的花園宴會吧？」

「會呀，他等不及要參加呢！」

「我也是，我正在算日子。」

媽媽的聲音裡是否有一些惡意呢？為了安全起見，蘇菲說：

「我很高興我也邀請了喬安的爸媽。否則我真會有點不好意思！」

「我不知道……不過無論發生什麼事，我都會和這個艾伯特談一談。」

「如果你願意的話，可以用我的房間。我想你一定會喜歡他的。」

「還有，今天你有一封信。」

「哦？」

「上面蓋著聯合國部隊的郵戳。」

「一定是艾伯特的弟弟寫來的。」

「蘇菲，事情不能再這樣繼續下去了。」

蘇菲絞盡腦汁。突然間她靈光一閃，想到了一個可行的答案，彷彿有某個精靈指引她。給她靈感似的。

「我告訴艾伯特說我在蒐集罕見的郵戳。所以他就叫他的弟弟寫信給我。」

媽媽看起來好像放心了。

「晚餐在冰箱裡。」現在她說話的聲調稍微柔和了一些。

「信在哪裡？」

「在冰箱上。」

蘇菲衝進屋裡。信封上的郵戳日期是一九九〇年六月十五日。她將它折開，拿出了一張小紙條：「一世人勞苦奔忙有何益？到頭來終究須把眼兒閉。」

蘇菲答不出來。在吃飯前，她把紙條放在櫃子裡，跟她這幾個星期來蒐集到的東西放在一起。她很快就會知道他為什麼要問這個問題了。

第二天早晨，喬安來找她。在打完羽毛球之後，他們開始計畫那場花園宴會。他們必須事先安排幾個令人驚喜的節目，以備在宴會進行的不很理想時派上用場。

當天蘇菲的媽媽下班回到家時，他們仍然在討論。媽媽一再的說：「我們要不惜工本。」同時話裡並沒有諷刺意味！

也許她認為舉辦這個「哲學花園宴會」可以讓蘇菲在上了這麼多星期密集的哲學課之後，重回現實世界來。

還不到晚上他們已經就紙燈籠、哲學有獎猜謎等每一件事情達成了協議。他們認為猜謎活動的獎品最好是一本寫給年輕人看的哲學故事。如果有這樣一本書就好了！可是蘇菲也不確定到底有沒有。

距仲夏節還有兩天時，也就是六月二十一日星期四那一天，艾伯特再度打電話給蘇菲。

「喂，我是蘇菲。」

「我是艾伯特。」

「嗨！你好嗎？」

「很好，謝謝你。我已經想到一個很好的辦法了。」

「做什麼的辦法？」

「你知道的呀。掙脫我們長久以來所受的心靈桎梏的辦法。」

「喔，是那件事呀。」

「不過在計畫展開之前，我不能透露半點風聲。」

「那樣不會太遲嗎？我需要知道才行，因為這件事我也有分呀！」

「你看你又孩子氣了！我們所有的對話都會被他聽到，所以最明智的辦法就是什麼都不要說。」

「有那麼嚴重嗎？」

「當然。當我們不說話的時候一定就是那些最重要的事情發生的時候。」

「喔。」

「我們是活在一個長篇故事當中，一個由文字虛構的現實世界裡。每一個字都是少校用一個舊式的手提打字機打出來的，所以只要是印出來的字沒有一個能逃得過他的眼睛。」

「我明白，可是我們要怎樣才能躲開他呢？」

「噓！」

「幹嘛？」

「字裡行間也有一些事情發生。這正是我想盡辦法要做手腳的地方。」

「我懂了。」

「不過我們必須盡量利用今天和明天的時間。到了星期六我們的行動就要展開了。你能馬上過來嗎？」

「好，我這就來了。」

蘇菲餵了鳥和魚，並且找出了一片大萵苣葉給葛文達吃。她打開了一罐給雪兒吃的貓食，並在她走時把它放在臺階上的一個碗裡。

然後她便鑽過樹籬，走向遠處的小路。走了才幾步路，她突然看到石南樹叢間有一張很大的書桌。一個老人正坐在桌前，似乎正在算帳。蘇菲走向前問他的姓名。

共產主義

「我叫史古吉。」他說，一邊仔細的盯著他的帳本看。

「我叫蘇菲。我猜你大概是個生意人吧。」

他點點頭。「而且我很有錢。我們不能浪費一分錢，所以我才要這麼專心的算帳。」

「為什麼要這麼麻煩呢？」

蘇菲向他揮揮手，繼續向前走。可是她走不到幾碼路又看到一個小女孩獨自一人坐在一棵很高的樹下。她的衣衫襤褸，臉色蒼白，而且滿面病容。當蘇菲經過時，小女孩把手伸進一個小袋子裡，掏出一盒火柴。

「你要不要買一些火柴呢？」她問，拿著火柴的手伸向蘇菲。

蘇菲摸摸口袋看看自己還有多少錢。有了。她找到一塊錢。

「你要賣多少錢？」

「一塊錢。」

蘇菲把那枚銅板拿給小女孩，並且站在那兒，手裡拿著那盒火柴。

「你是一百多年來第一個向我買東西的人。有時我餓得要死，有時我又快被凍死了。」

蘇菲心想，在這座樹林裡賣火柴，難怪生意不好。不過她又想到剛才她遇見的那個生意人。他這麼有錢，為什麼這個小女孩卻得餓死呢？

「來。」蘇菲說。

她握住小女孩的手，把她拉到有錢人那兒。

「你得想想辦法讓這個小女孩過好一點的生活。」她說。

有錢人從帳本上擡起眼睛說道：「這種事情是要花錢的。我說過了，連一分錢也不能浪費。」

「可是這不公平呀！你這麼有錢，這個小女孩卻這麼窮。」蘇菲不死心。「這是不公道的。」
「胡說！只有地位相當的人才能談得上公平。」
「這話是什麼意思？」
「我是靠努力工作才出人頭地的。只要工作，就不怕沒飯吃。這就叫做進步。」
「可是你看看這個小女孩！」
「如果你不幫我，我一定會死掉。」這個貧窮的小女孩說。
生意人又把他的視線從帳本往上移，然後很不耐煩的把他的羽毛筆扔在桌上。
「你在我的帳目裡不算數呀！走吧，去做工吧！」
「如果你不幫我，我就放火把樹林燒了。」小女孩仍不死心。
生意人終於站了起來，可是小女孩已經擦亮了一根火柴。她把它拿到一叢乾草邊。乾草馬上就燒了起來。
生意人舉起雙手。「上帝請幫幫忙呀！」他大喊，「紅公雞已經叫了！」
女孩仰頭看著他，一臉惡作劇的笑容。
「嘿，你不知道我是個共產黨吧！」
一轉眼，小女孩、生意人和那張大書桌都消失了。蘇菲又獨自一人站在那兒，一旁的火愈發熾烈的燒著乾草。蘇菲開始用腳把火踩熄，過了一會兒後，火就完全被撲滅了。
謝天謝地！蘇菲看著腳下已經被燒黑的草，手中仍拿著那盒火柴。

這場火該不是她引起的吧？

蘇菲在小木屋外面見到艾伯特後，便把這些事情告訴他。

「史古吉就是英國作家狄更斯的小說《聖誕頌歌》裡面的那個吝嗇的資本主義者。至於那個小女孩，你應該還記得安徒生的童話故事《賣火柴的小女孩》。」

「我居然在樹林裡遇見他們。這不是很奇怪嗎？」

「一點也不奇怪，這片樹林可不是普通的樹林。既然我們要開始談馬克思，讓你見識一下十九世紀中期激烈的階級鬥爭，應該是再恰當不過了。不過，我們還是進屋裡去吧。我們在那裡比較不會受到少校的干擾。」

他們再次坐在面湖的窗子旁的一張小茶几邊。蘇菲仍然記得她在喝下藍瓶子的水後看到小湖時的感覺。

今天那兩個瓶子都放在壁爐上方的架子上，茶几上則放著一座很小的希臘神廟複製品。

「那是什麼？」蘇菲問。

「等一下你就會知道了。」

艾伯特開始談馬克思。

「一八四一年祁克果到柏林聽謝林的講課時，說不定曾經坐在馬克思的旁邊。祁克果曾經寫過一篇關於蘇格拉底的碩士論文。在同一時期，馬克思則正在寫一篇關於德謨克里特斯和伊比鳩魯的博士論文，討論古代的唯物主義。他們兩人就是如此創立他們自己的哲學的。」

「因為祁克果後來變成了一位存在主義者，而馬克思變成了一位唯物主義者？」

「馬克思後來變成了一個所謂的『歷史唯物主義者』。這個我們以後會再談。」

「繼續。」

「祁克果和馬克思各自用自己的方式以黑格爾的哲學做為出發點。兩人都受到黑格爾思考模式的影響，但兩人都不同意他關於『世界精神』的說法和他的理想主義。」

「那對他們可能太虛無縹緲了。」

「確實如此。一般來講，我們通常說大哲學體系的時代到黑格爾為止。在他之後，哲學走到了一個新的方向，不再有龐大的思考體系，取而代之的是我們所稱的『存在哲學』與『行動哲學』。馬克思曾說，直到現在為止，『哲學家只詮釋了世界，可是重點在於他們應該去改變這個世界。』這些話顯示了哲學史上的一大轉捩點。」

「在遇見史古吉和那小女孩之後，我很能夠瞭解馬克思為什麼會這樣想。」

「馬克思的思想有一個實際的或政治的目標。我們可以說他不只是一個哲學家，同時也是一個歷史學家、社會學家和經濟學家。」

「而他在這些領域中都是先驅嗎？」

「在實際的政治方面，當然沒有一個哲學家比他的影響力更大。但是我們要小心，不要把每一種自稱是『馬克思主義』的學說都當成是馬克思自己的思想。據說馬克思本人是到一八四〇年代中期才變成一個『馬克思主義者』，而且一直到後來，他有時還會聲明他自己不是一個『馬克思主義者』。」

「耶穌是基督徒嗎？」

「這點也是很值得商榷的。」

「請繼續。」

「從一開始，馬克思有一個名叫恩格斯（Friedrich Engels）的朋友、同事對被後人稱為『馬克思主義』的理論就有很大貢獻。除此之外，二十世紀的列寧、史達林、毛澤東和其他許多人對『馬克思主義』或『馬克思——列寧主義』的形成也有貢獻。」

「我們還是專門談馬克思好了。你說他是一個歷史唯物主義者？」

唯物論

「他並不像古代的原子論者和十七、十八世紀的機械論唯物主義者一樣是一個哲學性的唯物主義者。不過他認為我們的思考方式有一大部分受到社會中的物質因素的影響。此外，這類物質因素無疑也左右了歷史的發展。」

「這和黑格爾所說的世界精神很不一樣。」

「黑格爾曾指出，歷史的發展是受到兩種相反事物之間的緊張關係的驅動，因為這種緊張關係後來一定會被一個突然的改變消除。馬克思把這個理論更進一步發揚，但他認為黑格爾的理論有本末倒置之嫌。」

「不完全是這樣吧？」

「黑格爾把推動歷史前進的力量叫做『世界精神』或『世界理性』。馬克思認為這種說法正好與事實相反。他想證明物質的變化才是推動歷史的力量；『精神關係』並不會造成物質的改變，而是物質的改變造成了新的『精神關係』。馬克思特別強調，促成改變並因此把歷史向前推進的，其實是一個社會的經濟力量。」

「你可以舉個例子嗎？」

「古代的哲學和科學純粹是為理論而理論的。沒有人有興趣把新發明派上實際用場。」

「哦？」

「這是受到當時團體經濟結構影響的緣故。古代的生產工作主要是由奴隸來做，所以一般人沒有必要去發明一些實用的器物來增進生產力。這個例子顯示物質條件如何影響一個社會的哲學思想。」

「喔，我明白了。」

「馬克思將這些物質、經濟和社會方面的條件稱為社會的基礎，並將社會思想、政治制度、法律規章、宗教、道德、藝術、哲學和科學等稱為社會的上層構造。」

「對，一個是基礎，一個是上層構造。」

「現在請你把那座希臘神廟拿過來好嗎？」

蘇菲照他的話做。

「這是高城巴特農神殿的迷你複製品。你見過它的真面貌不是嗎？」

「你是說在錄影帶上？」

「你可以看到這座建築有一個非常優雅、精巧的屋頂。當你看到這座神殿時，也許第一眼看到的就是這個屋頂和它前面的山形牆。這就是我們所說的『上層結構』。」

「可是屋頂不會在空中飄浮。」

「對，它必須有柱子支撐。」

「這座建築有非常強而有力的基礎支撐著整個架構。同樣的，馬克思相信物質條件『支持』著一個社會裡的每一種思想和看法。事實上，一個社會的上層結構正好反映那個社會的基礎。」

「你是說柏拉圖的概念理論反映了現實生活中製造花瓶和釀酒等過程？」

「不，馬克思認為事情並沒有這麼簡單。他指出社會的基礎與它的上層結構之間有一種互動關係。如果他否認了這種互動關係的存在，那他就是一個『機械論的唯物主義者』。但正因為馬克思體認到社會的基礎與它的上層結構之間有一種互動的辯證關係存在，我們才說他是一個辯證的唯物主義者。還有，柏拉圖既不是個陶工，也不是個酒廠老闆。」

「好吧。關於這座神殿，你還有什麼要說的嗎？」

「還有一些。你不妨仔細觀察這座神殿的基礎，然後告訴我它是什麼樣子。」

「那些柱子是立在一個由三層臺階組成的基座上。」

「同樣的，我們也可以把社會的『基礎』分成三個階層。最『根本』的一個階層就是一個社會的『生產條件』，也就是這個社會可以利用的自然條件與資源。我所謂條件指的是氣候、原料等因素。這些東西是每一個社會的基礎，而這個基礎明顯決定這個社會的生產種類，同樣的，也決定這個社會的性質與它的整體文化。」

「就像在撒哈拉沙漠不會有買賣鯡魚的生意，在挪威北部也不可能種棗子一樣。」

「對了。除此之外，一個遊牧民族的思考方式和挪威北部漁村的漁民也有很大的不同。『生產條件』之外的另一個階層就是一個社會裡的『生產工具』。在這裡馬克思指的是設備、工具和機器這些東西。」

「在古時候，人們是用划船的方式捕魚，而今天我們則使用拖網船捕魚。」

「是的，這裡我們就要談到社會基礎的下一個階層，也就是那些擁有生產工具的人。人們分工的方式和財產的分配就是馬克思所謂的社會的『生產關係』。」

「喔，原來如此。」

「到這裡我們可以得出一個結論：一個社會的政治情況與意識型態是由它的生產模式決定的。現代人的思想、道德尺度和古代封建社會之所以有很大的差距並不是偶然的。」

「這麼說馬克思並不認為人一定能夠享有自然權利囉。」

「沒錯。根據馬克思的理論，是非對錯的觀念乃是社會基礎的產物。舉例來說，在古老的農業社會裡，父母有權決定子女結婚的對象，這並不是偶然的。因為這牽涉到誰會繼承他們的農莊的問題。在現代城市的社會關係就不同了。在今天，你可能會在宴會或迪斯可舞廳裡遇到你未來的對象。如果你們愛的夠深的話，兩個人可能就找個地方同居了。」

「我才不能忍受讓我的父母決定我要嫁給誰呢！」

「沒錯，那是因為你活在這個時代。馬克思更進一步強調說：一個社會的是非標準主要是由那個社會裡的統治階級來決定的，因為『人類社會的歷史就是一部階級鬥爭史』。換句話說，歷史所牽涉的主要就是一個誰擁有生產工具的問題。」

「人們的想法和觀念不也會促成歷史的改變嗎？」

「可以說是，也可以說不是。馬克思明白社會上層結構與社會基礎之間可能有互動的關係，可是他否認社會的上層結構能夠有其獨立的歷史。他認為，使我們的歷史能夠從古代的奴隸社會發展到今天的工業社會的因素主要是社會基礎的改變。」

「這點你說過了。」

階級鬥爭

「馬克思認為在歷史的各個階段，社會的兩個主要階級彼此之間都會有衝突存在。在古代的奴隸社會，這種衝突是存在於一般人和奴隸之間。在中世紀的封建社會，則存在於封建貴族和農奴之間，後來則存在於貴族與一般人之間。但在馬克思那個時代的中產階級資本主義社會，這種衝突主要存在於資本主義者和工人（或無產階級）之間。因此衝突乃是存在於那些擁有生產工具的人和那些沒有生產工具的人之間。既然『上層階級』不會自願放棄權力，因此唯有透過革命才能改變社會現況。」

「那共產主義的社會又是什麼樣子呢？」

「馬克思對資本主義社會轉移到共產主義社會的現象特別有興趣。他並且詳細描述了資本主義的生產方式。但在我們講到這個之前，必須談談馬克思對人的勞動的看法。」

「請說。」

「在成為一個共產主義者之前，年輕的馬克思專心一意的研究人在工作時所發生的現象。黑格爾也曾經分析過這點。黑格爾認為，人與自然之間有一種互動或『辯證』的關係。當人改造大自然時，他本身也被改造了。換句話說，人在工作時，就是在干涉大自然並影響大自然，可是在這個過程中，大自然同時也干涉人類並影響他們的心靈。」

「這麼說，從一個人的工作就可以看出他的個性囉。」

「簡單來說，這正是馬克思的觀點。我們的工作方式影響我們的心靈，但我們的心靈也影響我們的工作方式。可以說這是人手與人心的一種互動關係。因此你的思想與你的工作是有密切的關係的。」

「這麼說，失業一定是一件很令人沮喪的事。」

「是的。從某個角度說，一個失業的人就是一個空虛的人。黑格爾很早就體認到這點了。對於黑格爾和馬克思而言，工作是一件具有正面意義的事情，並且與人類的本質有密切的關聯。」

「所以說工作對於工人來說也是一件具有正面意義的事情囉？」

「最初是這樣。可是這也正是馬克思嚴厲批評資本主義生產方法的地方。」

「為什麼呢？」

「在資本主義制度下，工人是為別人工作。因此他的勞動對他而言是外在的事物，是不屬於他的。工人與他的工作之間有了隔閡，同時與自我也有了隔閡。他與他自己的現實脫節了。馬克思用黑格爾的話來說，就是工人被疏離了。」

「我有個姨媽在工廠做包裝糖果的工作做了二十幾年，所以我很容易瞭解你的意思。她說她每一天早上都不想去上班。」

「而如果她討厭自己的工作，從某一方面來說，她也一定討厭她自己。」

「我只知道她很不喜歡吃糖果。」

「馬克思指出，在資本主義社會的工廠制度中，工人實際上是為另外一個社會階級在做牛做馬。在這種制度下，工人把他的勞動成果以及他的整個生命都轉移給中產階級。」

「有這麼糟糕嗎？」

「這是馬克思的看法。從十九世紀中期的社會情況來看，工人所受的待遇確實很糟糕。當時的工人可能每天必須在冰冷的工廠裡工作十二個小時，而且薪資通常都很微薄，以致於孩童和孕婦往往也必須工作，造成了許多慘不忍睹的社會現象。有許多地方的工廠老闆甚至用廉價的酒來代替一部分工資。有些婦女不得不靠賣淫來補貼家計，而他們的顧客卻是那些『在鎮上有頭有臉的人』。簡而言之，工作原本應是人類光榮的標記，但在當時工人卻變成了牛馬。」

「真是令人憤怒。」

「馬克思也對這些現象感到非常憤怒。況且，在工人們受苦受難、不得溫飽的同時，那些中產階級人士的子女卻可以洗一個舒服的澡，然後在溫暖、寬敞的客廳中拉著小提琴，或坐在鋼琴旁邊等著吃有四道菜的晚餐，或者一整天騎馬打獵，無所事事。」

「哼！太不公平了。」

「馬克思一定會同意你的話。一八四八年時，他和恩格斯共同發表了一篇共產主義者宣言。其中第一句話就是：共產主義的幽靈已經在歐洲出現。」

「聽起來挺嚇人的。」

「當時的中產階級的確被嚇到了，因為無產階級已經開始要反抗了。你想不想聽聽共產主義者宣言的結尾呢？」

「嗯。請唸吧！」

「共產主義者不屑隱藏他們的看法與目標。他們公開宣稱他們的目標只能透過強行推翻現有的社會情況而達成。讓統治階級因共產主義革命而顫抖吧！無產階級身上只有鎖鏈，因此無懼任何損失，卻可藉此贏得全世界。各國的勞動工人們，團結起來吧！」

「如果情況真像你所說的那麼糟，我想我也會簽署這份宣言的。不過到了今天，情況應該大大的不同了吧？」

「在挪威是如此，但在其他地方則不盡然。許多人仍生活在非人的情況下，繼續製造各種商品，讓那些資本主義者更加富有。馬克思稱此為剝削。」

「請你解釋一下這個名詞好嗎？」

「一個工人所製造的商品一定有若干銷售價值。」

「是的。」

「如果你把工人的工資和其他的生產成本從銷售價值裡扣除，一定還會有一些剩餘價值。這個剩餘價值就是馬克思所稱的利潤。換句話說，資本主義者把事實上是由工人創造的價值放進了自己的口袋。這就叫做剝削。」

「我明白了。」

「然後資本主義者又把一部分的利潤拿來做為資本，將工廠加以現代化，以期生產成本更低廉的商品，並藉此增加他將來的利潤。」

「這很合理呀！」

「是的。聽起來可能很合理。但就長期來講，情況卻不會如這個資本主義者想像的那樣。」

「怎麼說呢？」

「馬克思相信資本主義的生產方式本身就有若干內在的矛盾。他說，資本主義是一種自我毀滅式的經濟制度，因為它缺少理性的控制。」

「這對被壓迫者來說不是一件好事嗎？」

「是的。資本主義制度的內在因素會驅使它逐步走向滅亡。就這種意義來說，資本主義是『前進的』，因為它是邁向共產主義的一個階段。」

「你可不可以舉一個資本主義自我毀滅的例子？」

「我們剛才說到資本主義者有很多剩餘的金錢。他用其中的一部分來使工廠現代化，可是他也會花錢讓孩子去學小提琴，同時他的太太也已經習慣了奢侈的生活方式。」

「哦？」

「他購買新的機器後，就不再需要這麼多員工了。他這樣做是為了要提高他的競爭力。」

「我明白。」

「可是他不是唯一這麼想的人。這就表示整個社會的生產方式不斷變得愈來愈有效率。工廠也愈蓋愈大，而且在愈來愈少人的手裡集中。那我問你，接下來會發生什麼事呢？」

「呃……」

「工廠所需的工人愈來愈少，表示失業的人愈來愈多，社會問題將因此而增加。出現這些危機，就象徵資本主義正邁向毀滅的道路。但是，資本主義的自我毀滅因素還不止於此。當愈來愈多利潤必須花在生產工具上，而生產的產品數量又不足以壓低價格時……」

「怎麼樣？」

「……這時資本主義者會怎麼做呢？你能告訴我嗎？」

「恐怕不能。」

「假設你是一個工廠老闆，當你的收支無法平衡，正面臨破產的命運時，你要怎麼做才能省錢？」

「我可能會削減工資？」

「聰明！是的，在這種情況下，最精明的算盤莫過於此。但是如果所有的資本主義者都像你一樣聰明（事實上他們也是），工人們就會變得很貧窮，以致於買不起東西了。這樣一來，購買力就降低了，而這種情況會變成一種惡性循環。馬克思說：『資本主義私有財產制的喪鐘已經響了。』社會正很快的步向革命。」

「嗯，我懂了。」

「簡而言之，到最後，無產階級會起來接收生產工具。」

「然後呢？」

「有一段時期會出現新的『階級社會』，由無產階級以武力鎮壓中產階級。馬克思稱此為無產階級專政。但在這段過渡期後，無產階級專政會被一個『不分階級的社會』所取代。在這個社會當中，生產工具是由『眾人』，也就是人民所擁有。在這種社會中，國家的政策是『各盡其才，各取所需』。這時勞動成果屬於勞工，資本主義的疏離現象也就到此終止。」

「聽起來是很棒，但實際的情況是怎樣呢？後來真的發生革命了嗎？」

「這不能一概而論。今天，經濟學家可能會斷言馬克思在一些重要問題上犯了錯誤，其中包括他對資本主義危機的分析。此外，他對造成今天這般嚴重後果的自然環境資源的掠奪行為也不夠注意。但是……」

「但是什麼？」

「馬克思主義仍造成了社會上很大的變動。毫無疑問的，社會主義已經大致上改善了社會上不人道的現象。無論如何，我們所生活的歐洲社會已經要比馬克思的時代更公平、更團結。這一部分要歸功於馬克思和整個社會運動。」

「為什麼會這樣呢？」

「在馬克思之後，社會主義運動分成兩股主流，分別是社會民主運動和列寧主義。社會民主運動主張以和平漸進的方式邁向社會主義，這也是歐洲所採取的方式。我們可以稱之為『緩慢的革命』。而列寧主義則仍然信奉馬克思所說的『革命是打倒舊有的階級社會的唯一方式』，這種思想對於東歐、亞洲和非洲產生了重大的影響。就這樣，這兩種運動各自以其不同的方式來對抗貧窮與壓迫。」

「可是它難道沒有帶來另外一種壓迫嗎？例如在俄羅斯和東歐？」

「確實是有。在這裡我們又可以看出人所接觸到的每一件事物最後都是有利有弊。不過，如果要把馬克思死後五十年甚至一百年期間，那些所謂社會國家中所發生的壞事都一股腦歸咎於馬克思是沒有道理的。只不過他當初沒有仔細想過那些後來成為共產主義國家執政者的人會變成什麼樣子。說穿了，世上也許永遠不會有『人間樂土』，因為人類永遠會製造新的問題。」

「我想這是必然的。」

「說到這裡，有關馬克思的部分就講完了。」

「嘿，等一下！你剛才不是說什麼『公平只存在於地位相當的人之間』嗎？」

「沒有，那是史古吉說的。」

「你怎麼會知道他說什麼呢？」

「喔，我們兩人都是同一個作家筆下的人物。事實上我們彼此的關係要比局外人看到的更加密切。」

「你又玩反諷那套討厭的把戲了！」

「這是加倍的反諷，蘇菲。」

「可是說到公平，你說過馬克思認為資本主義是一種不公平的社會型態。那你認為一個公平的社會應該是什麼樣的呢？」

「有一個受到馬克思主義啓發的道德哲學家羅爾斯（Jhon Rawls）曾經舉了個例子來說明這點：假設你是一個聲望很高的委員會的委員，而這個委員會的任務是為將來的社會制定所有的法律。」

「這個工作挺不錯的。」

「委員們必須考慮到每一個細節，因為一旦他們達成協議，而且每個人也都簽署了這些法律時，他們就會全部死去。」

「哇！」

「不過他們馬上會在他們所立法的那個將來社會中復活。問題是他們並不知道他們在這個社會裡會有什麼樣的地位。」

「喔，我明白了。」

「這種社會就會是一個公平的社會。在這個社會中人人平等。」

「包括男女平等！」

「這當然不用說啦。這些委員當中沒有人知道他們醒來時會變成男人還是女人。既然機會是百分之五十對百分之五十，這個社會對女人將像對男人一樣有吸引力。」

「聽起來滿不錯的。」

「那麼請你告訴我，馬克思主義下的歐洲社會是不是像這個樣子？」

「當然不是！」

「那麼你知道現代有哪個社會是這個樣子的嗎？」

「嗯……這是一個好問題。」

「想想看吧。不過，現在開始我們不要談馬克思了。」

「你說什麼？」

「下一章！」

達爾文

……滿載基因航行過生命的一艘小船……

星期天上午，席德被一聲響亮的碰撞聲驚醒，原來是講義夾落地的聲音。昨晚她一直躺在床上看蘇菲與艾伯特有關馬克思的對話，後來就仰躺著睡著了，講義夾放在棉被上，床邊的檯燈整晚都亮著。

她書桌上的鬧鐘現在正顯示著8：59這幾個綠色的發光數字。

昨晚她夢見了巨大的工廠和受到污染的城市，一個小女孩坐在街角賣火柴，而穿著體面、披著長大衣的人們來來去去，連看都不看她一眼。

席德在床上坐起來時，突然想到那些將會在他們自己所創造的社會中醒來的立法委員。她很高興自己醒來時還在柏客來山莊。

萬一她醒來時身在挪威另一個陌生的地方，那她會不會害怕呢？

不過，這還不只是在哪裡醒來的問題而已。她會不會醒來時發現自己是在另外一個年代呢？譬如說中世紀之類的，或一、兩萬年前的石器時代？席德想像自己坐在山洞口，製作獸皮的模樣。

在世上還沒有一種叫做文化的東西以前，當一個十五歲的女孩會是什麼滋味呢？那時的她會有什麼想法呢？

席德穿上一件毛衣，使勁把講義夾拿到床上，然後便安坐床上，開始讀下一章。

艾伯特剛說完「下一章」，便有人敲少校小木屋的門。

「我們沒有其他選擇吧？」蘇菲說。

「我想是沒有。」艾伯特嘀咕道。

門外的臺階上站著一位年紀很大的老人，有著長長的白髮和一臉白鬍子。他一手拿了根枴杖，另一手則拿了一塊板子，上面畫了一艘船，船上載滿了各種動物。

「老先生貴姓大名？」

「我名叫諾亞。」

「我猜也是。」

「孩子，我是你的老祖宗。不過現代人大概不流行認識自己的祖先了。」

「你手上拿著什麼？」蘇菲問。

「這上面畫的是所有從大洪水裡獲救的動物。拿去，孩子，這是給你的。」

蘇菲接過那塊大板子。老人又說道：

「我得回家去照管那些葡萄藤了。」說著他便跳了起來，雙腳在空中拍答互敲了一下，然後便以輕快的步伐跳進樹林中。只有年紀很大的老人家在一種很不尋常的情緒下才會有那種步法。

蘇菲和艾伯特走進屋裡再度坐下。蘇菲開始看那幅圖畫。可是在她還沒來得及細看之前，艾伯特便很權威的一把將它拿了過去。

「我們首先要談談大綱。」

「好，好，先生！」

「我剛才忘了提到馬克思一生的最後三十四年是在倫敦度過的。他在一八四九年遷居到那兒，並在一八八三年去世。這段時間達爾文就住在倫敦近郊，在一八八二年去世，在一場隆重盛大的典禮中下葬於西敏寺，成為英國最傑出的人士之一。就這樣，馬克思和達爾文在人生的旅途上曾經交錯，但不僅在時間與空間中而已。馬克思曾經想把他最偉大的著作《資本論》的英文版獻給達爾文，但達爾文卻拒絕了這份榮耀。達爾文死後一年，馬克思也去世了。當時他的友人恩格斯說：達爾文創立了有機物進化的理論，而馬克思則創立了人類歷史進化的理論。」

「喔，原來如此。」

「另外一個在作品上也與達爾文有關聯的大思想家是心理學家佛洛伊德。他最後幾年也是在倫敦度過的。佛洛伊德說，達爾文的進化論和他自己的精神分析理論對於人類以自我為中心的天真無知態度構成了挑釁。」

「你一下子提太多名字了。我們現在要談的究竟是馬克思、達爾文還是佛洛伊德？」

自然主義

「我們可以更廣泛的談到從十九世紀中到我們這個時代所流行的一股自然主義風潮。所謂『自然主義』指的是一種認為除了大自然和感官世界之外，別無其他真實事物的態度。因此，自然主義者也認為人是大自然的一部分。一個自然主義的科學家只相信自然現象，而不相信任何理性假設或聖靈的啓示。」

「馬克思、達爾文和佛洛伊德都是這樣的人嗎？」

「一點也沒錯。從上一世紀中期開始，最流行的幾個字眼就是自然、環境、歷史、進化與成長。當時馬克思已經指出人類的意識型態是社會基礎的產物，達爾文則證明人類是生物逐漸演化的結果，而佛洛伊德對潛意識的研究則發現人們的行動多半是受到『動物』本能驅策的結果。」

「我想我多少瞭解你所說的『自然主義』的意思。可是我們是不是最好一次只談一個人呢？」

「我們要先談達爾文。蘇菲，你可能還記得蘇格拉底之前的哲學家曾試圖為大自然的變化尋找合乎自然的解釋，因為他們不接受那些古老神話中的說法。同樣的，達爾文也不接受教會對人與動物如何創造出來的說法。」

「不過他算是哲學家嗎？」

「達爾文是一個生物學家和自然科學家，不過他也是近代唯一一個公開質疑聖經中對人在萬物中的地位的說法的科學家。」

「那麼你得說說達爾文的進化論到底是怎麼回事？」

達爾文

「我們先來談談達爾文這個人吧。他在一八〇九年生於休斯柏瑞（Shrewsbury）這個小鎮。他的父親羅伯特・達爾文博士是當地一位很有名望的醫生，對兒子的管教非常嚴格。達爾文在當地的小學上學時，他的校長說他總是到處亂跑，把玩東西，不知所云，從不做些有用的事。這位校長所謂的『有用的事』是指勤念希臘文和拉丁文的動詞。所謂『到處亂跑』，則是說達爾文到處去蒐集各式各樣的甲蟲。」

「我敢打賭他後來一定會後悔自己說過那些話。」

「達爾文後來開始研究神學，可是他對賞鳥和蒐集昆蟲等事更有興趣，因此他在神學方面的成績從來不頂好。不過，他在大學時就已經有了自然科學家的名聲，一部分是因為他對地質學有興趣的緣故。地質學也許是當時最大的一門學科。一八三一年他從劍橋大學神學院畢業後，隨即前往北威爾斯研究岩石的形成並搜尋化石。同一年八月（當時他還不到二十二歲），他接到了一封從此改變他一生的信……」

「那是一封什麼樣的信呢？」

「是他的朋友兼老師韓斯洛（John Steven Henslow）寫的。他在信裡說：有人請我……推薦一位自然科學家陪同受政府委派的費茲羅伊（Fitzroy）船長前往南美洲南部的海岸從事調查研究工作。我向他們說我認為你是最有資格且很可能會接受這類工作的人。至於其中牽涉的經費問題，我並不清楚。這次航程將花兩年的時間……」

「你怎麼會記得這麼多東西？」

「小事一樁。」

「那達爾文怎麼答覆呢？」

「他迫不及待要抓住這次機會，可是在那個時代，一個年輕人做任何事都必須得到父母的許可。經過他一番遊說之後，他的父親終於同意了，並且答應資助旅費。因為在所謂的『經費問題』上，他顯然並沒有得到任何補助。」

「喔。」

「那艘船是海軍艦艇小獵犬號。它在一八三一年十二月二十七日從普利茅斯航向南美洲，一直到一八三六年十月才返航。原本只有兩年的航程變成五年，而航行的範圍也從原訂的南美洲擴展到世界各地。這是近代史上最重要的一次調查航行之一。」

「他們就一路環繞世界嗎？」

「是的，差不多就是這樣。他們從南美繼續航行，經過太平洋到紐西蘭、澳洲和南非，然後又開回南美洲，最後才回到英國。達爾文寫道，在獵犬號上的這次航行無疑是他生命中最有意義的事件。」

「在海上做自然科學研究可不容易呀！」

「最初幾年，小獵犬號在南美海岸來回行駛。這使得達爾文有很多機會可以熟悉這塊大陸，包括內陸地區。他們多次進入南美洲西邊太平洋上的加拉帕哥斯（Galapagos）羣島，而這幾次探險對他們的發現也有決定性的影響。他在那兒蒐集到大量的材料並將它們寄回英國。可是當時他並沒有透露他本人對於自然與生命進化的看法。當他回到英國（那時他才二十七歲）時，發現自己成了一位著名的科學家。在那個時候，他內心關於進化論的概念已經很清晰了。可是直到許多年後他才發表他的主要作品，因為他是一個很謹慎的人，而這也是一個科學家應有的態度。」

「他的主要作品是什麼？」

「事實上他寫了好幾本書。但其中在英國引起了最熱烈的辯論的是《物種起源論》。這本書出版於一八五九年。它的全名是《物競天擇，適者生存之物種起源論》。這樣長的書名事實上就是達爾文進化論的完整摘要。」

「他確實是把好多東西放在一個書名裡。」

進化論

「我們還是一樣一樣的談。達爾文在《物種起源論》一書中提出兩個理論。首先他認為，既存的所有動植物樣式都是依照生物進化的法則，從較早期、較原始的形式演變而來。其次，他認為生物進化乃是自然淘汰的結果。」

「適者生存，對嗎？」

「對。不過我們還是先來談進化的概念好了，這個觀念其實並不很新鮮。早在一八〇〇年時，某些領域內的人士就已經開始普遍接受生物進化的觀念。最主要的倡導人是法國的動物學家拉馬克（Lamarck）。甚至在他之前，達爾文的祖父伊拉斯穆斯·達爾文（Erasmus Darwin）就已經提出動植物是由某些少數原始物種進化而來的觀念。可是他們當中沒有一個人提出一個合理的解釋，說明進化的過程是如何發生的，因此教會也就不認為他們是很大的威脅。」

「但達爾文就是了嗎？」

「是的，而這也不是沒有原因的。在當時，無論教會還是科學界都堅決相信聖經中所說的所有動植物種類都不會改變的說法。他們相信上帝一次就造出了所有的生物。而基督教的這種看法也與柏拉圖和亞理斯多德的學說一致。」

「怎麼說呢？」

「柏拉圖的概念理論主張各種動物都是不可改變的，因為他們是根據永恆的概念或形式造的。這也是亞理斯多德哲學的基礎之一。但在達爾文的時代，一些新的發現促使這種傳統的觀念受到考驗。」

「什麼樣的新發現呢？」

「首先，愈來愈多的化石被挖掘出來。此外也有人發現一些絕種動物的大型骨頭化石。達爾文本人也在一些深入內陸的地方發現海洋生物的遺跡，使他感到很困惑。在南美洲高聳的安第斯山山頂上他也發現了類似的現象。蘇菲，你說說看，海洋生物跑到安第斯山做什麼呢？」

「我不知道。」

「有人認為他們是被人類或動物扔在那兒的，也有人相信那些化石和海洋生物的遺跡是上帝故意安排的，目的在讓那些不信神的人走入迷途。」

「那科學家們怎麼說呢？」

「大多數地質學家相信一種『大災難理論』，認為地球曾經遭遇大洪水、地震等等大災難，導致所有的生物都被毀滅。我們在聖經諾亞方舟的故事中也讀過類似的記載。他們相信，在每次天災後，上帝會重新再創造更新、更完美的動植物，以延續地球的生命。」

「所以他們認為那些化石就是古時的大天災所毀滅的生物的印記？」

「沒錯。舉個例子，他們認為化石裡的那些動物就是當年沒有登上諾亞方舟的動物。不過，當年達爾文搭乘獵犬號啟航時，身邊曾帶著英國生物學家萊爾（Charles Lyell）所著的《地質學原理》第一冊。萊爾認為目前地球的地質——包括山脈和河谷等等——都是長期不斷逐漸演化的結果。他的論點是：在這千萬年的過程中，即使一些小小的變化也會造成地質上的大變動。」

「他所說的變化是指哪一種？」

「他指的是那些直到今天仍然在作用的一些力量，如風力、天氣、冰層的融解、地震和地平面的隆起。你應該聽說過『滴水穿石』的故事，它憑的不是力量，而是不斷的侵蝕。萊爾相信這類微小而逐漸發生的變化，持續千百年後就可以完全改變大自然的形貌。雖然這種理論並不能夠完全解釋，為何達爾文會在安第斯山山頂這樣高的地方發現海洋生物的遺跡。不過達爾文本人也一直相信，只要時間足夠，逐漸發生的微小改變就可以造成巨大的變化。」

「我猜他一定想同樣的現象也可以用來解釋動物的進化。」

「是的，他正是這麼想。但我曾經說過，達爾文是一個很謹慎的人。他先提出問題，等到過了很久之後才加以回答。從這個角度來看，他用的方法正和所有真正的哲學家一樣，也就是說：重要的是提出問題，而毋需急著解答問題。」

「嗯，我懂了。」

「萊爾的理論中有一個決定性的因素就是地球的年紀。在達爾文那個時代，人們普遍相信上帝創造世界大約已有六千年。這個數字是由計算亞當與夏娃以後的世代得出來的。」

「真是太天真了！」

「說到這點，後見之明當然是比較容易。達爾文推算地球的年紀大約在三億年左右。因為很明顯的，除非地球存在的時間確實很長很長，否則無論萊爾的地質逐漸演進論或達爾文自己的進化論都無法獲得證實。」

「那麼地球存在到底有多久了？」

「據我們今天所知，應該有四十六億年了。」

「哇！」

「我們剛才已經談到達爾文提出的生物進化的證據，就是那些在岩石各層結構中發現的一層層化石礦床。另外一個證據則是各現存物種的地理分布情況。在這方面，達爾文的科學之旅提供了許多完整的新資料。他親眼看到同一個地區內的同一種動物彼此之間有極細微的差異。此外，他在加拉帕哥斯羣島，尤其是在厄瓜多爾西部，也發現了一些很有趣的現象。」

物競天擇

「是什麼現象？」

「加拉帕哥斯羣島是一小羣火山島，因此那兒的動植物並沒有很大的差異。但使達爾文感到興趣的是它們之間的細微差異。他發現，他在每個島嶼上看到的大海龜都和其他島嶼有些不同。難道上帝為每個島嶼各創造了一種海龜嗎？」

「嗯，這確實是一個問題。」

「達爾文在加拉帕哥斯羣島上觀察到的鳥類生態更令人驚訝。他發現每個島嶼上的雀鳥都各有特色，尤其是在鳥喙的形狀上。達爾文指出，這些差異與雀鳥在各個島嶼上覓食的方式有很密切的關係。鳥喙又尖又長的地雀是以松子為食，小鳴雀是以昆蟲為食，樹雀則以樹皮和樹枝裡的白蟻為食……每一種雀的鳥喙形狀都完全遷就牠攝取的食物種類。於是他想，這些雀可不可能有共同的祖先呢？牠們是不是因為千百年來不斷適應各個島嶼不同的環境之後才變成新的品種呢？」

「這就是他得到的結論，不是嗎？」

「是的。達爾文可能就是在加拉帕哥斯羣島上變成一位『達爾文主義者』的。他還發現當地的動物與他在南美洲見到的許多種類非常相似。於是他問：上帝真的一次就創造了這些各有細微差異的動物嗎？還是牠們是進化而來的？他開始愈來愈懷疑物種不會改變的說法。不過，對於進化現象發生的過程，他還是提不出合理的解釋。不過，後來他又發現了一個現象，顯示地球上所有的動物可能是互相關聯的。」

「什麼現象？」

「就是哺乳動物胚胎發育的情況。如果你把狗、蝙蝠、兔子和人類早期的胚胎拿來比較，你會發現它們非常相似，幾乎難以分辨。一直要到非常晚期之後，你才能分別人類的胚胎與兔子的胚胎。這不正顯示我們和這些動物是遠親嗎？」

「可是這時他仍然無法解釋進化的現象是如何發生的。」

「他時常想到萊爾所說的細微的變化經過長時間作用後可以造成很大效果的理論。不過他仍然找不到一個可以解釋各種現象的通則。此外，他對法國動物學家拉馬克的理論也很熟悉。拉馬克指出，各個物種會逐漸發展自己所需的特徵。例如長頸鹿之所以長了一個長脖子就是因為牠們世世代代都伸長了脖子去吃樹上的葉子。拉馬克認為每一種動物透過自己的努力所獲取的特徵會遺傳給下一代。可是達爾文並不接受這種『後天特徵』遺傳論，因為拉馬克並沒有任何證據證明他這項大膽的說法。不過這時達爾文開始往另外一個較為明顯的方向思考。我們幾乎可以說物種進化現象後面的實際機轉恰恰就在他的眼前。」

「是什麼呢？」

「我寧願讓你自己想出來。所以我要問你：如果你有三隻母牛，但你所有的飼料只夠養兩隻，那你會怎麼辦呢？」

「我想我只好把其中一隻殺了。」

「好……那麼你要殺哪一隻呢？」

「我想我會殺那隻產奶最少的。」

「是嗎？」

「是的，這不是很合理嗎？」

「這正是人類千百年來所做的事，可是我們還沒講完那兩隻牛的事。假設你希望其中一隻能生小牛，你會選哪一隻？」

「最會產奶的那一隻。這樣牠生的小牛以後可能比較會產奶。」

「這麼說，你比較喜歡產奶多的母牛。那麼現在還有一個問題：如果你去打獵，而你有兩條獵狗，可是必須放棄其中一隻。那麼你會留下哪一隻？」

「我當然會留下比較能夠找到獵物的那隻。」

「對，你會選擇那隻比較好的獵狗。這正是一萬多年來人們豢養牲口的方式。從前的母雞不一定每週下五個蛋，羊也不一定會產那麼多羊毛，馬兒也不一定像現在這麼強壯敏捷。在這方面，飼主做了人為的選擇。同樣的道理也適用於植物。如果有品種比較好的馬鈴薯，你一定不會種那比較差的，你也不會浪費時間去砍那些不會結穗的玉米。達爾文指出，沒有一隻母牛、一株玉米、一隻狗或一隻雀是完全一樣的。大自然造成了許多差異。即使是同一品種，也沒有兩個個體會一模一樣。你喝下藍色瓶子的水時，可能有過這種經驗。」

「可不是嘛！」

「所以達爾文開始問：大自然是否也有同樣的機轉？大自然是否也可能選擇哪些物種可以存活？而這種選擇淘汰的過程在歷經很長的時間之後是否可能形成新的植物或動物品種？」

「我猜答案是肯定的。」

「這時達爾文仍然無法確知這種『天擇』的過程是如何發生的。但在一八三八年十月，也就是他乘獵犬號返航整整兩年後，他偶然讀到了一本由一位人口研究專家馬爾薩斯（Thomas Malthus）所寫的一本小書，書名叫《人口論》。馬爾薩斯撰寫此書的靈感是得自那位發明避雷針等東西的美國人富蘭克林。富蘭克林曾經指出，如果沒有受到大自然的限制，一種植物或動物將會遍布全球。但是由於世上有許多物種，因此這些物種會彼此制衡。」

「這點我可以瞭解。」

「馬爾薩斯將這個觀念加以發展，並應用於全球人口上。他相信人類的生殖力很強，因此世界上出生的兒童人數永遠多過能夠存活的人數。他認為既然糧食的生產永遠無法趕得上人口的增加，因此有一大部分人口注定要在求生存的競爭中落敗。那些能夠存活、長大並延續種族生命的人一定是那些在生存競爭中表現最好的人。」

「聽起來很有道理。」

「這正是達爾文一直在尋找的普遍性機轉。他以此來解釋進化發生的過程：進化是生存競爭中自然淘汰的結果。在這個過程中，那些最能夠適應環境的人就存活下來，繼續繁衍種族。這是他在《物種起源論》一書中所提的第二個理論。他在書中寫道：在所有動物中，大象是生育速度最慢的一種。但如果所有的幼象都得以存活，則在七百五十年之後，一對大象將可有一千九百萬個後代。」

「那麼一隻可以產下幾千個卵的鱈魚就更不用說了。」

「達爾文進一步指出，生存競爭在那些彼此最為相似的物種之間往往也最激烈，因為它們必須爭奪同樣一些食物。在這種情況下，縱使只比別人多占一點點優勢——也就是說與別人有一點點差異——也會使情況大不相同。生存競爭愈激烈，進化到新物種的速度也愈快，到最後只剩下最能適應環境的品種可以生存下來，其他的則會滅絕。」

「那麼食物愈少，生育數量愈多的種類進化的速度也就愈快囉？」

「沒錯。可是這不只是食物多寡的問題而已。如何避免被其他動物吃掉也是很重要的。舉例來說，動物有沒有保護色、是否能跑得很快、是否能辨識有敵意的動物或（在最糟的情況下）是否能聞出驅蟲劑的味道，都可能攸關它是否能生存。如果能分泌一種毒液殺死敵人也很有用。這也是為什麼這麼多仙人掌都有毒的原因。由於沙漠中幾乎沒有其他植物生長，因此仙人掌特別容易受到那些草食類動物的傷害。」

「所以它們多半也都有刺。」

「除此之外，生物繁衍能力的強弱顯然也是很重要的。達爾文非常仔細的研究了植物巧妙的傳粉方式。植物藉著色彩美麗的花朵和迷人的香味來吸引昆蟲為它傳粉。鳥兒唱出美妙的歌聲也是為了同樣的目的。一隻安靜、憂鬱、對母牛沒有興趣的公牛對於傳宗接代可是一點用處也沒有，因為這樣的公牛會立刻絕種。公牛生命中唯一的目的，就是長到發育成熟後與母牛交配以繁衍種族。這就像是一場接力賽一樣。那些因為某種原因不能將牠們的基因傳給下一代的動物會不斷被淘汰，整個種族也就因此愈來愈進步。而那些存活下來的品種所不斷累積並保存的最重要特徵之一就是抵抗疾病的能力。」

「所以一切的物種都愈來愈進步囉？」

「這種不斷淘汰的結果就是那些最能夠適應某種環境或某種生態體系的品種就能夠在那個環境中長期繁衍種族。可是在這個環境中占優勢的特徵不見得能在另一個環境中占到便宜。例如，對某些加拉帕哥斯羣島上的雀兒來說，飛翔能力很重要。可是在一個必須從土裡挖出食物而且沒有敵人的地方，會不會飛就不重要了。千百年來之所以有這麼多不同的動物品種出現，就是因為自然環境中有這麼多種不同的情況。」

「可是即使這樣，人類還是只有一種呀！」

「這是因為人有一種獨特的能力可以適應生活中不同的情況。達爾文最感到驚訝的事情之一就是提耶拉德傳耶哥（Tierra del Fuego）的印第安人居然可以在當地如此惡劣的氣候下生活。可是這並不表示所有的人類都是一樣的。那些住在赤道附近的人皮膚的顏色就要比住在北方的人要黑，因為黑皮膚可以使他們免於受到日照的傷害。白種人如果長期暴露在陽光下比較容易得到皮膚癌。」

「住在北方國家的人有白皮膚是否也是一種優點呢？」

「是的，要不然地球上的每一個人皮膚都是黑的了。白皮膚在日曬後比較容易製造維他命，這在日照很少的地方是很重要的。當然，到了今天這點就沒有那麼重要了，因為我們可以透過飲食得到足夠的陽光維他命。可是在大自然中沒有一件事是偶然的。每一件事都是一些微小的改變在無數個世代的過程中產生作用的結果。」

「想起來還真有趣！」

「確實如此。說到這裡，我們可以用下面這些話來總結達爾文的進化論……」

「請說。」

「我們可以說地球生物進化的『原料』就是同一種生物之間不斷出現的個體差異，再加上子孫的數量龐大，以致只有一小部分能夠存活。而進化的實際『機轉』（或驅動力）則是生存競爭中的自然淘汰作用。這種淘汰過程可以確保最強者或『最適者』能夠生存下來。」

「聽起來跟算術題目一樣合理。當時人對《物種起源論》這本書的反應如何？」

「它引起了激烈的爭辯。教會提出強烈抗議，科學界則反應不一。其實這並不令人驚訝。畢竟，達爾文的理論把上帝與世界之間的距離拉遠了很多。不過，也有人宣稱，創造一些具有進化能力的生物要比創造一些固定不變的生物更偉大。」

突然間，蘇菲從椅子上跳起來。

「你看那裡！」她喊。

她指著窗外。只見湖邊有一對男女手牽著手在走路。兩人都是一絲不掛。

「那是亞當和夏娃。」艾伯特說。「他們逐漸被迫與小紅帽和夢遊奇境的愛麗絲等人為伍了。所以他們才會在這裡出現。」

蘇菲走到窗前去看他們，可是他們很快就消失在林間。

「這是因為達爾文相信人類也是從動物進化而來的嗎？」

「一八七一年，達爾文發表了《人的由來》（The Descent of Man）這本書。他在書中提醒大家注意人與動物之間許多極為相似之處，並提出一個理論，認為人與類人猿必定是在某段時間由同一祖先進化而來的。這時，科學家已經相繼在直布羅陀岩（Rock of Gibraltar）和德國的尼安德（Neanderthal）等地發現了第一批某種絕種人類的頭骨化石。奇怪的是，一八七一年這次引起的反對聲浪反而比一八五九年達爾文發表《物種起源論》那一次要小。不過，他的第一本書事實上已經隱然指出人是從動物進化而來的。我曾經說過，達爾文在一八八二年去世時，以科學先驅的身分被隆重的葬在西敏寺。」

「這麼說他最後還是得到了應有的榮耀和地位？」

「是的，最後是這樣。不過在那之前他曾經被形容成英國最危險的人物。」

「天哪！」

「當時有一位上流社會的女士曾經寫道：讓我們希望這不是真的。如果是真的，希望不會有太多人知道。另一位很傑出的科學家也表示了類似的看法，他說：這真是一個令人很難為情的發現，愈少人談論它愈好。」

「這幾乎可以證明人和鴕鳥有血緣關係！」

「說得好。不過我們現在說這種話當然是比較容易了。達爾文的理論提出後，當時的人們突然不得不重新調整他們對於『創世紀』的看法。年輕的作家羅斯金（John Ruskin）如此形容他的感覺：『真希望這些地質學家能夠放過我。如今在聖經的每一個章節後面，我都可以聽到他們的鎚子敲打的聲音。』」

「這些鎚子敲打的聲音是指他自己對上帝話語的懷疑嗎？」

「應該是這樣，因為當時被推翻的不僅是上帝造人的說法。達爾文理論的重點也在於人是由一些偶然發生的變化所形成的。更糟的是，達爾文使得人變成生存競爭這種冷酷事實下的產物。」

遺傳與突變

「達爾文有沒有解釋這種偶然的差異是如何發生的？」

「這是他理論中最弱的一環。達爾文對於遺傳沒有什麼概念，他只知道在交配的過程中發生了某些事情。因為一對父母從來不會有兩個完全一樣的子女，每個子女之間總是會有些微的差異。此外，這種方式很難產生新的特徵。更何況有些植物和動物是靠插枝或單細胞分裂等方式來繁衍的。關於那些差異如何發生的問題，達爾文主義如今已經被所謂的『新達爾文主義』取代。」

「什麼是新達爾文主義？」

「就是說所有的生命和所有的繁殖過程基本上都與細胞分裂有關。當一個細胞分裂成兩個時，就產生了兩個一模一樣、具有相同遺傳因子的細胞。我們說細胞分裂的過程就是一個細胞複製自己的動作。」

「然後呢？」

「在這個過程當中，偶爾會有一些很小的錯誤發生，導致那個被複製出來的細胞並不與母細胞完全相同。用現代生物學的術語來說，這就是『突變』。有些突變是不相干的，但有些突變則可能對個體的行為造成明顯的影響。這些突變可能有害，而此類對於物種有害的『變種』將不斷被淘汰。許多疾病事實上就是突變所引起的。不過有時候，突變的結果可能會使個體擁有一些優勢，使它能在生存競爭中立於不敗之地。」

「譬如說脖子變長等等？」

「對於長頸鹿何以有如此長的脖子，拉馬克的解釋是因為牠們總是必須伸長脖子到上面去吃樹葉。但根據達爾文的看法，這種特徵並不會傳給下一代。他認為長頸鹿的長脖子是個體差異的結果。新達爾文主義則指出這種差異形成的原因，藉以補充說明。」

「是因為突變嗎？」

「沒錯。遺傳因素的偶然改變使得長頸鹿的某位祖先有一個比別人稍長的脖子。當食物有限時，這個特徵就變得很重要了，能夠把脖子伸到樹木最高處的那隻鹿就可以活得最好。我們也可以想像這些『原始長頸鹿』在進化的過程中如何發展了掘地覓食的能力。經過很長的一段時期後，某種現在早已絕跡的動物有可能會分化成兩個品種。我們還可以舉出一些比較近代的例子來說明自然淘汰的過程是如何進行的。」

「好啊！」

「英國有一種蝴蝶叫做斑蝶。牠們住在白樺樹的樹幹上。十八世紀時，大多數斑蝶都是銀灰色的。你猜這是什麼緣故？」

「這樣牠們才不容易被那些飢餓的鳥發現呀。」

「可是，由於某些偶然的突變，時常會出現一些顏色較黑的斑蝶。你想這些比較黑的斑蝶會怎樣？」

「牠們比較容易被看見，因此也比較容易被饑餓的鳥吞吃。」

「沒錯。因為在那個環境裡，樺樹的樹幹是銀灰色的，所以比較暗的顏色就變成了不利的特徵，也因此在數量上有所增加的總是那些顏色較白的斑蝶。可是後來那個環境發生了一件事：在許多地方原本銀色的樺樹樹幹被工廠的煤煙染黑了。這時候你想那些斑蝶會變成怎樣？」

「這個嘛，那些顏色較黑的就比較容易存活啦。」

「確實如此。所以牠們的數量很快就增加了。從一八四八年到一九四八年，若干地方黑色斑蝶的比例從百分之一增加到百分之九十九。這是因為環境改變了，顏色白不再是一個優點。相反的，那些白色的『輸家』一出現在黑色的樺樹樹幹上就馬上被鳥兒吃掉了。不過，後來又發生了一件很重要的事：由於工廠減少使用煤炭並改善過濾設備的結果，近來的環境已經變得比較乾淨了。」

「這麼說那些樺樹又變回銀色的囉？」

「對。也因此斑蝶又開始恢復原來的銀白色，這就是我們所稱的適應環境。這是一種自然法則。」

「嗯，我明白了。」

「不過也有很多人類干涉環境的例子。」

「比如說？」

「例如，人們不斷利用各種殺蟲劑來撲殺害蟲。最初效果非常好，可是當你在一塊地或一座果園裡噴灑殺蟲劑時，事實上你是為那些害蟲製造了一場小小的生態災難。由於不斷突變的結果，一種可以抵抗現有殺蟲劑的害蟲就產生了。結果這種害蟲就變成『贏家』，可以隨心所欲了。因此，人們試圖撲滅害蟲的結果，反而使得有些害蟲愈來愈難對付。當然，這是因為那些存活下來的都是一些抵抗力最強的品種。」

「挺可怕的。」

「這當然值得我們深思。同樣的，我們也一直試圖對付那些寄生在我們體內的細菌。」

「我們用盤尼西林或其他種抗生素來對付它們。」

「沒錯。對於這些小魔鬼來說，盤尼西林也是一個『生態災難』。可是當我們繼續使用盤尼西林時，我們就不斷使得某些細菌產生抗藥性，因此造成了一個比從前更難對付的細菌羣。我們發現我們必須使用愈來愈強的抗生素，直到……」

「直到最後它們從我們的嘴巴裡爬出來？那時候我們是不是該用槍射殺它們？」

「這也許有一點太誇張了。但很明顯的，現代醫藥已經造成一個很嚴重的進退兩難的局面。問題並不僅僅在於某種細菌已經變得更頑強。在過去，有許多小孩因為得了各種疾病而夭折，有時甚至只有少數能夠存活。現代醫藥雖然改善了這個現象，卻也使得自然淘汰的作用無法發揮。某種可以幫助一個人克服一種嚴重疾病的藥物，長期下來可能會導致整個人類對於某些疾病的抵抗力減弱。如果我們對所謂的『遺傳衛生』毫不注意，人類的品質可能會逐漸惡化。人類的基因中抵抗嚴重疾病的能力將會減弱。」

「真可怕！」

「一個真正的哲學家不能避免指出一些『可怕的』事實，只要他相信那是真的。現在讓我們再來做個總結。」

「好。」

「我們可以說生命是一個大型的摸彩活動，只有中獎的號碼才能被人看見。」

「這是什麼意思？」

「因為那些在生存競爭中失敗的人就消失了。在這場摸彩活動中，為地球上每一種動植物逐一抽獎的過程要花上幾百萬年的時間。至於那些沒有中獎的號碼則只出現一次，因此現存的各種動植物全部都是這場生命大摸彩活動中的贏家。」

「因為只有最好的才能存活。」

「是的，可以這麼說。現在，麻煩你把那個傢伙——那個動物園園長——帶來的圖畫遞給我好嗎？」

蘇菲把圖遞過去給他。上面有一邊是諾亞方舟的畫像，另外一邊則畫著一個各種不同動物的演化樹圖表。艾伯特把這一邊拿給她看。

「這個簡圖顯示各種動植物的分布。你可以看到這些不同的動物各自屬於不同的類、綱和門。」

「對。」

「人和猴子一樣屬於所謂的靈長類。靈長類屬於哺乳類，而所有的哺乳類動物都屬於脊椎動物，脊椎動物又屬於多細胞動物。」

「簡直像是亞理斯多德的分類一樣。」

「沒錯。但這幅簡圖不只顯示今天各種動物的分布，也多少說明了進化的歷史。舉個例子，你可以看到鳥類在某個時候從爬蟲類分了出來，而爬蟲類又在某個時候從兩棲類分了出來，兩棲類則是從魚類分出來的。」

「嗯，很清楚。」

「一類動物之所以會分成兩種，就是因為突變的結果造成了新的品種。這是為什麼在歷經千萬年後有這麼多不同的門和綱出現的原因。事實上在今天，全世界大約有一百多萬種動物，而這一百多萬種只是那些曾經活在地球上的物種的一小部分而已。舉個例子，你會發現一個名叫『三葉蟲類』的動物現在已經完全絕種了。」

「而在最下面的是單細胞動物。」

「這些單細胞動物有一些可能在這二十億年來一直都沒有改變。你也可以看到從單細胞生物這裡有一條線連接到植物，因為植物也非常可能和動物來自同樣的原始細胞。」

生命源起

「嗯，我看到了，可是有一件事情我不太懂。」

「什麼事？」

「這個最初的原始細胞又是從哪裡來的呢？達爾文有沒有說明這點？」

「我不是說過他是一個非常謹慎的人嗎？但在這個問題上他提出了一個可以說不太縝密的猜測。他寫道：……如果（啊，這是怎樣一種可能性呀！）我們可以想像有一小灘熱熱的水，裡面有各種氨鹽、燐鹽、陽光、熱、電等等，而且有一個蛋白質化合物正在裡面。這個化合物可能會發生一些化學合成的現象，並經歷更複雜的變化……」

「然後呢？」

「達爾文想說的是最初的活細胞有可能是由無機物形成的，在這方面他又說對了。現代的科學家也認為原始的生命形式正是從達爾文所描述的那種『一小灘熱熱的水』裡形成的。」

「然後呢？」

「到這裡已經講得差不多了。我們現在就不再談達爾文，我們要談談有關地球生命起源的最新發現。」

「我很心急，大概沒有人知道生命是如何開始的吧？」

「也許是這樣，但有愈來愈多的資料讓我們可以揣測生命可能是如何開始的。我們先確定地球上所有的生命，包括動物與植物在內——是由同樣一些物質組成的。生命最簡單的定義是：生命是一種物質，這種物質在有養分的液體裡能夠自行分化成兩個完全一樣的單位。這個過程是由一種我們稱為DNA的物質控制的。所謂DNA就是我們在所有活細胞裡面都可以發現的染色體（或稱為遺傳結構）。我們同時也使用DNA分子這個名詞，因為DNA事實上是一個複合的分子（或稱為巨分子）。問題在於這世上第一個分子是如何形成的。」

「答案呢？」

「地球是在四十六億年前太陽系出現時形成的。它最初是一個發熱體，後來逐漸冷卻。現代科學家相信生命就是在大約三十億年到四十億年之前開始的。」

「聽起來實在不太可能呀。」

「在還沒聽完前，你不可以這樣說。首先你要瞭解地球當時的面貌和今天大不相同。由於沒有生命，因此大氣層裡也沒有氧氣，氧氣最初是由植物行光合作用所製造的。而沒有氧氣這件事可說關係重大，因為可能形成DNA的生命細胞是不可能在一個含有氧氣的大氣層裡產生的。」

「為什麼呢？」

「因為氧氣會造成強烈的反應。像DNA這樣的複合分子在還沒來得及形成前，它的分子細胞早就被氧化了。」

「喔！」

「這是我們為什麼可以確定現在地球不可能會再有新的生命（包括細菌和病毒）形成的緣故。地球上所有生物存在的時間一定是相當的，大象的家族史和最小的細菌一樣悠久。我們幾乎可以說一隻大象（或一個人）事實上是一群單細胞生物的集合體，因為我們體內的每一個細胞都有同樣的遺傳物質。我們會成為什麼樣的人，完全是由這些隱藏在每一個小小細胞裡面的物質決定的。」

「想起來真奇怪！」

「生命最神祕的地方之一在於：雖然所有不同的遺傳特徵不見得都活躍在每個細胞內，但多細胞動物的細胞還是能夠執行它特殊的功能。有些遺傳特徵（或稱基因）是『活躍的』，有些是『不活躍的』。一個肝臟細胞所製造的蛋白質和神經細胞或皮膚細胞不同。

但這三種細胞都有同樣的DNA分子，同樣含有決定各個有機體形貌的所有遺傳物質。在最初的時候，由於大氣層裡沒有氧氣，地球的四周也就沒有一層可以保護它的臭氧層。這表示沒有東西可以擋住來自宇宙的輻射線。這點也是很重要的，因為這種輻射線可能有助於第一個複合分子的形成。這類的宇宙輻射線是真正促使地球上各種化學物質開始結合成為一個複雜的巨分子的能量。」

「喔。」

「我現在要做個總結：所有生命都賴以組成的複合分子要能夠形成，至少要有兩個條件：一、大氣層裡不能有氧氣，二、要受到宇宙輻射線的照射。」

「我懂了。」

「在這『一小灘熱熱的水』（現代科學家時常稱之為『原始湯』）裡，曾經形成了一個巨大而複雜的巨分子。這個分子有一種很奇妙的特性可以自行分裂成兩個一模一樣的單位。於是，漫長的進化過程就這樣開始了。簡單一點說，這個巨分子就是最初的遺傳物質，也就是最初的DNA或是第一個活細胞。它不斷分裂再分裂，但從一開始，在分裂過程中就不斷有變化產生。歷經千萬年後，這些單細胞的有機體中，有一個突然和一個更複雜的多細胞有機體連結上了。就這樣，植物的光合作用開始了，大氣層慢慢有了氧氣。這個現象造成了兩個結果：第一，含氧的大氣層使得那些可以用肺呼吸的動物逐漸進化。第二，大氣層如今已可以保護各種生命，使他們不致受到宇宙輻射線的傷害。說也奇怪，這種輻射線原本可能是促使第一個細胞形成的重要推動力，但卻也會對所有的生物造成傷害。」

「可是大氣層不可能在一夜之間形成。那最早的一些生物是怎麼捱過來的呢？」

「生命最初開始於原始『海』，也就是我們所說的『原始湯』。那些生物可能生活在其中，因此而得免於輻射線的傷害。一直到很久很久以後，當海洋裡的生物已經形成了一個大氣層時，最早的一批兩棲類動物才開始爬上陸地。至於後來發生的事，我們已經講過了。於是，我們今天才能坐在這棟林間的小木屋裡，回顧這個已經有三、四十億年的過程。透過我們，這個漫長的過程本身終於開始逐漸瞭解自己了。」

「可是你還是不認為所有的事都是在很偶然的情況下發生的？」

「我從來沒有說過這樣的話。無論如何，這塊板子上的圖表顯示進化仍有一個方向。這幾千萬年來，動物已經發展出一套愈來愈複雜的神經系統，腦子也愈來愈大。我個人認為，這絕不是偶然的。你說呢？」

「我想人類之所以有眼睛絕非偶然。你難道不認為我們能夠看到周遭的世界這件事是很有意義的嗎？」

「說來好笑，達爾文也曾經對眼睛發展的現象感到不解。他不太能夠接受像眼睛這樣精巧敏銳的東西會是純粹物競天擇作用之下的產物。」

蘇菲坐在那兒，看著艾伯特。她心想，她現在能夠活著，而且只能活一次，以後就永遠不能復生，這件事是多麼奇怪呀！突然間她脫口唸道：

「一世人勞苦奔忙有何益?」

艾伯特皺著眉頭向她說:

「你不可以這樣說。這是魔鬼說的話。」

「魔鬼?」

「就是歌德作品《浮士德》裡面的曼菲斯多弗里斯(Mephistopheles)。」

「但這話究竟是什麼意思呢?」

「浮士德死時,回顧他一生的成就,他用一種勝利的語氣說:

『此時我便可呼喊:

停駐吧!美妙的時光!

我在人世的日子會留下印記,

任萬代光陰飛逝也無法抹去,

我在這樣的豫感中欣喜無比,

這是我生命中最崇高的瞬際。』」

「嗯,很有詩意。」

「可是後來輪到魔鬼說話了。浮士德一死,他便說:

談到既往,不過是蠢話一句!

過去的已經過去,

消失在虛無裡，一切又從零開始！
一生勞苦奔忙有何益？
到頭終究須把眼兒閉！
『消逝了！』這個謎可有盡期？
正彷彿一切不曾開始，
若再回頭重新活過一天
我情願選擇永恆的太虛。」

「這太悲觀了。我比較喜歡第一段。即使生命結束了，浮士德仍舊認為他留下的足跡是有意義的。」

「所以，達爾文的理論不是正好讓我們體認到我們是大千世界的一部分，在這個世界裡，每一個細微的生物都有它存在的價值嗎？蘇菲，我們就是這個活的星球。地球是航行在宇宙中燃燒的太陽四周的一艘大船。而我們每一個人則是滿載基因航行過生命的一條小船。當我們安全的把船上的貨品運到下一個港口時，我們就沒有白活了。英國詩人兼小說家哈代（Thomas Hardy）在『變形』這首詩中表達過同樣的想法：

這紫杉的一截
是我先人的舊識，
樹幹底的枝椏：

許是他的髮妻，
原本鮮活的血肉之軀，
如今皆化為嫩綠的新枝。
這片草地必然是百年前
那渴求安眠女子的化身，
而許久前我無緣相識的那位佳麗，
或者已凝為這株薔薇的魂魄。
所以他們並未長眠於地下，
而只是化做花樹的血脈經絡
充斥於天地萬物之間，
再次領受陽光雨露
以及前世造化賦形的活力！」
「好美呀！」
「我們不能再講下去了。我只想說：下一章！」
「哦，別再說那些反諷的話吧！」
「我說：下一章！你得聽我的話。」

佛洛伊德

……她內心出現那股令人討厭的自大的衝動……

席德夾著那本厚重的講義夾從床上跳起來。她「砰！」一聲把它扔到書桌上，抓起衣服，衝進浴室，在蓮蓬頭下站了兩分鐘，然後就火速穿好衣服，跑到樓下。

「席德，早餐已經好了。」

「我得先去划船。」

「可是，席德……！」

她出了門，穿過花園，跑到小小的平臺那兒。她把繫船的繩索解開，跳進船裡，在海灣裡憤怒而快速的划著，直到她平靜下來為止。

「蘇菲，我們就是這個活的星球。地球是航行在宇宙中燃燒的太陽四周的一艘大船。而我們每一個人則是滿載基因航行過生命的一條小船。當我們安全的把船上的貨品運到下一個港口時，我們就沒有白活了……」

她記得這段話的每一個字。這是為她而寫的，不是為了蘇菲，而是為她。講義夾裡的每一個字都是爸爸為她而寫的。

她把槳靠在槳架上，把它們收進來。這時船微微的在水面上搖晃，激起的漣漪輕輕拍擊著船頭。

她就像浮在黎樂桑海灣水面上的這條小船一樣，也只不過是生命表面一個微不足道的東西。

但在這裡面，蘇菲和艾伯特又在哪裡呢？是呀，他們會在哪裡呢？

她不太能夠瞭解他們怎麼可能只是她父親腦子裡的一些「電磁波」。她不能瞭解——當然也不願接受——他們為何只是由一些白紙和她父親的手提式打字機色帶上的油墨所形成的東西。果真如此，那也可以說她自己只不過是一個由某一天在「那一小灘熱熱的水」裡突然有了生命的蛋白質複合物的集合體。可是她不止於是這樣而已。她是席德。她不得不承認那個講義夾是一份很棒的禮物，也不得不承認爸爸的確碰觸到了她內心某種永恆事物的核心。可是她不喜歡他對蘇菲和艾伯特的強硬姿態。

她一定要給他一個教訓，在他還沒回到家之前。她覺得這是她應該為他們兩人做的事。席德已經可以想像父親在卡斯楚普機場的模樣，他會像發瘋似的跑來跑去。

席德現在又恢復正常了。她把船划回平臺那兒，然後把它繫緊。吃完早餐後她陪媽媽坐了很久，能夠和別人聊聊諸如蛋是否有點太軟這類平常話題的感覺真好。

一直到那天晚上她才開始繼續讀下去。現在剩下已經沒有幾頁了。

現在，又有人敲門了。

「我們把耳朵掩起來吧，」艾伯特說，「說不定敲門聲就停了。」

「不，我想看看是誰。」

艾伯特跟著她走到門口。

門前的臺階上站著一個光著身子的男人。他的姿態一本正經，但除了頭上戴著一頂王冠以外，全身上下什麼也沒穿。

「如何？」他說，「你們這些人覺得朕的新衣好看嗎？」

艾伯特和蘇菲都驚訝地目瞪口呆，這使得那個光著身子的男人有點著急。

「怎麼回事？你們居然都不向我鞠躬！」他喊道。

艾伯特鼓起勇氣向他說：

「確實如此。可是陛下您什麼都沒穿呀！」

那男人仍舊是一本正經的模樣。艾伯特彎下身子在蘇菲的耳朵旁悄悄說：

「他以為自己很體面。」

聽到這話，那男人氣得吹鬍子瞪眼睛。

「這裡難道沒有什麼言論管制嗎？」

「很抱歉，」艾伯特說，「我們這裡的人腦筋都很清醒，神智也很健全。國王陛下的穿著如此有失體面，恕我們無法讓你進門。」

蘇菲覺得這個光著身子的男人那副正經八百的神氣模樣實在荒謬，便忍不住笑了出來。她的笑聲彷彿是一種事先安排好的訊號一般，這時，那個頭上戴著王冠的男人突然意識到自己一絲不掛，便趕緊用雙手把他的重要部位遮起來，大步跑向離他最近的樹叢，然後就消失無踪了，也許已經加入亞當、夏娃、諾亞、小紅帽和波波熊的行列。

艾伯特和蘇菲仍然站在臺階上，笑彎了腰。

最後艾伯特說：「我們還是進屋裡，坐在剛才的位子上好了。我要和你談佛洛伊德和他的潛意識理論。」

他們在窗戶旁坐下來。蘇菲看了看她的腕錶說：

「已經兩點半了。在舉行花園宴會前我還有很多事要做呢。」

「我也是。我們再大略談一下佛洛伊德(Sigmund Freud)就好了。」

「他是一個哲學家嗎？」

佛洛伊德

「至少我們可以說他是一個文化哲學家。佛洛伊德出生於一八五六年，在維也納大學攻讀醫學。他一生中大部分時間都住在維也納，當時那裡的文化氣息非常濃厚。他很早就決定專攻神經學。在十九世紀末、二十世紀初，他發展了所謂的『深度心理學』，或稱『精神分析』。」

「請你說明這些名詞好嗎？」

「精神分析是描述一般人的內心，並治療神經和心理失調現象的一門學問。我不想細談佛洛伊德本人或他的著作，不過他的潛意識理論可以使我們瞭解人是什麼。」

「你把我的興趣勾起來了。說下去。」

「佛洛伊德主張人和他的環境之間不斷有一種緊張關係存在。這種緊張關係（也就是衝突）尤其存在於他的驅策力、需要和社會的要求之間。我們可以說佛洛伊德發現了人類的驅策力。這使得他成為十九世紀末明顯的自然主義潮流中一個很重要的代表性人物。」

「所謂人類的驅策力是什麼意思？」

「我們的行動並不一定是根據理性的。人其實並不像十八世紀的理性主義者所想的那麼理性。非理性的衝動經常左右我們的思想、夢境和行動。這種不理性的衝動可能是反應我們的基本需求。例如，人類的性衝動就像嬰兒吸奶的本能一樣是一種基本的驅策力。」

「然後呢？」

「這並不是什麼新發現，但佛洛伊德指出這些基本需求可能會被『偽裝』或『昇華』，並在我們無從察覺的情況下主宰我們的行動。他並且指出，嬰兒也會有某種性反應。但維也納那些高尚的中產階級人士極為排斥這個『嬰兒性反應』的說法，佛洛伊德也因此成為一個很不受歡迎的人。」

「我一點也不驚訝。」

「我們稱這種反應為『維多利亞心態』，就是把每一件與性有關的事視為禁忌的一種態度。佛洛伊德在從事心理治療時發現嬰兒也會有性反應，因此他的說法是有實驗根據的。他也發現有許多形式的精神失調或心理失調可以追溯到童年時期的衝突。後來他逐漸發展出一種我們稱之為『靈魂溯源學』的治療方式。」

「什麼叫靈魂溯源學？」

「考古學家藉著挖掘古老的歷史文物以找尋遠古時代的遺跡。首先他可能會找到一把十八世紀的刀子。再往地下更深處挖掘時，他可能會發現一把十四世紀的梳子，再向下挖時，可能又會找到一個第五世紀的甕。」

「然後呢？」

「同樣的，精神分析學家在病人的配合下，可以在病人的心靈深處挖掘，並找出那些造成病人心理失調的經驗。因為根據佛洛伊德的說法，我們都會把所有經驗的記憶儲藏在內心深處。」

「喔，我懂了。」

「精神分析醫師也許可以追溯病人以往的一個不幸經驗。這個經驗雖然被病人壓抑多年，但仍然埋藏在他的內心，咬嚙著他的身心。醫師可以使病人再度意識到這個『傷痛經驗』，讓他或她可以『解決它』，心病自然就可以痊癒。」

「聽起來很有道理。」

「可是我講得太快了。我們還是先看看佛洛伊德如何形容人的心靈吧。你有沒有看過剛出生的嬰兒？」

「我有一個四歲大的表弟。」

「當我們剛來到這世界時，我們會用一種直接而毫不感到羞恥的方式來滿足我們身體與心靈的需求。如果我們沒有奶喝或尿布濕了，我們就會大哭。我們也會直接表達我們對身體上的接觸或溫暖擁抱的需求。佛洛伊德稱我們這種『快樂原則』為『本我』。我們在還是嬰兒時，幾乎就只有一個『本我』。」

「然後呢？」

「我們帶著我們內心的這個『本我』或『快樂原則』長大成人，度過一生。但逐漸地我們學會如何調整自己的需求以適應環境；我們學到如何調整這個『快樂原則』以遷就『現實原則』。用佛洛伊德的術語來說，我們發展出了一個具有這種調節功能的『自我』。這時，即使我們想要或需要某個東西，我們也不能躺下來一直哭到我們得到那件東西為止。」

「當然囉。」

「我們可能會很想要某樣外界無法接受的東西，因此我們會壓抑我們的慾望。這表示我們努力要趕走這個慾望，並且將它忘記。」

「喔。」

「然而，佛洛伊德還提出人類心靈中的第三因素。從嬰兒時期起，我們就不斷面對我們的父母和社會的道德要求。當我們做錯事時，我們的父母會說：『不要那樣！』或『別調皮了，這樣不好！』即使長大成人以後，我們在腦海中仍可以聽到這類道德要求和價值判斷的回聲。似乎這世界的道德規範已經進入我們的內心，成為我們的一部分。佛洛伊德稱這部分為『超我』。」

「是否就是良心呢？」

「良心是『超我』的一部分。但佛洛伊德指出，當我們有一些『壞的』或『不恰當』的慾望，如色情或性的念頭時，這個『超我』會告訴我們。而就像我說過的，佛洛伊德宣稱這些『不恰當』的慾望已經在我們童年的初期就出現過了。」

「怎麼會呢？」

「我們現在知道嬰兒喜歡撫摸他們的性器官。我們在沙灘上經常可以看到這個現象。在佛洛伊德那個時代，兩、三歲的嬰兒如果這樣做，馬上就會被父母打一下手，這時也許媽媽還會說：『調皮！』或『不要這樣！』或『把你的手放在床單上！』」

「多病態呀！」

「我們因此對每一件與性和性器官有關的事情有了一種罪惡感。由於這種罪惡感一直停留在超我之中，因此許多人──佛洛伊德甚至認為是大多數人──終其一生都對性有一種罪惡感。而根據佛洛伊德的說法，性的慾望和需求事實上是人類天性中很自然而且很重要的一部分。就這樣，人的一生都充滿了慾望與罪惡感之間的衝突。」

「你難道不認為自從佛洛伊德的時代以來，這種衝突已經減少了很多？」

潛意識

「確實如此。但許多佛洛伊德的病人面臨非常強烈的衝突，以致於得到了佛洛伊德所謂的『精神官能症』。舉例來說，他有一個女病人偷偷愛上她的姊夫，當她的姊姊因病而死時，她心想：『他終於可以娶我了！』可是這種想法與她的超我有了正面衝突。於是她立刻壓抑這種可怕的念頭。換句話說，她將這個念頭埋藏在她的潛意識深處。佛洛伊德寫道：『這個年輕的女孩於是生病了，並有嚴重的歇斯底里的症狀。當我開始治療她時，她似乎完全忘記了她姊姊臨終的情景以及她心裡出現過的那個可恨的自私慾望。但經過我的分析治療後，她記起來了，並在一種非常激動不安的狀態下將那個使她致病的時刻重新演練一次。經過這種治療，後來她就痊癒了。』」

「現在我比較瞭解你為何說它是『靈魂溯源學』了。」

「所以我們可以瞭解人類一般的心理狀態。在有了多年治療病人的經驗後，佛洛伊德得出一個結論：人類的意識只是他的心靈中的一小部分而已。意識就像是露在海面上的冰山頂端，在海面下，也就是在人意識之外，還有『潛意識』的存在。」

「這麼說潛意識就是存在於我們的內心，但已經被我們遺忘，想不起來的事物囉？」

「我們並不一定能夠意識到我們曾經有過的各種經驗。但那些只要我們『用心想』便可以記起來的想法或經驗，佛洛伊德稱之為『前意識』。他所說的『潛意識』指的是那些被我們『壓抑』的經驗或想法，也就是那些我們努力要忘掉的『不愉快』、『不恰當』或『醜陋』的經驗。如果我們有一些不為我們的意識（或超我）所容忍的慾望或衝動，我們便會將它們埋藏起來，去掉它們。」

「我懂了。」

「這樣的作用在所有健康的人身上都會發生。但有些人因為過度努力要把這些不愉快或禁忌的想法從意識中排除，以致於罹患了心理方面的疾病。被我們壓抑的想法或經驗會試圖重新進入我們的意識。對於某些人來說，要把這類衝動排除在敏銳的意識之外，需要費很大的力氣。一九〇九年佛洛伊德在美國發表有關精神分析的演講時，舉了一個例子說明這種壓抑的機轉是如何作用的。」

「我倒是很想聽一聽。」

「他提到：假設在這個演講廳這麼多安安靜靜、專心聽講的觀眾裡面，有一個人很不安分。他毫無禮貌的大笑，又喋喋不休，並把腳動來動去，使我無法專心演講。後來我只好宣布我講不下去了。這時，你們當中有三、四個大漢站起來，在一陣扭打後，把那個攪局的人架了出去。於是這個攪局者就被『壓抑』了，我因此可以繼續講下去。可是為了避免那個被趕走的人再度進來搗亂，那幾位執行我的意志的先生便把他們的椅子搬到門口並坐在那兒『防禦』，以繼續壓抑的動作。現在，如果你們將這個場景轉移到心理，把這個大廳稱為『意識』，而把大廳外面稱為『潛意識』，那麼你們就可以明白『壓抑』作用的過程了。」

「我同意。」

「可是這個搗亂者堅持要再進來。至少那些被我們壓抑的想法和衝動是這樣的。這些想法不斷從我們的潛意識浮現，使我們經常處於一種壓力之下。這是我們為什麼常常會說一些本來不想說的話或做一些本來不想做的事的緣故。因為我們的感覺和行動會受到潛意識的鼓動。」

「你能不能舉一個例子呢？」

「佛洛伊德指出這類機轉有好幾種。一個是他所謂的『說溜了嘴』，也就是我們無意中說出或做出一些我們原本想要壓抑的事情。佛洛伊德舉了一個例子。有一個工廠的工頭有一次在宴會中要向他的老闆敬酒。問題是這個老闆很不受人歡迎，簡直就是人家所說的『一隻豬』。」

「然後呢？」

「這個工頭站起來，舉起他的酒杯說：讓我們來敬這隻豬吧！」

「真是不可思議。」

「這個工頭也嚇呆了。其實他說的只是他內心的真話，但他原本沒打算把它說出來的。你想不想聽聽另外一個例子？」

「請講。」

「一位主教應邀到當地牧師家裡喝茶。這位牧師有好幾個乖巧有禮貌的女兒，年紀都很小。而這位主教剛好有一個超乎尋常的大鼻子。於是牧師就事先告誡他的女兒無論如何不能提到主教的鼻子，因為孩童的壓抑機轉還沒有發展出來，因此往往會脫口而出，說一些不該說的話。後來，主教到了，這些可愛的小女孩極力克制自己不要提到他的鼻子。她們甚至不敢看它，想要忘掉它的存在。可是他們從頭到尾都想著那個鼻子。後來主教請其中一個女孩把糖遞過去，於是她看著這位可敬的主教，並說：你的鼻子裡放糖嗎？」

「真是太糟糕了！」

「另外一件我們可能會做的事就是『合理化』。意思就是說，我們自己不願意承認，也不願意告訴別人我們做某一件事的真正動機，因為這個動機是讓人無法接受的。」

「譬如說什麼？」

「我可以把你催眠，叫你去把窗戶打開。當你被我催眠時，我告訴你當我用手指敲桌子時，你就要起來把窗戶打開。接著，我開始敲打桌面，你也就跑去開窗子。事後，我問你為何要開窗戶，你也許會說因為房間裡太熱了。可是這並不是真正的理由，只是你不願意承認自己是因為受到了我催眠時的指令而去做那件事。這就是所謂的『合理化』。」

「嗯，我明白了。」

「我們幾乎每天都有這種『兩面式溝通』的經驗。」

「我那個四歲的表弟可能沒有什麼人陪他玩，所以每次我去，他總是很高興。有一天我告訴他我得趕快回家去找我媽。你知道他說什麼嗎?」

「他說什麼?」

「他說,她是笨蛋。」

「嗯,這確實是一個合理化的例子。你的表弟所說的話並不是他真正的意思。他真正想說的是要你不要走,可是他太害羞了,不敢這樣說。除了『說溜嘴』和『合理化』之外,還有一種現象叫做『投射』。」

「這是什麼意思。」

「就是把我們內心試圖壓抑的特點轉移到別人身上。譬如說一個很吝嗇的人會說別人斤斤計較,而一個不願承認自己滿腦子想著性的人可能愈容易對別人成天想著性的樣子感到憤怒。」

「嗯。」

「佛洛伊德宣稱,我們每天的生活裡面都充滿了這類潛意識的機轉。我們時常會忘記某個人的名字,在說話時摸弄自己的衣服,或移動房間裡隨意放置的物品。我們也時常結結巴巴或看似無辜的說錯話,寫錯字。但佛洛伊德指出,這些舉動事實上並不像我們所想的那樣是意外的或無心的。這些錯誤事實上可能正洩漏我們內心最深處的祕密。」

「從現在起,我可要很小心的注意自己說的話。」

「就算你真的這樣做,你也無法逃避你潛意識的衝動。我們應該做的其實是不要太過努力把不愉快的記憶埋藏在潛意識中。因為那就像是試圖把水鼠巢穴的入口堵住一樣。水鼠一定會從其他的洞口進入花園。因此，讓意識與潛意識之間的門半遮半掩事實上是一件很健康的事。」

「如果你把門鎖住了，可能就會得到精神病，是不是這樣？」

「沒錯。精神病患就是一種太努力把『不愉快』的記憶排除在意識之外的人。這種人往往拚命要壓抑某種經驗。不過他也可能很希望醫生能夠幫助他回到那些傷痛的記憶。」

「那醫生會怎麼做呢？」

「佛洛伊德發展出一個他稱為『自由聯想』的技巧。他讓病患用一種很放鬆的姿勢躺著，並說出他腦海裡想到的任何事情，無論這些事情聽起來有多麼不相干、漫無目的、不愉快或令人難為情。他的用意是要突破病人在傷痛記憶上所加的管制，因為這些傷痛記憶正是讓病人焦慮的因素。它們一直都活躍在病人的心中，只不過不在意識當中罷了。」

「是不是你愈努力去忘掉一件事情，你在潛意識裡就愈容易想起這件事？」

解夢

「正是如此。所以我們必須能察覺潛意識所發出的訊號。根據佛洛伊德的說法，洞悉我們的潛意識的最佳途徑就是透過我們的夢境。他的主要作品所討論的就是這個題目，書名叫《夢的解析》，出版於一九〇〇年。他在書中指出，我們作的夢並不是偶然的。我們的潛意識試圖透過夢和我們的意識溝通。」

「真的呀？」

「在治療病患多年，並且多次分析他自己的夢境之後，佛洛伊德斷言所有的夢都反映我們本身的願望。他說，這在孩童身上非常明顯。他們會夢見冰淇淋和櫻桃。可是在大人身上，這些想要在夢中實現的願望都會經過偽裝。這是因為即使在睡夢中，我們仍然會管制自己的想法。雖然這種管制（就是壓抑的機轉）在我們睡著時會減弱很多，但仍然足以使我們不願承認的願望在夢中受到扭曲。」

「所以夢才有必要加以解析。」

「佛洛伊德指出，我們必須瞭解我們夢中的情節並不代表夢的真正意義。他把實際的夢境──也就是我們所夢見的『影片』或『錄影帶』──稱為『顯夢』（manifest dream）。夢中的情景總是與前一天發生的事有關。但這個夢也有一個更深層的意義是我們的意識無法察覺的。佛洛伊德稱之為潛夢意念。這些真正表現於夢境的隱藏意念可能來自很久很久以前，也許是從童年最早的時期。」

「所以我們要先分析夢，才能瞭解夢。」

「沒錯。若是精神病患，則必須和治療師一起做這件工作。不過，醫師並不負責解析病患的夢，他只能在病人的配合之下做這件事。在這種情況下，醫師扮演的角色正像蘇格拉底所說的『助產士』一般，協助病人解析自己的夢。」

「我明白了。」

「把潛夢意念轉換成顯夢的面向的工作，佛洛伊德稱之為『夢的運作』（dream work）。我們可以說顯夢『遮掩』或『密隱』了作夢人真正的意念。在解釋夢境時，我們必須經由相反的程序來『揭開』或『解密』夢的『主題』，以便找出它的要旨。」

「你可以舉個例子嗎？」

「佛洛伊德在書中舉了許多例子。不過我們可以自己舉一個簡單的、非常佛洛伊德式的例子。假設有一個年輕人夢見他的表妹給他兩個汽球……」

「然後呢？」

「該你啦，你試試看能不能解這個夢。」

「唔……就像你說的，這裡的顯夢是：一個年輕人的表妹給他兩個汽球。」

「然後呢？」

「你說夢中的情境總是與前一天所發生的事有關。因此他前一天可能去參加了一個展覽會，或者他可能在報紙上看了一張有關汽球的照片。」

「有可能是這樣，不過他也可能只是看了『汽球』這個字，或一件使他想起汽球的事物。」

「可是這個夢的『潛夢意念』到底是什麼？」

「你是解夢人呀！」

「也許他只是想要兩、三個汽球。」

「不，不是這樣。當然在夢中人往往可以實現自己的願望，這點你說對了。可是一個年輕人很少會熱切的想要幾個汽球。就算他想要，他也不需要靠作夢的方式。」

「我想我懂了：他真正想要的是他的表妹，而那兩個汽球就是她的胸部。」

「對了，這樣的解釋比較有可能。而且這一定是在他對自己的願望覺得很難為情的情況下才會作這種夢。」

「所以說我們的夢經常是迂迴曲折的？」

「對。佛洛伊德相信夢境乃是『以偽裝的方式滿足人被壓抑的願望』。不過佛洛伊德只是當年維也納的一個醫生，因此到了現在我們實際壓抑的事情可能已經改變了很多。不過他所說的夢中情節會經過偽裝的機轉可能仍然成立。」

「嗯，我懂了。」

「佛洛伊德的精神分析在一九二〇年代極為重要，尤其是在精神病患的治療方面。他的潛意識理論對於藝術與文學也有很大的影響。」

「藝術家是不是開始對人們潛意識的精神生活有興趣了？」

「沒錯，雖然在十九世紀最後十年，佛洛伊德還沒有發表他的精神分析理論時，所謂的意識流就已經成為主要的文學潮流。這顯示佛洛伊德在一八九〇年代開始使用精神分析方法並不是偶然的。」

「你的意思是那是當時的時代風氣嗎？」

「佛洛伊德本人並未宣稱『壓抑』、『防衛機轉』和『合理化』這些現象是他『發明』的。他只是第一個把人類的這些經驗應用在精神病學上的人罷了。他也是一個擅用文學的例子來說明他的理論的大師。不過我說過了，從一九二〇年代開始，佛洛伊德的精神分析對藝術和文學產生了更直接的影響。」

「怎麼說呢？」

「詩人與畫家，尤其是那些超現實主義者，開始試圖將潛意識的力量用在他們的作品中。」

「什麼是超現實主義者？」

「超現實主義這個名詞是從法文而來，意思是『超越現實』。一九二四年時，布烈頓（André Breton）發表了一篇『超現實主義者宣言』，主張藝術應該來自潛意識，藝術家應該從他的夢境中自由擷取靈感，並努力邁向『超越現實』的境界，以跨越夢與現實之間的界線。同時藝術家也有必要掙脫意識的管制，盡情揮灑文字和意象。」

「嗯。」

「就某方面來說，佛洛伊德已經告訴我們其實每一個人都是藝術家。畢竟，夢也可以算是藝術作品，而每天晚上我們都會作新的夢。為了要解釋病人的夢，佛洛伊德經常必須解釋許多象徵符號的意義，就像我們詮釋一幅畫或一篇文學作品一樣。」

「我們每天晚上都會作夢嗎？」

「最近的研究顯示，我們睡著後，有百分之二十的時間都在作夢，也就是說每晚作夢兩到三個小時。如果我們在睡眠的各個階段受到打擾，我們就會變得煩躁易怒。這正表示每一個人內心都需要以藝術的形式來表達他或她存在的情況。畢竟我們的夢是與自己有關的。我們既是導演，也是編劇和演員。一個說他不瞭解藝術的人顯然並不十分瞭解自己。」

「我懂了。」

「佛洛伊德並且提出了令人印象深刻的證據，說明人心的奧妙。他治療病人的經驗使他相信，我們將我們所見、所經驗的一切事物都貯存在我們意識深處的某個地方，而這些印象可能會再度浮現。有時我們會突然『腦中一片空白』，然後過了一會，『差點就想起來了』，然後再度『猛然想起』。這就是原本存在於潛意識的東西突然經由那扇半開半掩的門溜進我們意識的例子。」

「可是有時需要花好久的時間。」

靈感

「所有的藝術家都有這種經驗。可是後來突然間好像所有的門、所有的抽屜都打開了，每個東西都自己滾了出來，這時我們就可以發現所有我們原本苦思不得的字句和意象。這就是潛意識的『蓋子』被揭開了。我們也可以稱之為靈感。感覺上好像我們所畫的、所寫的東西是來自於某種外在的泉源似的。」

「這種感覺一定很美妙。」

「可是你一定也有過這樣的經驗。這種現象經常出現於那些過度疲累的兒童身上。他們有時玩得太累了，因此在睡覺時似乎是完全清醒的。突然間他們開始說故事，而且所說的話彷佛是他們還沒有學過的。事實上，他們已經學過了。只是這些字眼和意念『潛藏』在他們的潛意識中，而當所有的防備和管制都放鬆時，它們就浮現出來了。對於藝術家而言，不要讓理性或思維壓制潛意識的表達是很重要的。有一個小故事可以說明這點，你要不要聽？」

「當然要啦。」

「這是一個非常嚴肅、非常哀傷的故事。」

「說吧。」

「從前有一隻蜈蚣，可以用牠那一百隻腳跳出非常美妙的舞蹈。每次牠跳舞，森林中所有的動物都會跑來觀賞。大家對牠那美妙的舞姿都印象深刻。可是有一隻動物並不喜歡看蜈蚣跳舞，那就是烏龜。」

「牠大概是嫉妒吧。」

「烏龜心想，我要怎樣才能阻止蜈蚣跳舞呢？牠不能明說牠不喜歡看蜈蚣跳舞，也不能說自己跳得比較好，因為那是不可能的。因此牠想了一個很惡毒的計畫。」

「什麼計畫？」

「牠坐下來寫了一封信給蜈蚣，說：『喔，偉大的蜈蚣呀，我對你精湛的舞藝真是佩服極了。我很想知道你是怎麼跳的。你是不是先舉起你的第二十八號左腳再舉起你的第三十號右腳？還是你先舉起你的第十七號右腳，再舉起你的第四十四號右腳？我熱切的期待你的回信。崇拜你的烏龜敬上。』」

「真是鬼話！」

「蜈蚣讀了信以後，馬上開始思索自己是怎麼跳的。牠到底先舉起哪一隻腳？然後又舉起哪一隻腳？你猜後來發生了什麼事？」

「蜈蚣從此不再跳舞了？」

「正是如此。這就是理性的思考扼殺想像力的例子。」

「這真是一個悲哀的故事。」

「所以一個藝術家一定要能夠『放得開』。超現實主義者就利用這點，而讓事情自己發生。他們在自己的前面放了一張白紙，然後開始不加思索的寫下一些東西。他們稱之為『自動寫作』。這個名詞源自招魂術，因為實施招魂術的靈媒相信已逝者的靈魂會指引她手上的筆。不過這些事情我們還是等到明天再說好了。」

「好吧。」

「從某個角度來說，超現實主義者也是一個靈媒，也就是說他是一個媒介。我們可以說他是他自己的潛意識的靈媒。事實上也許每一種創作都帶有潛意識的成分。因為，我們所謂的創作究竟是什麼意思？」

「我不知道。創作不就是你創造出某個東西嗎？」

「差不多。創作的過程就是想像與理性細密交織的時刻，只是人的理性常常阻塞了想像力。這可不是一件小事，因為如果沒有想像力，我們就永遠不可能創造出什麼新的事物。我認為想像力就像是一個達爾文的系統。」

「很抱歉，我實在不懂你的意思。」

「達爾文主義主張，大自然的突變物相繼出現，但其中只有一些能用。只有一些能夠活下去。」

「然後呢？」

「我們透過靈感所得到的許許多多新想法也是一樣。如果我們不過分管制自己，這些『思想的突變物』就會在我們的意識中接二連三的發生。但其中只有一些想法是可行的。這時，理智就派上用場了。因為它有一個重要的功能。打個比方，當我們把一天的收穫攤在桌上時，我們必須加以挑選。」

「這個比喻挺不賴的。」

「你可以想像如果我們任由自己說出或寫出那些我們所想到（進入我們的腦波）的

事，情況會變得怎麼樣呢？這世界會因為這許多偶然的衝動而毀滅，因為所有的想法都沒有經過撿選。」

「那麼我們是靠理智來加以撿選囉？」

「對。你不認為是這樣嗎？想像力也許可以創造新的事物，但卻不能加以撿選。想像力是不會『創作』的。一個創作（每一個藝術作品都是創作）乃是想像力和理智（或心靈與思想）之間互相奇妙作用的結果。因為，創造的過程總是會有一些偶然的成分。你必須要先『放羊』，然後才能『牧羊』。」

艾伯特靜靜的坐在那兒，凝視著窗外。這時蘇菲看到湖邊有一羣人正在互相推擠。那是迪斯耐樂園裡各種五顏六色的卡通人物。

「那是高飛狗，」她大喊，「還有唐老鴨和它的姪子們……嘿，艾伯特，你有沒有在聽我說話呀？還有米老鼠……」

艾伯特轉向她：

「是的，孩子，這是很可悲的。」

「你是什麼意思？」

「我們已經變成少校的羊羣中兩個無助的受害者。當然，這是我自己的錯。是我自己開始談論自由聯想的概念的。」

「你一點都不需要責怪自己呀……」

「我剛才正要說想像力對於我們哲學家的重要性。為了產生新的思想，我們必須大膽的放開自己。可是現在，情況已經有點過火了。」

「別擔心。」

「我剛才也正要提到思維的重要性，但他卻在這裡玩這些愚蠢之至的把戲。他真應該覺得慚愧。」

「你又在反諷了嗎？」

「反諷的是他，不是我。可是有一點使我感到安慰，而這一點正是我的計畫的基礎。」

「你真的把我弄胡塗了。」

「我們已經談過了夢，夢也有一些反諷的意味。因為，我們除了是少校夢裡的意象之外，什麼也不是了呀。」

「啊！」

「可是有一件事是他沒有想到的。」

「什麼事？」

「也許他已經很難為情的意識到了自己的夢。他知道我們所說、所做的每一件事，就像作夢的人記得夢裡的情節一樣，因為舞動筆桿的人是他。但就算他記得我們之間所說的每一句話，他也不是完全清醒的。」

「這話怎麼說呢？」

「他並不知道他的潛夢意念，他忘記了這也是一個經過偽裝的夢。」

「你說的話好奇怪呀。」

「少校也是這麼想，這是因為他不明白自己夢的語言。我們應該感到慶幸，因為這樣我們才能有一些發揮的空間。有了這樣的空間以後，我們不久以後就能夠衝出他那混亂的意識，就像水鼠在夏日的陽光下歡快的跳躍一樣。」

「你認為我們會成功嗎？」

「我們非這樣做不可。過兩、三天我會讓你大開眼界。到時候少校就不會知道那些水鼠在哪裡，或者他們下次什麼時候會冒出來了。」

「可是就算我們只是夢中的人物，我還是我媽的女兒。現在已經五點了，我得回家去籌備花園宴會了。」

「嗯……你在回家的路上可不可以幫我一個小忙？」

「什麼忙？」

「請你試著吸引別人的注意力，讓少校的眼睛一路盯著你回家。當你到家時，請你努力想著他，這樣他也會想著你。」

「這有什麼好處呢？」

「這樣我就可以不受干擾的進行我的祕密計畫。我要潛進少校的潛意識，一直到下次我們再見面以前，我都會在那兒。」

我們這個時代

……人是注定要受自由之苦的……

鬧鐘顯示時間已經是二十三點五十五分了。席德躺在床上，瞪著天花板，試著做一些自由聯想。

每次她想完了一串事情之後，就問自己為什麼會想這些？

她可不可能正試圖壓抑什麼事情？

她要是能夠解除所有的管制就好了，這樣也許她就會在醒著時作夢。不過這種想法還真有點嚇人，她想。

她愈放鬆，讓自己胡思亂想，就愈覺得自己好像在林間小湖邊的小木屋中。

艾伯特的計畫會是什麼呢？當然，艾伯特擬定計畫這件事也是爸爸計畫的。他是否已經知道艾伯特會用什麼方式反擊？也許他也一樣試圖放任自己的思想，以便製造一個連自己也料想不到的結局吧。

剩下的頁數已經不多了。她該不該偷看最後一頁呢？不，這樣等於是作弊了。更何況，席德相信，到目前為止，最後一頁會發生什麼事都還不確定呢。

這不是一種很奇怪的想法嗎？講義夾就在這裡，而爸爸畢竟不可能及時趕回來再增添任何東西，除非艾伯特做了什麼事。一件令人驚奇的事……

無論如何，席德自己也會想辦法讓爸爸嚇一大跳。他管不到她，可是她又能完全管得住自己嗎？

意識是什麼？它難道不是宇宙的一個大謎題嗎？記憶又是什麼？是什麼東西使我們「記得」我們所看到、所經驗到的每一件事情？

是什麼樣的機轉使我們日復一夜的作一些奇妙的夢？

她躺在那兒想著這些問題，並不時閉上眼睛，然後又睜開眼睛凝視著天花板。最後她就忘了睜開了。

她睡著了。

後來，她被海鷗尖銳的叫聲吵醒。她起床走到房間的另一頭，像往常一樣站在窗前，俯瞰著窗外的海灣。這已經成了她的一個習慣，不管夏天冬天都是如此。

當她站在那兒時，她突然感覺到無數種顏色在她的腦海裡爆炸。她想起了自己的夢境，可是感覺上那不只是一個普通的夢，因為夢中的顏色和形狀都如此生動逼真……

她夢見爸爸從黎巴嫩回到家，而這整個夢是蘇菲所作的那個夢的延伸，也就是蘇菲在平臺上撿到金十字架的那個夢。

席德夢見自己正坐在平臺的邊緣，就像在蘇菲夢中那樣。然後她聽到一個很輕柔的聲音說：「我的名字叫蘇菲！」席德仍舊動也不動的坐在那兒，試著分辨聲音的來處。然後那輕的幾乎聽不見、宛如蟲鳴的聲音又說了：「你一定是既聾又盲！」就在那個時候，爸爸穿著聯合國的制服進入花園。「席德！」他喊。席德衝向他，用雙臂圍著他的脖子。到這裡，夢就結束了。

她記得幾行歐佛蘭（Arnulf Øverland）所寫的詩：

深宵夜裡因奇夢而驚醒，
恍惚聽見一低語的聲音，
宛如遠處那地底的溪流，
我起身相詢：汝意有何求？

當媽媽進來時，她仍舊站在窗前。

「嘿！你已經醒了嗎？」

「我不確定……」

「我大約四點鐘會回到家，像平常一樣。」

「好。」

「那就祝你假日愉快啦！」

「你也是！」

一聽到媽媽把前門關上的聲音，她馬上拿著講義夾溜回床上。「……我要潛進少校的潛意識，一直到下次我們再見面以前，我都會在那兒。」

是的，昨天她就看到這裡。她用右手的食指摸摸，講義夾只剩下幾頁了。

蘇菲離開少校的小木屋時，仍然可以看到有些迪斯耐的卡通人物還在湖邊。可是當她走近時，它們似乎就溶解了。等到她走到小船邊時，它們已經完全消失了。

她划船到對岸，並把小船拉上岸，放在蘆葦叢間。這一路上她一直努力扮鬼臉並揮舞著手臂，拚命的吸引少校的注意力，好讓坐在小木屋裡的艾伯特能夠不受干擾。

她一路上不停地又蹦又跳，後來又學機器人走路。為了維持少校對她的興趣，她甚至開始唱歌。有一次她停了下來，心想艾伯特的計畫究竟是什麼。可是不一會，她馬上制止自己。在罪惡感的驅使下，她開始爬樹。

她盡可能爬到最高的地方。當她快爬到樹頂時，突然發現自己下不來。待會兒她會再試一下，但現在她不能就這樣坐在樹上不動。少校會感到厭煩，然後又會開始好奇艾伯特正在做什麼。

於是蘇菲揮舞著手臂，並學公雞叫了兩、三次，最後開始用假嗓子唱歌，這[illegible]她活到十五歲以來第一次用假嗓子唱歌。大致上來說，她對自己的表現相當滿意。

她再次試著爬下來，可是她真的是被卡住了。這時，突然有一隻大雁飛來，停在蘇菲攀住的一根樹枝上。蘇菲已經看了這麼多的迪斯耐人物，因此當那隻雁開口跟她說話時，她一點也不驚訝。

「我叫莫通，」大雁說。「事實上我是一隻家雁，可是由於情況特殊，我便和別的野雁一起從黎巴嫩飛到這裡來。看起來你好像需要幫忙才能爬下來。」

「你太小了，幫不上忙。」蘇菲說。

「小姐，你的結論下得太早了。應該說你自己太大才對。」

「這不是一樣嗎？」

「告訴你，我曾經載著一個年紀跟你一樣大的鄉下小男孩飛過全瑞典。他的名字叫尼爾．侯格森（Nils Holgersson）。」

「我今年十五歲了。」

「尼爾十四歲。加減個一歲對體重不會有影響。」

「你怎麼把他載起來的？」

「我打他一巴掌，他就昏過去了。當他醒來時，身體就跟一根拇指一樣大。」

「也許你也可以輕輕的打我一巴掌，因為我不能一直坐在這裡。星期六我就要辦一場哲學花園宴會了。」

「這倒挺有意思的。那我猜這大概是一本有關哲學的書。當我載著尼爾飛在瑞典上空時，我們在法姆蘭區（Värmland）的馬貝卡（Mårbacka）著陸。尼爾在那兒遇見一位老婦人。她正計畫為學童寫一本有關瑞典的書。她說，這本書既要真實又要有教育價值。當她聽到尼爾的奇遇時，便決定寫一本有關他在雁背上所見到的事物的書。」

「這很奇怪。」

「老實告訴你吧，這是很反諷的，因為我們已經在那本書裡面了。」

突然間蘇菲覺得某個東西在她的臉頰上摑了一下，她立刻變成像拇指一樣小。那棵樹變得像一座森林，而那隻雁也變得像馬一樣大了。

「來吧！」大雁說。

蘇菲沿著樹枝向前走，然後爬到大雁的背上。牠的羽毛很柔軟，可是由於她現在實在太小了，那些羽毛不時戳著她。

她一坐好，大雁就起飛了。他們飛到樹林上方，蘇菲向下看著小湖和少校的小木屋。艾伯特正坐在裡面，擬定著他那祕密計畫。

「今天我們小小的觀光一下就好了。」大雁邊說邊拍著翅膀。

之後，牠便向下飛，停在蘇菲剛才爬的那棵樹下。大雁著陸時，蘇菲便滾到了地上。在石南叢裡滾了幾下後，她便坐起來，很驚訝的發現自己又回復原來的身高了。

大雁搖搖擺擺的在她的四周走了幾圈。

「謝謝你幫我的忙。」蘇菲說。

「小事一樁。你是不是說過這是一本有關哲學的書？」

「不，那是你說的。」

「好吧，反正都一樣。如果我能作主的話，我會載著你飛過整部哲學史，就像我載尼爾飛過瑞典一樣。我們可以在米雷特斯和雅典、耶路撒冷和亞力山卓、羅馬和佛羅倫斯、倫敦和巴黎、耶納和海德堡、柏林和哥本哈根這些城市的上空盤旋。」

「謝謝你，這樣就夠了。」

「可是飛越這麼多世紀，即使對一隻非常反諷的雁來說，也是很辛苦的。所以飛越瑞典各省要容易多了。」

說完後，大雁跑了幾步，就拍拍翅膀飛到空中去了。

蘇菲已經很累了。不久後當她爬出密洞時，心想艾伯特對她這些調虎離山的計策必然很滿意。在過去這個小時內，少校一定不可能花太多心思在艾伯特身上，否則他一定得了嚴重的人格分裂症。

蘇菲剛從前門進屋，媽媽就下班回家了。還好是這樣，否則她怎麼解釋她被一隻家雁從一棵大樹上救下來的事呢？

吃過晚餐後，他們開始準備花園宴會的事情。他們從閣樓裡拿出了一張四公尺長的桌面，並把它撞到花園裡。然後他們又回到閣樓去拿桌腳。他們已經計畫好要把那張長桌子放在果樹下。上一次他們用到那張長桌是在蘇菲的爸媽結婚十週年慶的時候。那時蘇菲只有八歲，但她仍然很清楚的記得那次各方親朋好友雲集的盛大露天宴會。

氣象報告說星期六將會是個好天氣。自從蘇菲生日前一天的可怕暴風雨後，他們那兒連一滴雨也沒下。不過，他們還是決定等到星期六上午再來布置和裝飾餐桌。可是媽媽認為目前至少可以先把桌子搬到花園裡。

那天晚上他們烤了一些小圓麵包和幾條由兩種麵糰做成的鄉村麵包。請客的菜是雞和沙拉，還有汽水。蘇菲很擔心她班上的一些男孩子可能會帶啤酒來。她天不怕地不怕，就是怕惹麻煩。

蘇菲正要上床睡覺時，媽媽又問了一次艾伯特是否一定會來。

「他當然會來。他甚至答應我要玩一個哲學的小把戲。」

「一個哲學的小把戲？那是什麼樣的把戲？」

「我不知道……如果他是一個魔術師，他可能就會表演魔術。也許他會從帽子裡變出一隻白兔來……」

「什麼？又玩這一套呀？」

「……可是他是個哲學家，他要耍的是一個哲學的把戲，因為這畢竟是個哲學的花園宴會呀。」

「你這個頑皮鬼。」

「你有沒有想過你自己要做什麼呢？」

「老實說，我有。我想做點事。」

「發表一篇演講嗎？」

「我不告訴你。晚安！」

第二天一大早蘇菲就被媽媽叫起床了。媽媽是來跟她說再見的，因為她要上班去了。她給了蘇菲一張單子，上面列著所有花園宴會要用的物品，要她到鎮上採買。

媽媽剛出門，電話就響了。是艾伯特打來的。他顯然知道蘇菲什麼時候會一個人在家。

「你的祕密計畫進行的如何了？」

「噓！不要提。別讓他有機會去想它。」

「我想我昨天已經很成功的讓他一直注意我了。」

「很好。」

「我們還有哲學課要上嗎？」

「我就是為了這個才打電話來的。我們已經講到現代了，從現在起，你應該可以不需要老師了，因為打基礎是最重要的。可是我們還得見個面，稍微談一下我們這個時代的哲學。」

「可是我得到鎮上去……」

「那好極了，我說過我們要談的是我們這個時代。」

「真的嗎？」

「所以我們在鎮上見面是很恰當的。」

「你要我到你那兒去嗎？」

「不，不要到這裡來。我這裡亂七八糟的，因為我到處搜尋，看有沒有什麼竊聽裝置。」

「啊！」

「大廣場上有一家新開的咖啡廳，叫做皮爾咖啡廳。你知道嗎？」

「我知道。我要什麼時候到呢？」

「十二點好嗎？」

「那就十二點在咖啡廳碰面。」

「就這麼說定了。」

「再見！」

十二點過兩、三分時，蘇菲走進了皮爾咖啡廳。這是一家很時髦的咖啡廳，有小小的圓桌和黑色的椅子。販賣機裡擺著倒過來放的一瓶瓶艾酒，還有法國長條麵包和三明治。

咖啡廳並不大。蘇菲首先注意到的就是艾伯特並不在裡面。老實說，這是她唯一注意到的地方。有許多人圍著幾張餐桌坐，可是蘇菲只看到艾伯特不在這些人裡面。

她並不習慣一個人上咖啡廳。她該不該轉身走出去，稍後再回來看看他到了沒有呢？

她走到大理石吧臺那兒，要了一杯檸檬茶。她端了茶杯走到一張空桌子坐下來，並注視著門口。這裡不斷有人來來去去，可是蘇菲只注意到艾伯特還沒有來。

她要是有一份報紙就好了！

隨著時間一分分過去，她忍不住看看四周的人，也有幾個人回看她。有一段時間蘇菲覺得自己像一個年輕的女郎。她今年只有十五歲，可是她自認看起來應該有十七歲，要不然至少也有十六歲半。

她心想，這些人對活著這件事不知道怎麼想。他們看起來彷彿只是順道經過，偶然進來坐坐似的。他們一個個都在比手畫腳的談話，可是看起來他們說得好像也不是什麼重要的事。

她突然想到祁克果，他曾經說過羣眾最大的特色就是喜歡言不及義的閒扯。這些人是不是還活在美感階段呢？有沒有一件事是對他們的存在有意義的呢？

艾伯特在初期寫給她的一封信中曾經談到兒童與哲學家之間的相似性。她又再一次有不想長大的念頭。搞不好她也會變成一隻爬到兔子毛皮深處的虱子！

她一邊想，一邊注意看著門口。突然間艾伯特從外面的街上緩緩走進來了。雖然已經是仲夏天，但他還是戴著一頂黑扁帽，穿著一件灰色有人字形花紋的蘇格蘭呢短外套。他立刻看到蘇菲，便急忙走過來。蘇菲心想，他們以前好像從來沒有在公開場合見過面。

「現在已經十二點十五分了，你這個爛人。」

「這十五分是有教育意義。我可以請你這位年輕的小姐吃些點心嗎？」

他坐下來，看著她的眼睛。蘇菲聳聳肩。

「隨便，一個三明治好了。」

艾伯特走到吧臺那兒。不久他便端著一杯咖啡和兩個乳酪火腿三明治回來。

「貴不貴呢？」

「小事一樁。」

「你為什麼遲到呢?」

「我是故意的。我很快就會告訴你為什麼。」

他咬了一大口三明治。然後他說道:

「我們今天要談我們這個時代的哲學。」

「有什麼重要的哲學事件發生嗎?」

存在哲學

「很多……各種潮流都有。我們要先講一個非常重要的潮流,就是存在主義。這是一個集合名詞,代表幾股以人存在的情況為出發點的哲學潮流。我們通常談的是二十世紀的存在哲學。這些存在主義哲學家中有幾個是以祁克果,乃至黑格爾和馬克思等人的學說為基礎的。」

「嗯。」

「另外一個對二十世紀有很大影響的哲學家是德國的尼采(Friedrich Nietzsche),生於一八四四到一九〇〇年間。他同樣反對黑格爾的哲學以及德國的『歷史主義』,他認為我們應該重視生命本身,而不必對歷史和他所謂的基督教的『奴隸式道德』過於注意。他希望能夠造成『對所有價值的重新評價』,使強者的生命力不會受到弱者的拖累。根據尼采的說法，基督教和傳統哲學已經脫離了真實世界，朝向『天堂』或『觀念世界』發展，而人們過去認為的『真實』世界事實上是一個『偽世界』。他說：『要忠於這個世界。不要聽信那些讓你有超自然期望的人。』」

「然後呢？」

「祁克果和尼采兩人同時又影響了德國的存在主義哲學家海德格（Martin Heidegger）。可是我們現在要專門來談法國存在主義哲學家沙特（Jean-Paul Sartre）。他生於一九〇五到一九八〇年間，是存在主義者（至少是信奉存在主義的一般大眾）的領袖。他的存在主義在第二次世界大戰後的一九四〇年代尤其風行。後來他與法國的馬克思主義運動結盟，但他本人從來沒有加入任何黨派。」

「是因為這樣我們才在一家法國咖啡廳見面嗎？」

「我承認這是有目的的。沙特本人經常出入咖啡廳。他就是在這樣的咖啡廳裡遇見他終身的伴侶西蒙波娃（Simone de Beauvoir）的。她也是一位存在主義的哲學家。」

「一位女哲學家？」

「對。」

「太好了，人類終於變得比較文明了。」

「可是我們這個時代也有很多新的問題。」

「你要講的是存在主義。」

「沙特說：『存在主義就是人文主義。』他的意思是存在主義者乃是以人類為出發點。必須說明的是：他的人文主義對於人類處境的觀點要比文藝復興時代的人文主義者要悲觀的多。」

「為什麼呢？」

「祁克果和本世紀的若干存在主義哲學家都是基督徒，但沙特所信仰的卻是所謂的『無神論的存在主義』。他的哲學可以說是在『上帝已死』的情況下對人類處境所做的無情分析。『上帝已死』這句話是尼采說的。」

「說下去。」

「沙特和祁克果的哲學中最主要的一個字眼就是『存在』。但存在不等於活著。植物和動物也活著，它們雖然存在，但並不需要思考存在的意義。人是唯一意識到自己存在的生物。沙特表示，一個東西只是在己（in itself）而人類卻是為己（for itself）。因此人的存在並不等於東西的存在。」

「我同意。」

「沙特進一步宣稱，人的存在比任何其他事情都重要。我存在的這個事實比我是誰要更加重要。他說：『存在先於本質。』」

「這句話很複雜。」

「所謂的本質是指組成某些事物的東西，也就是說某些事物的本性。但根據沙特的說法，人並沒有這種天生的『本性』，因此人必須創造自我。他必須創造自己的本性或『本質』，因為他的本性並非是一生下來就固定的。」

「我明白了。」

「在整部哲學史中，哲學家們一直想要探索人的本性。但沙特相信，人並沒有一種不變的『本性』。因此，追求廣泛的生命的『意義』是沒有用的。換句話說，我們是注定要自己創造這種意義。我們就像是還沒背好臺詞就被拉上舞臺的演員，沒有劇本，也沒有提詞人低聲告訴我們應該怎麼做。我們必須自己決定該怎麼活。」

「事實上，真的是這樣。如果我們能在聖經或哲學教科書中學到該怎麼活，就很有用了。」

「你講到要點了。但沙特說，當人領悟到他們活在世上，總有一天會死，而且沒有什麼意義可以攀附時，他們就會愈加恐懼。你可能還記得祁克果在形容人存在的處境時，也用過這個字眼。」

「嗯。」

「沙特又說，人在一個沒有意義的世界中會感到疏離。當他描述人的『疏離』時，乃是重複黑格爾與馬克思的中心思想。人的這種疏離感會造成絕望、煩悶、厭惡和荒謬等感覺。」

「感覺沮喪或覺得一切都很無聊是很正常的。」

「的確如此。沙特所描述的乃是二十世紀的城市人。你也許還記得文藝復興時期的人文主義者曾經興高采烈的強調人的自由與獨立。沙特則覺得人的自由是一種詛咒。他說：『人是注定要受自由之苦的。因為他並沒有創造自己，但卻是自由的。因為一旦被扔進這個世界裡來，他就必須為他所做的每一件事負責。』」

「可是我們並沒有要求被創造成自由的個體。」

「這正是沙特所要說的。可是我們仍然是自由的個體，而這種自由使我們注定一生中要不斷的做選擇。世上沒有我們必須遵守的永恆價值或規範，這使得我們的選擇更加有意義。因為我們要為自己所做的事負全責。沙特強調，人絕對不能放棄他對自己行動的責任，也不能以我們『必須』上班、『必須』符合中產階級對我們生活方式的期望為理由，逃避為自己做選擇的責任。如果我們逃避這項責任，就會淪為無名大眾的一分子，將永遠只是一個沒有個性的羣體之一，逃避自我並自我欺騙。從另外一方面來說，我們的自由迫使我們要成為某種人物，要『真實』的活著。」

「嗯，我明白了。」

「在道德的抉擇上也是如此。我們永遠不能把錯誤歸咎於『人性』或『人的軟弱』等等。我們可以發現時常有成年男子做出種種令人厭惡的行為，卻把這樣的行為歸咎於『男人天生的壞毛病』。可是世上沒有『男人天生的壞毛病』這種東西，那只是我們用來避免為自己的行為負責的藉口罷了。」

「總不能把樣樣事情都怪在它頭上。」

「雖然沙特宣稱生命並沒有固有的意義，但他的意思並不是說什麼事情都不重要。他不是我們所謂的『虛無主義者』。」

「什麼是虛無主義者？」

「就是那些認為沒有一件事情有意義，怎樣都可以的人。沙特認為生命應該有意義，這是一個命令。但我們生命中的意義必須由我們自己來創造，存在的意義就是要創造自己的生命。」

「你可以說得詳細一點嗎？」

「沙特想要證明意識本身在感知某件事物之前是不存在的。因為意識總是會意識到某件事物。這個『事物』固然是由我們的環境提供的，但也是由我們自己提供的。我們可以選擇對我們有意義的事物，藉以決定我們所要感知的事物。」

「你可以舉個例子嗎？」

「例如同一個房間內的兩個人對於這個房間的感受可能大不相同，這是因為當我們感知我們的環境時，會賦予它我們本身的意義（或我們的利益）。一個懷孕的女人也許會認為她走到哪裡都可以看見別的孕婦，這並不是因為從前沒有孕婦，而是因為她自己懷孕這件事使得每一件事在她眼中都有了新的意義。一個生病的人也許會認為到處都看得見救護車……」

「嗯，我明白了。」

「我們本身的生活會影響我們對這房間內事物的看法。如果某件事情與我無關，我就看不見它。所以我現在也許可以告訴你我今天為什麼遲到了。」

「你是有目的的，對吧？」

「你先告訴我你進來時看到什麼。」

「我注意到的第一件事就是你不在這裡。」

「你看到的第一件事物卻是一件不在這裡的事物，這不是很奇怪嗎？」

「也許吧。可是我要見的人是你呀。」

「沙特就曾經用過一次這樣的咖啡廳之行說明我們如何『虛無化』與我們無關的事物。」

「你遲到就是為了要說明這點？」

「是的，我想讓你瞭解這個沙特哲學中的主要重點。你可以說這是一次演習。」

「少來！」

「當你談戀愛，正等著你的愛人打電話給你時，你可能整晚都會『聽見』他沒有打電話給你。因為你整個晚上注意到的就是他沒有打電話來。當你跟他約好在火車站見面時，月臺上人來人往，而你沒有看見他。這些人都在那兒，但他們對你卻是不重要的。你甚至可能覺得他們很討厭，因為他們占去太多空間了。你唯一注意到的事情就是他不在那兒。」

「多悲哀呀。」

「西蒙波娃曾試圖將存在主義應用到女性主義上。沙特已經說過，人沒有基本的『本性』。我們必須創造自我。」

「真的嗎？」

「我們對於兩性的看法也是這樣。西蒙波娃否認一般人所謂的『女人的天性』或『男人的天性』。舉例來說，一般人都說男人有所謂的『超越的』或『追求成功』的天性，因此他們會在家庭以外的地方追求意義和方向。而女人則被認為具有與男人完全相反的生活哲學。她們是所謂『內在的』，意思就是說她們希望留在原地。因此她們會做養育小孩、整理環境等比較與家庭有關的事。今天我們也許會說婦女要比男人關心『女性的價值』。」

「她真的相信那些話嗎？」

「你沒有在聽我說。事實上，西蒙波娃不相信有任何這種『女人天性』或『男人天性』存在。相反的，她相信女人和男人都必須掙脫這種內在偏見或理想的束縛。」

「我同意。」

「她主要的作品名叫《第二性》，一九四九年出版。」

「第二性是什麼意思？」

「她指的是女人。在我們的文化裡，婦女是被當成『第二性』的。男人好像把她們當做臣民，把女人當成是他們的所有物，因此剝奪了她們對自己生命的責任。」

「她的意思是只要我們願意，我們就可以自由獨立？」

「是的，可以這麼說。存在主義對於四〇年代到現在的文學也有很大的影響。其中包括戲劇在內。沙特本身除了寫小說外，也寫了一些劇本。其他幾位重要的作家包括法國的卡繆、愛爾蘭的貝克特、羅馬尼亞的伊歐涅思柯和波蘭的康布羅維區（Gombrowich）。他們和其他許多現代作家的典型風格就是我們所說的『荒謬主義』。這個名詞專門用來指『荒謬劇場』。」

「啊。」

「你知道『荒謬』的意思嗎？」

「不就是指沒有意義或非理性的事物嗎？」

「一點沒錯。『荒謬劇場』是『寫實劇場』的相反。它的目的在顯示生命的沒有意義，以使觀眾起而反對。它的用意並不是鼓吹人生沒有意義，其實正好相反。他們藉著顯示、揭發日常生活情境的荒謬，進而迫使旁觀者追求較為真實而有意義的生命。」

「聽起來挺有意思的。」

「荒謬劇場經常描繪一些非常瑣碎的情境，因此我們也可以稱之為一種『超寫實主義』。劇中描繪的就是人們原來的面貌。可是當你把發生在浴室的事情或一個普通家庭平日早晨的景象搬上舞臺時，觀眾就會覺得很好笑。他們的笑聲可以解釋成為一種看見自己在舞臺上被嘲弄時的防衛機轉。」

「正是如此。」

「荒謬劇場也可能具有若干超現實的特色。其中的角色時常發現自己處在一個非常不真實、像夢一般的情境裡。當他們毫不訝異的接受這種情境時，觀眾就不得不訝異這些角色為何不感到訝異。這是卓別林在他的默片中慣用的手法。這些默片中的喜劇效果經常來自於卓別林默默的接受所有發生在他身上的荒謬事情。這使得觀眾不得不檢討自己，追求更真實的事物。」

「看到人們對於各種荒謬事件那種逆來順受的態度，實在是讓人覺得很驚訝。」

「有時我們會有『我必須遠離這樣的事，雖然我不知道該到哪裡去』的感受。這種感覺可能並沒有什麼不好。」

「如果房子著火了，你只好衝出去，雖然你沒有其他地方可以住。」

「沒錯。你想不想再喝一杯茶或一瓶可樂？」

「好。不過我還是認為你是個爛人，因為你遲到了。」

「沒關係。」

艾伯特回來時拿了一杯義大利濃咖啡和一瓶可樂。這時，蘇菲已經開始喜歡上咖啡廳的氣氛了。她也開始認為其他桌客人的談話也許不像她想像的那樣沒有意義。艾伯特「砰！」一聲把可樂瓶子往桌上放。有幾個別桌的客人擡起頭來看。

「我們就上到這裡了。」他說。

「你是說哲學史到了沙特和存在主義就結束了？」

「不，這樣講就太誇張了。存在主義哲學後來對世界各地的許多人產生了重大的影響。正如我們說過的，它的根可以回溯到祁克果，甚至遠及蘇格拉底。因此二十世紀也是一個我們談過的其他哲學潮流開花結果、重新復甦的年代。」

「比如說什麼潮流？」

「其中有一個是所謂的新聖多瑪斯主義（Neo-Thomism），也就是指那些屬於聖多瑪斯派的思想。另外一個就是所謂的『分析哲學』或『邏輯實驗主義』。它的根源可追溯至休姆和英國的經驗主義，甚至遠及亞理斯多德的理則學。除此之外，二十世紀自然也曾受到所謂的新馬克思主義的影響。至於新達爾文主義和精神分析的影響，我們已經談過了。」

「是的。」

「最後還有一個是唯物主義。它同樣有它歷史上的根源。現代科學有一大部分源自蘇格拉底之前的哲學家的努力，例如找尋組成所有物質的不可見的『基礎分子』。到目前為止還沒有人能夠對『物質』是什麼的問題提出一個令人滿意的答案。核子物理學與生物化學等現代科學對於這個問題極感興趣，對許多人而言，這甚至是他們的生命哲學中很重要的一部分。」

「新舊學說雜陳並列……」

「對，因為我們開始這門課程時所提出的問題到現在還沒有人能回答。在這方面，沙特說了一句很重要的話。他說：關於存在的問題是無法一次就回答清楚的。所謂哲學問題的定義就是每一個世代，甚至每一個人，都必須要一再的問自己的一些問題。」

「滿悲觀的。」

「我並不一定同意你的說法。因為，藉著提出這些問題，我們才知道自己活著。當人們追尋這些根本問題的答案時，他們總是會發現許多其他問題因此而有了清楚明確的解決方法。科學、研究和科技都是我們哲學思考的副產品。我們最後之所以能登陸月球難道不是因為我們對於生命的好奇嗎？」

「這倒是真的。」

「當阿姆斯壯踏上月球時，他說：『這是個人的一小步，人類的一大步。』他用這些話來總結他身為第一位登陸月球者的感想，話中提到了所有我們的祖先，因為這顯然不是他一個人的功勞。」

「當然。」

「在我們這個時代，我們有一些嶄新的問題要去面對。其中最嚴重的就是環境問題。因此，二十世紀一個主要的哲學潮流就是『生態哲學』（ecophilosophy），這是挪威哲學家那斯（Arne Naess）所給的名稱，他也是這種哲學的奠立者之一。許多西方的生態哲學家已經提出警告，整個西方文明的走向根本就是錯誤的，長此下去，勢必將會超出地球所能承受的範圍。他們談的不只是環境污染與破壞這些具體的問題。他們宣稱，西方的思想型態根本上就有一些謬誤。」

「我認為他們說得對。」

「舉例來說，生態哲學家對於進化觀念中以人為『萬物之首』的這個假設提出質疑。他們認為，人類這種自以為是大自然主宰的想法可能會對整個地球造成致命的傷害。」

「我每次一想到這個就很生氣。」

「在批評這個假設時，許多生態哲學家注意到印度等其他文化的觀念與思想。他們並且研究了所謂『原始民族』或美洲印第安人和愛斯基摩人等『原住民』的想法與習俗，以重新探索我們所失落的東西。」

「然後呢？」

「近年來科學界有一種說法是：我們整個科學思想的模式正面臨一個『典範移轉』（paradigm shift），意思就是說科學家思考的方式有了一個根本上的轉變，而且這個現象已經在若干領域內開花結果。我們可以看到許多所謂『新生活運動』（alternative movements）倡導整體主義（holism）和新的生活方式。」

「太好了。」

「不過，當一件事情牽涉到許多人時，我們必須要學會分辨好壞優劣。有些人宣稱我們正進入一個『新時代』，但並不是每一件新的東西都是好的。我們也不能把所有舊東西都拋棄。這是我為什麼讓你上這門哲學課的原因之一。你現在已經知道了古往今來的哲學理念了。接下來你應該能夠為自己的人生找到一個方向。」

「非常謝謝你。」

「我想你會發現那些打著『新時代』旗號的運動有一大部分都是騙人的玩意。這幾十年來西方世界甚至受到所謂的『新宗教』、『新神祕主義』和各式各樣現代迷信的影響。這些東西已經變成一種企業了。由於信奉基督教的人日益減少，哲學市場上就出現了許許多多的替代產品。」

「什麼樣的替代產品？」

「多得不勝枚舉。無論如何，要描述我們本身所在的這個時代並不容易。現在我們可不可以到鎮上去散散步？我想讓你看一個東西。」蘇菲聳聳肩。

「我沒多少時間了。你沒有忘記明天的花園宴會吧？」

「當然沒有。那個時候會發生一件很奇妙的事。不過我們先得讓席德的哲學課程有一個圓滿的結束。少校還沒有想到那兒，你明白嗎？因此他已經不再能夠完全控制我們了。」

他再次舉起現在已經空了的可樂瓶，往桌上「砰！」一聲用力一敲。

他們走到街上，人們正像螞蟻窩裡精力充沛的螞蟻一樣熙來攘往。蘇菲心想艾伯特不知道要讓她看什麼東西。他們經過一家很大的商店，裡面販賣各式各樣的通訊器材，從電視、錄影機、小耳朵到各種行動電話、電腦和傳真機都有。

艾伯特指著櫥窗裡的東西說：「這就是二十世紀了。在文藝復興時代，世界開始膨脹。自從那些偉大的探險航程展開後，歐洲人就開始走遍世界各地。今天情形正好相反。我們稱之為反膨脹。」

「怎麼說呢？」

「意思是說世界正逐漸凝聚成一個龐大的通訊網路。在不算很久以前，哲學家們還必須坐好幾天的馬車才能到其他的地方去探索這個世界，並會見其他的哲學家。今天我們不論在地球任何一個角落都可以透過電腦螢幕獲得人類所有的經驗。」

「想起來真是棒極了，甚至讓人有點怕怕的，真的。」

「問題在於歷史是否即將結束，或者剛好相反，我們正要邁入一個嶄新的時代。我們已經不再只是一個城市的居民或某個國家的公民了。我們是生活在全球文明裡的世界公民。」

「真的。」

「過去三、四十年來，科技的發展，尤其是在通訊方面的進步，可能大過歷史上各時期的總和。而目前我們所見到的可能只是開始而已……」

「這就是你要讓我看的東西嗎？」

「不，那個東西在那邊那座教堂的另外一邊。」他們轉身要走時，一架電視的螢幕上閃過了一幅幾個聯合國士兵的畫面。

「你看！」蘇菲說。攝影機的鏡頭淡入，停在其中一個士兵的身上。他有一臉幾乎和艾伯特一模一樣的黑鬍子。突然間他舉起一塊牌子，上面寫著：「席德，我就快回來了！」他揮一揮另外一隻手，然後就消失了。

「唉，真是個江湖郎中！」艾伯特歎道。

「那是少校嗎？」

「我可不想回答這個問題。」他們穿過教堂前面的公園，走到另外一條大街上。艾伯特似乎有點煩躁。他們在一家名叫里伯瑞斯（Libris）的大型書店前停下來。這是鎮上最大的一家書店。

「你是不是要讓我看裡面的某個東西？」

超自然

「我們進去吧。」在書店裡，艾伯特指著最長的那面書牆，其中的書分成三類，包括：「新時代」、「新生活」和「神祕主義」。這些書都有著很吸引人的標題，如：「死後的生命？」、「招魂術的祕密」、「義大利紙牌算命術」、「幽浮現象」、「治療術」、「上帝重臨」、「你曾來過這裡」、「占星術是什麼？」等等，一共有成千上百本。書架的下面並堆著一疊疊類似的書。

「這也是二十世紀的現象。這是我們這個時代的神廟。」

「這些東西你都不相信嗎？」

「其中有一大部分是鬼話。但他們的銷路和色情刊物一樣好。事實上它們有許多可以算得上是一種色情刊物。年輕人可以來到這兒，購買他們認為最有趣的思想。但這些書和真正的哲學之間的差異就像色情和真愛之間的差異一樣。」

「你這樣說不是太粗魯了嗎？」

「我們到公園裡去坐吧！」他們走出書店，在教堂前找了一張沒有人坐的長椅。旁邊樹底下成羣的鴿子正搖頭擺尾的走來走去，一隻孤零零的麻雀在他們中間過度熱心的跳來跳去。

「那些東西叫做ESP或靈學超心理學，」他開始說。「或者也叫做精神感應術、超感應能力、靈視和心理動力學，有些也叫做招魂術、占星術和幽浮學。」

「老實說，你真的認為它們都是騙人的玩意嗎？」

「當然一個真正的哲學家不應該說它們都不好。但我可以說所有這些學問加起來就像一張地圖一樣，雖然鉅細靡遺，但問題是那塊土地可能根本並不存在，而且其中有許多是『想像的虛構物』。要是休姆的話，早就一把火把它們給燒了。那些書裡面，有許多根本沒有包含一絲一毫的真實經驗。」

「那為什麼會出現這麼多這類的書呢？」

「這是全世界最大規模的營利企業，因為那就是大多數人想要的東西。」

「那你認為他們為什麼想要這些呢？」

「他們顯然是希望有一些『神祕的』、『不一樣』的東西來打破日常生活的煩悶與單調。可是這簡直是多此一舉！」

「怎麼說呢？」

「因為我們已經置身在一場奇妙的探險旅程裡。青天白日之下，在我們的眼前就有一件偉大的創作品。這不是很美妙嗎？」

「我想是吧。」

「我們為什麼還要跑到占卜術士的帳篷或從學院派的後門去找尋一些『刺激』或『超自然』東西呢？」

「你是說寫這類書的人都是些江湖術士或騙子嗎？」

「不，我並沒有這樣說。可是這當中也有一個達爾文系統。」

「請你解釋一下好嗎？」

「請你想想看一天裡面能夠發生多少事。你甚至可以挑選你生命中的一天，然後想一想那天裡你所看到和經驗到的一切事物。」

「然後呢？」

「有時你會碰到一些奇異的巧合。你可能會跑進一家店裡，買了一個價值二十八塊錢的東西。後來，在同一天，喬安又跑來還她欠你的二十八塊錢。然後你們兩個決定要去看電影，結果你的座位號碼是二十八號。」

「嗯，這的確是一個很神祕的巧合。」

「不管怎樣，這些事就是一種巧合。問題在於有些人就會蒐集這類巧合，還有各種奇異的、無法解釋的經驗。當這類取自數十億人生活中的經驗被集結成書時，看起來就像是真實的數據。而它們的數量會愈來愈龐大。不過這也像是一場摸彩，只有中獎的號碼才會被公布出來。」

「可是世上確實有天眼通和靈媒這些人，不是嗎？他們不斷的有這類經驗呀。」

「確實是有。但撇開那些招搖撞騙的人不談，我們仍然可以為這些所謂的神祕經驗找到另外一種解釋。」

「什麼解釋？」

「你還記得我們談過佛洛伊德所說的潛意識理論嗎？」

「當然記得啦。我不是一再告訴你我的記性很好嗎？」

「佛洛伊德曾說我們可能時常是自己潛意識的『靈媒』。我們可能會突然發現自己正在想著或做著某件事，連自己也不太明白原因。這是因為我們內心中有許多連自己也沒有察覺的經驗、想法或記憶。」

「所以說呢？」

「你知道有些人會夢遊或說夢話，我們可以稱之為一種『精神上的無意識行動』。除此之外，人們在經過催眠之後，也可能會『不由自主』的說一些話或做一些事。你也許還記得那些超現實主義者曾經試圖要製造所謂的自動寫作。事實上他們只是試圖要做自己潛意識的靈媒罷了。」

「嗯，這個我也記得。」

「本世紀不時流行我們所稱的『通靈』現象。有些人相信靈媒可以和已逝者接觸。這些靈媒或者用死者的聲音來說話，或者透過自動寫作，藉此接收幾百年前某個古人的信息。有人認為這種現象證明人死後會進入另外一個世界，或者世間確實有輪迴。」

「嗯，我知道。」

「我的意思並不是說所有的靈媒都是江湖術士。他們有些確實不是騙人的。他們確實當過靈媒，但他們所當的只是自己潛意識的靈媒罷了。曾經有過好幾個這樣的例子：有人仔細觀察一些靈媒在恍惚狀態的反應，發現他們居然會顯示出一些無論是他們自己或別人都不知道他們如何獲得的知識或能力。在其中一個案例裡，一個從來沒有學過希伯來文的女人突然以希伯來文說出一些事情。因此她必定是在前世學的，要不就是她曾經和某個死者的靈魂溝通。」

「你相信哪一種說法呢？」

「結果後來發現她小時候有一個奶媽是猶太人。」

「啊！」

「你很失望嗎？這個現象顯示有些人具有不可思議的能力，可以把從前的經驗儲存在他們的潛意識裡。」

「我懂你的意思了。」

「有許多日常生活中不可思議的事件都可以用佛洛伊德的潛意識理論來解釋。也許有一天我正要找一個多年沒有聯絡的朋友的電話時，卻剛好接到他打來的電話。」

「滿詭異的。」

「可是事實上也許是我們兩個同時聽到收音機裡播的一首老歌，而這首歌剛好是我們兩個上一次見面時聽到的。重要的是，我們都沒有察覺到其中的關聯。」

「所以這些事情要不就是道聽途說，要不就是因為特別奇怪才眾口相傳，要不就是潛意識的作用，對嗎？」

「不管怎樣，在進到這類書店時抱持相當的懷疑態度總是比較健康的，特別是對一個哲學家而言。英國有一個由懷疑論者組成的協會。許多年前他們重金懸賞第一個能夠對那些超自然現象提供一點點證明的人。他們並不要求參加者展示什麼奇蹟，而只要他們表演一點點心電感應就可以了。但是到目前為止，沒有一個人來參加。」

「嗯。」

「話說回來，有很多現象仍然是我們人類無法理解的。也許我們還不是真正瞭解自然的法則。在上一個世紀，許多人認為磁力與電力的現象是一種魔術。我敢打賭我的曾祖母如果聽到我說關於電視和電腦的事，一定會驚訝得目瞪口呆。」

「這麼說你並不相信所有超自然的現象囉？」

「我們已經談過這點了。就連『超自然』這個名詞聽起來也很奇怪。不，我相信世上只有一個自然。但從另外一方面來說，這也是很令人驚異的事。」

「可是你讓我看的那些書裡面記載了那麼多神祕的事情……」

「所有真正的哲學家都應該睜大眼睛。即使我們從來沒有見過白色的烏鴉，我們也不應該放棄尋找牠。也許有一天，連我這樣的懷疑論者也會不得不接受某種我從前並不相信的現象。如果我不承認有這種可能性，那我就是一個武斷的人，而不是一個真正的哲學家。」艾伯特和蘇菲繼續坐在長椅上，兩人都沒有說話。那些鴿子伸長了脖子咕咕的叫著，不時被一輛路過的腳踏車或突然的動作嚇到。

「我必須回家打點宴會的事了。」最後蘇菲說。

「可是在我們分手以前，我要給你看一隻白色的烏鴉。牠比我們所想像的更接近我們。」他從長椅上站起來，示意蘇菲再回到書店裡去。

這次他們走過所有關於超自然現象的書，停在書店最裡面一個看起來不甚牢固的架子前。架子的上方掛著一塊很小的牌子，上面寫著：哲學類。艾伯特指著架上的一本書。蘇菲看到書名時不禁嚇了一跳。上面寫著：蘇菲的世界。

「你要不要我買一本送給你？」

「我不太敢看耶！」

無論如何，過了沒多久，她就走在回家的路上了，一手拿著那本書，另一手則拿著一個小袋子，裡面裝著她剛才買的花園宴會用品。

花園宴會

……一隻白色的烏鴉……

席德坐在床上，動也不動。她可以感覺到她雙臂與雙手繃得緊緊的，拿著那本沉重的講義夾，顫抖著。

已經快十一點。她坐在那兒讀了兩個多小時了。這期間她不時擡頭大笑，有時笑得她不得不翻身喘氣。還好屋裡只有她一個人。

這兩個小時內發生的事可真多呀。最先是蘇菲在從林間小木屋回家的路上努力要引起少校的注意力。最後她爬到一棵樹上，然後被大雁莫通給救了。那隻雁是從黎巴嫩飛來的，彷彿是她的守護天使一般。

雖然已經過了很久，但席德永遠不會忘記從前爸爸唸《尼爾奇遇記》（The Wonderful Adventure of Nils）給她聽的情景。因為那之後有許多年，她和爸爸之間發展出了一種與那本書有關的祕密語言。現在他又把那隻老雁給揪出來了。

後來蘇菲第一次體驗到獨自一人上咖啡廳的滋味。席德對艾伯特講的沙特和存在主義的事特別感興趣。他幾乎讓她變成了一個存在主義者。不過，話說回來，他過去也有好幾次曾經這樣過。

大約一年前，席德買了一本占星學的書，還有一次她拿了一組義大利紙牌回家，後來又有一次她買了一本有關招魂術的書。每一次，爸爸總是跟她說一些什麼「迷信」呀、「批判的能力」呀等等道理，但他一直等到現在才來「絕地大反攻」。他的反擊可說是正中要害。很明顯的，他想在他的女兒長大之前徹徹底底警告她那些東西的害處。為了安全起見，他安排了他從電器商店的電視螢幕上對她揮手的場面。其實他大可不必這樣的……

她最感到好奇的還是那個女孩。

蘇菲，蘇菲——你在哪裡？你從何處來？你為什麼進入我的生命？

最後，艾伯特給了蘇菲一本有關她自己的書。那本書是否就是席德現在手上拿的這一本呢？當然，這只是一個講義夾。但即使是這樣，一個人怎麼可能在一本有關他自己的書裡面發現一本有關他自己的書呢？

如果蘇菲開始讀這本書，會有什麼事發生呢？

席德用手指摸一摸講義夾，只剩下幾頁了。

蘇菲從鎮上回家時在公車上碰到了她媽媽。該死！她如果看見她手上拿的這本書，不知道會說什麼呢！

蘇菲想把那本書放在裝著宴會用綵帶和汽球的袋子裡，但並沒有成功。

「嗨，蘇菲！我們居然坐同一輛公車！真好！」

「嗨，媽！」

「你買了一本書呀？」

「沒有，不是買的。」

「《蘇菲的世界》……多奇怪呀。」

蘇菲知道這時她是騙不了媽媽的。

「是艾伯特給我的。」

「嗯，我想一定是的。我說過了，我一直在等著見這個人呢。我可以看看嗎？」

「可不可以等到我們回家以後？媽，這是我的書耶！」

「這當然是你的書啦。我只想看看第一頁。好嗎？……蘇菲放學回家了。有一段路她和喬安同行，他們談著有關機器人的問題……」

「書裡真的這麼寫嗎？」

「沒錯。是一個名叫艾勃特的人寫的。他一定是剛出道的。喔，對了，你那位哲學家叫什麼名字？」

「艾伯特。」

「也許這個怪人寫了一本關於你的書呢，蘇菲。他用的可能是筆名。」

「那不是他。媽，你就別再說了吧。反正你什麼都不懂。」

「是呀，我是不懂。明天我們就舉行花園宴會了，然後一切又會恢復正常。」

「艾伯特活在一個完全不同的世界裡，所以這本書是一隻白烏鴉。」

「你真的不能再這樣下去了！以前你說的不是白兔嗎？」

「好了，別說了。」

他們說到這裡，苜蓿巷就到了。他們剛下車就遇上了一次示威遊行。

「天哪！」蘇菲的媽媽喊，「我還以為我們這個社區不會發生這樣的事呢！」

示威的人頂多只有十到十二個。他們手裡拿的布條上寫著：

「少校快來了！」

「支持美味的仲夏節大餐！」

「加強聯合國！」

蘇菲幾乎替媽媽感到難過。

「別理他們。」她說。

「可是這個示威好奇怪呀，挺荒謬的。」

「只不過是個小把戲罷了！」

「世界改變得愈來愈快了。其實，我一點也不感到驚訝。」

「不管怎樣，你應該對你不感到驚訝這件事感到驚訝。」

「一點也不。他們並不暴力呀，是不是？我只希望他們還沒有把我們的玫瑰花床踩壞。我想他們一定不會在一座花園裡示威吧。我們趕快回家看看。」

「媽，這是一次哲學性的示威。真正的哲學家是不會踐踏玫瑰花床的。」

「我告訴你吧，蘇菲。我不相信世上還有真正的哲學家了。這年頭什麼都是合成的。」

生日宴會

那天下午和晚上，他們一直忙著準備。第二天早上，他們仍繼續未完的工作，鋪桌子、裝飾餐桌。喬安也過來幫忙。

「這下可好了！」她說，「我爸媽也打算要來。都是你，蘇菲！」

在客人預定到達前半小時，一切都準備好了。樹上掛滿了綵帶和日本燈籠。花園的門上、小徑兩旁的樹上和屋子的前面都掛滿了汽球。那天下午大部分時間，蘇菲和喬安都忙著吹汽球。

餐桌上擺了雞、沙拉和各式各樣的自製麵包。廚房裡還有葡萄麵包和雙層蛋糕、丹麥酥和巧克力蛋糕。可是打從一開始，餐桌上最中央的位置就保留給生日蛋糕。那是一個由杏仁圈餅做成的金字塔。在蛋糕的尖頂，有一個穿著堅信禮服裝的小女孩圖案。蘇菲的媽媽曾向她保證那個圖案也可以代表一個沒有受堅信禮的十五歲女孩，可是蘇菲相信媽媽之所以把它放在那兒，是因為蘇菲說她不確定自己是不是想受堅信禮。而媽媽似乎認為那個蛋糕就象徵堅信禮。

「我們是不惜工本。」在宴會開始前的半小時，這樣的話她說了好幾次。

客人們開始陸續抵達了。第一批來的是蘇菲班上的三個女同學。她們穿著夏天的襯衫、淺色的羊毛背心、長裙子，塗了很淡很淡的眼影。過了一會兒，傑瑞米和羅瑞也緩緩的從大門口走進來了，看起來有點害羞，又有幾分小男生的傲慢。

「生日快樂！」

「你長大了！」

蘇菲注意到喬安和傑瑞米已經開始偷偷的眉來眼去了。空氣裡有一種讓人說不上來的氣息，也許是仲夏的緣故。

每一個人都帶了生日禮物。由於這是一個哲學性的花園宴會，有幾個客人曾經試著研究哲學到底是什麼。雖然並不是每個人都找到了與哲學有關的禮物，但大多數人都絞盡腦汁想了一些富有哲學意味的話寫在生日卡片上。蘇菲收到了一本哲學字典和一本有鎖的日記，上面寫著「我個人的哲學思維」。客人一抵達，蘇菲的媽媽便端上用深色玻璃杯裝的蘋果西打請他們喝。

「歡迎……這位年輕的男士貴姓大名？……以前好像沒見過……你能來真是太好了，賽西莉……」

當所有較年輕的客人都已經端著杯子在樹下閒逛時，喬安的父母開了一輛白色的賓士轎車，停在花園門口。喬安的爸爸穿了一身昂貴的灰色西裝，全身上下無懈可擊，媽媽則穿著一套紅色褲裝，上面貼著暗紅色的亮片。蘇菲敢說她一定是在玩具店裡買了一個穿著這種套裝的芭比娃娃，然後請裁縫按照她的尺寸做一套。還有一種可能就是：喬安的爸爸買了一個這樣的芭比娃娃，然後請魔術師把它變成一個活生生的女人。可是這種可能性很小，因此蘇菲就放棄了。

他們跨出賓士轎車，走進花園，園裡所有的年輕客人都驚奇的瞪大了眼睛。喬安的爸爸親自拿了一個長方形的包裹給蘇菲。那是他們全家人送她的禮物。當蘇菲發現裡面是——沒錯，是一個芭比娃娃時，很努力的保持鎮靜。可是喬安就不了：

「你瘋了嗎？蘇菲從來不玩洋娃娃的！」

喬安的媽媽連忙走來，衣服上的亮片發出霹霹啪啪的聲音。「可是這只是當裝飾用的呀。」

「真的很謝謝你，」蘇菲想打圓場。「現在我可以開始蒐集娃娃了。」

大家開始向餐桌的方向聚攏。

「現在就剩下艾伯特還沒到了。」蘇菲的媽媽用一種熱切的聲音向蘇菲說，企圖隱藏她愈來愈憂慮的心情。其他客人已經開始交換著有關這個特別來賓的小道消息了。

「他已經答應我了，所以他一定會來。」

「不過在他來之前我們可以讓其他客人先就座嗎？」

「當然可以。來吧！」

蘇菲的媽媽開始請客人圍著長桌子坐下。她特別在她自己和蘇菲的位置間留了一個空位。她向大家說了一些話，內容不外是今天的菜、天氣多好和蘇菲已經是大人了等等。

他們在桌邊坐了半小時後，就有一個蓄著黑色山羊鬍子、戴著扁帽的中年男子走到首蓿巷，並且進了花園的大門。他捧著一束由十五朵玫瑰做成的花束。

「艾伯特！」

蘇菲離開餐桌，跑去迎接他。她用雙手抱住他的脖子，並從他手裡接過那束花。只見他在夾克的口袋裡摸索了一下，掏出兩、三個大鞭炮，把它們點燃後就丟到各處。走到餐桌旁後，他點亮了一支煙火，放在杏仁塔上，然後便走過去，站在蘇菲和媽媽中間的空位上。

「我很高興能到這裡來。」他說。

在座的賓客都愣住了。喬安的媽媽對她先生使了一個眼色。蘇菲的媽媽看到艾伯特終於出現，在鬆了一口氣之餘，對他的一切行為都不計較了。蘇菲自己則努力按捺她的笑意。

蘇菲的媽媽用手敲了敲她的玻璃杯，說道：

「讓我們也歡迎艾伯特先生來到這個哲學的花園宴會。他不是我的新男友。因為，雖然我丈夫經常在海上，我目前並沒有交男朋友。這位令人很意外的先生是蘇菲的新哲學老師。他的本事不只是放鞭炮而已。他還能，比方說，從一頂禮帽裡拉出一隻活生生的兔子來。蘇菲，你說是兔子還是烏鴉來著？」

「多謝。」艾伯特說，然後便坐下來。

「乾杯！」蘇菲說。於是在座客人便舉起他們那裝著深紅色可樂的玻璃杯，向他致意。

他們坐了很久，吃著雞和沙拉。突然間喬安站起來，毅然決然的走到傑瑞米身旁，在他的唇上大聲的親了一下。傑瑞米也試圖把她向後扳倒在桌上，以便回吻她。

「我要昏倒了。」喬安的媽媽喊。

「孩子們，不要在桌上玩。」蘇菲的媽媽只說了這麼一句話。

「為什麼不要呢？」艾伯特轉身對著她問。

「這個問題很奇怪。」

「一個真正的哲學家問問題是從來沒有錯的。」

另外兩、三個沒有被吻的男孩開始把雞骨頭扔到屋頂上。對於他們的舉動，蘇菲的媽媽也只溫和的說了一句：

「請你們不要這樣好嗎？承霤裡有雞骨頭清理起來挺麻煩的。」

「對不起，伯母。」其中一個男孩說，然後他們便改把雞骨扔到花園裡的樹籬上。

「我想現在應該收拾盤子，開始切蛋糕了。」蘇菲的媽媽終於說。「有幾個人想喝咖啡？」

喬安一家、艾伯特和其他幾個客人都舉起了手。

「也許蘇菲和喬安可以來幫我忙……」

他們趁走向廚房的空檔，匆匆講了幾句悄悄話。

「你怎麼會跑去親他的？」

「我坐在那兒看著他的嘴，就是無法抗拒。他真的好可愛呀！」

「感覺怎樣？」

「不完全像我想像的那樣，不過……」

「那麼這是你的第一次囉？」

「可是絕不是最後一次！」

很快的，咖啡與蛋糕就上桌了。艾伯特剛拿了一些鞭炮給那幾個男孩，蘇菲的媽媽便敲了敲她的咖啡杯。

「我只簡短的說幾句話。」她開始說，「我只有蘇菲這個女兒。在一個星期又一天前，她滿十五歲了。你們可以看出來，我們是不惜工本的辦這次宴會。生日蛋糕上有二十四個杏仁圈餅，所以你們每人至少可以吃一個。那些先動手拿的人可以吃兩個，因為我們要從上面開始拿，而愈往下的圈餅愈大個。人生也是這樣。當蘇菲還小時，她總是拿著很小的圈餅到處跑。幾年過去了，圈餅愈來愈大。現在它們可以繞到舊市區那兒再繞回來了。由於她爸爸經常出海，於是她常打電話到世界各地。祝你十五歲生日快樂，蘇菲！」

「真好！」喬安的媽媽說。

蘇菲不確定她指的是她媽媽、她媽媽講的話、生日蛋糕還是蘇菲自己。

賓客們一致鼓掌。有一個男孩把一串鞭炮扔到梨樹上。喬安也離開座位，想把傑瑞米從椅子上拉起來。他任由她把他拉走，然後兩人便滾到草地上不停的互相親吻。過了一會兒後，他們滾進了紅醋栗的樹叢。

「這年頭都是女孩子採取主動了。」喬先生說。

然後他便站起來，走到紅醋栗樹叢那兒，就近觀察著這個現象。結果，其他的客人也都跟過去了。只有蘇菲和艾伯特仍然坐在位子上。其他的客人站在那兒，圍著喬安和傑瑞米，成了一個半圓形。這時，喬安和傑瑞米已經從最初純純的吻進展到了熱烈愛撫的階段。

「誰也擋不住他們。」喬安的媽媽說，語氣裡有點自豪。

「嗯，有其父必有其女。」她丈夫說。

他看看四周，期待眾人對他的妙語如珠報以掌聲，但他們卻只是默默的點點頭。於是他又說：

「我看是沒辦法了。」

這時蘇菲在遠處看到傑瑞米正試圖解開喬安白襯衫上的釦子。那件白襯衫上早已染了一塊塊青草的印漬。喬安也正摸索著傑瑞米的腰帶。

「別著涼了！」喬安的媽媽說。

蘇菲絕望的看著艾伯特。

「事情發生的比我預料中還快。」他說。「我們必須盡快離開這兒。不過我要先對大家講幾句話。」

蘇菲大聲的拍著手。

「大家可不可以回到這裡來坐下？艾伯特要演講了。」

除了喬安和傑瑞米外，每一個人都慢慢走回原位。

「你真的要演講嗎？」蘇菲的媽媽問。「太美妙了！」

「謝謝你。」

「你喜歡散步，我知道。保持身材是很重要的。如果有一隻狗陪伴那就更好了。牠的名字是不是叫漢密士？」

艾伯特站起身，敲敲他的咖啡杯。「親愛的蘇菲，」他開始說，「我想提醒你這是一個哲學的花園宴會。因此我將發表一篇有關哲學的演講。」

眾人爆出熱烈的掌聲。

「在這樣亂糟糟的地方，也許正適合談談理性。可是無論發生什麼，我們都不要忘記祝蘇菲十五歲生日快樂。」

他剛講完，他們便聽見一架小飛機嗡嗡的飛過來。它飛低到花園上方，尾部拉著一個長長的布條，上面寫著：「十五歲生日快樂！」

又是一陣掌聲，比前幾次都大聲。

哲學演講

「哪，你看到沒有？」蘇菲的媽媽高興的說，「這個人的本事不只是放鞭炮而已！」

「謝謝。這不過是個小把戲罷了。過去這幾個星期以來，蘇菲和我進行了一項大規模的哲學調查。我們現在要在這裡公布我們的調查結果，我們將揭開我們的存在最深處的祕密。」

現在，眾人都安靜下來了，只聽見小鳥啁啾的聲音和紅醋栗樹叢裡偶爾傳來的經過刻意壓抑的聲響。

「說下去呀！」蘇菲說。

「在對最早的希臘哲學家一直到現代的哲學理論做過一番徹底的研究之後，我們發現我們是活在一個少校的心靈中。那位少校目前擔任聯合國駐黎巴嫩的觀察員。他已經為他女兒寫了一本關於我們的書。那個女孩住在黎樂桑，名叫席德，今年也是十五歲了，而且和蘇菲同一天生日。在六月十五日清晨她醒來後，這本書就放在她床邊的桌子上。說得更明確一點，那本書是裝在一個講義夾裡的。現在，就在我們講話的時候，她正用她的食指摸著講義夾的最後幾頁。」

桌旁的眾人臉上開始出現一種憂慮的神色。

「因此，我們的存在只不過是做為席德生日的娛樂罷了。少校創造我們，以我們為架構，以便對他的女兒進行哲學教育。這表示，（打個比方）大門口停的那輛賓士轎車是一文不值，那不過是個小把戲罷了。它只不過是在一位可憐的聯合國少校的腦海裡轉來轉去的白色賓士轎車。而那位少校此刻正坐在一棵棕櫚樹的樹蔭下，以免中暑呢。各位，黎巴嫩的天氣是很炎熱的。」

「胡說！」喬先生喊道。「這真是一派胡言。」

「你可以有你自己的看法，」艾伯特毫無怯意，繼續說下去，「但事實上這次花園宴會才真正是一派胡言。整個宴會裡唯一有理性的就是我這席演講。」

聽到這話，喬先生便站起來說：

「我們大家在這裡，拚全力的做生意，並且買了各種保險，以防萬一。可是這個無所事事的萬事通先生卻來這兒發表什麼『哲學』宣言，想破壞這一切哩！」

艾伯特點頭表示同意。

「的確沒有保險公司會保這種哲學見解險，這種見解比什麼天災都還糟哩。可是我說，這位先生，你可能知道，保險公司也不保那些的。」

「現在哪來的天災？」

「不，我說的是生存方面的天災。比方說，你如果看看樹叢底下發生的事，就會明白我的意思。你沒法投保任何的險，以防止自己整個生命崩潰。你也不能防止太陽熄滅。」

「我們一定得聽他胡扯嗎？」喬安的爸爸問，眼睛向下看著他的妻子。

她搖搖頭，蘇菲的媽媽也搖搖頭。

「太可惜了，」她說，「這次宴會我們可是不惜工本。」

但年輕人們卻坐在那兒，眼睛瞪著艾伯特一直看。通常年輕人比年長的人要更容易接受新思想和新觀念。

「請你說下去。」一個一頭金色的鬈髮，戴著眼鏡的男孩說。

「謝謝你。但我沒有很多話好說了。當你已經發現自己只是某個人不清不楚的腦袋裡的一個夢般的人物時，依我來看最明智的辦法就是保持緘默。可是最後我可以建議你們年輕人修一門簡短的哲學史課程。對於上一代的價值觀抱持批判的態度是很重要的。如果說我曾經教蘇菲任何事的話，那就是：要有批判性的思考態度。黑格爾稱之為否定的思考。」

喬先生還沒有坐下。他一直站在那兒，用手指敲擊桌面。

「這個煽動家企圖破壞學校、教會和我們努力灌輸給下一代的所有健全的價值觀。年輕人有他們的未來，他們終有一天會繼承我們所有的成就。如果這個傢伙不立刻離開這裡，我就要叫我的家庭律師來。他知道該怎麼處理這樣的事情。」

「既然你只是一個影子，因此不管你想要處理的是什麼事情，對他來說都沒什麼差別。還有，不管怎樣，蘇菲和我馬上就要離開這個宴會了，因為，對我們而言，我們所上的哲學課不完全只談理論，它也有實際的一面。當時機成熟時，我們會表演一個消失不見的把戲。那樣我們就可以從少校的意識裡偷偷溜走。」

消失

蘇菲的媽媽拉著蘇菲的手。

「你不會離開我吧？蘇菲。」

蘇菲用雙臂抱住媽媽，並擡頭看著艾伯特。

「媽媽很難過……」

「不，這是很荒謬的。你不可以忘記你所學的。我們要掙脫的是這些一派胡言。你的媽媽就像那個帶著一籃子食物要送給她祖母的小紅帽一樣的可愛、親切。她當然會難過，可是那就像那架飛在我們頭頂上祝你生日快樂的飛機需要有燃料一樣。」

「我明白你的意思了。」蘇菲說，於是她轉身背對著媽媽。「所以我必須照他的話做。早晚有一天，我是一定得離開你的。」

「我會想你的，」她媽媽說，「可是如果這上面有一個天堂，你得飛上去才行。我答應你我會好好照顧葛文達。牠一天吃一片還是兩片萵苣葉子？」

艾伯特把手放在她的肩膀上。

「在座沒有一個人，包括你在內，會想念我們。理由很簡單：因為你們並不存在。所以你們不會有什麼器官可以用來想念我們。」

「這簡直是太汚辱人了。」喬安的媽媽大聲說。

她的丈夫點點頭。

「我們至少可以告他毀謗。說到這點，他搞不好還是個共產黨。他想要剝奪所有我們珍視的東西。這人是個無賴，是個該死的蠻子！」

說完後，他和艾伯特都坐下來了。喬安的爸爸氣得臉色發紅。此時，喬安和傑瑞米也過來坐下了。他們的衣服全都髒兮兮的，縐成一團。喬安的金髮上也沾了一塊塊的泥巴。

「媽，我要生小孩了。」她宣布說。

「好吧，可是你得等到回家再生。」

喬先生也立刻表示支持。

「她得克制一下她自己。如果小孩今晚要受洗的話，她得自己設法安排。」

艾伯特用一種肅穆的神情看著蘇菲。

「時候到了。」

「你走之前能不能給我們端幾杯咖啡來呢？」蘇菲的媽媽問。

「當然可以，馬上來。」

她從桌上拿了保溫瓶。她得把廚房裡的咖啡機再加滿水才行。當她站在那兒等水煮開時，順便餵了鳥和金魚，並走進浴室，拿出一片萵苣葉給葛文達吃。她到處找不到雪兒，不過她還是開了一大罐貓食，倒在一只碗裡，並把碗放在門前的臺階上。她的眼淚不斷湧出來。

當她端著咖啡回到園裡時，宴會中的情景像是一個兒童聚會，而不像是一個十五歲生日宴會。桌上有好幾個打翻的汽水瓶，桌布上到處沾滿了巧克力蛋糕，裝葡萄乾麵包的盤子覆在草坪上。蘇菲來到時，有一個男孩正把一串鞭炮放在雙層蛋糕上。鞭炮爆炸時，蛋糕上的奶油濺得桌上、客人的身上到處都是。受害最深的是喬安的媽媽那身紅色的褲裝。奇怪的是她和每一個人都一副若無其事的樣子。這時，喬安拿了一大塊巧克力蛋糕，塗在傑瑞米的臉上，然後開始用舌頭把它舔掉。

蘇菲的媽媽和艾伯特一起坐在秋千上，與其他人有一段距離。他們向蘇菲揮揮手。

「你們兩個終於開始密談了。」蘇菲說。

「你說對了。」她媽媽說，一副興高采烈的樣子。「艾伯特是一個很體貼的人。我可以放心的把你交給他了。」

蘇菲坐在他們兩人中間。

這時，有兩個男孩爬上了屋頂。一個女孩走來走去，用髮夾到處戳汽球。然後有一個不請自來的客人騎了一輛摩托車到來，後座的架子上綁了一箱啤酒和幾瓶白蘭地。有幾個人很高興的歡迎他進來。

喬先生看到後便站起來，拍拍手說：

「我們來玩遊戲好嗎？」

他抓了一瓶啤酒，一口喝盡，並把空瓶子放在草坪中央。然後他走到餐桌旁，拿了生日蛋糕上的最後五個杏仁圈，向其他客人示範如何把圈餅丟出去，套在啤酒瓶的瓶頸上。

「死亡的苦痛。」艾伯特說。「現在，在少校結束一切，在席德把講義夾闔上前，我們最好趕緊離開。」

「媽，你得一個人清理這些東西了！」

「沒關係，孩子。這不是你應該過的生活。如果艾伯特能夠讓你過得比較好，我比誰都高興。你不是告訴過我他有一匹白馬嗎？」

蘇菲向花園望去，已經認不得這是哪裡了。草地上到處都是瓶子、雞骨頭、麵包和汽球。

「這裡曾經是我小小的伊甸園。」她說。

「現在你要被趕出來了。」艾伯特答道。

這時有一個男孩正坐在白色的賓士轎車裡。他發動引擎，車子就飛快衝過大門口，開到石子路上，並開進花園。

蘇菲感覺有人緊抓著她的手臂，把她拖進密洞內。然後她聽見艾伯特的聲音：

「來吧！」

就在這時，白色的賓士車撞到了一棵蘋果樹。樹上那些還沒成熟的蘋果像下雨般紛紛落在車蓋上。

「簡直太過分了！」喬安的爸爸大吼。「我要你賠！」

他太太全力支持他。

「都是那個無賴的錯。咦，他跑到哪裡去了？」

「他們在空氣中消失了。」蘇菲的媽媽說，語氣裡有點自豪。

她站起身，走向那張長餐桌，開始清理碗盤。

「還有沒有人要喝咖啡？」

對位法

……兩首或多首旋律齊響……

席德在床上坐起來。蘇菲和艾伯特的故事就這樣結束了，但到底發生了什麼事？爸爸為何要寫那最後一章呢？難道只是為了展示他對蘇菲的世界的影響力嗎？她滿腹心事的洗了一個澡，穿好衣服，很快的用過早餐，然後就漫步到花園裡，坐在秋千上。

她同意艾伯特的說法。花園宴會裡唯一有道理的東西就是他的演講。爸爸該不會認為席德的世界就像蘇菲的花園宴會一樣亂七八糟吧？還是他認為她的世界最後也會消失呢？還有蘇菲和艾伯特。他們的祕密計畫最後怎麼了？

他是不是要席德自己把這個故事繼續下去？還是他們真的溜到故事外面去了？

他們現在到底在哪裡呢？

她突然有一種想法。如果艾伯特和蘇菲真的溜到故事外面去了，講義夾裡的書頁上就不會再提到他們了。因為很不幸的，書裡所有的內容爸爸都很清楚呀。

可不可能在字裡行間有別的意思？書裡很明顯的暗示有這種可能性。坐在秋千上，她領悟到她必須把整個故事至少重新再看一遍。

當白色的賓士轎車開進花園裡時，艾伯特把蘇菲拉進密洞中。然後他們便跑進樹林，朝少校的小木屋方向跑去。

「快！」艾伯特喊。「我們要在他開始找我們之前完成。」

「我們現在已經躲開他了嗎？」

「我們正在邊緣。」

他們划過湖面，衝進小木屋。艾伯特打開地板上的活門，把蘇菲推進地窖裡。然後一切都變黑了。

計畫

過完生日後幾天裡，席德進行著她的計畫。她寫了好幾封信給哥本哈根的安妮，並打了兩、三通電話給她。她同時也請朋友和認識的人幫忙，結果她班上幾乎半數的同學都答應助她一臂之力。

在這期間她也抽時間重讀《蘇菲的世界》。這不是一個讀一次就可以的故事。在重讀時，她腦海中對於蘇菲和艾伯特在離開花園宴會後的遭遇，不斷有了新的想法。

六月二十三日星期六那一天大約九點時，她突然從睡眠中驚醒。她知道這時爸爸已經離開黎巴嫩的營區。現在她只要靜心等待就可以了。她已經把他這天最後的行程都詳詳細細計畫妥當。

那天上午，她開始與媽媽一起準備仲夏節的事。席德不時想起蘇菲和她媽媽安排仲夏節宴會的情景。不過這些事都已經發生了，已經完了，結束了。可是到底有沒有呢？他們現在是不是也到處走來走去，忙著布置呢？

蘇菲和艾伯特坐在兩棟大房子前的草坪上。房子外面可以看到幾個難看的排氣口和通風管。一對年輕的男女從其中一棟房屋裡走出來。男的拿著一個棕色的手提箱，女的則在肩上揹了一個紅色的皮包。一輛轎車沿著後院的一條窄路向前開。

「怎麼了？」蘇菲問。

「我們成功了！」

「可是我們現在在哪裡呢？」

「在奧斯陸。」

「你確定嗎？」

「確定。這裡的房子有一棟叫做『新宮』，是人們研習音樂的地方。另外一棟叫做『會眾學院』，是一所神學院。他們在更上坡一點的地方研究科學，並在山頂上研究文學與哲學。」

「我們已經離開席德的書，不受少校的控制了嗎？」

「是的。他絕不會知道我們在這裡。」

「可是當我們跑過樹林時，我們人在哪裡呢？」

「當少校忙著讓喬安的爸爸的車撞到蘋果樹時，我們就逮住機會躲在密洞裡。那時我們正處於胚胎的階段。我們既是舊世界的人，也是新世界的人。可是少校絕對不可能想到我們會躲在哪裡。」

「為什麼呢？」

「他絕不會這麼輕易就放我們走，那就像一場夢一樣，當然他自己也有可能參與其中。」

「怎麼說呢？」

「是他發動那輛白色的賓士車的。他可能盡量不要看見我們。在發生這麼多事情以後，他可能已經累慘了……」

此時，那對年輕的男女距他們只有幾碼路了。蘇菲覺得自己這樣和一個年紀比她大很多的男人坐在草地上真是有點窘。何況她需要有人來證實艾伯特說的話。

於是，她站起來，走向他們。

「打攪一下，你可不可以告訴我這條街叫什麼名字？」

可是他們既不回答她，也沒有注意到她。

她很生氣，又大聲問了一次。

「人家問你，你總不能不回答吧？」

那位年輕的男子顯然正專心向他的同伴解釋一件事情。

「對位法的形式是在兩個空間中進行的。水平的和垂直的，前者是指旋律，後者是指和聲。總是有兩種以上的旋律一齊響起……」

「抱歉打攪你們，可是……」

「這些旋律結合在一起，盡情發展，不管它們合起來效果如何。可是它們必須和諧一致。事實上那是一個音符對一個音符。」

多麼沒禮貌呀！他們既不是瞎子，也不是聾子。蘇菲又試了一次。她站在他們前面，擋住他們的去路。

他們卻擦身而過。

「起風了。」女人說。

蘇菲連忙跑回艾伯特所在的地方。

「他們聽不見我說話！」她絕望的說。這時她突然想起她夢見席德和金十字架的事。

「這是我們必須付出的代價。雖然我們溜出了一本書，可是我們卻別想和作者擁有一樣的身分。不過我們真的是在這裡。從現在起，我們將永遠不會老去。」

「這是不是說我們永遠不會和我們周遭的人有真正的接觸？」

「一個真正的哲學家永不說『永不』。現在幾點了？」

「八點鐘。」

「喔，當然了，和我們離開船長彎的時間一樣。」

「今天席德的父親會從黎巴嫩回來。」

「所以我們才要趕快。」

「為什麼呢？這話怎麼說？」

「你不是很想知道少校回到柏客來山莊後會發生什麼事嗎？」

「當然啦，可是……」

「那就來吧！」

他們開始向城市走去。路上有幾個人經過他們，可是他們都一直往前走，好像沒看到蘇菲和艾伯特似的。

整條街道旁邊都密密麻麻停滿了車。艾伯特在一輛紅色的小敞篷車前停了下來。

「這輛就可以了，」他說。「我們只要確定它是我們的就好了。」

「我一點都不知道你在說什麼。」

「那我還是向你解釋一下好了。我們不能隨隨便便開一輛屬於這城裡某個人的車子。你想如果別人發現這輛車沒有人開就自動前進，那會發生什麼事呢？何況，我們還不見得能發動它。」

「那你為什麼選這輛敞篷車呢？」

「我想我在一部老片裡看過它。」

「聽著，我很抱歉，但我可不想繼續和你打啞謎了。」

「蘇菲，這不是一部真的車。它就像我們一樣，別人在這裡看到的是一個空的停車位，我們只要證實這點就可以上路了。」

他們站在車子旁邊等候。過了一會兒，有個男孩在人行道上騎了一輛腳踏車過來。他突然轉個彎，一直騎過這輛紅敞篷車，騎到路上去了。

「你看到沒？這輛車是我們的。」

艾伯特把駕駛座另外一邊的車門打開。

「請進！」他說，於是蘇菲就坐進去了。

他自己則進了駕駛座。車鑰匙正插在點火器上。他一轉動鑰匙，引擎就發動了。

他們沿著城市的南方前進，很快就開到了卓曼（Dramman）公路上，並經過萊薩克（Lysaker）和桑德維卡（Sandvika）。他們一路看到愈來愈多的仲夏節火堆，尤其是在過了卓曼以後。

「已經是仲夏了，蘇菲。這不是很美妙嗎？」

「而且這風好清新、好舒服呀！還好我們開的是敞篷車。艾伯特，真的沒有人能夠看見我們嗎？」

「只有像我們這一類的人。我們可能會遇見其中幾位。現在幾點了？」

「八點半了。」

「我們必須走幾條捷徑，不能老跟在這輛拖車後面。」

他們轉個彎，開進了一塊遼闊的玉米田。蘇菲回頭一看，發現車子開過的地方，玉米桿都被壓平了，留下一條很寬的痕跡。

「明天他們就會說有一陣很奇怪的風吹過了這片玉米田。」艾伯特說。

操縱

艾勃特少校剛剛從羅馬抵達卡斯楚普機場。時間是六月二十三日星期六下午四點半。對於他來說，這是個漫長的一天。卡斯楚普是他行程的倒數第二站。

他穿著他一向引以為豪的聯合國制服，走過護照檢查站。他不僅代表他自己和他的國家，也代表一個國際司法體系，一個有百年傳統、涵蓋全球的機構。

他身上只背著一個飛行背包。其他的行李都在羅馬托運了。他只需要舉起他那紅色的護照就行了。

「我沒有什麼東西要報關。」

還有將近三個小時，開往基督山的班機才會起飛。因此，他有時間為家人買一些禮物。他已經在兩個星期前把他用畢生心血做成的禮物寄給席德了。瑪麗特把它放在席德床邊的桌子上，好讓她在生日那天一覺醒來就可以看到那份禮物。自從那天深夜他打電話向席德說生日快樂後，他就沒有再和她說過話了。

艾勃特買了兩、三份挪威報紙，在酒吧裡找了一張桌子坐下，並叫了一杯咖啡。他還沒來得及瀏覽一下標題，就聽到擴音器在廣播：

「旅客艾勃特請注意，艾勃特，請和SAS服務臺聯絡。」

怎麼回事？他的背脊一陣發涼。他該不會又被調回黎巴嫩吧？是不是家裡發生了什麼事？

他快步走到SAS服務臺。

「我就是艾勃特。」

「有一張緊急通知要給你。」

他立刻打開信封。裡面有一個較小的信封。上面寫著：請哥本哈根卡斯楚普機場SAS服務臺轉交艾勃特少校。

艾勃特忐忑不安的拆開那個小信封。裡面有一張短短的字條：

親愛的爸爸：

歡迎你從黎巴嫩回來。你應該可以想到，我真是等不及你回來了。原諒我請人用擴音器呼叫你。因為這樣最方便。

PS：很不幸的，喬安的爸爸已經寄來通知，要求賠償他那輛被竊後撞毀的賓士轎車。

PS.PS:當你回來時,我可能正坐在花園裡。可是在那之前,我可能還會跟你聯絡。

PS.PS.PS.PS:我不敢一次在花園裡停留太久。在這種地方,人很容易陷到土裡去。我還有很多時間準備歡迎你回家呢。

愛你的席德

艾勃特少校的第一個衝動是想笑。可是他並不喜歡像這樣被人操縱。他一向喜歡做自己生命的主宰。但現在這個小鬼卻正在黎樂桑指揮他在卡斯楚普的一舉一動!她是怎麼辦到的?

他把信封放在胸前的口袋裡開始慢慢的向機場的小型購物商場走過去。他剛要進入一家丹麥食品店時,突然注意到店裡的櫥窗上貼了一個小信封。上面用很粗的馬克筆寫著:艾勃特少校。艾勃特把它從櫥窗上拿下來,並打開它:

私人信函。請卡斯楚普機場的丹麥食品店轉交艾勃特少校。

親愛的爸爸:

請買一條很大的丹麥香腸,最好是有兩磅重的。媽可能會想要一條法國白蘭地香腸。

PS：丹麥魚子醬也不賴。

愛你的席德

艾勃特轉了一圈。她不會在這兒吧？瑪麗特是不是讓她飛到哥本哈根，好讓她在這裡跟他會合呢？這是席德的筆跡沒錯……

突然間這位聯合國觀察員覺得自己正在被人觀察。彷彿有人正在遙控他所做的每一件事。他覺得自己像個被小孩子抓在手裡的洋娃娃。

他進入食品店，買了一條兩磅重的臘腸，一條白蘭地香腸和三罐丹麥魚子醬。然後便沿著這排商店逛過去。他已經決定也要給席德買一份恰當的禮物。是計算機好呢？還是一架小收音機？嗯，對了，就買收音機。

當他走到賣電器的商店時，他看到櫥窗上也貼了一個信封。這回上面寫著：請卡斯楚普機場最有趣的商店轉交艾勃特少校。裡面的字條上寫著：

親愛的爸爸：

蘇菲寫信問候你，並且謝謝你，因為她那很慷慨的父親送了她一個迷你電視兼調頻收音機做為生日禮物。那些玩意都是騙人的，但從另外一方面來說，也只不過是個小把戲而已。不過，我必須承認，我和蘇菲一樣喜歡這些小把戲。

PS：如果你還沒有到那兒，丹麥食品店和那家很大的煙酒免稅商店還有更進一步的指示。

PS．PS：我生日時得到了一些錢，所以我可以資助你三百五十元買那架迷你電視。順便告訴你，我已經把火雞的肚子填好料了，也做了華爾道夫沙拉。

愛你的席德

一架迷你電視要九八五丹麥克朗。但比起艾勃特被女兒的詭計耍得團團轉這件事，當然只能算是小事一樁。她到底在不在這裡呢？

從這時候起，他無論到哪裡都留神提防。他覺得自己像個間諜，又像個木偶。他這可不是被剝奪了基本人權了嗎？

他也不得不到免稅商店去。那兒又有一個寫有他名字的信封。這整座機場好像變成了一個電腦遊戲，而他則是那個游標。他看著信封裡的字條：

請卡斯楚普機場的免稅商店轉交艾勃特少校。

我只想要一包酒味口香糖和幾盒杏仁糖。記住，這類東西在挪威要貴得多。我記得媽很喜歡Campari。

PS：你回家時一路上可要提高警覺，因為你大概不想錯過任何重要的信息吧？要知道，你女兒的學習能力是很強的。

愛你的席德

艾勃特絕望的歎了口氣，可是他還是進入店裡，買了席德所說的東西。然後他便提了三個塑膠袋，背了一個飛行包，走向第二十八號登機門去等候他的班機。如果還有任何信，那他是看不到了。

然而，他看到第二十八號登機門的一根柱子上也貼了一個信封：「請卡斯楚普機場第二十八號登機門轉艾勃特少校」。上面的字也是席德的筆跡，但那個登機門的號碼似乎是別人寫的。但究竟是不是，也無從比對，因為那只是一些數字而已。

他坐在一張椅子上，背靠著牆，把購物袋放在膝蓋上。就這樣，這位一向自負的少校坐的挺直，目光注視前方，像個第一次自己出門的孩子。他心想，如果她在這兒，他才不會讓她先發現他呢！

他焦急的看著每一位進來的旅客。有一陣子，他覺得自己像一個被密切監視的敵方間諜。當旅客獲許登機時，他才鬆了一口氣。他是最後一個登機的人。當他交出他的登機證時，順便撕下了另外一個貼在報到臺的白色信封。

蘇菲和艾伯特已經經過布列維克（Brevik），沒多久就到了通往卡拉傑羅（Kragerø）的出口。

「你的時速已經開到一八〇哩了。」蘇菲說。

「已經快九點了。他很快就要在凱耶維克機場著陸了。不過，你放心，我們不會因為超速被抓的。」

「萬一我們撞到別的車子怎麼辦？」

「如果是一輛普通的車子就沒關係，但如果是一輛像我們一樣的車子……」

「那會怎樣？」

「那我們就要非常小心。你沒注意到我們已經超過了蝙蝠俠的車？」

「沒有。」

「它停在維斯特福（Vestfold）的某個地方。」

「想超這輛遊覽車可不容易。路兩旁都是濃密的樹林。」

「這沒有什麼差別。你難道就不能瞭解這點嗎？」

說完後，他把車子調個頭就開進樹林裡，直直穿過那些濃密的樹木。

蘇菲鬆了一口氣。

「嚇死我了！」

「就算開進一堵磚牆，我們也不會有感覺的。」

「這只表示，和我們周遭的東西比起來，我們只不過是空氣裡的精靈而已。」

「不，你這樣說就本末倒置了。對我們來講，我們周遭的現實世界才是像空氣一般的奇怪東西。」

「我不懂。」

「那請你聽好：很多人以為精靈是一種比煙霧還要『縹緲』的東西。這是不對的。相反的，精靈比冰還要固體。」

「我從來沒有想過是這樣。」

「現在我要告訴你一個故事。從前有一個男人，他不相信世上有天使。有一天，他到樹林裡工作時，有一個天使來找他。」

「然後呢？」

「他們一起走了一會兒。然後那個人轉向天使說：『好吧，現在我必須承認世上真的有天使。可是你不像我們一樣真實。』『你這話是什麼意思？』天使問。這人回答道：『我們剛才走到那塊大石頭的時候，我必須繞過去，但我注意到你只是滑過去而已。後來我們又遇到一根巨木擋住去路。我只好爬過去，而你卻是直接走過去。』天使聽了很驚訝，便說道：『你難道沒有注意到剛才我們經過了一個沼澤嗎？我們兩個都直接穿過那陣霧氣。那是因為我們比霧氣更固體呀？』」

「啊！」

「我們也是這樣，蘇菲。精靈可以穿過鐵門。沒有坦克或轟炸機可以壓垮或炸毀任何一種由精靈做的東西。」

「這倒是挺令人安慰的。」

「我們很快就要經過里梭（Risør）。而從我們離開少校的小木屋到現在頂多只有一個小時。我真想喝一杯咖啡。」

當他們經過費安（Fiane），還沒到桑德雷德（Søndeled）時，在路的左邊看到了一家名叫灰姑娘的餐館。艾伯特將車子調頭，停在它前面的草地上。

在餐館裡，蘇菲試著從冰櫃裡拿出一瓶可樂，卻舉不起來。那瓶子似乎被黏緊了。在櫃臺另一邊，艾伯特想把他在車裡發現的一個紙杯注滿咖啡。他只要把一根桿子壓下就可以了，但他使盡了全身的力氣卻仍壓不下去。

他氣極了，於是向其他的顧客求助。當他們都沒有反應時，他忍不住大聲吼叫，吵得蘇菲只好把耳朵遮起來：

「我要喝咖啡！」

他的怒氣很快就消失了，然後就開始大笑，笑得彎了腰。他們正要轉身離去時，一個老婦人從她的椅子上站起來，向他們走過來。

她穿著一條鮮豔的紅裙，冰藍色的羊毛上衣，綁著白色的頭巾。這些衣服的顏色和形狀似乎比這家小餐館內的任何東西都要鮮明。

她走到艾伯特身旁說：

「乖乖，小男孩，你可真會叫呀！」

「對不起。」

「你說你想喝點咖啡是嗎？」

「是的，不過……」

「我們在這附近有一家店。」

他們跟著老婦人走出餐館，沿著屋後一條小路往前走。走著走著，她說：

「你們是新來的？」

「我們不承認也不行。」艾伯特回答。

「沒關係。歡迎你們來到永恆之鄉，孩子們。」

「那你呢？」

「我是從格林童話故事來的。這已經是將近兩百年前的事了。你們是打哪兒來的呢？」

「我們是從一本哲學書裡出來的。我是那個哲學老師，而這是我的學生蘇菲。」

「嘻嘻！那可是一本新書哩！」

他們穿過樹林，走到一小塊林間空地。那兒有幾棟看起來很舒適的棕色小屋。在小屋之間的院子裡，有一座很大的仲夏節火堆正在燃燒，火堆旁有一羣五顏六色的人正在跳舞。其中許多蘇菲都認得，有白雪公主和幾個小矮人、懶傑克、福爾摩斯和小飛俠。小紅帽和灰姑娘也在那兒。許多不知名的熟悉人物也圍在火堆旁，有地精、山野小精靈、半人半羊的農牧神、巫婆、天使和小鬼。蘇菲還看到一個活生生的巨人。

「多熱鬧呀！」艾伯特喊。

「這是因為仲夏節到了，」老婦人回答說。「自從瓦普幾司之夜（編按：五月一日前夕，據傳在這一夜，女妖們會聚在布羅肯山上跳舞）過後，我們就不曾像這樣聚在一起了。那時我們還在德國呢。我只是到這裡來住一陣子的。你要的是咖啡嗎？」

「是的。麻煩你了。」

直到現在，蘇菲才注意到所有的房子都是薑餅、糖果和糖霜做的。有幾個人正直接吃著屋子前面的部分。一個女麵包師正走來走去，忙著修補被吃掉的部分。蘇菲大著膽子在屋角咬了一口，覺得比她從前所吃過的任何東西都更香甜美味。

過一會兒，老婦人就端著一杯咖啡走過來了。

「真的很謝謝你。」

「不知道你們打算用什麼來支付這杯咖啡？」

「支付？」

「我們通常用故事來支付。一杯咖啡只要一個荒誕不經的故事就夠了。」

「我們可以講一整個關於人類的不可思議的故事，」艾伯特說，「可是很遺憾我們趕時間。我們可不可以改天再回來付？」

「當然可以。但你們為什麼會這麼趕時間呢？」

艾伯特解釋了他們要做的事。老婦人聽了以後便說：

「我不得不說你們真是太嫩了。你們最好快點剪斷你們和那凡人祖先之間的臍帶吧，我們已經不需要他們的世界了。我們現在是一羣隱形人。」

艾伯特和蘇菲匆忙趕回灰姑娘餐館去開他們那輛紅色的敞篷車。這時車旁正有一位忙碌的母親為她的小男孩把尿。

他們風馳電掣的開過樹叢和荊棘，並不時走天然的捷徑，很快的就到了黎樂桑。

從哥本哈根開來的SK八七六號班機二十一點三十五分在凱耶維克機場著陸。當飛機在哥本哈根的跑道上滑行時，艾勃特少校打開了那個貼在報到臺上的信封。裡面的字條寫著：

致：艾勃特少校，請在他於一九九〇年仲夏節在卡斯楚普機場交出他的登機證時轉交。

親愛的爸爸：

你可能以為我會在哥本哈根機場出現。可是我對你的行蹤的控制要比這更複雜。爸，無論你在哪裡，我都可以看到你。老實說，我曾經去拜訪過許多許多年前賣一面魔鏡給曾祖母的那個很有名的吉普賽家庭，並且買了一個水晶球。此時此刻，我可以看到你剛在你的位子上坐下。請容我提醒你繫緊安全帶，並把椅背豎直，直到「繫緊安全帶」的燈號熄滅為止。飛機一起飛，你就可以把椅背放低，好好的休息。在你回到家前，你需要有充分的休息。黎樂桑的天氣非常好，但氣溫比黎巴嫩低了好幾度。祝你旅途愉快。

你的巫婆女兒、鏡裡的皇后和反諷的最高守護神　席德敬上

艾勃特分不清自己究竟是生氣，或者只是疲倦而無奈。然後他開始笑起來。他笑得如此大聲，以致於別的乘客轉過身來瞪著他，然後飛機就起飛了。

這是以其人之道還治其人之身了，但兩者之間當然有很大的不同。他的做法只影響到蘇菲和艾伯特，而他們畢竟只是虛構的人物。

他按照席德所建議的，把椅背放低，開始打瞌睡。一直到通關後，站在凱耶維克機場的入境大廳時，他才完全清醒。這時他看到有人在示威。

總共有八個或十個大約與席德一般大的年輕人。他們手裡舉的牌子上寫著：「爸爸，歡迎回家！」「席德正在花園裡等候」「反諷萬歲！」

最糟的是他不能就這樣跳進一輛計程車，因為他還要等他的行李。這段時間，席德的同學一直在他旁邊走來走去，使他不得不一而再、再而三的看到那些牌子。然後有一個女孩走上來，給了他一束玫瑰花，他就心軟了。他在一個購物袋裡摸索，給了每個示威者一條杏仁糖。這樣一來只剩下兩條給席德了。他領了行李後，一個年輕人走過來，說他是「鏡子皇后」的屬下，奉命要載他回柏客來山莊。其他的示威者就消失在人羣裡了。

他們的車子開在E一八號路上，沿途經過的每一座橋和每一條隧道都掛著布條，寫著：「歡迎回家！」「火雞已經好了。」「爸，我可以看見你！」

當他在柏客來山莊的門口下車時，艾勃特鬆了一口氣，並給了那位開車送他的人一百塊錢和三罐象牌啤酒表示感謝。

他的妻子瑪麗特正在屋外等他。在一陣長長的擁抱之後，他問：

「她在哪裡？」

「坐在平臺上面。」

艾伯特和蘇菲把那輛紅色的敞篷車停在黎樂桑諾芝（Norge）旅館外的廣場上時，已經是十點十五分了。他們可以看到在遠處的列島有一座很大的火堆。

「我們怎樣才能找到柏客來山莊呢？」蘇菲問。

「我們只好到處碰運氣了。你應該還記得少校的小木屋裡的那幅畫吧。」

「我們得趕快了。我想在他抵達前趕到那兒。」

他們開始沿著較小的路到處開，然後又開上岩堆和斜坡。有一個很有用的線索就是柏客來山莊位於海邊。

突然間。蘇菲喊：

「到了！我們找到了！」

「我想你說得沒錯，可是你不要叫這麼大聲好嗎？」

「為什麼？又沒有人會聽到我們。」

「蘇菲，在我們上完了一整門哲學課之後，你還是這麼妄下結論，真是使我很失望。」

「我知道，可是……」

「你不會以為這整個地方都沒有巨人、小妖精、山林女神和好仙女吧？」

「喔，對不起。」

他們開過大門口，循著石子路到房子那兒。艾伯特把車停在草坪上的秋千旁。在不遠處放著一張有三個位子的桌子。

「我看見她了！」蘇菲低聲說。「她正坐在平臺上，就像上次在我夢裡一樣。」

「你有沒有注意到這座花園多麼像你在首蓿巷的園子呢？」

「嗯，真的很像。有秋千呀什麼的。我可以去找她嗎？」

「當然可以。你去吧，我留在這裡。」

蘇菲跑到平臺那兒。她差點撞到席德的身上，但她很有禮貌的坐在她旁邊。席德坐在那兒，閒閒的玩弄著那條繫小舟的繩索。她的左手拿著一小張紙，顯然正在等待。她看了好幾次錶。

蘇菲認為她滿可愛的。她有一頭金色的鬈髮和一雙明亮的綠色眼睛，身穿一件黃色的夏裝，樣子有點像喬安。

雖然明知道沒有用，但蘇菲還是試著和她說話。

「席德，我是蘇菲！」

席德顯然沒有聽到。

蘇菲跪坐著，試圖在她耳朵旁邊大喊：

「你聽得到我嗎？席德，還是你既瞎又聾呢？」

她是否曾把她的眼睛稍微張大一點呢？不是已經有一點點跡象顯示她聽見了一些什麼嗎？

她看看四周，然後突然轉過頭直視著蘇菲的眼睛。她視線的焦點並沒有放在蘇菲身上，彷彿是穿透蘇菲而看著某個東西一般。

「蘇菲，不要叫這麼大聲。」艾伯特從車裡向她說。「我可不希望這花園裡到處都是美人魚。」

於是蘇菲坐著不動。只要能靠近席德她就心滿意足了。

然後她聽到一個男人用渾厚的聲音在叫：

「席德！」

是少校！穿著制服，戴著藍扁帽，站在花園最高處。

席德跳起來，跑向他。他們在秋千和紅色的敞篷車間會合了。他把她舉起來，轉了又轉。

席德坐在平臺上等候她的父親。自從他在卡斯楚普機場著陸後，她每隔十五分鐘就會想到他一次，試著想像他在哪裡，有什麼反應。她把每一次的想法都記在一張紙上，整天都帶著它。

萬一他生氣了怎麼辦？可是他該不會以為在他為她寫了一本神祕的書以後，一切都會和從前一樣吧？

她再度看看錶。已經十點十五分了。他隨時可能會到家。

不過，那是什麼聲音？她好像聽到了一種微弱的呼吸聲，就像她夢見蘇菲的情景一樣。

她很快轉過頭。一定有個什麼東西，她很確定。可是到底是什麼呢？

也許是夏夜的關係吧。

有幾秒鐘，她覺得好像又聽見了什麼聲音。

「席德！」

她把頭轉到另外一邊。是爸爸！他正站在花園的最高處。

席德跳起來跑向他。他們在秋千旁相遇。他把她舉起來，轉了又轉。

席德哭起來了，而她爸爸則忍住了眼淚。

「你已經變成一個女人了，席德！」

「而你真的變成了作家。」

席德用身上那件黃色的洋裝擦了擦眼淚。

「怎樣，我們現在是不是平手了？」

「對，平手了。」

他們在桌旁坐下。首先席德向爸爸一五一十的訴說她如何安排卡斯楚普機場和他回家的路上那些事情。說著說著，他們倆不時爆出一陣又一陣響亮的笑聲。

「你沒有看見餐廳裡的那封信嗎？」

「我都沒時間坐下來吃東西，你這個小壞蛋。現在我可是餓慘了。」

「可憐的爸爸。」

「你說的關於火雞的事全是騙人的吧？」

「當然不是！我都弄好了。媽媽正在切呢。」

然後他們又談了關於講義夾和蘇菲、艾伯特的故事，從頭講到尾，從尾又講到頭。

然後席德的媽媽就端著火雞、沙拉、粉紅葡萄酒和席德做的鄉村麵包來了。

當爸爸正說到有關柏拉圖的事時，席德突然打斷他：

「噓！」

「什麼事？」

「你聽到沒有？好像有個東西在吱吱叫。」

「沒有。」

「我確定我聽到了。我猜大概只是一隻地鼠。」

當媽媽去拿另外一瓶酒時，席德的爸爸說：

「可是哲學課還沒完全結束呢。」

「是嗎？」

「今晚我要告訴你有關宇宙的事情。」

在他們開始用餐前，他說：

「席德現在已經太大，不能再坐在我的膝蓋上了。可是你不會。」

說完他便一把摟住瑪麗特的腰，把她拉到他的懷中。過了好一會，她才開始吃東西。

「想想你就快四十歲了……」

當席德跳起來衝向她父親時，蘇菲覺得自己的眼淚不斷湧出。她永遠沒法與她溝通了……

蘇菲很羨慕席德，因為她生下來就是一個活生生、有血有肉的人。

當席德和少校坐在餐桌旁時，艾伯特按了一下汽車的喇叭。

蘇菲擡起頭看。席德不也做了同樣的動作嗎？

她跑到艾伯特那兒，跳進他旁邊的座位上。

「我們在這兒坐一下，看看會發生什麼事。」他說。

蘇菲點點頭。

「你哭了嗎？」

她再度點頭。

「怎麼回事？」

「她真幸運，可以做一個真正的人……她以後會長大，變成一個真正的女人……我敢說她一定也會生一些真正的小孩……」

「還有孫子，蘇菲。可是任何事情都有兩面。這就是我在哲學課開始時想要教你的事情。」

「這話怎麼說呢？」

「她的確是很幸運，這點我同意。但是有生必然也會有死，因為生就是死。」

「可是，曾經活過不是比從來沒有恰當的活要好些嗎？」

「我們當然不能過像席德或少校那樣的生活。可是從另一方面來說，我們也永遠不會死。你不記得樹林裡那位老婦人說的話了嗎？我們是一些隱形人。她還說她已經兩百歲了。在他們那個仲夏節慶祝會上，我看到一些已經三千多歲的人……」

「也許我最羨慕席德的是……她的家庭生活。」

「可是你自己也有家呀。你還有一隻貓、兩隻鳥和一隻烏龜。」

「可是我們把那些東西都拋在身後了，不是嗎？」

「絕不是這樣，只有少校一個人把它拋在身後。他已經打上了最後一個句點了，孩子，他以後再也找不到我們了。」

「這是不是說我們可以回去了？」

「隨時都可以，可是我們也要回到灰姑娘餐廳後面的樹林裡去交一些新朋友。」

艾勃特一家開始用餐。蘇菲有一度很害怕他們的情況會像苜蓿巷的哲學花園宴會一樣，因為有一次少校似乎想把瑪麗特按在桌上，可是後來他把她拉到了懷中。

艾伯特和蘇菲那輛紅色的敞篷車停的地方距少校一家人用餐之處有好一段距離。因此他們只能偶爾聽見他們的對話。蘇菲和艾伯特坐在那兒看著花園。他們有很多時間可以思索所有的細節和花園宴會那悲哀的結局。

少校一家人一直在餐桌旁坐到將近午夜才起身。席德和少校朝秋千的方向走去。他們向正走進他們那棟白屋的媽媽揮手。

「你去睡覺好了，媽。我們還有很多話要說呢。」

那轟然一響

……我們也是星塵……

席德舒服的坐在秋千上，靠在爸爸身旁。已經將近午夜了。他們坐在那兒眺望海灣，明亮的天空有幾顆星星正閃爍著微弱的光芒。溫柔的海浪一波波拍打在平臺下的礁岩上。

爸爸打破沉默。

「想起來真是很奇怪，我們居然住在宇宙這樣一個小小的星球上。」

「嗯……」

「地球只是許多圍繞太陽運行的星球之一，但它卻是唯一有生命的星球。」

「會不會也是整個宇宙中唯一的一個？」

「可能。但宇宙也可能到處充滿了生命，因為宇宙之大是無法想像的。其間的距離如此遙遠，因此我們只能以光分和光年來計算。」

「什麼是光分和光年？」

「一光分就是光線在一分鐘內可走的距離，這是非常長的距離，因為光線在太空每秒鐘可以走三十萬公里。這表示一光分就是三十萬乘以六十，也就是一千八百萬公里。一光年就是將近十兆公里。」

「那太陽有多遠呢？」

「它距離地球有八光分多一點。炎熱的六月天照在我們臉上的溫暖太陽光，可是在太空中走了八分鐘才到我們這兒來的。」

「然後呢？」

「地球到太陽系最遠的一顆星球冥王星的距離大約有五光時。當天文學家透過天文望遠鏡觀察冥王星的時候，事實上他看的是五個小時以前的冥王星。我們也可以說冥王星的畫面要花五個小時才能傳到這裡。」

「實在有點難以想像，但我想我可以瞭解。」

「很好，席德，但是你要知道我們人類只是剛開始瞭解宇宙而已。我們的太陽只是銀河裡四千億個星球當中的一個，這個銀河有點像是一個很大的鐵餅。我們的太陽剛好位於其中一個螺旋臂上。當我們在晴朗的冬日夜晚仰望星星時，會看見一條由星星構成的寬帶子，那是因為我們正好看到銀河的中心。」

「大概是因為這樣，所以瑞典文才把銀河稱為『冬之街』吧。」

「在銀河系中，離我們最近的一顆恆星距地球有四光年，也許它正在我們這個島的上方。此時此刻，如果那顆星球上有一個人正用一具強力的天文望遠鏡對著柏客來山莊看的話，他看到的將是四年前的柏客來山莊。他也許會看到一個十一歲女孩正坐在秋千上晃動她的雙腿。」

「真不可思議。」

「可是這還是最近的一顆。整個銀河（或稱星雲）共有九萬光年這麼寬，也就是說光線從銀河的一端傳到另外一端要花九萬年的時間。當我們注視著銀河中一顆距離我們有五萬光年的星星時，我們看到的是那顆星球在五萬年以前的情形。」

「這麼大的空間實在是我這個小腦袋難以想像的。」

「我們只要眺望太空，所看到的一定是從前的太空。我們永遠無法知道現在的宇宙是什麼模樣。我們只知道它當時如何。當我們仰望一顆距我們有幾千光年的星球時，我們事實上是回到了幾千年前的太空。」

「真是不可思議極了。」

「因為我們眼中所見的一切事物都以光波的形式出現，這些光波需要時間才能傳過太空。我們可以拿打雷來做比方。我們總是在看見閃電後才聽見打雷的聲音，這是因為聲波傳送的速度比光波慢。當我聽到一陣雷鳴時，我聽到的聲音事實上已經發出了一會兒。各星球間的情況也是這樣。當我看到一顆幾千光年之外的星星時，就好像見到幾千年前發出的『雷聲』一樣。」

「嗯，我明白了。」

「但是到目前為止，我們談的還只是我們的銀河系。天文學家說，宇宙間大約有一千億像這樣的銀河系，而每一個銀河系都包含一千億左右的星球。我們稱距我們的銀河最近的一個銀河系為仙女座星雲。它距我們的銀河系約有兩百萬光年。就像我們剛才所說的，這表示那個銀河系的光線要花兩百萬年才能到達我們這裡。同時也表示當我們看見高空中的仙女座星雲時，我們看到的是它在兩百萬年前的情形。如果在這個星雲內有一個人正在觀測星球——我可以想像那個鬼鬼祟祟的小傢伙現在正用天文望遠鏡對準地球——他是看不到我們的。如果他運氣好的話，倒是可以看見幾個扁臉的尼安德原人。」

「真是太令人吃驚了。」

「我們今天所知的最遠的銀河系距我們大約有一百億光年。當我們收到來自那些銀河系的訊號時，我們事實上是收到一百億年前的人所發出的訊號。這個時間大約是太陽系歷史的兩倍。」

「我的頭都昏了。」

「雖然我們很難理解這是一種什麼樣的情形，但天文學家已經發現一種現象，它將對我們的世界觀有很大的影響。」

「什麼現象？」

「太空中的銀河系顯然沒有一個留在固定的位置。宇宙中所有的銀河系都以極快的速度彼此分開，愈離愈遠。它們離我們愈遠，移動的速度就愈快。這表示各銀河系之間的距離在不斷增加。」

「我正試著想像這幅畫面。」

「如果你有一個汽球，而你在它的表面畫上許多黑點。然後你愈吹它，那些黑點就分得愈開。這就是宇宙間各銀河系所發生的現象。我們說宇宙在擴張。」

「怎麼會這樣呢？」

「大多數天文學家都認為，宇宙擴張的現象只可能是一個原因造成的。那就是：在大約一百五十億年以前，宇宙間所有的物質都集中在一個比較小的範圍內。由於物質密度極高，再加上重力的作用，使得這些物質溫度高的嚇人。溫度日趨上升的結果，這一團緊密的物質終於爆炸了。我們稱這個現象為『宇宙大爆炸』。」

「挺嚇人的。」

「宇宙大爆炸使得宇宙中所有的物質都向四面擴散。當這些物質碎片逐漸冷卻後，就形成各個星球、銀河系、衛星與行星……」

「你不是說宇宙還在繼續擴張嗎？」

「是的。而它擴張的理由正是由於一百多億年前的這次大爆炸。因此目前宇宙各星球並沒有固定不變的位置，宇宙仍然在形成中。它是一次爆炸後的產物。各銀河目前仍繼續以極高的速度向宇宙的四面飛散。」

「它們會永遠這樣下去嗎？」

「有可能，但還有另外一個可能性。你還記得艾伯特告訴過蘇菲有兩種力量使行星一直在固定的軌道上圍繞恆星運行嗎？」

「是不是引力和慣性？」

「對，同樣的道理也適用於各銀河系。因為即使宇宙仍繼續擴張，引力的作用卻剛好相反。也許幾十億年後有一天，當大爆炸的力量逐漸減弱後，重力會使得各星球重新凝聚，然後就會發生一種『反爆炸』的現象，也就是所謂的『內破裂』。不過，由於各銀河系之間的距離過於遙遠，所以情況會變得像是電影的慢動作，就像你把一個汽球裡的空氣放掉以後的現象。」

「那這些銀河系會不會再度聚攏成一個緊密的核心呢？」

「沒錯，你說對了。但到時候會發生什麼事呢？」

「又會有一次大爆炸，而宇宙也會再度開始擴張，因為到時同樣的自然法則又會發生作用。所以會形成新的星球和新的銀河系。」

未來的宇宙

「說得好。關於宇宙的未來，天文學家認為有兩種可能。要不就是宇宙一直擴張下去，使得各銀河系間的距離愈來愈遠。要不就是宇宙會開始再度收縮。究竟會發生哪一種現象，要看宇宙有多重、多大而定。而這點天文學家目前還無法得知。」

「但是如果宇宙重到使它開始收縮的程度，那麼也許這種擴張、收縮又擴張的現象以前已經發生過好幾次了。」

「結論顯然應該是這樣。但在這一點上，各家理論不同。也許宇宙的擴張現象只會發生這麼一次，但是如果它永遠不斷擴張下去，則這個現象是從何處開始的問題就變得更加迫切了。」

「沒錯，因為這些突然間爆炸的物質最初是從哪裡來的呢？」

「對於一個基督徒來說，這次大爆炸顯然就是創造過程開始的時刻。聖經告訴我們上帝說過：『讓世上有光吧！』你可能也還記得艾伯特說過基督教的歷史觀是『直線式的』。從基督教相信上帝創造萬物的觀點來看，宇宙應該是會繼續擴張下去的。」

「真的嗎？」

「東方文化的歷史觀則是『循環式的』。換句話說，他們認為歷史會不斷重複。舉例來說，印度就有一個古老的理論，主張世界會不斷開合，因此造成所謂的『婆羅門日』（Brahman's Day）和『婆羅門夜』（Brahman's Night）輪流交替的現象。這種觀點自然比較符合宇宙會永遠不斷擴張、收縮的看法。在我的想像中，那就像是有一顆宇宙的心臟不斷在跳動的情景……」

「我認為這兩種理論都同樣令人無法想像，也同樣令人興奮。」

「這就像是蘇菲有一次坐在花園裡思索永恆的矛盾：宇宙要不就是一向都存在著，要不就是突然無中生有……」

「喔，好痛！」

席德用手拍了一下額頭。

「怎麼回事？」

「我好像被牛蠅叮了一口。」

「也許是蘇格拉底在給你一些心靈的刺激呢。」

蘇菲和艾伯特坐在紅色的敞篷車裡聽著少校對席德講述宇宙的現象。過了一會兒，艾伯特問道：

「你有沒有想到現在我們的角色已經完全相反了呢？」

「怎麼說？」

「以前是他們聽我們說話，而我們看不見他們。現在是我們聽他們講話，而他們看不見我們。」

「還不止於此呢。」

「你是指什麼？」

「我們一開始時並不知道席德和少校生活的那個世界，而現在他們也不知道我們存在的這個世界。」

「我們算是報了一箭之仇了。」

「可是那時候少校可以介入我們的世界。」

「我們的世界全是他一手造成的。」

「我還不死心。我們應該也有辦法介入他們的世界吧？」

「可是你知道這是不可能的。還記得我們在灰姑娘餐館裡發生的事嗎？無論你多費勁，還是拿不起那瓶可樂。」

蘇菲默默不語。當少校正在說明宇宙大爆炸的現象時，她看著這座花園。「大爆炸」這個名詞牽動著她的思緒。

她開始在車子裡面四處翻尋。

「你在幹嘛？」

「沒事。」

她打開手套箱，找到了一支扳鉗。她拿著扳鉗，跳出車外，走到秋千旁，站在席德和她父親前面。她試著吸引席德的視線，但一直都沒有成功。最後她舉起扳鉗敲在席德的額頭上。

「喔，好痛！」席德說。

然後蘇菲又用扳鉗敲擊少校的額頭，可是他動也不動。

「怎麼回事？」他問。

「我好像被牛蠅叮了一口。」

「也許是蘇格拉底在給你一些心靈的刺激呢。」

蘇菲躺在草地上，努力推動秋千。但是秋千仍靜止不動。可是又好像稍微動了一點點。

「風挺涼的。」席德說。

「不會呀，我倒覺得挺舒服的。」

「不只是風。還有別的。」

「這裡只有我們兩個，在這個涼爽的仲夏夜。」

「不，空氣裡有一種東西。」

「會是什麼呢？」

「你還記得艾伯特擬的祕密計畫嗎？」

「我怎麼會忘記？」

「他們就這樣從花園宴會裡消失了。就好像他們消失在空氣中了。」

「沒錯，可是……」

「……消失在空氣中了……」

「故事總得結束呀。那不過是我編的。」

「沒錯，那時候是你編的。可是後來就不是了。他們不知道會不會在這兒……」

「你相信嗎？」

「爸，我可以感覺到。」

蘇菲跑回車子裡。

「很不錯嘛！」當她緊握著扳鉗爬進車裡時，艾伯特不太情願的說。「你有很不尋常的本領。我們就等著瞧吧。」

人生如星塵

少校摟住席德。

「你有沒有聽到那神祕的海潮聲？」

「聽到了。我們明天得讓船下水。」

「可是你有沒有聽見那奇異的風聲呢？你看那白楊樹的葉子都在顫動呢。」

「這個星球是有生命的。不是嗎……」

「你在信裡說書中的字裡行間另有意思。」

「我有嗎？」

「也許這座花園也有別的東西存在。」

「大自然充滿了謎題，不過我們現在談的是天上的星星。」

「水上很快也會有星星了。」

「對。你小時候就把燐光稱為水上的星星。從某個角度來看，你說的並沒有錯。燐光和其他所有的有機體都是由那些曾經融合為一個星球的各種元素所組成的。」

「人也是嗎？」

「沒錯，我們也是星塵。」

「說得很美。」

「當無線電波天文望遠鏡可以接收到來自數十億光年外的遙遠銀河系的光線時，它們就可以描繪出太初時期大爆炸後宇宙的形貌。我們現在在天空中所看到的一切，都是幾千、幾百萬年前宇宙的化石，因此占星學家只能預測過去的事。」

「因為在它們的光芒傳到地球之前，這些星座裡的星星早就已經彼此遠離了，是嗎？」

「即使是在兩千年前，這些星座的面貌也與今天大不相同。」

「我以前從來不知道是這樣。」

「在晴天的夜晚，我們可以看見幾百萬、甚至幾十億年前宇宙的面貌。所以，我們可以說正在回家的路上。」

「我不懂你的意思。」

「你我也是在大爆炸時開始，因為宇宙所有的物質整個是一個有機體。在萬古之前，所有的物質都聚合成一大塊，質量極其緊密，因此即使是小如針頭般的一塊，也可以重達好幾十億噸。在這樣大的重力作用下，這個『原始原子』爆炸了，就好像某個東西解體一樣。所以說當我們仰望天空時，我們其實是在試圖找尋回到自我的路。」

「這個說法好特別。」

「宇宙中所有的星球和銀河都是由同一種物質做成的。這種物質的各個部分分別又合成一塊塊，這裡一塊，那裡一塊。一個銀河系到另外一個銀河系的距離可能有數十億光年，可是它們都來自同樣一個源頭。所有的恆星和行星都屬於同一個家庭。」

「我懂了。」

「但是這種物質又是什麼呢？數十億年前爆炸的那個東西究竟是怎樣的一種物質？它是從哪裡來的呢？」

「這是個很大的問題。」

「而且與我們每個人都密切相關。因為我們本身就是這種物質。我們是幾十億年前熊熊燃燒的那場大火所爆出來的一點火花。」

「這種想法也很美。」

「然而，我們也不要太過強調這些數字的重要性。只要你在手中握著一塊石頭就夠了。就算宇宙只是由這樣一塊橘子般大小的石頭做成的，我們也還是無法理解它。我們還是要問：這塊石頭是從哪裡來的？」

蘇菲突然在紅色敞篷車裡站起來，指著海灣的方向。

「我想去划那條船。」她說。

「它被綁起來了，而且我們也不可能拿得動槳。」

「我們試試看好不好？不管怎麼說，現在可是仲夏耶！」

「至少我們可以到海邊去。」

他們跳下車，沿著花園向下跑。

他們試圖解開牢牢繫在一個鐵圈裡的纜繩，可是卻連繩尾都舉不起來。

「跟釘牢了一樣。」艾伯特說。

「我們有很充裕的時間。」

「一個真正的哲學家永遠不能放棄。如果我們能……鬆開它……」

「現在星星更多了。」席德說。

「是的，因為現在是夏夜裡夜色最深的時候。」

「可是在冬天裡它們的光芒比較亮。你還記得你要動身去黎巴嫩前的那個晚上嗎？那天是元旦。」

「就在那個時候，我決定為你寫一本有關哲學的書。我也曾經去基督山的一家大書店和圖書館找過，可是他們都沒有適合年輕人看的哲學書。」

「感覺上現在我們好像正坐在白兔細毛的最頂端。」

「我在想那些遙遠的星球上是否也有人。」

「你看，小船的繩子自己鬆開了！」

「真的是這樣！」

「怎麼會呢？在你回來前，我還到那裡去檢查過的。」

「是嗎？」

「這使我想到蘇菲借了艾伯特的船的時候。你還記得它當時在湖裡漂浮的樣子嗎？」

「我敢說現在也一定是她在搞鬼。」

「你儘管取笑我吧。可是我還是覺得整個晚上都有人在這裡。」

「我們兩人有一個必須游到那裡去，把船划回來。」

「我們兩個都去，爸爸。」

索引

一畫

二畫

四畫

五畫

七畫

十畫

十一畫

十二畫

十三畫

十四畫

十五畫

十六畫

十七畫

十九畫

二十畫

二十三畫

國立中央圖書館出版品預行編目資料

蘇菲的世界/ 喬斯坦・賈德(Jostein Gaarder)著，蕭寶森
譯.--第一版. --臺北市：智庫，1996〔民85〕
面； 公分.--(人文；76)
譯自：Sophie's world: a novel about the history of
philosophy
ISBN 957-8396-33-3(精裝)

881.457 84008614

人文76

蘇菲的世界

原　　著/喬斯坦・賈德
譯　　者/蕭寶森
董 事 長/華文衛
發 行 人/曾大福
主　　編/鄭佳美
編　　審/沈清松
出 版 者/智庫股份有限公司
登 記 證/局版北市業字第68號
地　　址/台北市新生南路一段97巷6號一樓
電　　話/(02)2778-3136(代表號)
傳　　真/(02)2778-2349
電子郵件信箱/triumph@triumphpublish.com.tw
http://www.triumphpublish.com.tw
郵政帳號/17391043
郵政帳户/智庫股份有限公司
總 經 銷/凌域國際股份有限公司
電　　話/(02)2298-3838
地　　址/台北縣五股工業區五權三路8號4—5樓

1996年10月第一版
2001年7月第一版第4次印行(精裝)
原　　名/The Sophie's world

First published by H.Aschehoung & Co.(W.Nygaard),Oslo,1994
Published in agreement with H.Aschehoug & Co.(W.Nygaard)
represented by ICBS, Copenhagan, Demark/Bardon-Chinese
Media Agency, Taipei, Taiwan.

定價/540元

※本書如有缺頁、破損、裝訂錯誤，請寄回本公司調換。
ISBN：957-8396-33-3 (原文ISBN:0-374-26642-5)

智庫年度好書風雲榜

86年度中小學生優良讀物獎

聖誕樹
Cw20060

安妮的日記
Cw20044

小腳與西服
Cw20059

邁可・喬丹
I am back
Cw20043

籃球夢
Cw20054

預約新宇宙
（上）
CF20001

預約新宇宙
（下）
Cf20002

我的老人
與海
CW20056

紙牌的秘密
Cw20057

84年度中小學生優良讀物獎

邁可・喬丹
飛人祕笈
Cw10008

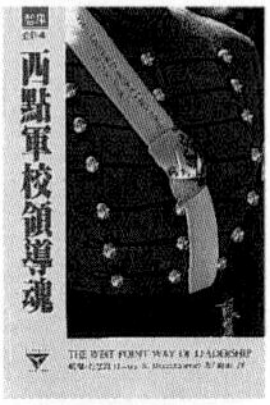

西點軍校
領導魂
Ce20004

莎拉的圍
城日記
Cw20005

天無絕人
之路
Cw20003

棒球
小英雄
Cw20016

榮耀
與傳奇
Cw20014

山徑之旅
Cw20001

飛越雲端
Cw20007

西方不敗
Cw20002

智庫年度好書風雲榜

88年度優良好書

蘇菲的世界（上）、（下）
CW20028、CW20029

88年度優良好書
全國教師推薦十大好書
85年度第14屆中小學生優良讀物獎

曠野的聲音
Cw10015

全國教師推薦十大好書
85年賴國洲書房百人百書
83年中小學生優良讀物獎

可樂妞・法國行
Cw20075

88年中小學優良讀物獎

87年度中小學生優良讀物獎

音樂百匯（1）、（2）
CM20037、CM20038

四季樂賞（春、夏、秋、冬）附CD
CM20040、CM20041、CM20042、CM20043

雁爸爸
Cw20063

大山之歌
Cw20066

公牛王朝
傳奇
Cs20002

心理勵志系列

藉由小說和真實的生命故事，幫助讀者開拓視野、提升自我認知，挑戰自己無限量的潛能。

莫妲
Cw20081
雷夫・海佛爾◎著
Ralph Helfer

銀姐
Cw20084
黃貞才◎著
Lillian Ng

情緒勒索
Cg20001
蘇珊・佛沃◎著
Susan Forward

讓愛傳出去
Ci10001
凱薩琳・雷恩・海德
Catherine Ryan Hyde

化雨春風
Ci20002
愛絲特・萊特◎著
Esther Wright

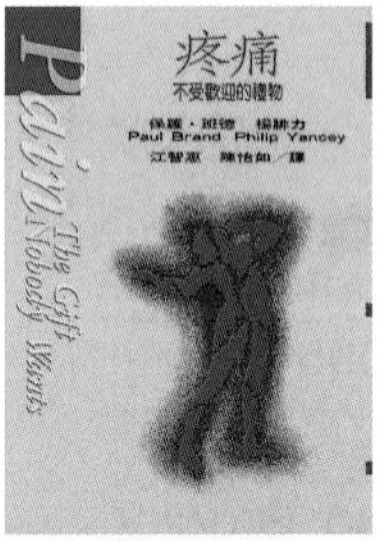

疼痛
Cw20037
保羅・班德◎著
Paul Brand
楊腓力◎著
Philip Yancey

非洲・馬里多瑪
Cw20092
馬里多瑪・派崔斯・梭梅◎著
Malidoma Patrice-Some

北國靈山
Cw20072
奧嘉・卡麗迪蒂
Olga Kharitidi

羅莉・白・瓊斯
Laurie Beth Jones
讓你擁有耶穌的領導能力，成為未來的領袖！

羅莉・白・瓊斯(Laurie Beth Jones)被譽爲德州傑出學者，曾擔任美國廣播電視婦女協會艾爾帕索分會主席、入選國際名人錄。創辦以廣告行銷業務爲主的「瓊斯集團」，也是該公司現任總裁。

CI20003
預言HAPPY書—《新書》
The Power Of Positive Prophecy

作者蘿莉•白•瓊斯提出獨特的看法，認爲生活中常見的正向預言，能夠帶領我們激發潛藏的能力，充分發揮自己的生命。

CE20058
耶穌談成功(原名：成功要徑）
The Path

作者根據聖經記載的故事，加上個人創業經歷和擔任企業顧問的經驗，提出活潑、調理分明的指導，在幾小時之內，你就可以勾勒出事業生涯和人生歷程中能夠完成的重大目標。

CE20059
耶穌談領導
Jesus CEO

作者從聖經對耶穌行止的記載，爲奔波於現代職場的工作者找出將古老智慧應用在現代的方法，當你掌握了「管理風格」三大能力（自我掌控、付諸行動、絕佳的人際關係）後，就能成爲下個千年的領袖。

CE20070
耶穌談生活
Jesus in Blue Jeans

耶穌如何活出生命的光與熱？作者藉由聖經中的故事，以及現實生活中的例子，告訴我們耶穌的生活哲學及四種特質：平衡、展望、熱情，和力量。經由這四個面向的學習，使我們的生命像迎著陽光的鑽石，光芒萬丈。

邁向成功之路

身處21世紀的工商社會，您需要不斷充實精進自我及具備該有的禮儀技巧，智庫文化邁向系列讓您邁向自己的成功之路。

全球企業再造大師
傑克・威爾許
Ce20085
史都華・科萊納◎著
Stuart Crainer

全球品牌塑造大師
理查・布蘭森
Ce20086
戴斯・狄洛夫◎著
Des Dearlove

全球財富創造大師
比爾・蓋茲
Ce20087
戴斯・狄洛夫◎著
Des Dearlove

全球企業購併大師
儒伯・梅鐸
Ce20088
史都華・科萊納◎著
Stuart Crainer

迪士尼成功的
七大秘訣
Ce10066
湯瑪斯・康奈爾◎著
Thomas K. Connellan

現代人完全禮儀手冊
居家・旅遊・宴客
Ce20051
麗堤蒂雅・
鮑德瑞奇◎著
Letitia Baldrige

現代人完全禮儀手冊
工作・社交・用餐
Ce20052
麗堤蒂雅・
鮑德瑞奇◎著
Letitia Baldrige

現代人完全禮儀手冊
愛情事業兩全其美
Ce20053
麗堤蒂雅・
鮑德瑞奇◎著
Letitia Baldrige

大師經典賈德系列

喬斯坦・賈德
1952年生於挪威，擔任高中哲學教師並從事兒童文學創作。自1986年出版第一本《蘇菲的世界》創作以來，已成爲挪威世界級的作家。

蘇菲的世界（上）
CC10001

蘇菲的世界（下）
Cc10002

哲學性思考在這個世代更是一個重要的課題，本書的寫作方式使得這課程更容易被接受，它將會喚醒每個人內心深處對生命的讚嘆與對人生意義的好奇。從困頓到覺悟，一封信改變了一個十四歲少女的世界，就這樣，在一個神秘導師的指引下，他開始思索從希臘以至於康德、從馬克思以致於佛洛伊德等各個西方哲學家所思索的大問題。

紙牌的秘密
Cc10003

故事主人和父親從挪威橫渡歐陸到希臘，找尋多年前離家的母親，途中得到一本神秘小圓麵包書，書中的故事中另有故事，直到結尾，所有的疑問才能獲得解答…

我從外星來
Cc20004

作者透過深入淺出的童話形式讓奇遇之謎和哲學主題不斷碰撞、交會、穿透夢境和現實，極具魔幻寫真趣味，也開展出一個至爲恢閎的地球觀和宇宙觀。

賈德談人生
Cc20005

賈德收錄了10篇小說與10個詩意盎然的短篇文章。他戲謔地逼近生命這個大課題，以富於同情、想像力十足且妙趣橫生的筆調敘述故事，促勵讀者正視自身的存在。

西西莉亞的世界
Cc20006

沒有特意宣揚宗教教義，也無須討論天使是否真實存在，只是藉由天使與西西利亞所提出的問題，您自己去思考生而爲人的價值。

大師經典賈德系列

喬斯坦・賈德

1952年生於挪威，擔任高中哲學教師並從事兒童文學創作。自1986年出版第一本《蘇菲的世界》創作以來，已成爲挪威世界級的作家。

青蛙城堡
Cc20007

生命不一定帶來喜悅，死亡也非僅帶來傷痛，賈德用虛構的故事又導讀者很自然地進入其哲學命題，書中不時以「時間」的意象來呼應「生命」的主題，透過主角在夢境理追尋的過程，讓讀者聆聽自己心中的答案。

沒有肚臍的小孩
Cc20008

賈德說：這本兒童文學作品有點向是反科學的小說，這對外星球的雙胞胎來到了我們的真實世界，因此我們可以用全新的觀點審視我們的世界與生活。

主教的情人
Cc20009

奧古斯丁主教以《懺悔錄》在文藝復興與西方宗教史上享有崇高地位。但是，作者喬斯坦・賈德偶然獲得的一份書帙卻顯示，這位聖哲是個假道學的僞君子。

瑪雅
Cc10010

如果您對生命抱著不可妥協的渴望，又如果你對於生命與必死的辯論有興趣，那麼喬斯坦・賈德公元2000年的最新力作一瑪雅，將再次震撼您對生命的認知。

典藏賈德1
Cc10000

一次購足《蘇菲的世界》（上）、（下）、《紙牌的秘密》、《瑪雅》即享有特價優惠1,200元，隨附精美書盒，便於典藏，自用饋贈兩相宜。

典藏賈德2
Cc20000

一次購足《我從外星來》、《賈德談人生》、《西西莉亞的世界》、《青蛙城堡》、《沒有肚臍的小孩》、《主教的情人》，即享有特價優惠999元，隨附精美書盒，便於典藏，自用饋贈兩相宜。

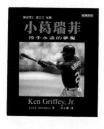

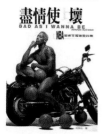

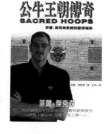

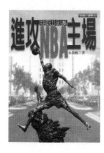

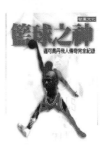

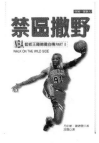

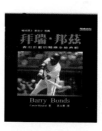

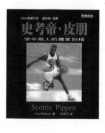